交通银行史

第二卷

《交通银行史》编委会

商务印书馆
创于1897
The Commercial Press

目 录

第一章
首次改组与经营方向的转变

    南京国民政府建立之初,中国尚无真正意义上的中央银行,因此,交通银行与中国银行一同承担着发行钞券、经理国库的责任。中央银行成立后,为完善金融系统,国民政府先后对中、交两行进行了大规模的改组,交行成为"发展全国实业"的专业性银行。根据新颁布的条例,交行继续享有一系列国家银行的特权,股本总额由2000万元改为1000万元,财政部认购两成,原先的总协理制被改为董事长、总经理制,各项机构、组织及规章制度等均作了相应的调整。为适应全国经济格局的变化,1928年11月,交行总管理处南迁上海。在同年举行的股东总会上,交行经重新选举,成立了董事会及监事会,组成新的管理层。财政部指派卢学溥为董事长,胡祖同被推选为总经理。在这一届领导集体中,江浙财团成员仍然占据相当大的比重,这表明国民政府当时尚无法对交行实行完全的控制,故其经营管理在一段时间内仍能遵循商业化的路径。

    胡祖同上任后,积极调整经营方针,改进各项制度,进一步促使交行向商业银行的方向发展。这一时期,交行营业效率大为提高,年度存款额度逐年增长,经营实力仅次于中行,超过其他所有商业银行。另一方面,胡祖同利用其在上海金融界的良好人脉,在为社会公共服务和督促国民政府完善金融体制方面颇有建树。他以交行为主导,联合同业,对国民政府试图停付公债等举动予以抵制,迫使政府妥协,避免了金融秩序的恶化。当时,交行的信誉和社会影响力都有所扩大,为日后业务的迅猛发展奠定了良好基础。

第一节　南北交争之际的主动应对

一、南北金融集团的"合流"

1926 年,国民革命军开始北伐。在不到十个月的时间内,北伐军先克两湖,再下江西,迅速进占福建、浙江、江苏等地,相继击溃北洋军阀集团吴佩孚、孙传芳两大主力,全国各地的军阀势力纷纷望风归顺,革命浪潮席卷全国。大浪荡涤之下,全国金融行业出现新的动向,各大官办和商办银行根据新形势重新分化整合,南北金融集团逐渐"合流"。

南京国民政府成立之前,国内金融业中具有官方背景的政府银行除交行、中行两家外,还有各省政府以官办银钱局为基础改组的各省银行。商办银行则有著名的"北四行"和"南三行"。掌控这些银行资本的集团分别处于不同地域,所以又被划分为"华北"、"华南"、"江浙"三大金融财团。

华北金融财团是指操纵华北金融的各银行资本集团,其中以交行和中行的北京分行、天津分行以及华北各省的官办银行为代表。商办银行则以盐业、金城、中南、大陆四家私营银行为主体,即所谓的"北四行"。

华南金融财团崛起于中华民国建立前后,财团中各银行的创办者、管理者多为华侨或侨商,具有明显的闽、粤籍地缘特色,是华侨金融的枢纽。由于所处地域商业兴旺,华侨汇款额巨大,各银行的业务尤为重视国际汇兑。财团中的主要银行如广东银行、和丰银行、东亚银行、华侨银行等,均设在香港和新加坡,受国内政局的冲击较小,故能保持相对的独立性。

江浙金融财团是指以上海为经营基地、以江浙籍资本家为主体的各大资本集团。[①] 该财团实力雄厚,有许多著名的银行家和金融家,如李铭、钱新之、林康侯、叶琢堂、陈光甫、张嘉璈等。交行与江浙财团的渊源颇深,钱新之、胡祖同、唐寿民等先后成为交行的高层领导成员,即与江浙财团的强大背景密切相关。江浙金融财团的

---

① 陶水木:《江浙财团研究八十年》,《浙江社会科学》2007 年第 6 期。

主要金融机构是交行、中行在江浙地区的分行,两行的上海分行尤为其重镇。此外,浙江兴业银行、上海商业储蓄银行和浙江实业银行,即所谓的"南三行",也是财团的重要力量。

江浙财团中的人员多有同乡、同窗等关系,业务上也常有往来,为了抵御时局动荡、挤兑风波等造成的冲击,维护共同的利益,各资本集团中的银行家往往相互注资,互任董事,以致形成一张全国范围的金融关系网。交行正是上述网络中的核心之一。财团中的各家商办银行也与中、交两大银行交往密切,相互渗透,银行管理高层互为兼职,便是一个重要体现。①

由于实力雄厚,积极进取,江浙金融财团的势力逐渐渗入华北财团内部,钱新之、胡笔江等南方人士在北方的交通银行总分行中分任高职。随着交通、中国等各大银行的次第南迁,华北金融财团也慢慢融入江浙金融财团,实现了南北金融财团的"合流"。在上述过程中,交行的高层职位逐渐为江浙金融财团人士所掌控。

二、参与江苏兼上海财政委员会

在国民革命军高歌北进之时,包括金融业在内的各行各业皆翘首以盼,希望北伐军能清除军阀割据势力,为社会经济的发展创造一个和平的环境。为此,众多金融机构纷纷解囊献金,其中,江浙金融财团又与蒋介石有乡谊关系,故对北伐军的援助最多。

1927 年 1 月,蒋介石派人秘密联络江浙财团的关键人物钱新之、陈光甫等,希望得到江浙资本家的支持。

2 月初,钱新之、陈光甫等人将筹集的 50 万元作为军款援助,送到蒋介石手中。这是江浙财团向蒋介石提供的第一笔钱款,数量虽不算多,但在沪上实业界产生的影响极大,意义非同一般。在此之前,上海总商会会长傅筱庵曾全力支持军阀孙传芳、张宗昌,为之筹措钱款,并调集轮船运输军需。就在钱、陈等人向蒋介石提供军援之际,傅筱庵又以上海总商会的名义,要求沪上银钱两业及工商各业的头面人物再次为孙传芳筹措军费。究竟是选蒋,还是选孙、张,正当人们举棋不定之际,钱、陈的明确选边与竭力支持,无疑为拥蒋壮大了声势,加重了砝码。所以,傅筱庵虽极力劝说,但

---

① 《银行家之兼职一览》,《银行周报》7 卷 9 号。

陈光甫

收效甚微,沪上银钱、实业界几乎无人愿意支持孙传芳、张宗昌。[1] 为此,蒋介石非常感激钱、陈等人。在北伐军光复杭州后,将钱新之内定为浙江省财务委员会委员。从其人身安全考虑,又特别规定,在上海未光复以前,钱的名字不得见报。

3 月 22 日,国民革命军进驻上海。为了获取日益庞大的军事、政治费用,蒋介石授意筹设以金融人士为核心的江苏兼上海财政委员会,[2]进行筹款活动。3 月 30 日,蒋介石以国民革命军总司令部的名义公布了该委员会的组成名单。15 名财政委员中,5 名来自金融界,钱新之与交行的代表汤钜皆名列其中,陈光甫任主任委员。由于军需紧急,蒋介石指令尚未正式成立的江苏兼上海财政委员会迅速筹款 1000 万元。陈光甫出面与上海银行公会代表胡祖同、钱业公会代表谢韬甫等人反复商谈,至

---

[1] 1927 年 3 月 2 日,孙传芳、张宗昌训令上海银行公会以讨伐共产党为名筹措军饷,拟以江海关进口二五附税作抵,发行库券 1000 万元,分 10 个月还清,令上海中国银行和交通银行各摊 500 万元。这一消息披露后,各方面反应强烈。国民党江苏省党部、武汉国民政府等致函上海银行公会,劝其不可助纣为虐,应对北洋军阀的暴敛强索严行拒绝。3 月 22 日,上海银行公会发表声明,称虽已接到孙、张的借款要求,但“迄今并未置复”,不会在经济上接济他们。见《申报》1927 年 3 月 23 日。

[2] “江苏兼上海财政委员会”在正式成立之前,“江苏财政委员会”、“上海财政委员会”和“江苏兼上海财政委员会”三个名称混用,本书采用“江苏兼上海财政委员会”,简称“财委会”。

4月4日,银钱两会与财委会签署了垫款合同,其主要内容为:江苏兼上海财政委员会向银钱两会借款300万元,以江海关收入二五附税作抵押,其中,银行公会各会员垫借200万元,钱业公会各会员垫借100万元,利息均为月息七厘。① 4月18日,南京国民政府成立,钱新之担任财政部次长,因部长古应芬尚在广东,故由钱新之代理部务。三日后,江苏兼上海财政委员会正式成立。"苏沪财委会的正式成立,表明了上海金融业和工商业对蒋介石的政治选择和财政支持,也体现出当时资产阶级的经济自主愿望及参政意识。"②

　　4月25日,江苏兼上海财政委员会与上海银钱两业公会签署续垫借款300万元的合同。与第一次借款相同,银行公会会员垫款200万元,钱业公会会员垫款100万元,全部垫款自"合同成立之日起一次缴清"。第二次借款也是月息七厘,仍以江海关收入二五附税作抵押。财委会承诺:"自此次加垫后,不再续行垫借,并各地支行联号,亦不再加垫。"③从财委会的承诺可以看出,上海银钱两业虽在经济上再度支持了蒋介石,但对其连续借款之举颇感担忧,对其能否偿还巨款也存有疑虑。与首次借款不同的是,第二次借款合同中所署"江苏兼上海财政委员会"之前已冠有"国民政府"字样,即"国民政府江苏兼上海财政委员会",可见,财委会此时已成为南京国民政府的直辖机构,并以政府部门的名义与金融业打交道了。④

　　南北交争,胜负未定之际,交行总管理处的态度比较谨慎。协理卢学溥于5月1日密电上海分行经理胡祖同等人,要求审时度势,小心应对。电文谈到:"明知南北相持,我辈同感应付之苦。惟政变难测,损失固应预防,而金融界之在北方有事业者,此类尤不宜露面,否则影响所至,祸变难测。尤应注意者,整理旧债及各种内债,此时万不可即要求有所表示,否则南方多一种保障,北方必生一种变化。利未见而害先至,总宜镇静处之。"⑤与总管理处的小心谨慎相异,在江苏兼上海财政委员会的成立以及两次借款的问题上,交行上海分行的表现都相当积极。江苏兼上海财政委员会正式成立后,初设的办公地点便在上海交通银行行内。胡祖同深感军阀误国、纷争不断

①　上海市档案馆编:《一九二七年的上海商业联合会》,上海人民出版社,1983年,第57—58页。
②　吴景平主编:《上海金融业与国民政府关系研究(1927～1937)》,上海财经大学出版社,2002年,第58页。
③　上海市档案馆编:《一九二七年的上海商业联合会》,第59页。
④　徐鼎新、钱小明:《上海总商会史(1902—1929)》,上海社会科学院出版社,1991年,第372页。
⑤　上海市档案馆编:《一九二七年的上海商业联合会》,第71页。

之苦,因此带头输借银两,以解北伐军军饷之急,①希望通过资金援助,协助北伐军尽快统一全国,结束内战,为社会经济的发展创造一个良好的环境。然而,这仅是江浙金融集团的一厢情愿。在此后的数年中,南京国民政府并未有效地稳定全国局势,兵燹四起的情况仍然存在,金融界、实业界的发展空间依旧狭小踯躅,包括交行在内的各大金融企业对此颇感失望和厌倦,对南京国民政府的态度也渐趋消极。

三、承购江海关二五附税国库券

一月之间,江苏兼上海财政委员会先后两次为蒋介石筹措垫款共 600 万元,实属不易,但仍远远不能满足蒋介石的需求。南京国民政府遂与江浙财阀等商议,决定由江苏兼上海财政委员会出面运作,于 1927 年 5 月 1 日发行 3000 万元国库券,以江海关所征二五关税附税作担保,月息七厘,由各方认募。②

起初的考虑是,由上海银钱两业认募 500 万元,以上海商业联合会为代表的工商团体认募 500 元,上海绅商认募 1000 元,江浙两省认募 1000 元。③ 然而,财委会虽多方设法努力劝募,但实际效果并不理想。鉴于 4 月底至 5 月初的军需极为紧迫,蒋介石催促财委会在 4 月底必须筹足 1000 万元,5 月份再筹 500 万元。短时间内须筹足这笔巨款,难度可想而知。为此,财委会要求银钱两业"于最短时间设法募足缴款,俾应急需,兼资倡导"。银钱两业公会复函财委会,声称募款非常困难,"连年战事频仍,金融枯竭,市面已深感周转不灵之痛苦,今既奉命承销,不敢勉力分认",只能采取成员公决的方式办理,最后仅答应承销 250 万元国库券,并且要求这 250 万元在应归还的前两次垫款 600 万元内扣除。当时银钱业两次所垫 600 万元在二五附税项下拨还的数额约为 100 万,若以此次承诺的 250 万元冲抵,实际上未偿还的数额仍有 250 万元。银钱两业公会在函件中还恳求财委会"尊重合同,准将二五附税收入按月分派归还,以维信用而恤商艰"。对银钱业的这种做法,财委会显然是无法向上交差的,所以复函银钱两会,以顾全大局为名,坚持要求完成 500 万元的承销指标,同时还要求

① 胡若谷:《先父胡孟嘉事略》,《档案与史学》1997 年第 3 期。
② 千家驹:《旧中国公债史资料》,中华书局,1984 年,第 148 页。
③ 中国人民银行上海市分行金融研究所编:《上海商业储蓄银行史料》,上海人民出版社,1990 年,第 301—304 页。

银钱两业公会发挥表率作用,与财委会一同宣传二五国库券的价值和意义。① 对这次募款,工商团体更是消极应对,并纷纷恳请银行借款济急,而交通、中国、上海、中南、金城等银行则成为他们央求借款的主要对象。5 月 4 日,以王一亭、虞洽卿、吴蕴斋为代表的商业联合会,向交通银行上海分行借款 22.5 万元;5 月 9 日再次向上海分行借款 12 万元;5 月 20 日,商业联合会第三次向上海分行借款 10 万元。三次借款共计 44.5 万元,至 7 月上旬,上海商业联合会才分别归还所欠的款项及利息。②

在 3000 万元的江海关二五附税国库券中,银钱两业最终认募 500 万元,虽仅占总数的六分之一,但确实起了不容忽视的示范作用。具体的认募情况如表 2 -1 -1 所示:

表 2 -1 -1　银钱业承购江海关二五附税库券情况表　　　　　单位:元

编　号	名　　称	金　额	所占百分比
1	钱业公会	1680000	33.3%
2	中国银行	982800	19.5%
3	交通银行	504000	10.0%
4	金城银行	168000	3.33%
5	盐业银行	168000	3.33%
6	大陆银行	168000	3.33%
7	中南银行	168000	3.33%
8	上海银行	168000	3.33%
9	兴业银行	168000	3.33%
10	东莱银行	168000	3.33%
11	浙江银行	100800	2.00%
12	四明银行	100800	2.00%
13	通商银行	100800	2.00%
14	中孚银行	67200	1.33%
15	中国实业	67200	1.33%

① 以上参阅吴景平主编:《上海金融业与国民政府关系研究(1927～1937)》,第 65—68 页。
② 上海市档案馆编:《一九二七年的上海商业联合会》,第 119—121 页。

（续表）

编 号	名 称	金 额	所占百分比
16	汇业银行	67200	1.33%
17	聚兴诚银行	33600	0.67%
18	农商银行	33600	0.67%
19	东亚银行	16800	0.33%
20	广东银行	16800	0.33%
21	中华银行	16800	0.33%
22	新华银行	16800	0.33%
23	和丰银行	16800	0.33%
24	懋业银行	16800	0.33%
25	永亨银行	16800	0.33%
26	工商银行	8400	0.17%
	总 计	5040000	100%

资料来源：上海市档案馆编：《一九二七年的上海商业联合会》，第88—90页。

由表2-1-1可知，在总数504万元的江海关二五附税国库券中，整个钱业公会认募金额仅占33.3%左右，银行业则占据了66.7%。其中交行承购50.4万元，为总数的10%，数额仅次于中行。"北四行"和"南三行"紧随交行之后。

事后，陈光甫曾说："此次军需有金融机关合作，故有此成绩，卒收指臂之助。"[①] 然而，蒋介石以权逼借的做法也引发了南京国民政府与金融业之间的矛盾，上海金融业由此与蒋介石政权之间出现了细微的裂痕，这为日后上海银行业在"公债风潮"中与国民政府的对抗埋下了伏笔。

7月，财委会费了九牛二虎之力，刚刚募足二五库券的数额，南京国民政府又因军政费用急迫，发行盐余库券6000万元，并要求银钱两公会借垫银元828万元，言明以江浙两省盐款作为借款担保，以江海关二五内地税为连带担保。在这笔垫款中，"中、交两行占叁百陆拾陆万元，各商业银行占贰百陆拾贰万元，各钱庄占贰百万元"。[②] 在总数828万元的垫款中，交行的份额为120万元，所占比例颇大。而且这

---

① 《上海商业储蓄银行史料》，第304页。
② 上海市档案馆编：《一九二七年的上海商业联合会》，第132页。

笔款项必须在六个月之内交齐,利息则为月息八厘,自交款之日起,按日计算。当时由财政部指定以江浙两省盐款作为担保,规定从 10 月起,江浙两省按月拨出 207 万元汇到两公会指定的行庄,其中江苏省月拨 117 万元,浙江省月拨 90 万元。息金则由上海全国卷烟统税总局每个月将卷烟税拨付给两公会指定的行庄。

9 月,南京国民政府财政部续发二五附税国库券 2400 万元,规定"以一千万元抵还旧债;一千万元分配四组,由江浙两省财政各机关承募二百五十万元,绅商各业劝募五百万元;其余四百万元则向他省海外劝募"。先前向银钱两公会垫借的 828 万元,应按照数额全部清偿。"惟尚有一千万元,系济临时之需。银钱两会垫款本息既已还清,所有续发库券承销之数,即按四分之一担任,共应购额面二百零七万元"。① 这次承购续发二五国库券以交行、中行和"北四行"、"南三行"为主体。前次交通银行的垫款为银元 120 万元,按原垫款额四分之一认购续发二五国库券计算,交行这次承购的数额为 30 万元。

1928 年初,宋子文接替古应芬出任南京国民政府财政部长。宋到任后,又加发 1600 万元二五国库券,利息则增加一厘。除银钱两业和商界承购外,国民政府机关部门也承担一部分。在不到一年的时间内,南京国民政府先后发行的江海关二五附税国库券总价值已达到 7000 万元。

包括交行在内的上海银钱业大量认购国库券,对于建立伊始的南京国民政府犹如雪中送炭。然而,蒋介石在上海站稳脚跟后,仍一如既往地逼迫和敲诈银钱业和工商实业。对于无休止的巨额借款,银钱业虽心有不甘,却无可奈何,不得不屈从,原因之一是他们手中还握有北洋政府的公债,一旦南京政府宣布这些公债无效,损失将更加惨重。更重要的是,金融、工商界还对南京国民政府寄予了强烈的期盼,希望蒋介石能统一全国,结束内战,为社会经济的发展创造一个良好的社会环境。就南京国民政府而言,则有另一番打算。蒋介石等人意识到,仅仅依靠催逼劝诱,江浙财团掌控下的上海金融业未必会始终如一地给予经济上的支助,而且日后能否对政府财政的各项需要予以配合也难以预测。唯有动用政权的力量将上海的金融机构牢牢控制在自己手中,才能使这些金融家和金融机构俯首帖耳。

---

① 上海市档案馆编:《一九二七年的上海商业联合会》,第 143 页。

四、高层管理的临时调整

1927 年 6 月 18 日,张作霖在北京就任陆海军大元帅,发表军政府组织令,揭开北洋政权的最后一幕。为了筹集军费,1928 年 2 月 25 日,张作霖任命交通银行总理梁士诒为税务督办。4 月 4 日,南京国民政府颁布通缉令,指斥梁士诒帮助北洋政府筹款实属为虎作伥。[1] 交通银行总管理处考虑到社会影响,决议由协理卢学溥暂代总理之职。

6 月 1 日,梁士诒由北京前往天津。6 月 11 日,他致函交通银行董事长汪有龄,利用其在行内的影响,对交通银行总理一职的理想人选提出自己的看法。他心目中的首选是陈光甫。陈光甫为交通银行董事、上海商业储蓄银行总经理。[2] 早在 1927 年 3 月 4 日,梁士诒即致函陈光甫,邀请他出任交行总理之职,但陈予以婉拒,理由是"与上海银行(即上海商业储蓄银行)章程冲突,不能兼管"。[3] 此时梁士诒再次推荐陈为交行总理,一是考虑到陈光甫在银行界的地位及其与国民政府的关系;二是目前的上海商业储蓄银行已从不到 10 万元的"小小银行"发展为全国著名的商业银行之一,行内人才济济,陈光甫无须事事亲临,可抽出身来管理交行;三是陈光甫的"品、学、才"在全国首屈一指,尤其是他的金融才能相当突出。倘若陈光甫能接任交行总理之职,对于急需打开困境的交通银行来说,无疑是件大好事。

梁士诒推荐的次选人物是浙江实业银行总经理李铭,[4]李也是交通银行的董事。在信函中,梁士诒对李铭大加称赞:"馥荪之爱护维持交行,其心至热,其力至伟。又银行之新旧中西智识运用最完备,眼光远大,手腕敏俊。施之交行,救此危局,当必有济。"[5]显然,梁士诒对李铭也寄予厚望。

---

① 此前,梁士诒曾派员与国民革命军接触,并以交通银行名义给予援助,故南京国民政府对其发布通缉令颇令人不解。据梁士诒年谱,此事另有隐情,年谱记载:"闻此令与蒋、宋无关,因某军阀之投南者,衔宿怨所要求,并闻银行界亦由推波助澜者。三水(梁士诒)与奉派联络,强半为交通银行关系,奉派中人不明大势,如常荫槐、阎泽溥之徒,且时相媒孽,受辱不少,此中苦心,未知将来交通银行中人尚有知之者否也?"(《三水梁燕孙先生年谱》下册,第 510 页)

② 陈光甫(1881—1976),原名辉祖,后易名辉德,字光甫,以字行世,江苏镇江人,1926 年 5 月当选为交通银行董事。

③ 吴景平主编:《上海金融业与国民政府关系研究(1927~1937)》,第 50 页。

④ 李铭(1887—1966),字馥荪,浙江绍兴人,1926 年 5 月当选为交通银行董事。

⑤ 交通银行总行、中国第二历史档案馆合编:《交通银行史料》第一卷,中国金融出版社,1995 年,第 124 页。

梁士诒最后提及现任协理卢学溥。① 1925 年 5 月股东大会选举梁士诒为交行总理时,卢学溥即被推举为交行协理。通过三年共事,梁士诒深知卢学溥的才能和为人。梁士诒对卢的评价是:"忠诚公正,毫无私意,亦无得失心。"②交行最终的选择是卢学溥。

在信函中,梁士诒还希望交行内部要精诚团结,南北之间不要存有隔阂。

自交行创立以来,二十多年间,梁士诒的一举一动都对交行影响至深,其对交行的贡献也堪称居功至伟,正如其门人所言:"先生于清光绪末创立交通银行,至是凡廿余年。先生不论在朝在野,恒视行务如家务,言动食息,未尝不系乎是也。其因此所受辛劳、困难、危险,不可胜纪。"③门人所作年谱自然不免溢美之词,但不论其他,仅就梁士诒对交行倾注的心血而言,说的大体还是实话。

当时的全国局势可谓转瞬即变,这对交行也产生了极大影响,即以高层人事的调整而言,也较往昔更加复杂。

第二节　国民政府颁布《交通银行条例》

一、全国性财经会议与银行家的主张

南京国民政府建立初期,统治地盘狭小,财政收入根本不能应付日益增长的军费开支。起先,国民政府采取的办法是向江浙金融财团筹借钱款,强迫各银行钱庄、工商团体以及政府公务人员等购买国债。但是,仍无法满足实际需要。

1928 年 6 月,为了缓解财政窘迫的压力,财政部长宋子文决定先在上海召开全国经济会议。与会代表除了中央和各省政府的财政官员,主要是银钱两业公会会长、商会领袖、实业界名人以及经济专家等,分为金融、公债、税务、贸易、国用五股,共商

---

① 卢学溥(1877—1956),字鉴泉,洞泉,又字洞泉,曾任北洋政府财政部长。
② 《交通银行史料》第一卷,第 124 页。
③ 《三水梁燕孙先生年谱》(下册),第 564 页。

宋子文

振兴经济的方略。此次会议名为全国性经济会议,实际上由江浙财团控制,[1]宋子文邀请的上海金融界、工商界人士多达 70 人,占与会人员总数的 60%。江浙财团的主要人物,诸如张嘉璈、宋汉章、陈光甫、秦润卿、李铭、徐新六、虞洽卿、王晓籁、胡祖同等悉数与会,并担任五个分股中金融、公债、贸易、国用四股的主任委员,张嘉璈和虞洽卿作为代表分别在开幕式和闭幕式上致辞。会议历时 10 天,通过了限制军费、采用预算制度、建立中央造币厂和废除厘金的提案,此外,还通过了保护商人财产和限制工会罢工的议案。会议的上述成果反映了当时银行家、实业家的迫切要求,他们还寄希望于宋子文能切实制定有利于经济发展和资本运作的各项政策。

在这次经济会议上,交行有来自上海、北京、天津和汉口的 5 名代表,是与会各单位中人数最多的一个。交行上海分行经理胡祖同在会上表现活跃。作为金融股常务委员,他与陈行、徐新六等人一起审查了《国币条例草案》《造币厂条例草案》《国币条例施行细则草案》《取缔纸币条例》等提案,还联合贝祖诒、戴蔼庐提交了《请常设经

---

① [美]小科布尔著,杨希孟译:《上海资本家与国民政府(1927—1937)》,中国社会科学出版社,1988 年,第 55 页。

济讨论会案》,声称"银行制度不可试验,宜切实讨论",①主张在经济会议闭幕后设立专门机构,聚集才长学博之人研讨经济问题,襄助国家建设。

宋子文获得金融家、实业家的支持后,又于7月1日至10日,在南京主持召开第一次全国财政会议,参加者为中央和各省的财政官员,主要议程是商讨财政和经济问题。

全国经济会议和财政会议都属咨询性质,并不能作出实质性的决定。不过,这两次会议就当时的经济发展以及国民政府所遇到的难题提出不少有益的解决方案,金融家、实业家们也借此机会比较系统地表达了他们的意愿,尤其是在全国经济会议上,政府当局听到了他们理性而又急迫的呼声。会议在金融方面讨论的主要内容有:整顿金融,建立国库,设立中央银行;改良银行制度,筹备汇业、农工、储蓄等专业银行;推行纸币集中发行,推行金汇兑本位,废两改元等,这些都是事关国民经济发展和政府财政收入的重大问题。

二、新格局中的重新定位

全国经济会议和财政会议召开后,南京国民政府先后实行了一系列金融方面的政策和措施。

首先是成立中央银行。1924年,国民政府曾在广州设立中央银行,1927年初又在汉口建立中央银行分行,但当时国民政府所辖地区有限,中央银行的业务开展受到很大限制。正如宋子文后来所说,广州中央银行"虽有中央银行之名,所行使之职务,实仅一省银行之性质耳",其金融实力远不如交通银行、中国银行这样的全国性大型商业银行。所以,从国民政府的实际需要来看,重建中央银行势在必行。问题是如何组建,设在哪里。自南京国民政府成立后,上海的经济地位日趋重要,国民党当局采取政治中心与经济中心适当分离的方针,努力将上海发展成为全国最大、最重要的金融中心,而在上海设立中央银行,正是落实这一方针的首要步骤。② 对此,上海商业储蓄银行总经理陈光甫曾向南京当局提过建议,将交行和中行合并为中央银行,宋子文也动过将中行改建为中央银行的念头,然而受诸多因素的影响,最终决定在上海重

---

① 《1928年全国经济会议史料三》,《档案与史学》1995年第6期。
② 参阅徐矛、顾关林、姜天鹰主编:《中国十大银行家》,上海人民出版社,1997年,第14页。

新筹建中央银行。

1928 年 10 月 6 日,国民政府颁布《中央银行条例》,凡 20 条,其中规定:"中央银行为国家银行,由国民政府设置经营之",可进行七个方面的业务,享有发行兑换券、铸造及发行国币、经理国库、募集或经理国内外公债等特权。[1] 11 月 1 日,中央银行在上海外滩 15 号正式挂牌成立,宋子文兼任总裁,陈行任副总裁。在就职演说中,宋子文点明了中央银行的地位:"中央银行握全国最高之金融权,其地位自应超然立于政治之外,方为合理,故条例规定,本行直辖于国民政府,而非隶属财政部。"他指出成立中央银行的目的有三:一为统一全国币制,二为统一全国金库,三为调剂国内金融,所以务必使中央银行确实成为"银行之银行"。[2] 中央银行一成立,就以政府财务代理人的身份高居全国金融机构之首,其国家银行的身份与独享的特权让其他银行望尘莫及。

中央银行的建立对交行的定位产生了重大影响。交行在北洋政府统治时期,可以代理国库,享有发行钞票的特权,同时还经营存款放款、国内外汇兑、兑换外国货币及买卖生金生银等一系列业务,实际上承担了一部分国家银行的职责。中央银行成立后,南京国民政府已不再迫切需要交通银行协助办理有关国家性质的金融事务,交行的角色定位便随之发生变化。与交行处境相同的,还有中行。

南京国民政府建立后,面临的一个重大任务就是国家经济建设。1928 年 2 月 7 日,国民党二届四中全会议决,国民经济生活建设将列为今后工作的六大目标之一。1929 年 3 月,国民党第三次全国代表大会通过的《训政时期经济建设实施纲要方针方案》,将发展交通运输作为首要的建设任务。1930 年,国民党三届三中全会通过了《关于建设方针案》,共 13 条。1933 年,公布了《实业四年计划》。1935 年,又发起"国民经济建设运动"。国民政府一系列政策方针的制定和颁行,表明发展经济,兴办实业已成为当务之急。

兴办实业需要稳定的资金来源和大型银行的辅助,尤其是铁路、公路等交通事业的大型项目,更需要大量的资金,而此类实业正属于交行传统的经营范围。对此,国民政府自然有清晰的认识,经过一番考虑,决意将交行定位为发展全国实业的银行。

[1] 中国第二历史档案馆编:《中华民国金融法规选编》上册,档案出版社,1990 年,第 529—530 页。
[2] 洪葭管:《中央银行史料(1928.11—1949.5)》,中国金融出版社,2005 年,第 15 页。

三、《交通银行条例》的颁布

随着中央银行的筹建与正式成立，国民政府对中国银行、交通银行的改组和整顿被提上议事日程。1928 年 10 月 26 日，南京国民政府颁布《中国银行条例》，条例规定，中国银行被改组为国民政府特许的国际汇兑银行。随后，财政部指派李铭为中国银行董事长，董事会由政府指派的官股董事 3 人以及由股东会选举产生的商股董事 12 人共同组成，李铭、张嘉璈、冯耿光、陈光甫、宋汉章为常务董事，张嘉璈担任总经理。

11 月 16 日，国民政府颁布《交通银行条例》，凡 23 条。民国初期，北洋政府于 1914 年 4 月 7 日以大总统令的形式公布了《交通银行则例》23 条，1925 年 5 月 14 日修正了部分条文。[①] 与 1925 年的则例相比，这次颁布的《交通银行条例》有以下几大变化：

1928 年 11 月国民政府发布《交通银行条例》（1935 年 6 月修订），
特许交通银行为"发展全国实业之银行"。

[①] 1925 年交通银行则例的变更主要有三点：一是股本总额改定为银元 2000 万元，分为 20 万股，先招 10 万股，每股银元 100 元；二是原定官股 4 万股改由交通部为辅助交通事业而附入 3 万股；三是增设监事三至五人，由股东总会选举产生。参见《交通银行史料》第一卷，第 192 页。

第一,由履行部分国家银行职能的综合银行,转向政府特许的发展全国实业的专业银行。条例第一条明确规定,交行是"经国民政府之特许为发展全国实业之银行,依照股份有限公司条例组织之"。北洋政府时期,交行曾承担国家银行的部分职能,南京政府的中央银行成立后,交行的上述职能势必淡化,因此,原先则例中规定的特权,如"掌管特别会计之国库金"、"受政府之委托分理金库和专理国外款项及承办其他事件"等,在新条例中被"经理一部分之国库事项"一笔带过。新条例增加的是受政府委托代理实业的特权,包括"代理公共实业机关发行债票及经理还本付息事宜"、"代理交通事业之公款出入事项"、"办理其他奖励及发展实业事项"等。北洋政府时期,交行享有发行兑换券的特权,新条例则作了限制,规定须预先经过国民政府财政部的特准,方可发行兑换券,且须依照兑换券条例办理。显然,交行原先具有的国家银行的部分职能已被大大削弱。

在营业范围方面,"国内外汇兑及跟单押汇"、"国库证券"、"兑换外国货币及买卖生金生银"等,曾是交行非常重要的业务,而新条例未将此类业务列入,增设的则是"国家、地方或公司债票之经理、应募或承受","国家、地方或公司债票及确实股票为担保之放款","实业用动产、不动产及实业繁盛地域不动产为担保之放款"以及"信托业务"等,这说明新条例对交行"综合性"的营业范围有所压缩。

第二,国民政府取代北洋政府交通部成为交行最大的官股股东。原先的则例规定,交行股本总额为库平银1000万两,分为10万股,其中,由北洋政府交通部附入4万股(实际仅附入3万股),剩余的6万股由民众承购,即所谓的"官四商六"。所以,交行最大的官股股东为交通部。交通部在交行的经营中具有很大的话语权,交行的董事人选、各分支行的设立与撤销、营业计算报告书等都要上报交通部备案,交通部还握有帮理的委派权。这次的新条例规定,交行的资本总额定为国币1000万元,分为10万股,国民政府认购其中的2万股,剩余的8万股由民众承购。尽管国民政府的股份下降为总额的20%,但仍是最大的官股股东。于是,国民政府的主管部门财政部取代了原先的交通部,在交行的经营中掌握了一定的话语权和支配权。例如,新条例规定财政部可以指派董事3人、监察人1人。尤为关键的是,董事长也由财政部指派。同时,财政部还掌握交行其他一些权利,如发行兑换券,公积金及股利分红,修改条例与章程等。交行若违背条例规定,损及政府权利,财政部有权干预或制止。

第三,基于国民政府将政治中心与经济中心作适当分离,新条例规定"交通银行设总行于上海,并于实业上必要区域设立分支行"。管理体制上则将总理、协理制改为董事长、总经理制。同时,扩大董事会的权力,由董事会负责召集每年一次的通常股东总会,遇有重大事件发生,董事会若认为有必要,可负责召集临时股东总会,商讨并决定对策。此外,还将监事制改为监察人制。[①] 上述变化在很大程度上体现了国民政府财政部的意愿,目的是增强董事会或董事长的权力,以便于政府部门掌控交行。

第三节　股东总会召开与章程修订

一、第十七次股东总会的召开

1928 年 11 月,为落实国民政府颁布的《交通银行条例》,交通银行总管理处决定召开股东总会,修订章程,改选董事,以适应新的政治格局和经济形势。

11 月 24 日下午,交行第十七届股东总会在上海香港路 4 号上海银行公会会议厅举行。会议由交行代理总理卢学溥主持,他向股东报告,截至本年度 10 月,交行的股本总数为 77151 股,到会股数已达 45407 股,[②]按照章程,已满足法定股数,可以举行股东常会。随后,会计股领股张塑报告了 1927 年交行的资产负债及损益情况,监察人于宝轩报告了决算情况,经过董事和监事两方的认定,报告账目查核无讹。上述程序为股东总会惯常的议程。

在此之后,卢学溥宣读 1927 年份的营业报告书,并加以解释。1927 年是交行建立二十周年,报告书首先回顾了总管理处和各地分支行为行庆而举行的各项重大活动,诸如揽收纪念存款、发行纪念钞票等,以及所产生的社会影响力,指出交行在这二十年的历程中,"缔造艰难,经营惨淡,处特殊之地位,负重大之任务。对于国家方面,则以代理国库、经理公债为主。对于社会方面,则顾名思义,常以经济之力,辅助国民交通事业,旁及工商各业,尤注重于国外贸易",无论是国家,还是社会,交行的作用皆

---

① 《交通银行史料》第一卷,第 193—195 页。
② 《交通银行股东会详记》,《银行月刊》第 8 卷第 11 号。据《申报》1928 年 11 月 25 日所刊《交通银行股东总会记事》一文,到会股数为 55407 股。

不可低估。

营业报告书详细分析了近年来天津、上海两地的商情，指出两地有经验的华商一改先前的保守态度，眼光远及欧美、日本，所从事的国外贸易获利甚丰。交行顺应这一行情，把握机会，积极经营进出口贸易，取得很大成绩。此外，又在汉口、青岛、烟台、大连等地推广国外汇兑，与外商相抗衡，并将仓库建设作为促进对外贸易的重要手段。尽管受到国际经济危机和国内局势动荡的影响，但交行凭借"力持稳健，徐图发展"的策略，以退为进，相继裁撤长沙、开封、扬州、徐州、蚌埠、清江浦等支行以及沙市、宜昌等办事处，竭力缩小范围，以规避风险，节约开支。另一方面又另辟蹊径，扩大营业，在大连、富锦等地添设支行，并计划在英国创立海外分行。发行方面，准备充足，信用巩固。发行独立制度的实行，成效显著，虽在汉口集中现金时期，汉钞发生了一些问题，但其他各地的发行并未受到太大的影响。

营业报告书综合交行 1927 年的业绩，对一年中的经营状况作出了总体评价："视往岁固未见佳胜，然在此时局未靖、市况不良之下，得此结果，亦足差强人意。"[①]

最后，卢学溥报告了国民政府颁布交通银行新条例的相关情况，依照条例，交行

交通银行成立二十周年纪念明信片。
此为中国邮政史上发行最早的纪念明信片。

---

① 以上见《交通银行股东会详记》，《银行月刊》第 8 卷第 11 号。

需要尽快拟定新的章程,他建议立即召开临时股东总会,讨论章程的修改和完善,并请在座的股东推举临时主席。

在随后举行的临时股东总会上,众股东推举林康侯为临时主席,①共同商讨拟定新的交通银行章程。林康侯逐条介绍《交通银行条例》,宣读已经拟就的《交通银行章程草案》。

众股东认可了交通银行章程后,会议进行了商股董事和监察人的选举,晚上八点半会议结束。加上之前的第十七次股东总会,在上海所召开的首次股东大会,共历时六个半小时。

二、自订章程的修改

1928 年 11 月 24 日下午,交通银行临时股东总会讨论并通过了《交通银行章程》,随即报国民政府财政部核准备案。新修订的章程共分 10 章,凡 69 条,与 1925 年的章程相较,增添了不少新的内容。

首先,依照《交通银行条例》,确认了在新的形势下交行的性质和任务。新章程开宗明义,点明交行是经国民政府特许的,以发展全国实业为使命的专业银行。为顺应国民政府在政治、经济上的布局,便利于发展实业,新章程规定交行总行设在上海,董事会可视业务发展的需要,决定在适当的区域设立分支机构,也可与其他银行订立代理契约。业务范围方面,分为受政府委托所经理的事务与作为实业银行自主经营的业务两大类,两大类中都增设了许多有关实业的业务,如代理公共实业机关发行债票及经理还本付息事宜,代理交通事业公款出入事项,办理发展实业及其他奖励等事项,经理一部分国库,国家、地方或公司债票的经理、应募和承受,实业所用动产、不动产的放款,以及信托业务等。

第二,对应《交通银行条例》,在人事组织及管理机制方面进行调整。取消了延用二十年的总理协理制,改为董事长、总经理制。章程规定:董事长代表交通银行全行,是董事会、行务总会和股东总会的主席;总经理执行董事会、行务总会和股东总会议决的事项,并商同董事长、常务董事处理全行事务;董事会成员由原先"五人以上十

---

① 　林康侯(1875—1949),名祖潘,上海人。早年创设南洋公学附小,曾与张謇一同创办江苏铁路。新华储蓄银行在北京开业后,任发行所主任。1919 年至上海筹设新华储蓄银行上海分行,任经理,后任中华汇业银行经理。1927 年后任上海市商会主任委员、上海银行公会秘书长等职。

一人以下"的浮动名额改为定员 15 人,其中,由国民政府财政部指派董事 3 人,其余董事 12 人由股东总会在商股股东中选举产生;常务董事增为 5 人,由董事互相选出;财政部在常务董事中指派一人为董事长;废除监事制,改设监察人会,定员 5 人,财政部指派其中的 1 人,其余 4 人由股东总会商股股东在百股以上的商股股东中选任;监察人会设常驻监察人 1 人,由监察人互相选出。

第三,相较先前的规定,董事会的权力大大增强,与之相应,监察人会也有不小权力。章程规定,常务董事代表董事会,常驻监察人代表监察人会,均应经常到行履行职务。董事会的主要职权有 16 项,即审定总行及分支行的业务方针、兑换券的发行数量,规定总行、分支行及总库的组织结构与详细规则,议决分支行库的设立或撤销,核议代理店的委托以及接受其他银行的委托代理,审核或订立对外的重要契约,核议代募债票股份等事宜,审定以不动产为担保的放款,核议处理抵偿债务押件及结束催收款项的办法,考核兑换券准备金种类成分,审定兑换券的样式、种类及订印数目,议决营业所用地基、房屋的租借、建筑或买卖,核定各项开支的预算和决算,整理年终决算报告,议定召集通常或临时股东总会的日期及事项,裁决各部分的权限争议。董事会议决的事项,执行时若遇到阻碍,总经理必须先解释理由,再请求复议。此外,若行务上遇有重大变更兴革事项,以及董事会无法裁决的权限争议等,须举行董事、监察人的联合会议,即所谓的"行务总会",作出最后决定。①

新修订的《交通银行章程》体现了交行人应对时局变化时的崇实善谋风格。一方面,新章程大体遵从了国民政府新颁布的《交通银行条例》。国民政府已决意将交行改组并定位为"发展全国实业之银行",而财政部又成为交行最大官股的代表,交行只能逐渐放弃在北洋政府时期曾享有的部分国家银行的特权,尽可能按照官方的意愿,在"特许"的实业范围内做实做精专业银行的各类业务。另一方面,交行又在政府所颁条例的规定之外,极力扩大某些方面的自主权,柔性地抗衡国民政府的干预。例如,章程明确规定了董事会的各项职权,凡在职权范围之内的事项,董事会议决后即可执行,不须上报财政部。

---

① 《交通银行史料》第一卷,第 207—215 页。

三、董事会的改选

《交通银行条例》规定,交通银行董事为 15 人,其中,国民政府财政部指派 3 人为官股董事,其余 12 人由股东总会商股股东推选,凡百股以上的商股股东都可当选,任期 4 年,期满可连选连任。15 名董事产生后,互相选出 5 人为常务董事,最后由财政部在常务董事中指派 1 人为董事长。①

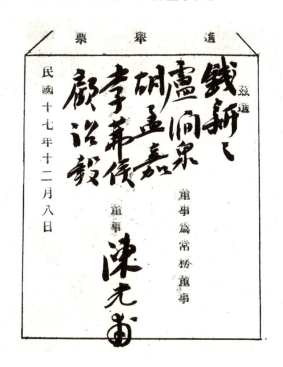 

1928 年 12 月交通银行常务董事、总经理选举票

1928 年 11 月 24 日召开的临时股东总会,选举产生了 12 名商股董事,6 名候补董事,②财政部指派了 3 名官股董事。12 月 8 日召开行务总会,卢学溥为临时主席,经投票互选,钱新之、卢学溥、胡祖同、顾立仁、李承翼 5 人当选常务董事;再经常务董事的互选,胡祖同当选总经理;最后,财政部指派卢学溥为董事长。至此,交行第五届董事会形成,具体情况详见表 2 - 1 - 2。

---

① 《交通银行史料》第一卷,第 194 页。
② 6 名候补董事是:汪有龄、方仁元、陈绎、孟锡珏、关冕钧、张肇达。

表 2-1-2　交通银行第五届董事会成员

职　别	姓　名	选派年月	附　注
董事长	卢学溥	1928 年 12 月财政部指派	
常务董事	卢学溥	1928 年 12 月第五届董事会选举当选	
常务董事	胡祖同	1928 年 12 月第五届董事会选举当选	
常务董事	顾立仁	1928 年 12 月第五届董事会选举当选	
常务董事	钱新之	1928 年 12 月第五届董事会选举当选	
常务董事	李承翼	1928 年 12 月第五届董事会选举当选	
董　事	卢学溥	1928 年 11 月临时股东总会选举当选	商股董事
董　事	胡祖同	1928 年 11 月临时股东总会选举当选	商股董事
董　事	钱新之	1928 年 11 月临时股东总会选举当选	商股董事
董　事	李承翼	1928 年 11 月临时股东总会选举当选	商股董事
董　事	王承祖	1928 年 11 月临时股东总会选举当选	商股董事
董　事	陈辉德	1928 年 11 月临时股东总会选举当选	商股董事
董　事	李铭	1928 年 11 月临时股东总会选举当选	商股董事
董　事	周作民	1928 年 11 月临时股东总会选举当选	商股董事
董　事	谈荔孙	1928 年 11 月临时股东总会选举当选	商股董事
董　事	杨德森	1928 年 11 月临时股东总会选举当选	商股董事
董　事	陈福颐	1928 年 11 月临时股东总会选举当选	商股董事
董　事	张嘉璈	1928 年 11 月临时股东总会选举当选	商股董事
董　事	顾立仁	1928 年 11 月由财政部指派	官股董事
董　事	唐寿民	1928 年 11 月由财政部指派	官股董事
董　事	徐陈冕	1928 年 11 月由财政部指派	官股董事

资料来源:《交通银行史料》第一卷,第 62—63 页。

　　第五届董事会成员与上一届相比,董事人数增加了 4 位,常务董事人数增加了 2 位,其中还改选了部分董事。上届董事会会长汪有龄,常务董事方仁元、关冕钧,董事孟锡珏、张肇达被列为候补董事。新当选的商股董事有卢学溥(浙江桐乡人)、胡祖同(浙江宁波人)、钱新之(浙江吴兴人)、李承翼(浙江余杭人)、王承祖(广东番禺人)、杨德森(江苏长洲人)、张嘉璈(江苏宝山人)等 7 人。这 7 人中除了王承祖,其余都是江浙籍人士。此外，商股董事陈光甫（江苏镇江人）、李铭（浙江绍兴人）、周作民（江苏淮安人）、谈荔孙（江苏无锡人）、陈福颐（江苏淮阴人），官股董事顾立仁（浙江海盐人）、唐寿民（江苏镇江人）、徐陈冕（浙江永嘉人），均是江浙财团中金融界、工商界的代表人物。可以说，这一时期的交行实际上是由江浙资本家共同经营管理的一家大银行。其实早在1922年张謇、钱新之主持交行日常事务的时期，南方股东的势力已开始进入交行的领导层。至这次改组后，交行高层大体已被南方股东势力所掌控。

在改组过程中，宋子文为了控制交行，原想安排唐寿民出任总经理，但遭到钱新之等人的抵制，最后设法将唐寿民安排为上海分行经理。从5名常务董事的经历看，有4位曾在银行业任过职，具有过硬的业务才能和丰富的银行阅历。卢学溥、胡祖同、钱新之都曾在交行担任过重要职位，他们对交行的经营特色和业务范围早已了如指掌。顾立仁①也有从事银行业务的经历。李承翼②先前虽未涉足银行界，但具有丰富的财政工作经验。可以说，此次交行的改组，汇集了当时的精英，所以《申报》也报道说："当选人员，均属财政金融界有名人物，素负重望，业务前途，希望甚大。"③

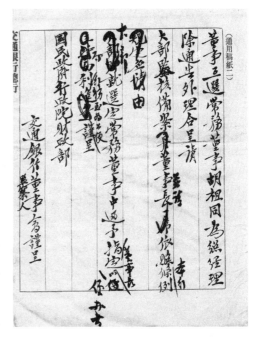

1928年胡祖同当选交行总经理的呈报草稿

这次改组的结果也说明，国民政府对交行的控制还处在初级阶段，交行的经营管理尚能继续遵循商业银行的路径向前发展。

---

① 顾立仁（1885—1944），字诒谷，浙江海宁人。曾任江苏银行总经理、中国通商银行总经理。1928年11月1日任中央银行业务局总经理。

② 李承翼，字莽侯，浙江余杭人。1923年为广东大元帅府财政部第二局局长、泉币司长，曾力助宋子文建立中央银行，打理财政，后任国民政府财政部驻沪办事处处长。1928年任福建省政府委员兼财政厅厅长。

③ 《交通银行昨开行务总会》，《申报》1928年12月9日。

四、第一届监察人会的成立

交通银行创办之初,监察的职权也由董事兼掌。1925 年交行开始设立监事,初为 2 人,后为 5 人。南京国民政府新颁布的《交通银行条例》,废置监事,改设监察人 5 人,其中,财政部指派 1 人,股东总会商股股东选举 4 人,任期 3 年,期满可连选连任。交行制定的章程,又规定监察人互选监察人会主席及常驻监察人,常驻监察人代表监察人会,经常到行履行职务。①

在 1928 年 11 月 24 日的股东总会上,4 名商股监察人经选举产生,财政部依照条例指派了 1 名官股监察人。12 月 8 日召开的行务总会,推选于宝轩任监察人会主席,推选许修直为常驻监察人,第一届监察人会正式成立。人员情况如表 2 - 1 - 3 所示:

表 2 - 1 - 3 交通银行第一届监察人会成员

职 别	姓 名	选派年月
主 席	于宝轩	1928 年 12 月监察人会选举
常驻监察人	许修直	1928 年 12 月监察人会选举
监察人	许修直	1928 年 11 月财政部指派
监察人	于宝轩	1928 年 11 月临时股东总会选举
监察人	梁定蓟	1928 年 11 月临时股东总会选举
监察人	叶崇勋	1928 年 11 月临时股东总会选举
监察人	贾士毅	1928 年 11 月临时股东总会选举

资料来源:《交通银行史料》第一卷,第 76—77 页。

与先前的第二届监事会相比,仅于宝轩一人留任于第一届监察人会,且被选为主席。原交通部参事许修直被国民政府财政部指派为官股监察人,并被选为常驻监察人。其余 3 人为商股监察人,其中梁定蓟为交行前任总理梁士诒之子。这次的交行监察人会成员多是审计学家和经济学家,如贾士毅为财政学权威人士,撰有《民国财政史》《国税与国权》《国债与金融》等著作,书中保留了大量的统计数据。他自 1927 年起担任上海银行公会书记长,同时兼任中央大学和中央政治学校经济系教授。叶崇勋也是饱学之士,著有《中国铁路会计学》,成为多所大学的教材,他的叔父

① 《交通银行史料》第一卷,第 75 页。

是叶恭绰。由此可见,交行的监察制度也正向更加专业的现代化方向发展。

监察人会成立后,根据相关的条例与章程,交行于 1928 年 12 月制定了《交通银行监察人会规程》,凡 24 条,其主要内容体现在以下方面:

(一)监察人会的主要职权有 5 项,即审查年终决算报告;监察营业进行及财产状况;监察业务并检查一切账目、证券及库款;监察职员等执行职务是否遵守条例、章程、规则及股东总会的决议;封存董事交存的股票。其中,第一项和最后一项由监察人会共同执行,中间三项由各监察人依据交行的具体条例各自执行。监察人会若认为有必要检查各分支行时,可公推一至二人,由总管理处向分支行发出通知,前往行使监察职权。

(二)监察人会与董事会的关系。董事会核定年终决算报告时,须在股东总会召开前二十日交监察人会复核,核查的内容包括财产目录、贷借对照表、营业报告书、损益计算书、公积及赢余利息分派的议案等。董事会的议决案应随时通知监察人会,董事会应保守秘密的事项,监察人也负同样责任。

(三)监察人会与总经理的关系。监察人会无论何时,均可请总经理报告本行业务状况,并检查账目、案据及库款、证券等;监察人会召开时,可请总经理或请总经理派员列席会议,发表意见,但无议决权。

(四)监察人会的会议制度。监察人会会议由主席召集,主席若有事不能召集,则由监察人二人以上召集开会,并于监察人中公推一人为临时主席。会议分常会和临时会两种,常会在每月的第二、第四个星期三的午后四时召开,议题由主席提出,监察人也可临时提出议题,但须征得主席同意。临时会由主席随时召集,或监察人二人以上报请主席同意随时召集。无论是常会,还是临时会,监察人若因事不能到会,须事先通知,并委托其他监察人为代表,但监察人接受委托只限定一位。议事的结果取决于到会多数监察人的意见,若到会监察人不及半数,就不能形成决议。对于行外的事务,监察人会公推一二人作为代表前往处理,对外的文牍也须经半数以上监察人审阅后才能向外递送。[1]

---

[1] 以上见《交通银行史料》第一卷,第86—88页。

第四节　总管理处南迁上海

一、南迁原因及经过

1928 年 11 月,国民政府颁布的《交通银行条例》及据此改订的《交通银行章程》都明确规定:"交通银行设总行于上海。"总管理处是全行的管理机构;自然须随总行南迁上海。大体而言,交通银行的中枢南迁上海有以下原因:

其一,出于政治因素的考量。国民政府定都南京后,国内的政治格局已发生重大变化。1928 年 6 月,国民政府北伐军攻占北洋政府的首都北京,随即宣布基本完成全国的统一。南京无可争辩地成为国民政府的中央所在地,国内政治中心的南移已成为定局。为了加强对全国的金融统制,国民政府必然对金融业进行整顿改组。当时,交行在全国金融界的地位数一数二,显然,国民政府不可能允许交行总管理处继续留在北方办公。令其迁至南京附近的上海,以便就近控制,自在情理之中。从交行的角度说,自创办以来就是一个官商合办的银行,诸多业务都需要与政府部门沟通接触,将总管理处迁到上海,也是业务发展的需要。

其二,出于经济格局的考量。上海自开埠以来,其扼守长江入海口的独特优势,带动了当地经济高速发展,逐渐登上长江流域经济的龙头地位。尤其是辛亥革命以后,上海的内外贸易、交通运输、电讯通信、金融及各工业部门的发展又相辅相成,互相促进,以致形成了巨大的经济凝聚力量,"使上海自然而然地成为我国最重要的多功能经济中心"[①]。在极为有利的条件下,上海金融业发展亦堪称如日中天。西方的许多新鲜事物传入,往往先在上海找到落脚点,最早设立于上海的具有现代性质的金融机构,是英国人于清道光二十七年(1847)在租界中开办的丽如银行。此后,其他各家外资银行接踵而来,至 1928 年底,上海已有 24 家外商银行。从中资银行的情况看,清光绪二十三年(1897),中国第一家中资银行中国通商银行首先在上海成立,此后交行、中行等一大批中资银行也纷纷进驻上海,其中有许多是直接在上海创办的新

---

① 　熊月之主编:《上海通史》第 8 卷,上海人民出版社,1999 年,第 10—11 页。

银行。尤其是第一次世界大战期间,西方列强无暇东顾,以上海为中心形成了著名的"南三行"(上海商业储蓄银行、浙江兴业银行、浙江实业银行),而"北四行"(盐业银行、金城银行、中南银行、大陆银行)也先后在上海开办分行。至20年代中期,上海已有93家中资银行。上海金融机构的资本总额,中资银行占40.8%,外资银行占36.7%,旧式钱庄占22.5%,[①]形成三足鼎立的局面。总之,上海已逐渐成为了中资银行的集中地,成为全国的金融中心之一。与北方的金融重镇北京相比,20世纪20年代,上海的银行数量已经远远超过北京,随着北洋政府的垮台,北京、天津这两大城市在财政金融方面的传统优势也不复存在。[②]

其三,交通银行上海分行的业务能力大幅度提高,堪当大任。交行北京分行,即先前的总行,在很长一段时间内由亲近北洋政府的交通系官僚所掌控,业务上多与官方来往,为政府提供借款过多,造成大量的官欠款项,从而影响了总行正常的商业化运作。与之相异,交通银行上海分行自清光绪三十四年四月初三日(1908年5月2日)开业以来,走的是商业化之路,与官方的瓜葛较少。尤其在钱新之担任经理期间,上海分行努力树立信誉,扩大在金融界和工商界的影响,存汇款额大幅度增加,业务蒸蒸日上,金融实力在交行众多分支行中位列前茅。1922年2月,交通系官僚失势,因担心财产被政府没收,纷纷将交行的股票转让给江浙人士。同年6月,交通银行改选董事时,11名董事中即有5名是江浙地区的银行家和实业家,总理也由南方著名实业家张謇出任,协理则由原上海分行经理钱新之担任。在张、钱二人的主持下,交行的业务转向工商业和汇兑,上海分行遂成为优先发展的重要分行,而北京分行则降格为支行,同时,清理官欠,不再向北洋政府垫借大宗款项。[③] 从当年交行七大分行的存款数额也能看出沪行地位上升、京行地位下降的趋势。1922年京行的存款额为499万元,占当年全行存款总额的10.89%;沪行存款额为1376万元,占当年全行存款总额的30.3%。而在1921年,京行存款额为2293万元,占比37.66%;沪行存款额为797万元,占比13.1%。[④] 仅仅一年,沪行和京行的地位就发生了颠覆性的变化。尽管交通系的梁士诒于1925年5月,逼走了张、钱二人,重新掌控交通银行,但无法扭

① 上海通志编纂委员会编:《上海通志》第5册,上海人民出版社、上海社会科学院出版社,2005年,第3330页。
② 参见张启祥:《交通银行研究(1907—1928)》,复旦大学博士论文,2006年,第104页。
③ 杜恂诚主编:《上海金融的制度、功能与变迁(1897—1997)》,上海人民出版社,2002年,第70页。
④ 《交通银行史料》第一卷,第312页。

转张、钱二人在交行内部掀起的"商业化"浪潮,只能顺其道而行之。而上海分行在交行各分行中的"龙头"地位,也已不可撼动,为日后的总行迁沪奠定了坚实的基础。①

上海公共租界外滩 14 号的德华银行大楼。1919 年交行上海分行接管。
1928 年 11 月交通银行总管理处由北平迁至上海,曾在此办公。

1928 年 7 月,交行留在北平的国库股开始行动,由领股刘展超率领行员,押运相关文件,乘火车经平浦线迁往上海,抵达后,国库股被附设于上海分行之内。② 不久,在天津的各股也相继动迁。10 月初,工作人员基本到沪。③ 11 月,总管理处进驻上海外滩 14 号。

二、南迁的影响

对交通银行而言,总管理处的南迁乃大势所趋。客观上,这是诸多因素综合作用的结果,主观上,则体现了交行与时俱进、灵活机动的经营思路。业务重心南下不仅契合了全国经济重心的南移,而且有利于协调与国民政府之间的关系,便于应对官方

---

① 杜恂诚主编:《上海金融的制度、功能与变迁(1897—1997)》,第 70 页。
② 《交通银行国库股迁沪》,《银行周报》第 12 卷第 44 号。
③ 《交通银行总管理处迁沪》,《申报》1928 年 10 月 12 日。

的各项方针政策和具体指令,天时、地利、人和,使交行迎来迅速发展的黄金时期。

对上海这座城市而言,交通银行总管理处的进驻无疑大大提升了上海在全国金融业中的地位。伴随中央银行总行在上海成立,交通、中国、金城、盐业、大陆、中国实业等银行的总行也都先后移至上海,上海遂成为全国重要金融机构的中枢的,据统计,全国著名银行的总行有81%设于上海。[1] 设在上海的各大银行又在全国各地广设分支机构,形成全国性的纵横交错的融资网络,由此,进一步确立了上海在全国乃至整个远东地区的金融中心地位。

对国民政府而言,可就近掌控交行,为其在全国建立垄断性的金融资本提供了便利。国民政府以上海为经济重心,在江浙沪一带奠定了较为稳固的统治基础。上海的金融系统逐渐被国民政府纳入全国经济统制的网络之中。交行作为网络中的一员,与官方形成良性互动,不仅在参与金融政策制定,促进金融业发展等方面发挥了积极作用,在某些特殊时期还承担起协助政府维护社会经济秩序,救济同业,扶助实业的责任,这对国民政府的巩固与发展都是非常重要的帮助。

第五节 经营方向变更与管理体制改革

1928年12月8日,经交通银行常务董事互选,胡祖同当选交行总经理。面对外有外资银行进逼,内有民营银行竞争的局面,胡祖同积极调整经营方针,改进各项制度,竭力促使交行向商业银行的方向发展。在他的辛勤经营下,交行力求科学化管理,注重放款征信,营业效率大为提高,在开展银行票据承兑和贴现业务方面尤有突出表现,联系工商各业和为社会公共服务等方面也颇有建树。

一、组织机构的调整

（一）总管理处的改组

1928年12月,财政部指派卢学溥为交行董事长,常务董事推举胡祖同为交行总

---

[1] 熊月之主编:《上海通史》第8卷,第153页。

经理。同月,董事会议决修订《交通银行组织规程》,将原先的总协理制改为董事长、总经理制,由常务董事组织的总管理处综揽全行事务,简称"总处"。

卢学溥

交行高层人事改组后,总管理处的下属机构也发生很大变动。其职能部门中,除了稽察、秘书直接隶属总经理办事处,撤销了1922年时设置的文书股、稽核股、发行股、公债股,改设总务、业务、券务三部。总务部主管总务及股票事务,分为四个组;业务部主管营业、会计及代理国库事务,分为七个组;券务部主管代理各项有价证券及发行兑换券事务,分为五个组。三个部门各设主任一人,部门下的各组设领组一人。①

1931年7月6日,根据修订的《交通银行组织规程》,总管理处新增设计部,分为三个组,原设三部的职掌也略有变化。该规程对各部及部属各组的职能作了明确规定。

总务部,主管全行的文书、人事、庶务及股票事务,下分四组。第一组,掌管全行文件函电的译缮收发,各种规章的编订,总处的图书购置及重要契据的保管,印信和

---

① 《交通银行史料》第一卷,第97页。

图章的刊刻及销毁,并管理董事会和监察人会的会议通知、记录以及本部案卷的整理、保管等事项。第二组,负责行员进退、升调、薪俸、奖惩、请假、恤养等事项的审核与登记,并管理行员的保证金、储蓄金以及行员的补习、考试等事项。第三组,掌管全行账表书类的印刷保管及发送,处理总处的庶务及各项开支账表,负责总处保管库和行员宿舍的管理。第四组,负责交行股票的订印销毁及收发保管,交行股票的过户换票,以及交行股票各种账表簿册的记载事项。

业务部,主管全行营业、储蓄、信托、会计以及代理国库等事务,下辖七个小组。第一组,负责本部文件函电的起草、译缮及收发,营业报告的编制,储蓄检查委员会的会议通知和记录,本部案卷的整理和保管。第二组,掌管规划分支行及储蓄、信托分支部的设立或变更,拟定各分支行的营业计划及指导,审核全行的各项开支和预算,编制各项统计,编订会计规则及账表单据。第三组,负责总处及各行账目、辛亥以前旧账、总决算的编制,总处有价证券的保管,储蓄账目及储蓄部总决算的编制,本部账表的保管。第四组,掌管总处及沪属分支行处账表的稽核事项,掌管沪区储蓄及信托分支部账表的稽核事项。第五组,掌管津属分支行处账表的稽核,津区储蓄及信托分支部账表的稽核。第六组,负责辽、哈两属分支行处及直隶总处的支行账表稽核,辽、哈两区及其他储蓄及信托分支部账表的稽核。第七组,负责与政府的款项往来,并掌管代理国库、交通事业的公款出入等事项。

券务部,主管政府委托代理各项债券及本行兑换券的发行事务,有五个小组。第一组,负责本部的文件函电起草、译缮及收发,发行准备检查委员会会议的通知及记录,本部案卷的整理、保管及不属本部的他组事项。第二组,掌管国家及地方机关各项债券的代理,国家及地方机关各项债券的代理还本付息,各项公债国库证券的账表及保管事项。第三组,负责筹划推广发行事项,并掌管各行库发行状况的考察,领用券契约的审核,兑换券订印及收发保管,兑换券库存账表以及发行准备的调拨、互汇、审核、检查等事项。第四组,负责本行发行账表记载的保管,发行规则及账表单据的编订,各行库发行账表的审核,发行决算的编制,以及发行统计等事项。第五组,负责兑换券的点验及销毁。

设计部,主管交行特种业务的计划、调查研究及创设事务,共有三个小组。第一组,负责本部文件函电的起草、译缮及收发,各种计划书、图册的设计,各种调查报告书类的编制及刊行,本部应用的图表、书籍、新闻、杂志的购置及保管,设计委员会会议的通知及记录,本部案卷的整理、保管及不属本部的他组事项。第二组,掌管规划中央或地方政府委托办理的奖励及发展实业等事项,负责国内外公私实业投资的介绍、代理等事项,本行特种投资及一切营新事业的设计及监督,特种业务的对外接洽,特种业务的工程设计,本部各种设计的预算编制。第三组,负责经济、金融、信用、产业及其他关于实业的调查,各行处库部各种调查报告的审核及保管,商情及各种调查材料的收集和统计。①

1932 年 5 月交通银行总管理处设计部员工合影

(二)《组织规程》的两次修订

1928 年 12 月和 1931 年 7 月,交通银行先后两次修订《交通银行组织规程》。与 1928 年的修订相较,1931 年的修订出现一些新的内容:

新的组织规程增加了有关发行事务的详细规定,表明交行对发行业务的重视。规定称:"本行分区设发行总分库,办理发行兑换券及保证准备等事务,因发行上之必

---

① 《交通银行组织规程》,交通银行博物馆藏资料 Y47,第 4—12 页。

要,总管理处得令总库或由总库陈经核准后,于未设分库之行处所在地酌设发行专员或发行员办理发行事务。发行总库直隶于总管理处分库,暨发行专员及发行员均归所属总库管辖,但遇到特别情形时,发行员得隶属于分库。"[1]这一明确规定为交行辅助国民政府币制改革准备了条件。此外,在总管理处的下属部门中增设了设计部,进一步完善了内部管理结构。对各地分支机构的管理也有所加强,各支行副理及襄理的名额设置权被收归总管理处。

增加有关储蓄分支部和信托分支部的条例,可谓1931年新组织规程的最大特点。规程详细规定了两个分支部的组织结构,并要求各地酌设储蓄分支机构,广泛开办各项储蓄、信托业务。这两大业务是交行为适应经济发展趋势而新开办的,也是交行日后重点经营的业务项目。此次新组织规程以条例的形式予以明确规定,为交行30年代储蓄、信托业务的腾飞奠定了基础。

(三)分支机构的完善和区域行制度的确立

1928年12月修订的组织规程中,关于营业机构的变化主要有三项:其一,分行划分为二等,有一等分行、二等分行之称,二者直接隶属于总管理处;各分行设经理一人,若某分行业务繁重又极其重要,可设副理及襄理,名额视事务繁简而定。例如,上海分行属交通银行的重要分行,除经理外,副理就有三名,而一般的分行仅设经理一职。分行内部设六股,分别为营业股、文书股、会计股、出纳股、公债股、外务股,如有需要可酌情设置收款处。各股设主任一名,因营业股特别重要,其主任由经理、副理、襄理中一人兼任,或由经理指定一人代理;除会计股主任仍由总管理处派人充任,其他各股主任皆可由分行内部自行商定。其二,支行划分为四等,有一等支行、二等支行、三等支行、四等支行之称,支行一般归分行管辖,同时也直接隶属总管理处。四等支行还隶属于一、二、三等支行。各支行均设经理一名,若有需要可酌情设副理一职。一、二、三等支行的下属部门与分行相同,也是营业、文书、会计等六股。四等支行则不设股,改设营业、文书、会计、出纳等员。其三,各办事处隶属分行或支行,办事处设主任一名,下不设股,与四等支行相同。除上述三项外,其余的规定大致与先前相同。不过,这时的分行襄理并不以一等分行为限,支行副理也不以一等支行为限,副理、襄

---

[1] 《交通银行组织规程》,交通银行博物馆藏资料Y47,第2页。

理人数亦不以一人为限,随时都可因业务需要而酌情设置一至数名副理、襄理。①

1931 年 7 月修订的《交通银行组织规程》,除增加储蓄、信托分支部的条例,还对三项营业机构作了规定:一是在业务繁忙的支行可酌设襄理;二是分行或办事处均可酌设仓库,增设仓库股;三是收税处改成收税股。

经过两次改组变动,交通银行的组织结构如下图所示:②

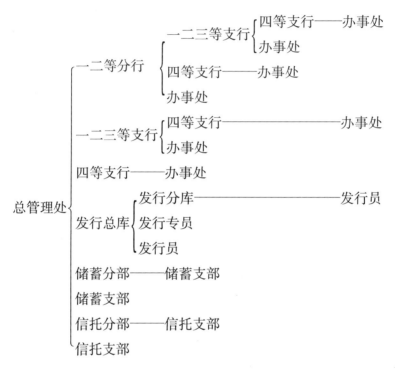

从这一结构示意图可看出,交行的分支机构形成多层次的隶属关系,特别是四等支行,既有总管理处的直辖四等支行,又有归一二等分行管辖的四等支行,还有受一二三等支行管辖的四等支行,表明总管理处对基层支行的直接管辖有所加强,这样做的好处是有利于上下的畅通,减少过多的中间环节。不过,基层支行受到多个上级部门制约,也会影响业务上的自主拓展。

分支行组织结构变革后,交行在全国形成了四大区域分行制度。

一为交通银行上海分行,简称"沪行"。自 1922 年张謇、钱新之主持交行行务以

① 《交通银行史料》第一卷,第 129—130 页。
② 《交通银行组织规程》,交通银行博物馆藏资料 Y47,第 2 页。

来,沪行逐渐发展为交行的重要分行之一。总管理处南迁上海后,沪行进入飞速发展的黄金时期。当时沪行经理为唐寿民,他以"稳健进行"为宗旨,稳步推进业务,历年的积欠逐渐得到清理,大量现金被收回。吸收存款采用灵活多样的方式,存款数额也日益增长。放款则谨守行章,绝不冒险逾越,以确保贷放的款项能如期收回。同时,想方设法致力于短期押款及债券本息的贴现,收效显著。汇兑收入也增益颇多,1929年的汇兑总额近 2000 万元。沪行当时可谓蒸蒸日上,"既以期营业之扩充,亦可为发行之辅助,所冀时局安定,更得放步进行,营业前途正未可限量也"。①

沪行下属有众多分支机构,分布在经济比较发达的长江中下游地区。截至国民政府对交通银行进行第二次改组前,沪行所辖共有 10 个支行。分别为:1.南京支行,2.汉口支行,②3.宁波支行,4.镇江支行,5.蚌埠支行,6.绍兴支行,7.苏州支行,8.无锡支行,9.常州支行,10.九江支行。其中,宁波、绍兴、常州支行为 1930 年新设立的支行。

二为交通银行哈尔滨分行,简称"哈行",经理为吴兴基。哈行位于东北交通运输的中心,业务素以稳妥谨慎为主旨。哈行的业务主要是发行哈大洋券和吸收存款,取得显著成绩。1929 年 7 月发生的中东路事件,③造成关外与关内水陆运输梗阻,哈大洋券暴跌,人心恐慌,市面岌岌可危。哈行保持镇静,外应时变,内固行基,对所属各行处尤能策划周详,使其不受意外损失。④中苏交涉解决后,关内外交通恢复。正在逐步恢复的哈行业务,随后又遭遇"九一八事变"的冲击,业务再次走下坡路。至国民政府对交行进行第二次改组前,哈行所属有四个支行。分别为长春支行、吉林支行、黑龙江支行和富锦支行。

三为交通银行辽宁分行,简称"辽行",经理为李凤。辽行原为奉天分行,1929 年10 月,国民政府改奉天省为辽宁省,奉天分行遂改称辽宁分行。当年的交行营业报告指出:"辽宁商业以粮栈、丝房、皮货为重要中心,近岁市面日趋繁盛,各商鉴于年来钱法之敝,率多改用现洋本位,故奉票虽呈空前毛荒,市面未受若何影响。上期各业

---

① ④　《交通银行民国十八年份营业状况》,《银行周报》第 14 卷第 18 号。
②　汉口支行原为汉口分行,与上海分行同级,自 1927 年集中现金事件发生后,地位一落千丈,曾一度停业。1929 年 3 月,总管理处将汉口分行改为一等支行,隶属上海分行。
③　1929 年 7 月,中国国民政府和东北地方政府为收回中东铁路主权,派军队以武力接管中东路,对苏联宣战,同苏军之间发生了一场震动中国乃至世界的武装冲突,史称"中东路事件"。

1935 年 3 月交通银行哈尔滨分行同仁在交行大楼前合影

均有盈利,不幸入秋以来,俄事猝发,金价暴涨,一时商家纷纷歇业,市面金融疲敝不堪。辽行处兹局势,犹能相机发展,寓进取于稳慎之中。举凡吸收存款、招徕汇款、收缩奉票、放款诸大端,悉能锐意进行,又以余力接济市面,以弭社会之恐慌,与边业、三省、中国三行联合发行大洋券,以应各业的需要,而对于所属各行营业调剂尤能因应咸宜。最近又在南满站、通辽等处筹设办事处,招徕顾客,揽收存汇款项,积极进行,不遗余力,一年成绩斐然可观。"①截至 1933 年,辽行下辖四个支行,分别为四平街支行、营口支行、孙家台支行、洮南支行。"九一八事变"爆发后,辽行业务受到日本和伪满的金融监控,业务量日益收缩。

四为交通银行天津分行,简称"津行",经理为钟鄂。津行"内培实力,巩固行基,外察市情,相机而动,年来成绩昭著。其荦荦大者如发行额之日有进展,旧欠之逐渐

---

① 《交通银行民国十八年份营业状况》,《银行周报》第 14 卷第 18 号。

收回,存款激增,信誉日著,而本年平津金融风潮突起,津行不独未受拖累,更能出其余力接济市面,以尽辅助商业调剂金融之职责,尤得津埠一般社会之同情,信仰津行之观念因以日深"。① 国民政府对交行进行第二次改组前,津行下辖五个支行,分别为北京支行、济南支行、青岛支行、石家庄支行和烟台支行。北平支行原为北京分行,与津行为同一级别的分行,自国民政府定都南京后,北京市面百业凋敝,北京分行也被降格为北京支行。1929 年 10 月,国民政府改称北京为北平,北京支行也改称为北平支行。

除上述四大分行及其所属分支行,大连一等支行也直接隶属总管理处,经理为钱家驹。

二、胡祖同的经营理念及其影响

(一) 胡祖同的经营理念

与交通银行先前的高层领导相比,胡祖同的经营理念比较先进,对国际金融形势的判断也比较准确。他崇尚开放式竞争,一改往昔华商银行对外商银行低眉顺眼的姿态,主张联合华商银行与之竞争,以保护民族资本。这与他长期留洋、深谙欧美经济学以及在国内多年从事金融活动的经历有关。

胡祖同(1888—1936),字孟嘉,浙江宁波人。幼年被选拔为赴欧美留学生,入英国伯明翰大学攻读经济学四年,故对国际汇兑等业务十分熟悉。1921 年钱新之任交通银行上海分行经理,当时中国银行业务繁盛,声誉卓著,为华商银行之冠,交行不免相形见绌。钱新之深感振兴交行,必须经营国际汇兑业务,因慕胡祖同英年高才,特意与浙江兴业银行相商,将胡祖同聘为交行国外业务部主任。胡就任后,交行的国际汇兑业务逐渐形成一定规模,上海分行的业务随之大振。最初,交行的业务北盛于南,但自创设国际汇兑业务后,业务重心开始集中于上海。因沪行业务出众,钱新之晋升为总行协理,北上主持全局,胡祖同也因功劳卓著而晋升为沪行第一副经理,襄佐当时的经理盛竹书。

1927 年北伐战争期间,国内形势紧张,而沪行经理盛竹书病故。交行当局深知上海地区为金融中心,沪行经理之职非一般银行界人士所能胜任。当时上海的外商

---

① 《交通银行民国十八年份营业状况》,《银行周报》第 14 卷第 18 号。

胡祖同

银行凭借雄厚实力,不断侵挤中国的金融业,例如英商汇丰、麦加利,美商花旗、大通等,都是金融巨头,其中汇丰银行更是执金融之牛耳。交行总管理处认为胡祖同不仅熟悉欧美银行业务,且与外商银行有着较为深厚的交谊,加上曾襄佐盛竹书多年,功绩显著,遂任胡祖同为沪行经理。1928年,国民政府定都南京,交行总理梁士诒遭通缉,总管理处以胡祖同学贯中西、才智超群,对交行有中兴之功,因而安排他出任总经理,并将总部从北京迁往上海。

胡祖同既掌握西方先进的经济学理论,又有多年从事国内金融活动的经验,因此,他一方面崇尚西方式的公开竞争,一方面又注重适度保护国内实业和金融业,其经营理念立足于中国金融实业基础十分脆弱的现实,同时也体现了与外商银行相抗衡的强硬姿态,是一种"中西结合"的新式经营思想,这对于当时交行乃至整个中国金融市场而言,无疑是一针"强心剂"。综而言之,胡祖同的经营理念具体表现在以下方面:

其一,以人才为本,巩固行基,培植实力。胡祖同就任总经理之时,国内金融形势并不乐观。当时中央银行成立不久,交通银行与中国银行虽然基础较为稳固,但是外受外商银行侵挤,内有民营钱庄竞争,不进一步壮大实力,无法与中外金融业相抗衡。所以胡祖同将内固基础,厚培实力作为交行的首要任务。为此,他着重从培育人才方面下力推进。胡祖同坚持任人重才学、尚品德，有不能胜任者，虽至亲也必定撤换。出于对人才培养的热心，他对高等院校予以竭力支持，被聘为交通、大夏、光华等大学校董。他一方面安抚长期居于交行要职的行员，以稳定行内的人才基础；另一方面又不遗余力地网罗各处人才，以图振兴交行。例如，胡祖同让王子崧总管钞券发行，让袁松藩兼任证券交易所理事长，二人都不负所望。天津分行经理杨荫孙、汉口分行经理浦心雅在当地金融界都卓有声誉，胡祖同皆倾心相交，深得二人钦佩。杨荫孙经常夸赞胡品学兼优，是金融界后起之佼佼者。胡祖同还在总行增设"设计部"，目的之一就在于延揽人才，革故鼎新。1931 年，胡祖同聘任钱业领袖秦润卿为沪行经理，融银行与钱业为一家，交行由此实力渐增，声誉日隆。①

其二，注重扶植国内实业，在日常生活上以身作则。胡祖同平生不买外国货，不穿西装，以实际行动支持民族企业发展，维护国家利益。如 1933 年 1 月，胡祖同在交行发布手谕，劝勉同人尽量采用国货，他指出，只要人们在衣食住行四个方面尽量采用国货，就会在无形之中振兴国内实业，对国家、对民族利莫大焉。②

胡祖同为人刚直，对外商银行、外国货物颇有排斥情绪，这在当时中国金融业一直遭受外商银行欺压的境遇下，确实是情有可原。例如北洋政府时期，官方曾令交通银行出面向日商银行借款 2000 万日元，即所谓的"西原借款"。其后，政权更迭，日商银行不断向交行催讨借款，胡祖同申明，这笔借款乃日商与军阀阴谋勾结而达成，因此他严词拒绝。日商索款不成，扬言威胁胡祖同人身安全，亲朋好友都劝他防备日商谋害，胡仍毫不畏惧，坚决不承认这项借款。在胡祖同总经理任内，日商银行始终未能索得分毫。

胡祖同特别重视培养行员脚踏实地的工作态度。在他看来，"行员服务贵有恒，尤贵守法，重实践，不重嘘声"，所以他将忠、勤、廉、谨四义作为行员服务的"永久之纲"。同时，胡祖同还注重各级领导的榜样作用，因此要求各部门主管人员必须以身作则，作出表率，树立良好形象，以此引导青年行员走上正路。他指出，当世风衰颓，道德日下之时，"青年无知，血气未定，每因荡检逾闲，驯致身败名裂，此在渎职者固属自甘暴弃，在主管者亦岂整饬无方？"他对同人的要求是："凡我同人务须恪遵规章，

---

① 胡若谷:《先父胡孟嘉事略》,《档案与史学》1997 年第 3 期,第 65—68 页。
② 《胡总经理劝勉同人尽量采用国货手谕》,《交行通信》第 2 卷第 2 号,第 1 页。

养成善良习惯,盖忠则不欺,勤则不惰,廉则能养,谨则寡尤。"所以,各部主管尤应反躬自省,充当表率。[1]

胡祖同的言行给同人树立了良好的榜样。身为一行之长,他恪守行规,每天清晨准时到行,傍晚始退,遇有重要事务,常忙至深夜,公私分明,不随意支用公物,对宾客酬酢,费用自负。交行职员有事求见,不论公私,无不倾心接待,和颜悦色,使求见者畅所欲言,若确有难处,虽属私事,也尽力帮助解决。若有人赠送土产之类,必定婉言拒绝,实在推却不了,也必定还赠礼物。[2] 此外,胡祖同热心于公共事业,凡有利于大众的事业,无不竭力扶助。闸北水电公司是当时上海华商仅有的公共事业,胡祖同多方筹划,以襄其成,1931 年被选为该公司董事。

胡祖同任内,交行可谓"精华内蓄,人尽其才"。其后,又与中央银行、中国银行联合领导华商行庄,与外商银行相抗衡。由于胡祖同声誉卓著,众望所归,上海市银行、国华银行、新华信托储蓄银行、中国企业银行、中国农业银行、国货银行等,莫不争选胡为董事,以资借重。胡还兼任中国银行董事、招商局监理、四明公所董事,其后,胡祖同又被推选为银行公会主席,兼任银行学会主席。在胡祖同经营理念的指导下,交行行基逐渐巩固,业务获得明显进展。

(二)交通银行发展的新方向

交通银行总行南迁后,在胡祖同的影响下,交行的业务展现出新的风貌。与先前相比,其业务经营更顺应时代的潮流,商业化气息更加浓厚。同时,交行也逐渐走向扶植国内实业、联合调剂金融的前端。这一时期交行的发展方向,大致可概括为以下几点:

扶植国内实业,提倡国货。当时洋货充斥市场,华商经营的企业常遭外商侵挤,胡祖同极力扶助华商,放出的贷款也多支持民族资本企业,如刘鸿生创办的章华呢绒厂、大中华橡胶厂、火柴厂、水泥厂等;荣宗敬创办的纺织厂、面粉厂;方液仙、李康年创办的中国国货公司、中国化学工业设备厂等。此外,胡祖同还极力扶助西北棉业,希望为国内实业提供充足的原料。交行为此在陕、甘两省广设分支行,贷款于当地农业,以利于棉种改良,并开发泾、渭二渠,兴修水利,这些举措也为 30 年代交行再次开

---

① 《胡总经理新年训词》,《交行通信》第 2 卷第 1 号,第 2 页。
② 胡若谷:《先父胡孟嘉事略》,《档案与史学》1997 年第 3 期。

发西北奠定了基础。

广结同好,扩大交行影响力。交行一向注重与中国金融同业维持良好关系,必要时往往慷慨相助,帮其渡过难关。例如,交行曾长期投资新华信托储蓄银行。1914年3月,交行奉财政部令与中行共同拨款筹设新华储蓄银行,资本定额为100万元,当年10月23日正式开业。1917年,交行与中行加拨国币10万元,并招添外国国币25万元为该行增资改组。1931年,新华储蓄银行将原有资本折减为十分之一,另由交通、中国两行增加资本定额国币200万元,全数收足,迁总行于上海,并改名为新华信托储蓄银行。交行投资新华储蓄银行9277股,每股百元,共计92.77万元,交行的钱新之成为新华信托储蓄银行常务董事。①

积极参加同业公会组织。1918年7月8日成立的上海银行公会是全国最早的银行同业组织之一,宗旨是维护同业利益,纠正各类弊害。至1931年国民政府对该公会进行改组时,上海银行公会的会员数已达24家之多,较成立时增加了一倍,会员数居全国同业之首。交行作为上海银行公会13家创始银行之一,始终在该公会同业会员间居于核心地位,其影响力非其他普通商业银行可比。1927年2月,上海银行公会会长盛竹书逝世后,会员大会议决,废止董事制,实行委员制,任期以一年为限,日常会务由委员会主持,委员会由9名委员组成,不设委员长,对内委员共同负责,对外委员不能单独代表公会,过去由会长承担的风险和责任则由会员行分担。在1927年2月至12月的第一届委员会以及1928年1月至1929年3月的第二届委员会中,代表交行的胡祖同是9名委员之一。1929年3月27日,上海银行公会会员通过银行公会新章程。根据章程,公会的重要事务由最高决策机构"会员会"议决,由"执行委员会"负责执行。"执行委员会"设委员11人,任期两年。另设常务委员三人,由执行委员中相互选出。当日,"会员会"按照新章程选出执行委员11人,组成第三届委员会。次日,第一次执行委员会选出胡祖同、贝淞荪、叶扶霄3人为常务委员,轮流担任执行委员会及会员会议主席。② 常务委员的推举有益于权力的集中,提高了公会的办事效率,其中,胡祖同发挥了重要作用。在他的影响下,交行积极参与公会的活动,

---

① 《交通银行史料》第一卷,第1552—1553页。1946年6月,新华储蓄信托银行再次调整资本为国币1000万元,分10万股,其中交行投资29264股,股款额为2926400元,成为新华信托储蓄银行第一大投资股东,钱新之仍为该行常务董事。

② 王晶:《上海银行公会研究(1927—1937)》,上海人民出版社,2009年,第224—225页。

为维护同业利益,发挥了带头作用,例如,交行组织同业抵制国民政府的发行税案,即是一个鲜明的例证。

上海银行公会

1931年7月,为谋求增加国库收入和贯彻币制政策,国民政府财政部部长宋子文提议征收银行兑换券发行税,并原则上通过了《银行兑换券发行税法草案》。如此,具有发钞权的银行便须缴纳不菲的税金,而没有发行兑换券之权的银行,在领用兑换券时也必须间接向发行行交纳税金,因而直接损害了整个银行业的利益。

8月,立法院正式公布了《银行兑换券发行税条例》和《银行收益税法》,要求按照各银行纯收益额资本而划定不同的征收标准。这两项税法出台后,上海银行公会为了维护同业利益,开展了一系列活动,希望团结并借助同业力量,使这两项税法"最好办到免征,次则请缓征,至少也须将征收条例修改妥善,再行施行"。[1] 上海银行公会广泛征集各会员的意见,并致电平、津、汉银行公会,寻求统一行动。交行认为,"收益税对于洋商银行如不能与华商银行之例一律照征,则外商蒙优待而华商受偏枯,使华商银行日趋衰落,国民经济大受影响,发行银行借运用保证准备以裕其收益,则发行利益固包括于收益之内,今既征收收益税,复征收发行税,是为复税"。[2] 因此,交行要求公会恳请政府减订收益税税率,免征发行税。交行提出的上述意见与其他银行基本一致。在斟酌同行意见后,上海银行公会于9月正式向财政部提出呈请,表示对收益税原则上可以勉力承认,但希望修正其中的一些条例,至于发行税,则认为有复税嫌疑,恳请准予免征。

---

[1] 《上海银行公会致平津汉银行公会函》,《上海银行公会档案》,上海市档案馆藏,档号 S173-1-54。
[2] 《上海银行公会各会员致上海银行公会函》,《上海银行公会档案》,上海市档案馆藏,档号 S173-1-54。

经过交行等众多银行的抗争,这一税案一直未被付诸实行。1932 年 9 月,国民政府重提旧案,交行再度联合同业据理力争,最终迫使国民政府作出较大让步,将发行税率由保证准备金的 2.5% 减轻至 1.25%,从而维护了银行业的利益。

此外,交行还积极参与同业之间的组织联络活动,以促进金融同业的共同发展。1932 年淞沪抗战爆发后,上海市商会提出罢市御倭的号召,上海银钱两业决定停业响应,结果引发全国范围的金融风波。各地银行公会纷纷致电上海银行公会,希望找到合适的途径以稳定经济形势。为使各界对上海金融业抱有信心,交行立即联合中国银行、上海商业储蓄银行、四行准备库储蓄会、中国实业银行、四明银行等 26 家银行组建上海市银行业同业公会联合准备会,团结协力,共度危局。联合准备会的主要目的是以切实的方法做好充分的准备,集中各家银行力量,增进银行间的相互了解,稳固外界对银行业的信任,通过"酌盈济虚",使银行之间实现资金融通。① 26 家入会银行认缴的资金数额总计达银 7420 万两,交行认缴了 500 万两。联合准备会成立大会召开后,推举执行委员 11 人,并在执行委员中选出 5 名常务委员。交行总经理胡祖同当选为第一届执行委员和常务委员。②

1933 年 1 月,在交行的推动下,上海票据交换所正式成立。票据交换所由联合准备会属下的票据交换所委员会管理,交行的李亦卿成为第一任票据交换所委员。6 月,中国征信所经上海金融界人士的努力而建立,这是中国第一家征信机构,宗旨为"提倡社会信义,便利工商",为之出资的有交行及上海其他十余家银行。12 月,上海银行学会成立。该学会以"促进本国银行界研究,容纳银行学术及养成银行业实用人才,提倡学术研究"为宗旨开展各项活动,交行诸多高层管理人士,如董事长卢学溥、总经理胡祖同、董事钱新之等,都是该会的基本会员。上述一系列活动增进了交行与同业间的联系,也扩大了交行在同业中的影响力。

三、《交行通信》与同人交流

交通银行素来重视同业以及同人之间的信息交流和业务商讨。北洋政府时期创办的《交通银行月刊》,曾发挥了很好的作用,推进了交行企业文化的发展。

---

① 《银行联合准备会》,《银行周报》第 16 卷第 14 号。
② 王晶:《上海银行公会研究(1927—1937)》,第 146 页。

《交通银行月刊》

　　《交行通信》的前身是交行于 1932 年 3 月 1 日首次编发的临时通信。1932 年 1 月 28 日，淞沪抗战爆发，上海金融界同仇敌忾，自 29 日起，银钱业停业六天以示御寇的决心。然而，各地有关上海金融界的谣言也随之而起。交通银行为澄清不实传闻，决定编印临时通信，寄发各地分支行库部，便于各地分支机构及时了解上海的真实信息。提出这一创议的，是当时总管理处设计部第一组领组范学湘。设计部同人通过商谈，拟订了编印方法，分为军事、内政、外交、经济等类目，陈准交行总经理胡祖同核准，每周编发一期。所有编辑、写印、寄发等事务，全由设计部同人在公余之暇合作完成。这一临时性的内部刊物，形式简单，唯有通信之实，并无"通信"之名，至 5 月 8 日，总共编发了 12 期。这为后来的《交行通信》奠定了基础。①

　　经胡祖同核准，《交行通信》于 5 月 9 日正式编印。当时，由设计部负责编辑的经济通信已成为各行之间信息交流的重要渠道，所以，继续编印的《交行通信》仍由设计部同人负责。通信的类目经修改后，分为财政、金融、实业、商品、国际经济等，每周编发一期，以各地分支行库部为限，至 7 月底，共编辑印发了 20 期。这时的《交行通

---

① 绍衣:《创办以来之交行通信》,《交行通信》第 4 卷第 1 号,第 10 页。

《交行通信》

信》虽已有名有实,但仍处于初步发展的阶段。①

　　自当年8月开始,设计部修订了编辑通信的要旨,并对通信的形式与内容作了改善,提出了"以沟通经济界消息,备本行之参考"的宗旨。通信的内容分为财政、金融、实业、商品、国际经济和附载六项,分别记载中央及地方财政,交通银行以及上海与各地金融业、银钱业的重要事项,有关金融业务及实业的重要事项与调查统计,商业行市与商品研究,以及中国对外贸易、国际经济财政等问题的重要事项与专题研究。②《交行通信》第一卷第一号于1932年8月7日由总管理处设计部正式编成卷帙,并改用铅印发行,每周编印一号,专供交通银行全体同人阅读。至年底,一共编印了20号。自此,《交行通信》可谓进入真正的成立时期。③为了鼓励交行行员积极投稿,规范稿件内容,《交行通信》随后刊登了设计部的《交行通信行员投稿简则》。④

---

①③ 绍衣:《创办以来之交行通信》,《交行通信》第4卷第1号,第10页。
② 《交行通信》第1卷第2号,第15页。
④ 《交行通信》第1卷第3号,第18页。

1933 年 1 月,交通银行再次修订《交行通信》的编辑方法,确立了"沟通经济消息,交换行员知识,增进服务精神,发展本行业务"的新宗旨。通信仍由总管理处设计部编辑印发并征集行员投稿,每月编发二期,专供交行内部同人阅览,严禁转载。内容仍以有关金融、实业、商品及国际经济等方面的记事与调查统计为主,暂不分列项目。此外,还包括行务讨论、行务记录、法例、特载、行务业谭、征文、各项通信、附录等内容,涉及面极广。①《交行通信征文简则》也随之修改,以适应新的形势。自 1933 年 1 月 15 日编印第二卷第一号,至当年 6 月 30 日,共编印了 12 号。

1933 年 4 月,国民政府对交行进行了第二次改组,交行进入了胡笔江、唐寿民时期。同年 7 月,《交行通信》的编辑原则再次改订,宗旨改为以"研究银行学术,沟通经济消息,增进行员知识,发展本行业务"为主。通信的编辑印发此时移归总行事务处第四课负责,每月编发一次。通信的内容也有所变化,包括银行研究、业务讨论、实业、经济、行员业谭、特载、征文、行务记录、人事记录、通信、附录等几大部分。②

经过不断改进,《交行通信》逐渐成为同人间互相交流以及沟通上下层关系的主要平台。总行也以通信为手段,引导行员积极开展健康的业余活动。例如,改善图书室,定期进购大量图书,并在《交行通信》上刊发目录;鼓励行员进行文学创作,举办各类读书会、交流会等。而行员也纷纷自发组织俱乐部,开展音乐、读书、体育等活动,并成立了网球、足球、篮球等运动队,以达到陶冶情操和强健体魄的双重目的。其中,较成功的有 1935 年成立的汉行俱乐部和 1936 年成立的青行同人俱乐部。为提高自身的业务素质,一部分行员在《交行通信》上呼吁恢复总行先前的补习班制度,并提出大量建议,促使总行恢复了补习班制度。

《交行通信》创办后不断改进,取得巨大成功,获得行员的一致好评。在 20 世纪 30 年代全国经济不景气的时候,交行行员能够保持昂扬的工作状态,相互砥砺,共同进步,很大程度上得益于《交行通信》所创造的良好沟通环境,而通信上刊载的各类经济学、金融学知识以及银行业务的研讨,也有助于提高行员专业素质,从而为交行在 30 年代的跃进夯实了人力资源基础。

---

① 《交行通信编辑要旨》,《交行通信》第 2 卷第 1 号,第 41 页。
② 《交行通信编辑要旨》,《交行通信》第 3 卷第 1 号,第 65 页。

第二章
协助政府稳定金融改革币制

　　国民政府的内债大部分由财政部发行,少部分由交通部、铁道部、国家建设委员会发行,或由这些机构与财政部联合发行。据 1929 年 2 月立法院通过的《公债法原则》第四条规定,政府债款的用途主要有三:一是作为生产事业的资产投资,如筑铁路、修水利、开矿产等;二是用于国家重要设备的置办,如购置国防设备、教育设备、卫生设备等;三是应对"非常紧急需要",如重大灾害、对外战争等。该法案第三条还规定,政府募集的公债"以不得充经常政费为原则"。[①] 但实际上,如同北洋政府,南京国民政府所募集的公债,大部分用于军政费用,真正用于经济建设与国计民生的并不多。巨量内战军费支出所造成的财政窘窘,引发债券市场的剧烈波动。政府复以行政手段维护公债,雪上加霜,结果酿成"公债风潮",市面陷于失控。危局之下,交行等多家银行组织内债持票人会,请求政府整理公债,恢复债信,避免债信的破产,以维护银行业以及广大持票人的利益。"一·二八事变"发生后,上海金融市场再遭打击,国民政府又陷入财政困境。为了应对市面恐慌,交行再度联合同业,督促政府尽快整理公债。经过各方努力,政府终于颁行整理公债方案,金融市场渐趋稳定。公债风潮平息之后,为了改变货币制度"两元并用"的混乱局面,国民政府筹划废两改元,以此整顿财政,统一币制。改制过程中,交行担当重任,在财政部指示下,组织成立上海银元银两兑换管理委员会,推动废两用元的进行。在 1934 年发生的"白银风潮"中,面对金融恐慌,交行与官方配合,联合同业救济市面,虽自身银根奇紧,仍勉力放

---

① 《立法院公报》(1929 年 5 月),第 65—68 页。

款,支持了上海及全国各地的金融业和工商业。1935 年 11 月,国民政府实施法币政策,取消一般商业银行的发行权,集中纸币发行。被指定为法币推行机构之一的交行,积极协调,缓解矛盾,不遗余力地推进法币改革,为国民政府实现金融统制出力甚多。

第一节　平息公债风潮中的作用

一、积极经理政府内债

南京国民政府成立后,北伐战事正酣,经济凋敝,军费浩繁,不得不举债度日。起初,上海银行业对新政权颇表拥戴与支持,在两次二五国库券的垫款中多持积极态度。但随着国民政府内部的斗争愈演愈烈,战争局势拉锯对峙,银行业从自身资金安全考虑,对国库券的认募开始趋于谨慎,尤其是中小银行,多不愿再借出现款或认购公债。

交通银行的情况有所不同。对认购公债,交行上海分行的态度是积极的。就上海分行的实力而言,所认购的公债数额不算太大,不致影响资金周转,在政治立场上,上海分行与北京总行的骑墙观望也颇有差异。况且沪行经理胡祖同与蒋介石素有交往,深知蒋的处世为人,与其像中国银行张嘉璈那样在遭受威逼后被动接受,[1]不如主动施以援手,还可与南京政府保持良好的关系,所以沪行对蒋的垫款要求一再予以满足。

1928 年夏,南京国民政府虽在形式上完成了全国统一,但各地财政税源一时无法统一,财政状况短时间难以好转。连年的兵祸、灾荒导致交通阻隔,经济凋敝,各项产业尚待恢复。而庞大的军政开支则令财政透支日益严重,民不聊生、百废待兴之际,南京政府也不敢向民众强征过多赋税。为此,财政部只能依靠不断发行国债弥补

---

[1]　1927 年 4 月底,蒋介石催促上海商业联合会将已认捐的军饷 500 万元早日解缴,同时威逼张嘉璈,要上海中国银行分期垫款 1000 万元。经过张与南京政府的往返斡旋,以及黄郛等人从中转圜,中国银行最终接受了在三个月内垫款 600 万元的调停方案。参阅洪葭管:《中国金融通史》第四卷,中国金融出版社,2008 年,第48 页。

不足。当时,财政部从筹款效率考虑,债券的发行多以期短息高、流通性较强的库券为主,并通过向银行押款等方式快速收集现金。

自 1928 年 7 月至 1931 年底,国民政府通过财政部发行的债券库券共有 20 种,发行的金额合计为 87200 万元。详见表 2-2-1:

表 2-2-1　1928—1931 年国民政府发行公债项目表

发行日期	数　额 (百万元)	名　称	利　率 (%)	最后还款 日期	担　保
1928.7.1	9	津海关二五附税库券	9.6	1931.3	津海关二五附税
1928.10.25	30	十七年短期公债	8	1935.9	关税
1928.11.30	45	十七年长期公债	2.5	1953.9	关税
1929.1.8	10	十八年赈灾公债	8	1938.12	关税
1929.2.1	50	裁兵公债	8	1939.1	关税
1929.3.1	24	十八年卷烟税国库券	8.4	1932.1	卷烟税
1929.4.21	4	疏浚海河工程公债	8	1939.4	津海关值百抽五关税
1929.6.1	40	十八年关税库券	8.4	1934.7	关税
1929.9.1	70	十八年编遣库券	8.4	1937.12	关税
1930.1.1	20	十九年关税公债	8	1939.12	关税
1930.3.1	24	十九年卷烟税国库券	8	1933.3	卷烟税
1930.9.15	80	十九年关税短期库券	9.6	1935.5	关税
1930.11.1	50	十九年善后短期库券	9.6	1936.4	关税
1931.1.1	60	二十年卷烟税国库券	8.4	1937.6	卷烟税
1931.4.1	80	二十年关税短期库券	9.6	1939.7	关税
1931.4.15	6	二十年江浙丝业公债	8	1938.10	生丝出口税
1931.6.1	80	二十年统税库券	9.6	1937.11	统税
1931.8.1	80	二十年赈灾库券	9.6	1938.1	盐税
1931.9.1	30	二十年赈灾公债	8	1941.8	关税附税
1931.10.1	80	二十年金融短期公债	8	1941.10	关税

资料来源:[美]杨格:《中国财政经济情况(1927—1937)》,北京体育学院出版社,1981 年,第 507—509 页。

对政府发行的公债,交行积极应对,并以三种方式经营债券业务。其一是代理债券。1928 年 11 月财政部颁布的《交通银行条例》规定,交行的业务范围有:"代理公共实业机关发行债票及经理还本付息事宜","国家、地方或公司债票之经理应募或承受",并向国家、地方或公司债信用较好的股票担保放款。交行代理国民政府债券自江海关二五附税国库券开始,此后每年都有各种债券,直至 1935 年由中央银行全面接管。交通部、铁道部建设委员会及地方政府所发行的各种债券,交行也是经理行之一。

其二是以债券押款的形式放款。财政部素来将所发行的一部分债券库券,以五折的价格作抵押向金融机构借款,并订立押款合同。库券到期后,财政部要求各银行在债券市场上将债券售出,抵偿押款,余款则回给财政部。即如当时人所言:"政府发行公债,多当需款孔殷之秋,等不得债票拿去发售,预先就以债票向银行抵押借款,然后由银行陆续按市价而出售,等到债券售出,再行结账。"①交通银行对这项业务也是相当重视的。

表 2-2-2　1928—1931 年上海银行业承做政府债券押款的约略统计

日　　期	债券名称	承押政府债券的情形
1928 年 11 月	民国十七年短期金融公债	中国、交通、浙江实业、四明、浙江兴业、上海、中国实业、金城、盐业、中南、大陆等 11 家银行,承借财政部以民国十七年金融短期公债 1050 万元押款 840 万元,押品按 8 折,期限 6 个月,月息 8 厘。计中国银行 400 万元、交通银行 150 万等。
1929 年 2 月 25 日	裁兵公债	中国、交通、中央、钱业公会、中南、金城、盐业、大陆、四明、浙江实业、浙江兴业、中国实业、江苏、中孚、通商 15 家银行等,承借财政部以裁兵公债 1125 万元押款 750 万元,押品约按 7 折,半年一结,月息 1 分。计中国银行 280 万元、交通银行 120 万元、中央银行 100 万元等。
1930 年 1 月	编遣库券及裁兵公债	中央、中国、交通、金城、盐业、中南、大陆、中国实业、浙江实业、浙江兴业、四明、江苏、中孚、通商等 14 家银行及钱业公会,承借财政部以编遣库券及裁兵公债 1000 万元联合押款 750 万元(又称年关大借款),押品约按 7 折,未定期限,6 个月一转,月息 1 分。

资料来源:《金城银行史料》,第 491、492 页;《上海商业储蓄银行史料》,第 606 页。②

---

① 千家驹:《国民政府与内国公债》,《东方杂志》第 30 卷第 1 号。
② 参见蒋立场《上海银行业与国民政府内债研究(1927—1937)》,上海远东出版社,2012 年,第 68—69 页。

这一时期承做押款的利润相当丰厚,除了债券押款本身的利息,还有二级市场买卖债券的差利,利润估计在年息 15% 左右。[1]　交行在其年终报告中曾坦承:"银行业的投资,放款较重于有价证券,本行当然也不能外此。"[2]

其三是直接购买债券,具体数额见表 2-2-3。

表 2-2-3　1928—1932 年交通银行投资有价证券数额　　　　　　　单位:元

年　份	有价证券	年　份	有价证券
1928 年	8561704.11	1929 年	8602075.55
1930 年	13260060.56	1931 年	19499905.25
1932 年	22596703.63		

资料来源:《交通银行史料》第一卷,第 752—756 页。

从表中可以看出,交行改组后购入有价证券的数量不断增加,1929 年以后的增加速度明显加快。当时公司债券并不景气,所以交行所购有价证券大多为政府债券,这其中有直接认购的,也有从二级市场购买的。1929 年,国民政府经过艰苦努力赢得关税自主权,仅关税一项每年新增税收超过 1 亿元,政府信用逐步增加。当时交通迟滞,经济不景气,可投放资金的渠道不多,所以投资市价较好的政府债券对于资金的盈利及流动都有好处。

对这一形势,交行债券经理人许宝和的认识是到位的,诚如其对交行改组后投资迅速增长的原因分析:"资金出路无多,不得不取得尾间,以为消纳之地,一也;政府募集债款,时或出于摊派,势难不予承受,二也;调剂证券市场,充作发行准备,三也。"[3]同样的表述也出现在 1928 年的年度营业报告中:"本行现经政府明定为发展实业之银行,是以今后营业方针,自当本此原则,注重发展实业方面。""惟比年天灾人祸相继而来,粗具雏形之实业益受环境之束缚,发展难期,投资非易。"[4]

除投资债券获取赢利外,交行还凭借货币发行权将债券充作准备金。据当时人称,"国内发钞银行之准备金,率皆规定现金六成,保证四成,故历来各大银行都购置

---

[1]　董仲佳:《最近内国之债券》,《银行周报》第 15 卷 15 号。
[2]　千家驹:《国民政府与内国公债》,《东方杂志》第 30 卷第 1 号。
[3]　许宝和:《本行营业之回顾》,上海市档案馆藏,档号 Q55-2-272。
[4]　《交通银行民国十七年营业报告》,《银行周报》第 13 卷第 24 号。

巨额债券,按市折价,以充四成之准备,此为容纳内债数量之最巨者"。①

这一时期,政府债券在投机市场上供销两旺,大多银行不愿直接垫款认押或直接购买债券,而乐于在债券二级市场上买卖债券,以投机获利。当时已有不少人意识到政府公债投机市场火爆的危害性,并予以告诫,报刊也常有文章指出,资金过多集中在债券市场,表明工商经济吸纳资金的能力屡弱,实业生产萧条,政府应采取措施改变这一局面,银行业也要抛弃投机心态,加大对实业经济的放款便利。然而,此类呼吁并无多少效果,1931 年的债券市场投机更趋激烈,政府的债券资金依然没有倾向生产,导致市场上流动的信用货币不断增加,物价迅速上涨。交通银行的领导层此时已清楚地意识到内债投资或投机过盛在经济上可能产生的后果。董事会屡次开会,提醒各分支行须预做准备,加大对交通、工商实业的放款,降低经营风险。

二、妥善应对债信危机

1930 年以后,国民党政权内部纷争不已。1931 年 5 月,汪精卫、孙科在广东另立国民政府,提出要截留粤海关关税。关税乃国民政府国债抵押品,故消息一经传出,公债市场顿时人心惶惶,公债价格随即狂跌。当年夏季,长江流域发生 60 年未遇的大水灾,工商业遭受巨大损失,海关进出口锐减。关税的减少导致债券市场剧烈震荡,公债危机随时可能爆发。9 月 18 日,日本悍然发动事变,占领东北全境。债券市场波澜起伏,做空消息屡见报端。21 日,各类证券几乎都出现停拍现象,金融市场一片恐慌。银行业收紧银根,债券市场做空的气氛臻于沸点,投资者纷纷抛售债券。

面对危局,包括交行在内的上海银行业自发采取措施,以期维持债信。因 9 月份债价暴跌,月末的交割已成一大问题。最终,上海证券交易所与交通银行、中国银行、中央银行等商议,仍允许这些银行承做债券押款。具体的办法是:先由委托人向经纪人请求登记,再由证券交易所出面向各行抵押债券,完成正常交割。债券押款按照市值七折,月息一分二,期限三个月。交行等各大银行先后投入 800 余万元用于债款抵押,并准备了 500 万元预备回购本月债券期货,以挽救停牌。② 经各行共同努力,债

---

① 董仲佳:《最近内国之债券》,《银行周报》第 15 卷第 15 号。
② 中国人民银行上海市分行金融研究室编:《金城银行史料》,上海人民出版社,1983 年,第 539 页。

券市场一时间信心略有回升。但好景不长,受政局不稳、社会动荡的影响,债市信心依然低落,价格下跌的情形更趋惨烈。

国民政府为维护债信,准备出面干预市场。10 月 8 日,财政部长宋子文召集交通、中国等 19 家银行举行座谈会,商讨维持债信办法。各行一致认为"维持公债价格,实为安定金融之无上办法"。① 会议决定必要时各银行应竭力垫款以帮助政府,各交易所和银行须尽量购买公债库券,维持债价,同时还决定将取消交易所现品提交的限制。② 当时,国民政府金融统制的进程尚未完成,还不能完全掌控中、交两行,加上各银行之间也难以协调,因而这次会议所形成的决议并未产生实际效力,政府干预市场试图维护债信的效果并不明显,债券价格跌势不减。公债价格的持续下跌,使持有大量政府债券的金融业损失严重,上海各大银行、钱庄纷纷采取紧缩措施,严格限制押放,厚备现金以防挤兑。

国民政府依靠发行内债维持财政,各金融机构通过投资债券获取利益,短期内,似乎形成双赢的局面。目前,债价暴跌,债信动摇,为了稳定人心,10 月 11 日,财政部发表声明,各项公债本息定会如期偿还。然而,国民党军队对红军的围剿正大举进行,军费筹措火急火燎,财政捉襟见肘。10 月 12 日,财政部长宋子文在国民党中央政治会议第二十次临时会议上,就军费问题向大会提议,应立即发行 1931 年短期金融公债,缓解财政危机。③ 会后,宋子文致电交通银行总经理胡祖同等,希望以 1931 年短期金融公债作抵筹借 1200 万,以解燃眉之急。对公债风潮中损失惨重的银行业而言,政府又发新债,无异雪上加霜。

债券的稳定毕竟是政府与银行业共同期待的,所以银行业同意与政府合作。10 月 27 日开始的宁粤"和平统一"会议进展缓慢,银行业人士为此十分焦虑。11 月 5 日,上海银行公会执行委员会会议就此进行商议,通过了宣言稿和财政方针建议案各一件,当日推选胡祖同、张嘉璈、陈光甫、李铭、吴鼎昌五人分别面谒宁粤代表,陈述有关主张。宣言稿直言不讳地指出:"自民国十六年国民政府成立,全国人民无不认为破坏之日告终,建设之期开始。举凡党国措施,罔不竭诚拥护,以期政治之稳固,借谋经济之发展。不意五年来,兵祸不能息,匪患不能止,天灾不能防,甚至党国自身亦复

① 《财宋召集维持金融会议》,《银行周报》第 15 卷第 39 号。
② 吴景平:《宋子文政治生涯编年》,福建人民出版社,1998 年,第 195 页。
③ 同上,第 196 页。

不能保持完整。卒为外患所乘,占领辽、吉,震撼世界,国无以自存,民无以聊生。凡为国民,自问对党国之信仰,已五年如一日,而其成绩乃至如斯,实不能不感觉无穷之悲愤。尤为我金融界同人,此五年中,追随国民之后,不断在社会上提倡尽力协助党国政府,至此更不能不抱万分之惭疚。"①他们敦促宁粤会议双方尽快达成一致,平息争斗,共御外侮。银行业的善心与良言,对止息宁粤政争并无多大作用。

12月15日,蒋介石在多重压力之下,决定以退为进,辞去国民政府主席兼行政院院长的职务。同日,宋子文辞去行政院副院长兼财政部长的职务。22日,国民党四届一中全会选举林森为国民政府主席,孙科为行政院长。当日,南京市长石瑛递交提案,建议政府与金融界切实商洽,兼顾财政困难与维持公债信用,设法将债券应还本息的一部分延期拨付,行政院表示可以考虑。消息一经传出,全国震惊,舆论大哗。当时,持有债券的投资者已遍及千家万户,民间稍有余资者往往投向债券,并以政府公债相互抵押借款。如果延付公债本息,且战争不息,军费不降,就等于宣布债票作废,广大投资者当然不能接受政府的这种"赖账"行为。债券市场顿时陷入一片恐慌和混乱,上海证券交易所的公债交易刚开拍即跌停板,不得不暂停营业。

面对国民政府如此不负责任的举动,交行和中行首先发难,联合上海银行业与全国各界商会,一同向国民政府抗争。上海银行业发起成立"中华民国内国公库券持票人会",希望社会各界团结起来,共同抵制政府的失信行为。在交、中两行的大声疾呼下,各金融组织积极响应,纷纷加入"中华民国内国公债库券持票人会",②力量迅速壮大。交、中两行与同业商议后,致电行政院,指责国民政府失信于民:"查国民政府成立四年,发行内债共计九万万余元。人民极端信任政府,并希望政府度支宽裕,政治统一,从事建设,力图富强。乃不惜以血汗之资尽力购买。在今日状态之下,各种公债之持票人实已普遍全国,与全民生计、社会治安有莫大关系","谣传此次会议,将有展期拨付公债库券本息提案,人心惶惑,达于极点。仅有此种提案,已使债券信用,一落千丈,如果竟成决议,国家信用,根本无存,公私经济完全破产,任何政府无以为继"。为此,要求政府明确表态,"以安群情而定国信"。③ 来自各方的强大抗议浪

---

① 《银行同业公会重要会议》,《银行周报》第15卷第43号。

② 《行政院决定维持公债信用并无停付本息电》(1932年1月17日),《中华民国史档案资料汇编》第5辑,第98、99页。

③ 《内债展付本息声中各方之呼吁》,《银行周报》第15卷第50号。

潮,迫使国民党四届一中全会最终放弃了延期偿还公债本息的打算。但国民政府在债券问题上的出尔反尔,已使得投资者丧失了信心。

孙科当局采取数项措施,意在获得金融界的支持,但收效甚微。例如,孙科屡次公开表示:"政府为巩固金融起见,对还本付息必尽力维持,如此而不能,则信用破产,金融恐慌,困难愈增。现政府为应付困难,决定办法,财政绝对公开。"并声称已修正财政委员会组织条例,"使财委会负责行监督之责,财政部仅有执行之权",①希望以此吸引金融、工商各界,但各界反应十分冷淡。他与上海银行业协商,希望以金融短期公债抵借1200万元,遭到交行、中行等大银行的婉拒。为摆脱困境,走投无路的孙科召集陈铭枢、李宗仁等人于1932年1月12日在上海召开国民党中央政治委员会特别紧急会议,孙科在会上称:最近政府财政每月实收不过600万元,而仅军费一项支出即需1800万元,政费、教育费尚需400万,差额达1600万元之多。目前,市面债券价格仅面值二三成,因此即使强发公债也于事无补。为应急需,暂时挪用每月公债库券还本付息基金,时间以6个月为限。13日,《申报》以《孙科返京前谈话》为题,公布了这个消息。一时间,债券市场再起风波,投资者惶惶不可终日,上海、北平两地证券市场被迫宣布停止新交易。同日,上海钱业市场洋厘早市大涨,到上午十一时仍不能结价。市场形势迫使各方采取紧急措施以安定人心。上海钱业公会分别向交通、中国、中央三行请求援助,胡祖同首先从交行售出现银72万元,随后,中行又售出现银100万元,洋厘市场才趋于平稳。② 与公债问题密切相关的二五库券基金会也发表宣言,反对政府停付公债本息,要求立即取消此种提议,并明确宣布,以安定人心。③ 上海市商会、持票人会、全国商会联合会等组织,分别致电国民政府、财政部,表示赞同二五库券基金会的宣言,坚决反对政府停付之议。当天下午,胡祖同邀集银钱两业公会紧急召开联席会议,商讨对策。会议强烈要求政府打消此议,避免因恐慌而引起全国性骚动。胡笔江起草的致国府电文,措辞异常强硬,既批评孙科诸人在公债基金问题上的出尔反尔,又要求政府对此有明白合理的解释,"否则敝会等为维持国家信用计,为维持社会安定计,为维持平民生活计,为维持教育机关计,惟有尽其力之所及,集合全国各公团,不惜牺牲一切,采取种种办法,以为保管委员会之后盾,以

---

① 《孙科报告新政府之情况》,《申报》1932年1月7日。
② 戴建兵:《白银与近代中国经济(1890—1935)》,复旦大学出版社,2005年,第289页。
③ 吴景平主编:《上海金融业与国民政府关系研究(1927~1937)》,第143页。

图保命脉"。①

在交通、中国等大银行以及各金融组织的抗议声浪下,行政院最终选择了妥协。1月17日晚,行政院急电上海市商会、二五库券基金会、上海银钱两会、内债持票人会等,表示:"现政府决定维持公债库券信用,并无停付本息之事,希即转知各业行会,切勿听信谣言,自相惊扰,是为至要。政府历年以来,咸与人民合作,当此国难日亟,尤赖互相维系,共济时艰,有厚望焉。"②这是自停付公债本息风潮发生后,孙科政府首次对维持债信公开作出的明确表态。

在孙科政府此番表态后,交行等上海金融机构放弃成见,开始配合政府,积极协商,以解决财政问题。1月22日,财政部长黄汉樑与上海银钱界商洽借款事宜。双方经过一番讨价还价,达成初步协议,银钱两业每月借给政府800万元,由银行业承担的600万元中,交行、中行和央行承担大部分,钱业及交易所各承担100万元。③ 此后,债券市场逐步恢复,停付公债本息风潮终以孙科政府与金融界达成妥协而告结束。

《大公报》曾就此发表一篇社评,有助于人们从另一个角度认识这场风潮。社评说,政府不应以财政困难作为挪用公债本息的借口,国民政府这种杀鸡取卵、自毁债信的做法自是荒唐透顶,而金融界对这场风潮也应承担责任,"近年为政府发行公债,努力推销,吸社会之游资,供砍伐之浪费,因缘为利,误国害民,其咎深矣!平日承欢维谨,今日实逼处此,势将掀起狂潮,挽救之责,殆无旁贷"。由此要求金融界"应制止其以后勿得再逢政府之恶,滥发公债,加重人民负担。此乃国家社会之共同利益,非仅仅为此时之内债持券人保护权利也"④。这篇社评点明了政府与金融界之间的利益链关系,指出双方都难辞其咎。这样的分析可谓切中时弊,一针见血。

---

① 《银钱业联席会议》,上海市档案馆藏,档号 S173-1-68。
② 《行政院决定维持公债信用并无停付本息电》(1932年1月17日),《中华民国史档案资料汇编》第5辑,第98页。
③ 《黄汉樑来沪》,《申报》1932年1月23日;《借款接洽成功》,《大公报》1932年1月23日。
④ 《财政困难如此解决》,《大公报》1932年1月14日。

第二节　配合政府整理公债

一、整理公债决议的发布

1932 年 1 月发生的国内持票人对国民政府拟停付公债库券本息的抗议,是南京国民政府成立后发生的第一次大规模的公债风潮。其爆发固然与 1931 年的"九一八事变"及宁粤之间的政争有直接关系,但根本原因是国民政府的内债政策与金融基本利益之间所积蓄的矛盾,在特定的政治与社会环境下演化出的结果。南京国民政府自成立以来财政一直不能走上正轨,没有建立严格的预算制度,尽管税收较以往有所增加,但因军费支出日益膨胀,收入远不敷所用,只能依靠发行内债弥补巨额赤字。1931 年与 1932 年是国民政府偿还债务的高峰期,而这两年天灾人祸不断,内忧外患严重,财政收入更显短绌。孙科出任行政院长后的三个星期,虽东奔西走,左呼右号,仍不能扭转财政困局,反而激起巨大的风潮。事件平息后,孙科政府旋即辞职,成为南京政府成立以来统治权威相对弱化的时期。然而,"孙科政府毕竟是国民党体制内的合法政权,是整体意义上的南京国民政府的一个特定阶段",金融界可以表达对孙科政府的不满,但仍不得不将其基本利益寄希望于国民党政权的巩固之上。明白这一点,我们才能理解银钱两业为何一面反对政府停付债券本息,一面又垫款给政府以求和解;为何在宋子文提出以展本减息的办法整理内债时,采取了主动合作的态度。[1]

财政借款往往折扣大、利率高,其绝大部分又属于纯消耗性的,这必然使国民政府在缓解燃眉之急的同时,又背上沉重的债务负担,借得愈多,负担愈重。1932 年 1 月,日本在上海发动"一·二八事变"。这次战事不仅使上海金融市场遭受沉重打击,金融业面临"九一八事变"以来最为严峻的局面,也直接影响了国民政府的财政状况。当时,海关收入在中央政府的财政收入中所占比例颇高,1929 年海关收入占中央政府总收入的 51% 左右,1931 年占 52% 。海关收入中以江海关收入为最高,历

---

[1]　参见吴景平主编:《上海金融业与国民政府关系研究(1927～1937)》,第 154 页。

年都占据很高比例,如 1928 年为 40.88%,1929 年为 45.44%,1930 年为 49.7%,1931 年达到 50.61%,约为 124535795 海关两。①"一·二八事变"发生后,江海关收入剧减,国民政府财政状况犹如雪上加霜。

为了应对危局,国民政府通令全国各处军队,不得擅自截留或提取国家税收,不得不在债券上做文章。1932 年 2 月中旬,重新上任的财政部长宋子文在上海举行茶会,邀请上海金融界领袖以及其他工商界代表参加,讨论既能"维持财政",又能"保全债信"的两全之计。会上宋子文表达了政府整理债券的意愿。经过反复商量,双方达成减轻利息、延长还期、确定基金、改组基金保管机关、换发新票或加给息票等协议。具体做法是:从 1932 年 2 月起每个月公债还本付息支出的数额削减一半,即每月减少 860 万元,偿还期限较原定日期延长近一倍;除个别债券外,一律改按年息六厘或月息五厘偿还;全部公债均改为以关税担保,即从关税项下每月划拨 860 万元作为整理案内各债券的还本偿息基金;将原江海关二五附税库券基金保管委员会改为由政府、金融、工商及国债持有人几方面代表组成的国债基金委员会,统一管理国债基金。

2 月 24 日,行政院议决通过内债整理计划,当日由国民政府正式颁令,宣布将对各公债库券进行整理,并表示这次整理"乃政府与民众维护债信,调剂金融之最后决定,一经令行,永为定案,以后无论财政如何困难,不得将前项基金稍有动摇,并不得再有变更,以示大信"②。

两日后,持票人会发表声明,认可国民政府整理债券的政策和措施,要求国民政府此次减息展本之后,无论政府如何困难,不再牵动基金和变更此次所商定的办法,政府应彻底整理财政,完全公开,财政委员会由各团体参加,在收入范围内确定支出预算,并不再为军政费向各商业团体举债。③

此次整理的债券计有公债 14 种,库券 13 种,共 27 种。④ 其中除北洋政府时期发行的 7 种外,其余均为 1927 年以后国民党政府所发(公债券、国库券各 10 种)。经过这次整理,债市转活,财政部每年大约减少近 1 亿的偿债支出,从而缓解了当时的债

---

① 参见吴景平主编:《上海金融业与国民政府关系研究(1927~1937)》,第 169—170 页。
② 《中国银行行史资料汇编》上编,第 631 页。
③ 《持票人会对于内债之宣言》,载千家驹:《旧中国公债史资料》,第 215—217 页。
④ 原为 28 种,但案内的疏浚河北省海河工程短期公债,后来改定为照原案办理,故实际为 27 种。

务危机。

国民政府能作出今后维持债信的承诺，是听取了银行家和公债主要持券人的意见。这说明此次公债整理得以较顺利地进行，是金融业与国民政府互相妥协让步的结果，实际上也是金融界与官方的一次政治抗衡与较量。交行总经理胡祖同在银钱两业公会召集的紧急联席会议上代表交行发表的重要意见，对促使国民政府颁令整理国债也起了积极作用。

二、大量承接公债押款

国民政府颁布公债整理案后，努力实行财政紧缩政策，收支状况渐有好转。债券市场最初并无明显的反应，但很快便活跃起来，究其原因，实为交通、中国等大银行对恢复债市发挥了重要作用。

"一·二八事变"发生后，银钱业出于自身资金安全的考虑，多不愿意承借债券押款及贴现，造成债券流动困难，债市低迷。当时新成立的"内国公债库券持票人会"曾致电国债基金委员会及银行公会，提议各银行酌情变通，使资金得以周转。鉴于这种情况，财政部准许交通银行、中国银行、中央银行酌量承做。[1] 在交、中、中等大银行的努力带动下，1932 年 5 月，债券市场开始恢复，公债价格逐步上扬，涨价幅度高达 40%。

从 1932 年开始，交行对政府的放款额逐年增长，1932 年为 1700 多万元，1933 年上升到 2300 多万元，1934 年已达到 2770 多万元。[2] 国民政府于 1932 年对公债持票人作出维护债信的承诺后，一段时间中确实厉行财政紧缩政策，对银行业的押款也大为减少。然而，1933 年日本侵入热河，战事又起，政府为此发行爱国公债 2000 万元，此后，南京当局再次走上滥发公债之路。在此期间，交行大量承接政府的各项押款，其中尤以公债居多。具体情况见表 2-2-4。

从表中九笔（1935 年两次借款每次分作两期）押款看，押款折扣从 1932 年以前的五折上升到 1934 年 7 月、10 月的六折，1935 年 8 月升到的六五折，1935 年 11 月升到八折，说明当时国民政府的债信已有所恢复，1935 年白银风潮发生前，国内债市比

---

① 《三银行允做债券贴现》，《银行周报》第 16 卷第 18 号。
② 《交通银行史料》第一卷，第 368 页。

表 2-2-4　1933—1935 年交通银行参与承借政府债款情形约略统计(一)

时　间	内　容
1933 年 6 月	中央、中国、交通、金城、盐业、中南、大陆 7 家银行承受财政部华北战区善后借款 100 万元,中、中、交三行 70 万元。
1934 年 1 月 27 日	中央、中国、交通等 16 家银行合组银团承受财政部意退庚款借款总额为 4400 万元。以 1 万元为 1 股,共计 4400 股,各行按资力大小分摊。交行为 440 股,即 440 万元。
1934 年 7 月 1 日	财政部以民国二十年赈灾公债票面 392 万元、二十二年关税库券票面 30 万、二十三年关税库券票面 1078 万,向交行抵借 900 万元。
1934 年 7 月 11 日	财政部以民国二十二年关税库券票面 200 万元、二十三年关税库券票面 217 万元,向交行抵借 250 万元。
1934 年 10 月 5 日	财政部以二十年赈灾公债票面 36 万元、二十二年关税库券票面 220 万、二十三年关税库券票面 128 万元,向交行抵借 230 万元。
1935 年 8 月 31 日	财政部以二十三年关税库券票面 925 万元,向交行抵借 600 万元。第一期 8 月底交款 300 万元,第二期 9 月底交款 300 万元。
1935 年 11 月 10 日	财政部以二十三年关税库券票面 750 万元向交行抵借 600 万元。11 月交款 300 万元,12 月 15 日交款 300 万元。

资料来源:《中国银行行史资料汇编》上编,第 1083—1097、1161—1168 页;《中国银行行史 (1912—1949)》,第 267—272 页;《交通银行史料》第一卷,第 380—381;蒋立场:《上海银行业与国民政府内债研究(1927—1937)》,第 167—170 页。

较兴旺。从 1933 年到 1935 年,财政部欠交行款项计有 3000 万元以上。而这些抵借款项,国民政府一拖再拖,最后多在 1936 年统一公债中展期拨付。

1931 年以后,为了赈济灾区和对抗日本侵略,国民政府开始重视对内地的经济投资,加快了基础设施建设的步伐,为此发行了不少建设公债。交行作为发展实业的银行,自然须要尽量多承接一些。有关情况见表 2-2-5:

表 2-2-5　1933—1935 年交通银行参与承借政府债款情形约略统计(二)

时　间	承借债款情形	备　注
1933 年 7 月	中国、交通、金城、盐业、中南、大陆 6 家银行承借铁道部大潼、潼西铁路工程垫款 450 万元,在沪分三期平均交付,每期各行垫款摊承数额计交通银行、中国银行各 30 万元,中南和金城各 35 万元,盐业和大陆各 10 万元。	铁路
1933 年 7 月— 1936 年 9 月	中国、交通、中南、盐业、金城等银行对铁道部向法国购料期票保付和备付款保管,第一次保付期票总数为 1500 万法郎,由上述 5 家银行保付;第二次保付期票总额为 17 万余英镑,亦由交行等 5 家银行保付;另由交行、金城和中国银行保管备付款总额计 1173 万法郎。	铁路

（续表）

时　间	承借债款情形	备　注
1933 年 9 月—12 月	中国、交通、盐业、中南、大陆、金城、新华等银行对平绥路购料期票保付和押汇垫款,共有两次。交行参与第二次保付,期票总额为 200 万元。	铁路
1934 年 5 月	交通、金城、中南 3 家银行承借陇海路局老窑海港建设工程款项 100 万元,交通银行承借 30 万元。月息九厘。1936 年交行再次承借 30 万元,月息仍为九厘。	铁路
1934 年 5 月	中央、中国、交通、汇丰 4 家银行承购财政、铁道两部发行的民国二十三年六厘庚款公债,发行总额 150 万镑。交行承购 25 万英镑。	铁路
1935 年 5 月	交通银行与中国、中南、金城、盐业等银行承借铁道部陇海路西宝段工程款项,总额 486 万元,交行承借 97 万元。	铁路
1935 年 5 月	铁道部苏嘉铁路借款 100 万元,由第三期铁路建设公债票面 140 万元作保,交通银行一次性交付 15 万元。	铁路

资料来源:《中国银行行史资料汇编》上编,第 1083—1097、1161—1168、2068—2069、2171—2172、2185、2227—2228 页;《交通银行史料》第一卷,第 383—387、398—403、408—414 页;蒋立场:《上海银行业与国民政府内债(1927—1937)》,第 167—171 页。

　　交行在这一时期承借的政府公债押款或直接押款中,用于军费的公债数额逐渐减少,而建设公债与押款的数额有所增加,开始承担起"发展实业"的职责。此外,出于建设需要,铁道部往往还以各路局的名义向交行押款,建设新铁路时还以建设委员会或铁路公司的名义借款。交行承接的国民政府内债与押款,除铁路外,还用于公路、水利、电气等基础设施建设,可见,其用途已渐趋多样化。基础建设用款数额巨大,交行虽以发展实业为其使命,但也无力独自承担,因而往往以组织银行团的方式参与放款。

第三节　力主废两改元

一、废两改元的背景

　　晚清以来,中国金融市场上存在银两、银元双重货币本位制度。银两是一种称量货币,分为实银与虚银。实银又称宝银,指实际流通的白银,其实体多被铸成类似鞋或船的样式,称为"银锭",大多用于银行储备及大宗贸易,一般生意往来很少使用,但保留着银两的单位,恰如马寅初所言"用其名而无其实",形成所谓"虚银两本位"。虚银两只是一种计算单位,不同地区有各自的名目成色,如上海的九八规元、天津的行化银和汉口的洋例银等。

银元俗称洋钱、大洋,17 世纪开始流入中国,19 世纪 40 年代左右,墨西哥银元(鹰洋,也称英洋)进入中国并大规模流通。1889 年,两广总督张之洞在广州开设铸币局,自铸银币,因所铸银币上有龙的图样,故称龙洋,其后各省相率仿铸,成色花纹,参差不齐。

当时,中国银两为虚位币,仅供记账单位之需,与实际市场中使用的银元不同。而且银两的名称因地而异,所含纯银成色也各不相同,造成各地交易时折算繁琐,十分不便。实际使用中的银元也形成一种不稳定的价格,即所谓洋厘,因其上下波动,有碍国计民生。

针对货币紊乱的情形,社会各界自 1914 年北京政府公布《币制条例》后,屡有废两改元之议。如 1921 年,天津银行公会陈请政府废两改元;1923 年因上海银根奇紧,银元充斥,废两改元之声又起;1928 年国民政府召集全国经济会议,通过了废两改元的议案,并决定一年后具体实施,但因种种阻碍最终未能实现。

1932 年,一再拖延的废两改元之事出现转机。当年上半年,农村金融衰落,内地银元大量涌进上海,平均每月达 600 万元。往年 4 月为内地使用现金最多的时候,1932 年 4 月竟流入上海 2200 万元,"实为向所未有之事",而上海全年输入的银元,竟高达 8900 余万元。[①] 在上海市场银元充斥之际,1931 年,上海银钱业存银元 1.4 亿元,1932 年 8 月,已增至 2.4 亿余元,而现银两仅 7000 余万两。[②]

银元充斥的结果是银元价格狂跌。1918 年至 1931 年间,银元平均价格为每百银元值上海规元银两 73 两,1932 年降为 69.95 两。[③]6 月,上海洋厘跌至 6 钱 8 分 8 厘半,创历史最低纪录。此时,银元的购买力也随之下落,银元被大量熔毁,各界盼望从速废两改元。按照现银成分,不记入铸费,银元每元约合规元 0.699 两,所以政府此时若废两改元,规元价格只会升值,不会贬值。[④]

---

① 《中国银行行史资料汇编》上编,第 2076 页。
②③④ 同上,第 549 页。

当时全国现存银元,据专家调查约为 17 亿元,而银两存量,合计不过 1.5 亿两,银两与银元的比例为 8% 比 92% ,[1]因此,废两之举势在必行。上述种种因素,皆有利于废两改元的实行。国内经济专家莫不视废两改元为唯一要途,纷纷立论著述,竭力提倡。

财政当局也认识到银两制度的弊端所在,认为要彻底整顿国内经济,首先要废止银两。1932 年 7 月 7 日,国民政府决定在交行、央行、中行等大银行的配合下,全面推行废两改元。随着这次币制改革的完成,困扰中国经济数十年的一大难题得以解决,银两制度也从此转化为历史名词。[2]

二、废两改元研究会与兑换管理委员会

1932 年夏,南京国民政府将废两改元提上议事日程。当年 6 月下旬,中央银行副总裁陈行致函上海银行公会,告以财政部将组织废两改元研究会,邀请该会代表列席。6 月 26 日,上海银行公会同时举行第 21 次执行委员会和第 17 次常务委员会。会议认为时机已到,一致赞成实施废两改元,并推选银行公会主席、交通银行总经理胡祖同列席财政部废两改元研究会。

1932 年 7 月 7 日,财政部长宋子文为废两改元之事,来沪召集银钱业代表谈话,议定了下述三项原则:1. 废止银两,完全改用银元制度,以统一币制;2. 采用银元制度后,旧铸银元,仍可照旧使用;3. 银元的法定重量,每元究竟是七钱一分还是七钱二分还有待商定,标准确定后即开始铸造新币。银两制度废止后,凡以前的交易以银两计算的,须待政府作出决定,再商定详细办法处理。[3]

交行等银行同业向来是提倡废两改元的中坚力量,故对上述原则表示完全赞同,而且督促政府早日实行。而钱业公会因废两改元实行后,将损及自身利益,所以仅在表面上予以支持,实际上有意拖延。

7 月 23 日,宋子文在上海寓邸邀请上海银行界和外国银行界代表进行第二次会商,进一步商讨废两改元事宜。会上决定,为慎重研究起见,成立废两改元研究会,由国民政府与中外银行家组成。中央银行副总裁陈行为主席,上海中国银行经理贝淞

---

① 孔伟琴、孔维文:《论废两改元》,《中国钱币》2002 年第 4 期。
② 汪裕铎:《废两用元简史》,《交行通信》第 4 卷第 4 号,第 61 页。
③ 同上,第 62 页。

苏、中南银行总经理胡笔江(1933年任交行董事长)等人为委员。研究会成立后,多次举行会议,讨论相关的具体方案。

与此同时,上海银行公会机关刊物《银行周报》连续推出数期"废两改元问题专号",发表了一系列文章鼓吹废两改元,钱业公会则在其机关刊物《钱业月报》上发表针锋相对的反驳文章,力求拖延。外商银行虽有反对意见,但经国民政府一再疏通,也默认废两改元的实施。其后,钱业公会的态度也有所转变,开始配合国民政府的实行。

《银行周报》

1933年初,宋子文密令陈行与李馥荪、贝淞荪拟订废两改元的具体办法。同时,财政部又在上海组织讨论会,以交行总经理胡祖同、上海银行公会会长李馥荪、上海钱业公会会长秦润卿、中央银行业务局经理席德懋、中国银行经理贝淞荪等人为委员,开会讨论多次,以决定银本位币铸造条例以及废两的相应办法,以备实施。①

1933年2月间,国民政府开始联络交行等国内大型银行,筹备废两改元工作。2月8日,财政部长宋子文致电交行,要求交行"会同中央、中国银行,以中央银行为主体,合组机关,详拟办法"。考虑到废两改元一直是银行业的夙愿,交行定会全力以

① 《废两改元概述1935年》,《国民政府财政金融税收档案史料(1927—1937年)》,第379页。

赴,因而宋子文在电文中表现得极为自信:"事关币政,贵行等当必乐于协助。"①

事实上,交行的确没有辜负财政部的殷切期望。3月8日,交行与央行、中行合组成立了上海银元银两兑换管理委员会,制定了组织大纲与办事细则。该委员会有委员七人,其中交通银行两人,为秦祖泽、陈浚;中央银行三人,为唐寿民、李觉、席德懋;中国银行两人,为贝祖诒、史久鳌。唐寿民、史久鳌和陈浚为常务委员,唐寿民还任该委员会主席。根据组织大纲的规定,该委员会的任务是管理上海市面原有银两与通用银元的兑换事宜,按财政部规定,以规元七钱一分五厘为换算率。如有以银两兑换银元者,可随时以银两向三行兑换银元;如有需要银两者,也可以银元请求委员会核准,向三行兑换银两。三行兑换的比例为:央行50%,中行35%,交行15%。②

三、废两改元在分支机构的实行

上海是全国经济金融中心,规元的势力极为强盛,上海的规元一旦废除,其他地区便容易实行了。再者,国民政府的金融控制在上海比较稳定,政策执行有力,因此,国民政府决定以废除上海地区的规元为整理币制的首要步骤。

1933年3月1日,财政部发布训令:"本部为准备废两,先从上海实施,特规定上海市面通用银两与银本位币一元或旧有一元银币之合原定重量成色者,以规元七钱一分五厘合银币一元为一定之换算率,并自本年三月十日起施行。"③财政部原计划将货物市价以及一切交易改用银币计算,先试行四个月,若无其他障碍,即定7月1日为实行期。同时由交通银行与中央银行、中国银行合组的兑换管理委员会负责无限制兑换,待各业一律改为银元本位后,宣告废两改元完成,预期大致为六个月。④

交行等上海各家银行接到上述命令后,立即转告所属各分支行,对国外汇兑,如美元、英镑、法郎、日圆等,也议决自3月10日起,以法定换算率七钱一分五厘折合银元。

---

① 《财政部关于实行废两改元委托中中交三行合组机关函》(1933年2月8日),《中华民国史档案资料汇编》第5辑第1编,第233页。
② 《上海银元银两兑换管理委员会抄送该会组织大纲及办法函》(1933年3月8日),《中华民国史档案资料汇编》第5辑第1编,第234—238页。
③ 《上海先施行废两改元令》(1933年3月1日),《国民政府财政金融税收档案史料(1927—1937年)》,第396—397页。
④ 《财政通令废两改元》,《交行通信》第2卷第5号,第21页。

3月10日,废两改元正式施行,上海地区各业交易均改为银本位。交、中、中三行合组的上海银元银两兑换管理委员会,也于当天开始办公,无限制兑换银元或银两。

兑换管理委员会自3月10日开兑,截至当年4月5日,共兑入银元63.45亿元,即兑出规元45.37亿两;兑出银元2.03亿元,即兑入规元1.45亿两。上述数字,由交、中、中三行按原定比例分摊。

上述数字显示,当时银元兑入反而多于兑出,这与国民政府原定目标正相反。究其原因,在于上海的规元银两仍有相当强大的势力,而且上海金融市场上银两兑换银元的定价较高,又无违规处罚的条例,所以部分金融机构仍在观望,有些人甚至还囤积居奇,争以银元兑换银两。一时间,废两改元之举反而造成了"废元改两"的尴尬局面。

交行等各家大银行乃至银行界的贤明之士,深恐废两之举功败垂成,极力呼吁加大推进力度。国民政府受各方激励,决意提前在全国推行废两改元,扭转当前的被动局面。1933年4月5日,国民政府以财政部令通电全国:自4月6日起全国实行废两改元,撤销上海银两银元兑换管理委员会,交、中、中三行即日起继续办理兑换事宜。此外,财政部因天津、汉口两地所存银两颇多,令津、汉地区的交行、中行分行分别组织津、汉银两兑换银元管理委员会,就地兑换行化银与洋例银。

政府公告还要求,自4月6日起实行废两后,所有公私款项收付、订立契约票据以及一切交易,必须一律改用银币,不得再用银两。在6日以前,原订以银两收付的,上海地区以规元七钱一分五厘折合银币一元为标准,一律以银币收付,上海以外各地区,应按4月5日申汇行市,先折合为规元,再以规元七钱一分五厘折合银币一元为标准,一律以银币收付。6日以后,新立契约票据、公私款项收付及一切交易,仍用银两的,在法律上一概无效。持有银两者,须依照《银本位铸造条例》的规定,请中央造币厂代铸银币,或送交中央、中国、交通三银行兑换银币使用,其后各地商民持有银两者,不及运送中央造币厂代铸银币,且又需用银币,即由中、中、交三行按照银本位币铸造条例规定,准以银币就地兑换,以方便商民,利于银币流通。[①]

---

① 《财政部关于废除银两改用银本位币制布告》(1933年4月5日),《中华民国史档案资料汇编》第5辑第1编,第239页;汪裕铎:《废两用元简史(续)》,《交行通信》第4卷第4号,第61—62页。

公告颁布后,上海银钱两业召开紧急联席会议,商讨具体遵行办法。经过反复讨论,最后商定以下做法:1933年4月6日以前开出的各种银两票据,一律按七钱一分五厘照付银元;4月6日以后各种票据,也以银元为本位,若仍用银两者,应交回顾客改开银元;对于银两存欠各户,则一律按照法定价格合成银元转账;中央、中国、交通三行遵照财政部令,继续办理兑换事宜,但只以银两兑换银元,并将办理时间酌情延长。对于外商银行,各钱庄若已收有洋商银行规银支票,由收款行庄背书后,并签明"此票只准向中央、中国、交通三银行兑换银元"字样,再交给三行登入银元账,洋商银行银两本票一律按七钱一分五厘的法定价格改换成银元本票,方可抵用。凡4月15日以前到期的远期票据,可按七钱一分五厘法定价格照付银元,若到期日在4月15日以后,应在4月15日之前向银行公会登记,届期按法定价格照付银元。外汇进出则一律用银元本票收付。[①] 联席会议决定将上述执行办法以上海银行公会的名义送各报登载,并分发各行查照办理,通知北平、天津、汉口、青岛、苏州、杭州、宁波等地银行公会分转当地各银行办理。中国银行业与钱庄业在废两改元问题上终于结束了长期的对立,开始了协商与合作,废两改元遂得以在全国范围内正式实行。

废两改元实施时,上海造币厂尚未确定新币模版,直至6月底,经政府核定以孙中山头像作币模,方于7月1日开始发行新币,并接收银钱业以宝银兑换新币的业务。但当时兑换进度缓慢,原因是各钱庄、银行一向有以宝银作为库存准备的传统习惯,宝银尚有一定存量,而送交造币厂或由交通、中央、中国三银行兑换新币又须承担一笔不小的损耗费,一般钱庄和银行并不积极,所以一时未能全数送交。国民政府为了加快兑换进度,发布政令禁止钱庄、银行将宝银作为库存准备金,并宣布兑换过程中的损耗费用由财政部承担。此后,兑换工作渐次展开,废两改元走上了正轨。

废两改元对中国货币制度的改革意义重大,日本驻天津总领事桑岛主计在1933年4月致外务大臣田康哉的信函中称赞此事说:"两、元并用的制度,在中国已实行七十年之久,这次中国政府断然着手进行改革,确实是个英明的决断,对于统一货币来说,是个划时代的措施。"[②]废两改元的实施,结束了货币使用混乱的情形,使中国银本位币得以统一,有利于市场的稳定和经济的恢复与发展。废两改元的实施,在改革

---

① 《上海钱庄史料》,第229—230页;汪裕铎:《废两用元简史(续)》,《交行通信》第4卷第4号,第62页。
② 《日本驻天津总领事桑岛主计致外务大臣田康哉函》(1933年4月18日),中国人民银行总行参事室:《中华民国货币史资料》第二辑,上海人民出版社,1991年,第99页。

货币、统一全国金融的道路上迈出了成功的一步,在很大程度上为国民政府1935年取消中央、中国、交通三行以外各银行的发行权,推行法币政策,奠定了坚实的基础。故可视其为法币改革的先声。废两改元的实施,国民政府从中经受了处理金融事件的历练,为日后进一步控制交行和中行积累了经验。

四、汉津两地废两改元的波折

废两改元在全国范围实施后,因各地货币的使用状况与上海不同,国民政府采取的措施也不尽一致,其中以天津、汉口两地最为复杂。废两改元之前,天津流通行化银,汉口流通洋例银。废两改元的公告规定,按照4月5日行市,每行化银六钱七分四厘五毫二丝八忽三微折合银币一元(即按行化银一两合规元一两六分,再按七钱一分五厘折合银元计算),每洋例银六钱九分三厘九毫七忽五微折合银币一元(按洋例银九钱七分五厘合规元一两,再折合银元计算)。

废两改元实施后,总管理处指示汉、津两地分行依照下列要求处理:(一)商民以银两请求兑换银币者,即按照上述兑换率,由请求人备具请换书,交、中、中三行可随时照兑;(二)有关兑入的银两以及运往当地的银币,经三行商定,统由中央银行经办;(三)所有兑付运费、保险费等都由财政部负担,中央银行于每月底开列清单,附同请换书,送请财政部拨付。[①]

尽管所出台的处理办法已尽量翔实、具体,但在实施过程中仍遇到不少细节问题。如三行兑换本位币详细手续如何;新币运津、汉与银两运沪,运费由财政部承担,还是向兑换人收取;三行兑换比例是否按照原先的规定(央行50%,中行35%,交行15%);因兑换造成的损失等是否由财政部承担;银两兑换银元是按照汉口五日申汇行市核算,还是按照规元洋例平价核算,再另加运费;中央银行运送现银招商免费,凡兑入现银及运送银元能否商请央行一家装运,等等。

总管理处深知汉、津两地情况复杂,指明运费等由财政部承担,运送事宜由中央银行承办,其余事项皆授权两地分行便宜从事:"银两调换银元,三行应联合组织管理兑换事务委员会。其兑换数成份之分配,由当地三行自行斟酌办理。"至于当地银两

---

① 《中中交三总行关于废两改元后行化与洋例折算等函》(1933年4月11日),《中华民国史档案资料汇编》第5辑第1编,第243页。

按何价调换银元,三总行一时也难以确定,遂指示两地分行"先将尊埠宝银平色,每当地银一两,实合规元若干,速查明电复,再行请部(财政部)核示。"①

天津方面,在三行兑换管理委员会成立前,兑换工作其实已经开始。交行总管理处指示:"在兑换委员会未成立以前,如有以银两向三行商换银元者,三行为调剂市面起见,自当先行通融酌换。"鉴于央行在天津库存的银元不多,难以承担50%的兑换任务,中、交两行主动与其商洽,表示愿意代垫银元。作为回报,央行表示,如果两行代垫银元在6个月内须运回上海,央行随时可免费代运。②

4月8日,天津银两兑换银元管理委员会成立,由交、中、中三行经理,或由其指定的代表出任委员,并聘请公库库长及常务理事二人为评议员,协助工作,三行委员轮流主持会务。三行兑换量的比例与上海相同,委员会随时接受市面银两,每日结账后再按三行比例通知各行兑换。三行拟以500万元作为第一批兑换之需,计央行承担250万元(50%),中行承担175万元(35%),交行承担75万元(15%)。③

汉口方面,废两改元刚实行6天,汉口市银行业同业公会已焦急难耐,直接致电财政部,称:"遵令用元业已六日。惟兑换机关尚未成立,市面银两积滞,窒碍甚多,切恳迅赐电令汉口中央、中国、交通三行即日开兑,以资周转,而利进行。"④交通、中国两分行也开始就细节问题向总管理处请示。

4月13日,汉口交、中、中三行管理兑换委员会成立。委员由三行经理担任,设秘书1人,办事员6人。委员会设于中央银行内,自13日起开始兑换,并在中外各报刊登公告通知。每日兑进银两换出银元即按照上海三行兑换比例分配。兑进银两为便于日后运沪,皆寄存在中央银行库中。由于汉口市面银两存量颇丰,开兑后数额必定巨大,而银两运沪又因招商局承运轮船不足,不能保证运量。而且兑出银元头寸甚大,三行难以承受。因此,委员会决定将每日兑出银元数额,随时报告三行,再由三行

① 《上海交通银行抄送与津汉三行代换本位币等函》(1933年4月13日),《中华民国史档案资料汇编》第5辑第1编,第243—246页。
② 《天津中国交通两银行为中央银行代垫银元事致总处函》(1933年4月17日),《中华民国史档案资料汇编》第5辑第1编,第246—247页。
③ 《天津中中交三行关于兑换行化暨成立对换银元管理委员会函》(1933年4月),《中华民国史档案资料汇编》第5辑第1编,第253—257页。
④ 《上海交通银行抄送上海银行公会陈请施行废两改元案及汉口银公会电请汉三行开兑银元函》(1933年4月19日),《中华民国史档案资料汇编》第5辑第1编,第250页。

汉口交通银行大楼

报告沪行,沪行转付财政部账。①

　　津、汉两地的兑换委员会,均于 1933 年 11 月底结束工作。此时,两地的银两存量,为数已有限,故兑换管理事宜移归中央银行独办,而废两改元的初步工作,至此也告完成。②

第四节　白银风潮中的作为

一、白银风潮的兴起

　　1929 年 10 月 24 日星期四,纽约股票市场崩盘。这个"黑色星期四"标志着世界性经济危机爆发。为应对危机,世界上许多国家放弃了金本位,以促使本国货币贬值,刺激本国经济复兴。世界各国从金本位货币体系中脱身,给仍然实行银本位货币

---

① 《上海交通银行抄送汉口中中交三行兑换银两办法暨汉口管理兑换委员会组织大纲函》(1933 年 4 月 19 日),《中华民国史档案资料汇编》第 5 辑第 1 编,第 247—248 页。
② 汪裕铎:《废两用元简史(续)》,《交行通信》第 4 卷第 4 号,第 63 页。

体系的中国造成了严重的影响。

1934 年,美国通过《白银收购法案》,世界银价迅速涨高,各国在华银行和公司纷纷运出白银以牟取暴利,中国的资本家也开始抢购外汇,并将盈余资金转往国外,中国白银大量外流。当时,中国内地又受水灾影响,经济凋敝,致使上海地区发生严重的通货紧缩,物价惨跌,不少工商企业破产倒闭,一些银行和钱庄也因出现挤兑而被迫停业或倒闭。

面对上述危情,国民政府急令交行和中行设法救助。1935 年 2 月 1 日,中国驻美公使馆在致美国国务院非正式备忘录中说,国民政府正通过央行、中行、交行等大银行对一些金融、工商企业给予支助,希望尽可能给企业和中小银行以支持与通融,以防止失业剧增而造成全面崩溃。①

国民政府凭借交通、中国两行的鼎力相助,于 1935 年 4 月将混乱的局面稍稍稳定下来。但好景不长,4 月下旬,沪市某两家汇划庄相继停业,钱业周转陷入困境,市场情势陡然紧张。交通、中国、中央三行遂联合拆放救济,使金融得以勉强维持。5 月,青岛等地又发生提存风潮,上海、天津、宁波、广州等地的银钱业也多停业改组。国民政府急忙拨付金融公债 2500 万元,由钱业监理会具领,并组织银团拆放委员会办理拆放。此外,还拨出国库证券 2000 万元,成立工商业贷款委员会,分别实施救济,危情稍有缓解。5 月底以后,市情仍较少松动,划头加水②盘旋于七角的最高峰。

鉴于当前的情况,交行深知改善信用制度已刻不容缓,不压平划头加水将无以稳定人心。因此,交通、中国两行对各银行钱庄需要划头者,尽量予以调剂。银钱两业公会商洽后,拟定办法,以交行和中行作为汇划票据集中交换人,缺单各庄可以押品向钱库押借,划头加水方始逐步下落。同时,以交通银行等为代表的银行业以及商会还开始提倡承兑汇票制度。终于,市面得以逐渐松动。③ 这一复苏的趋势一直维持至当年 11 月国民政府实施法币改革之前,为法币改革提供了有利的市场环境。

---

① 《中国驻美公使馆致美国国务院非正式备忘录》(1935 年 2 月 1 日),《中华民国货币史资料》第二辑,第 118 页。

② 指持有汇划票据的客户若想当日取得现款,可以汇划票据换取划头票据。遇市面银根紧时,需支付一定数额的费用,即所谓"加水"。加水的多少随银根的紧松而涨落。

③ 《交通银行二十四年度营业报告书》,《交行通信》第 8 卷第 4 号,第 4—5 页。

二、外汇平市委员会的成立

1934 年 10 月 15 日,国民政府发布《征收银出口税及平衡税办法》,开始征收现银出口税和平衡税,试图遏制白银汹涌外流的势头。这一办法实施后,合法的白银外流有所减少,但由于国内外银价仍存在一定差额,白银走私则愈演愈烈。其后,国民政府采用行政手段,连续发布政令,严厉打击私运白银出境,奖励白银进口。但严刑峻法并未有效扭转白银外流的局面,一时间市面谣言纷纷,商民恐慌,白银问题仍难以解决。

在开征银出口税及平衡税的同时,为寻求银根紧缺的解决办法,国民政府于 10 月 16 日密函中央、中国、交通三行,要求组织外汇平市委员会,以安定外汇市场。三行先集中流动资金 1 亿元,其中交通银行承担 2000 万元,中央、中国两行各承担 4000 万元,于 10 月 17 日组成外汇平市委员会,订立组织大纲十条,"与征收银出口税相辅而行"。委员会设委员三人,由三行各指派一人出任,并就三人中互选一人为主席。每日应征平衡税的标准由委员会核定,委员会应市面的需要,委托中央银行买卖外汇与生金银,以平定市面,必要时可委托中央银行承办现银的输出与输入。政府所征白银平衡税,均拨交委员会为平市基金,由财政部指令总税务司解交中央银行另户存储。委员会因处理事务之需,可在三行中酌情抽调人员,协助办理。①

委员会成立后,认为"金融贵能流通,若徒事限制出口而不设法输入,则商市仍难活泼",因而呈准财政部,商议由中国银行暂垫港币 200 万元,交通银行暂垫港币 100 万元,拨交中、交两行的香港分行,按照市价收购现银运沪接济。中、交两行接受财政部的委托,在香港共收购白银 2000 万元,运至上海平定市面。②

当时,交行香港分行开业不久,即因此举得以崭露头角,使外界得知交通银行实力雄厚。再加上交行在沪积极与中央、中国两行合做拆款,给予各业切实的援助,因而"博得社会不少好评",声誉日隆。③ 后因 1934 年年关将至,上海急需大量白银,而香港白银来源较少,已无大宗可购,外汇平市委员会决定转向伦敦购运现银。最后以 373929 镑 1 先令 8 便士的英镑购入现币 416 万元的白银,按四四二的比例分存中、

---

① 《外汇平市委员会成立大纲》,《中华民国货币史资料》第二辑,第 145 页。
② 《中央银行月报》第 4 卷第 2 号,1935 年 2 月,第 371 页。
③ 《交通银行史料》第一卷,第 611—612 页。

中、交三行。同时,委员会抛售大条银期货,以资遥抵。这时财政部奖励白银输入的办法已经颁布,因而外汇平市委员会得以全数领有复出口凭证,准备在市面好转时再向外输出。当时一般社会舆论认为外汇平市委员会既以中、中、交三行为依托,其购运力量自然巨大,现银来源匮乏的情况将有所改变。在外汇平市委员会的多方努力下,市面恐慌的局面稍有改变,"人心亦渐臻安定",交行地位"遂为国人所重视矣"。①

三、联合同业救济市场

1935 年 2 月,交通银行应财政部长孔祥熙之请,组织并参与上海金融顾问委员会,以期改进国内金融状况。委员会设于中央银行,孔祥熙担任主席,张嘉璈任副主席。交行董事长胡笔江、总经理唐寿民担任该委员会委员,唐寿民并为研究小组第一组主任委员。委员会的宗旨和任务是研究讨论如何缓解国内的经济危机。同月,唐寿民又参加了由上海银钱两业公会、上海市商会、上海市地方协会召开的联合会议,讨论应付金融恐慌的办法。会议指出银钱两业必须联合起来,通力合作,以渡过难关。这次会议表明,以中央、中国、交通为代表的国家银行,已站在白银风潮的最前端,主动承担起救济市场,稳定金融的责任。

（一）对上海工商业的救济

在这次白银风潮中,中小企业的处境最为艰难,资金周转不灵,生存难以维持。交通银行联合上海金融业、工商界代表向政府请愿,要求政府设法救助。但国民政府此时也是捉襟见肘,拮据万分,便将这一道难题推给了银钱业。孔祥熙在会前会后公开表示,实业界要克服金融恐慌,走出这场危机,必须得到上海银钱业的帮助。可是,上海的钱业已经陷入泥潭,中小银行也多自身难保,因此,社会各界将所有的希望寄托在中央、中国、交通三大银行身上。事实证明,中、中、交三行在这一风潮中确实发挥了中流砥柱的作用,配合国民政府稳定了金融市场,帮助诸多企业走出了困境。

1935 年初,上海金融业决定以小额工商业信用贷款的方式救济市面,拟由银钱业和政府各认 250 万元,总共 500 万元,并组织银团具体负责。上海银行公会各会员银行认定出资数额,先后报告公会,计中行 100 万元,交行 40 万元,其他如上海、金

---

① 《交通银行史料》第一卷,第 613 页。

城、大陆、盐业、中南、垦业、中孚、浙江兴业、中国实业等银行共 60 万元,总计 200 万元。其余 50 万元,银行公会希望由钱业承担,但考虑到钱业的难处,也作了最坏打算。若钱业不能承担,则由各会员银行按比例分摊。政府方面由银行公会主席陈光甫出面,以银行公会名义呈请财政部拨款,并谒见孔祥熙请求尽快拨出,以便早日成立银团,实施救济。救济的办法为:由请求小额贷款者,直接或会同工商业,提出请求,并写明借款者的牌号、资本总额、营业状况、借款金额、保证人姓名等,送交商会地方协会,经查核登记后,转送银钱业与政府合作的银团,审查核准后,再由银团指定的代表银行放款。①

然而,银行公会没有料到,问题并未出在钱业,而是出在政府方面。财政部将政府方面应承担的 250 万元又推回给银行,指令由中、中、交三行出面再让各银行合认,银行公会会员中除交通、中国两行,其他会员银行应认足 150 万元,另由钱业公会承担 100 万元。由于实际款项数额与原定计划相差巨大,银行公会于 5 月 6 日召开紧急会议讨论,首先肯定了银行负有调剂市面的责任,放款救济金融当属分内之事,对财政部的指令,也表示愿意尽力而为,但鉴于各银行资力有限,故采取折中方案:除了交行、中行,各银行就已认之数的基础上,再增加 40 万。为此,浙江兴业、上海、中国实业等银行各认 8 万元;大陆、盐业、金城、中南银行各认 6 万元;浙江实业、江苏、四明、通商、新华、垦业、农工、聚兴诚、国货等行各认 4 万元;恒利、中孚、东莱、国华、绸业、中汇各认 2 万元;中华、永亨、通和、江浙各认 1 万元,合计 100 万元。② 此后,银行公会又多次召开会议商讨救济市面的办法,声明银行界与各业息息相关,一荣俱荣,一损俱损,表示要在钱业无力担负救济之责的情况下同舟共济,以渡难关。交行总经理唐寿民与银行公会主席陈光甫等人也组成研究委员会,商讨相关事宜。

正当交行与上海金融界商讨如何救济工商业时,国民政府已决意采取非常手段统制金融系统。1935 年 3、4 月间,国民政府对中国、交通两行强行增资改组,彻底改变了两行的股本构成,将两行完全置于政府的掌控之下。至此,"中、中、交"三行的象征意义,已不再是政府直接掌握的中央银行与以商股为主的最大商业银行之间在重大金融事务方面的联合,而是转化为整体意义上的政府银行系统。在救济上海金

---

① 《中央银行月报》第 4 卷第 4 号,1935 年 4 月,第 844—845 页。
② 《上海银行公会档案》,上海市档案馆藏,档号 S173-2-105。

融业、工商业的过程中,中、中、交三行发挥的主导作用实际上代表了国民政府的支配作用。这一格局,与此前上海金融业所构想及推动的方案,已具有本质上的区别。①因此,改组以后中、交后两行的一系列救济行为,更多的掺杂了政府的理念,成为政府统制、垄断金融的手段。

完成了对中国、交通两行的增资改组后,财政部立即指令中、中、交三行继续担负救济金融、工商之责:"查沪市工商业情形,实有救济之必要,本部统筹全局,为巩固金融,便利救济工商业起见,特即增加银行资本以厚实力。业经分别施行,所有借款事项已令由银行办理,本部为行政机关不能直接放贷,除分别函令中、中、交三行,径与该公会筹议具体办法,依照银行定章,实行办理放款,以资救济并批示外,合行令仰遵照办理。"②

4 月底,财政部颁布了救济上海工商业放款的十项原则,中、中、交三行立即部署施行。消息一出,上海工商业纷纷申请贷款。由于十项原则规定各银行放款最多500 万元,嗣后市面虽有 2000 万元放款额的呼声,但市面资金紧张,金融界不敢贸然冒此风险,纷纷避却不前。财政部见此情形,于6 月发表政令,拨出国库凭证 2000 万元作为担保。

财政部这一举措使中央、中国、交通三行大受鼓舞。三行随即召开有关各界会议,洽商工商救济放款办法。6 月 8 日,会议议决由中、中、交三行以及银钱两业公会、上海市商会组成工商业贷款审查委员会,主持工商业救济放款审查事宜。6 月 11日,委员会领得财政部所拨国库凭证 2000 万元。23 日,审查委员会开会报告组织章程、办事细则、贷款细则等,并议决两项救济办法:1. 救济工商业抵押放款 1500 万元,信用放款 500 万元,于 8 月 1 日起贷放;2. 委托上海市商会代发贷款细则、申请书、调查表等。③ 对上海工商业的救济工作实实在在地开展起来。

(二) 对上海同业施以援手

除工商业遭受白银风潮的冲击外,上海的银钱业亦受波及。绝大部分银行、钱庄资金周转不灵,濒于停业或倒闭。1934 年底,银行联合准备委员会及钱业准备库的所有准备虽在 1 亿元以上,但均为道契证券之类,银钱两业担心在资金周转不灵的状

---

① 参见吴景平主编:《上海金融业与国民政府关系研究(1927~1937)》,第 273 页。
② 《钱业月报》第 15 卷第 8 期。
③ 《上海银行公会档案》,上海市档案馆藏,档号 S173-2-105,第 9 页。

况下,此类财产会变成呆货。

为防患于未然,交行总经理唐寿民与银行同业公会主席陈光甫、钱业同业公会主席秦润卿、中行总经理张嘉璈等人商议后决定:拨出一项钱款,专供银行、钱庄暂时抵押,数额初定 1000 万元,由央行承担 500 万元,交行与中行各承担 250 万元;钱业同业公会准备库所属 65 家钱庄会员,银行业同业公会联合准备库准备委员会所属 38 家银行会员,即日起凡需要现款时,可以道契房产等有价证券(包括股票公库债券)及生金生银作为抵押,随时向中、中、交三行贷借现款。①

同时,还议定六条具体办法:1.同业需要拆款者,可于每日上午 11 时以前向中央银行登记数额。2.拆放户头数额及利息,由三行派员于每日上午 11 时在中央银行商定。3.拆放押品种类限于公债库券、货物栈单、道契等数种。4.折扣,债券、货物照市价七折,道契照工部局估价七折(房屋不计)。5.拆放期限为两天,惟星期五为三天。6.拆放手续及押品保管,公推中央银行办理。上述办法于 12 月 28 日开始实行,各行庄可分别向中央银行接洽登记。②

其后,交行与中央、中国两行又议定行庄抵押放款的三项规定:1.各行庄抵押放款每家最多不得超过 10 万元。2.利息须视市价而异,规定三天一结,过期不足三天,均以三天递进计算。3.请求抵押借款者,均须缴纳相当的保证品,大致以道契及公债库券、货物栈单为主,均照估价七折计算。

截至年终,三日间共拆出 407.5 万元。交行按四分之一摊派,总计承担 101.8 万元。交行表示仍将继续办理,以助市场渡过难关,有赖于此,"人心因之渐形镇定",交行的声誉也进一步提高。1935 年新年过后,各户陆续归还借款。市面上银根渐松,洋拆下跌,市面趋于稳定,至 1935 年 1 月 19 日,所有借户已将欠款全数还清。

然而,金融行情并未根本好转。进入 1935 年夏季,正是各业结账之期,茧业、菜籽、小麦等农产品也纷纷上市,银根需求量之大,"实为从来所未有"。市面谣言蜂起,挤兑成风。银行、钱庄继续大量资金,以作周转。交行联合中央、中国两行多次施以援手,助其渡过难关。

1935 年夏以来,中国实业银行、四明银行、上海绸业银行等出现资金头寸紧缺的

---

① 王晶:《上海银行公会研究(1927—1939)》,第 165 页。
② 吴景平主编:《上海金融业与国民政府关系研究》,第 265 页。

现象,急需大量周转资金。中国实业先后向交通、中央、中国三行三次借款。第一次借款 250 万元,以公债股票作抵,交行承借 50 万元;第二次借款 110 万元,以各种公债券作抵,交行承借 16.66 余万元;第三次商借 162 万元,以道契等作抵,交行承借 54万元。三次借款期限均为一个月,月息八厘,交行前后共借出 120 余万元。

四明银行则以各种债券作抵押,向交、中、中三行借款 500 万元,交行承借 100 万元,央行承借 250 万元,中行承借 150 万元,月息八厘,为期一个月。其后,经过多次展期,陆续归还,至 1936 年 11 月,本息全部还清。

至于上海绸业银行,交行应绸业银行之请,存放该行国币 3 万元,至 1936 年 5 月21 日,共存该行国币 3.2 万元。不久,上海绸业银行因人事关系而发生挤兑现象,又向中、交两行商请维持。中行允诺通融数万元,交行也同意押借国币 11 万元。其后,绸业银行又出现问题,财政部电令中、交两行予以维持,并对其彻底整顿。交行根据绸业银行的实际情况,认为"必须予以根本协助,方足以资维持",遂与中行及江苏银行协商解决办法,最后决定由江苏银行负责管理绸业银行的所有业务,并筹拨资金助其改善。交行与中行各存放江苏银行低利长期放款计法币 50 万元,定期五年,周息二厘,每六个月计息一次,帮助江苏银行应付绸业银行的债务。所有中、交两行以前垫借绸业银行各款,即于此存放项下由绸业银行如数归还,以资结束。

此时,不少钱庄也陷入资金周转不灵的泥淖中。自废两改元以来,上海银钱业收解款项时仍有"汇划"与"划头"的区别。在白银风潮愈演愈烈之时,不少钱庄怕担风险,往往拒收汇划票据,只收划头票据。而以汇划票据在市面上换取划头票据,则需支付一定的费用,称为"划头加水",银根吃紧时,"加水"部分便会扶摇直上。此时,市面划头加水上升至七角的最高峰。

鉴于市面险象环生,交行与中行在银行公会会议上主动提议,各行庄若需划头,交、中两行将尽量给予调剂。随后,交、中两行通过银钱二业公会议定了两条办法:一是各钱庄向各银行应收的汇划票据,由收款钱庄向付款银行取回银行公会拨款单,送交钱库,汇向中、交两行轧账。二是各银行向各钱庄应收的汇划票据,由收款银行向付款钱庄取回钱库划条,汇送中、交两行向钱库轧账。上述两条办法于 1935 年 6 月13 日开始实行。①

---

① 吴景平主编:《上海金融业与国民政府关系研究》,第 302 页。

交行与中行合作,共同担任集中汇划票据交换人后,普通银行即使有汇划款项,也不必再与钱庄开户。交、中两行可将所有汇划头寸悉数存放于钱库,而缺单各钱庄也可以押品向钱库押借,各方面都比较灵活。此后,划头加水逐步回落,市面逐渐安定。交行的这一举动颇为成功,所以表示:"一俟时机成熟,或可再进一步而谋取销汇划名目也。"①

为解决钱庄困难,财政部也多次召集银钱业会商救济,议决由财政部拨发 1935年短期金融公债 2500 万元,交钱业监理会管理,作为各钱庄向银行拆款的担保品,并令交通、中央、中国三行会同各商业银行以及银行联合准备会、钱业联合准备库,合组银团,办理拆放,定名为银团拆放委员会。该委员会设委员 15 人,常务委员 5 人,交行被推为常务委员之一。规定的借款额为 2500 万元,其中的 1800 万元由交行承担十分之二,中央、中国两行各承担十分之四。拆借时,先由各钱庄以道契、债券等向钱业监理会押借 1935 年金融短期公债,再以该公债向银团拆借现款。银团拆放开始后,市面逐渐趋于安定。

至 1936 年,拆款的各钱庄有陆续归还本息的,有延期归息的,有已经停业仍延欠本息的。交通、中央、中国三行虽屡屡催促,要求清偿本息,但一直未能全数索回。至当年年底,各钱庄结欠三行借款的总额为 1400 余万元,交行名下的欠款为 280 余万元。②

(三)遵奉密令稳定债市

1935 年 11 月 19 日,财政部向中央、中国、交通三行发出钱字 15493 号密函,称公债市价涨落不定,严重影响市面,动摇人心,因此急需稳定债市,为此特函请三行采取措施稳定公债市价,以合月息八厘为标准,如市价落至标准以下,即由三行按四、四、二成分别收买,以稳定至标准价格为度,若有损失,则由财政部负担。

遵照财政部上述指令,交行将各项债券按月息八厘计算,对应 11 月份和 12 月份两种市价,连夜制成算式及折扣市价表各一份,会同中央、中国两行送财政部审核。交行还提议采用三行轮值的办法,分工负责一周内的公债市价,轮值的次序,星期一、四为中央银行,星期二、五为中行,星期三、六为交行。交行轮值之日,将随时与中央银行联络协商。

---

① 《交通银行史料》第一卷,第 615 页。
② 同上,第 615—616 页。

11 月 29 日,财政部又邀集三行谈话,从一面稳定债市,一面兼顾头寸考虑,又将这项任务交由国货银行集中办理,仍按照轮值办法,每逢轮值日期,由值日银行派员前往国货银行,将每盘成交数量及行市摘要报送财政部,并分转其他两行,每月月终则将所进各种债券面额以及三行垫付价款列表汇报。包括上述各行在内,计 11 月份共进各债票面 255 万元,垫付价款 150.6 万元;12 月份共进票面 2259.5 万元,垫付价款 1426.5 万元。[1] 除国货银行代财政部收进的债券,其余债券按四、四、二的比例由中央、中国、交通三行分摊。

截至 1935 年 12 月底,交行名下净收债券票面 202.6 万元,垫付价款 130.1 万元,另立"财政部稳定债市垫款户"记载。其后,因债市已渐趋稳定,该项任务也在无形中停顿。截至 1936 年,交行"财政部稳定债市垫款户"名下的垫款总计结欠国币 173.4 万元。

四、参与清理上海钱业

钱庄业已落伍于时代,若不彻底清理,势必拖累整个金融业。为此,国民政府有意乘此机会,将钱业也纳入政府的控制范围。

1935 年 6 月 4 日,财政部长孔祥熙召集交行董事长胡笔江、业务局经理张佩绅等上海金融界头面人物,于中央银行三楼召开会议,商讨有关清理上海钱业事宜。孔祥熙在会上指出:对经营遵循正轨,不涉险境的,当施以援手,给予救济;对于徇私舞弊或越轨涉险的,即予以取缔;由财政部出面通知,在未清理前,每一钱庄的股东、经理应负无限责任。孔祥熙还警示广大民众,储存时

民国时期上海的钱庄

① 《交通银行史料》第一卷,第 617 页。

应注意,该行号是否准备金充实,信用可靠,若不考虑这一情况,一味贪图率高利厚,则未来风险,自所难免。显然,言外之意是引导民众将资金存入中、中、交等大银行,摒弃没有保障的钱庄。孔祥熙还表示:政府对目前的市面救济,只能救急,不能救贫。

次日,国民政府对钱业发布训令,规定上海各钱庄的清理期限为三个月,若无正当特殊理由,不得请求延长,对违法舞弊的经理、董事、监察人应予以看管并依法惩办。资产折实后,欠存不能完全相抵时,应追究有关人员的连带无限责任。清理期间,经理、董事、监察人和无限股东人等,不得离开其居住地。对于上海已停业的钱庄,财政部派遣监督清理专员前往清理。清理员的主要职权为:审查各种账表,检查资产,审核不动产和不动产的变卖或处分,审核清理款项收付,执行财政部命令以及进行复查等。

另一方面,国民政府又令中、中、交三行于6月初组织成立钱业监理委员会,负责办理钱业的救济事项。除将钱业公会的借款押品分别议定标准外,又拨给2500万元政府公债,交由中央银行寄存。待钱业公会将押品送交监理委员会审核确定后,再由该委员会向中央银行抵领债票。交通银行及中央、中国银行负责向领得债票的钱庄提供抵借现款。

为了缓解钱业压力,交行与上海银行业同业公会商定,同意将钱业联合准备库纳入银行公会联合准备委员会票据交换所。钱业联合准备库加入银行公会联合准备委员会票据交换所,表明钱业已跟不上时代潮流,逐渐趋于衰落。6月10日,钱业公会召开会议,议定五项具体做法:1.各银行现存各钱庄汇划洋款,一律同时转存钱库;嗣后各钱庄不再收各银行汇划存款。2.各钱庄需用汇划头寸均向钱库拆借。3.钱库需用划头,可提出押品向银团拆借。4.先前向中央、中国、交通三行所做的道契押款,当月11日须先向财政部监理委员会登记,仅此一天,过期不候;若要新做道契押款,也必须在11日登记。5.先前向中央、中国、交通三行所做的公债票押款,现照6月份市价,十足照做,新做的也按照这一办法。[1] 上述做法公布后,银行业同业公会立即召开会议,表示赞成,随即组织小组会,会同联合准备委员会共同研究汇划划头等问题,并推交行、中行等9家银行为小组会委员。

国民政府在钱庄业遭受白银风潮严重冲击之时,一方面对其进行清理整顿,一方面又给予资金救助,其中,自然有稳定金融市面,推动传统钱庄向近现代金融机构转

① 吴景平主编:《上海金融业与国民政府关系研究》,第298页。

化的用意,同时,也希望借助上述两手对钱庄业实施进一步的控制,为金融统制政策的推行垒石铺路。

五、稳定地方金融秩序

(一)调运现银以供各地周转

1934 年秋,由于美国大量收购白银,中国白银大量外流,国内存量单薄。交通银行密切关注市场行情,设法预先收集一部分现银,充实发行准备,并用以应付不时之需。至 1934 年 11、12 月间,内地土产品进入市场,现银需求量骤增,各地银根都趋于紧张。上海为中国金融枢纽,长江流域及华南、华北纷纷向上海寻求现银,市面拆息开至六角,汇划换现加水也升至三四角,各地汇水飞涨。于是,交行以预先储备的现银运往天津、汉口等地接济市面,既获得汇水利润,也维持了当地市面,博得商民的交口称赞。当时,郑、陕、秦、渭等地棉花交易正处于旺季,交行以巨额款项从事棉花押汇,使众多商家得以开展购销业务。其他地方如烟、鲁、徐、汴、厦门等,也兼筹并顾,予以分头接济。当时,财政部下令运送现银必须领取护照,而各地急需现银时,往往因护照事宜耽搁时日,有缓不济急之虞。为此,交行经申请领取了不少空白护照,得以随时填用,而且想方设法尽快调拨转运,解了各地的燃眉之急。据统计,先后运往津、汉两地的现银各二三百万元,运往烟、鲁的各一二百万元,运往郑、陕、秦、渭的共五六百万元,运往其他地方的也各有二三十万元不等。运出的现银虽多,但通过做申汇可逐日收回,所以能够循环周转,上海实际存现并未减少,而对外又颇获人们称道,大大提高了交行的声誉。

(二)援助中鲁、明华、中实三行

1935 年,青岛中鲁、明华、中实等银行先后发生挤兑,[①]市面金融顿起恐慌。交通银行青岛分行(简称岛行)随即与各同业协商合作,救济当地市面。

中鲁银行自 1935 年 5 月初,即出现存户挤提现象,导致资金周转困难。岛行事先对此已有所关注,交行总行也多次来函嘱咐,对该行应注意轧抵,以防意外。因遵守银行业营业惯例,岛行每日所收客户交存支票甚多。加之,青岛没有票据交换所,

---

① 中鲁银行原是一家私营钱庄,1931 年改为银行,资本总额 50 万元,总经理张玉田,总行设在青岛。明华银行由宁波银行家童今吾于 1920 年 6 月创办,总行初设在北京,后迁至上海,在天津、青岛等地设有分行,以经营储蓄业务为主。1935 年初,这两家银行都因资金周转困难而出现大批储户挤提存款现象。

青岛分行新屋落成

当地同业均以交通、中国两行为转账集中地,以应对中鲁银行的转账关系。截至5月9日,中鲁银行欠岛行往来款达17000元。这时该行已岌岌可危,总经理张玉田与同业公会商议,打算以该行客户所缴押品中的房地产,向同业抵借30万元。各行为维持市面,勉强予以分担。该行所欠同业往来款约15万元,即在新借款内扣除。此项借款,岛行认借42000元,为期六个月,月息八厘。同业公推中行为贷款团代表,经管押品。这是交行对中鲁银行的第一次援助。

然而,因中鲁银行资金呆滞过大,前项借款犹如杯水车薪,难获注资之效。10月8日,该行不得不停业。同业公会觉得事态重大,于是会同该行总经理向市当局请求,拟将上次提交各行作抵的房地产,以及另在中行作抵的房地产,再向各行抵借10万元。但前次贷款的抵押品登记手续尚未办妥,因此各行都拒绝续借。青岛市政府见事情紧急,责成中鲁银行分户办理,直接抵押登记,以此作为加押款项的先决条件。各行考虑到中鲁银行的实际情况,于是按照摊派数额承借,岛行名下为16500元。这是交行对中鲁银行的第二次援助。岛行先后两次借款共计58500元。然而,中鲁银行在借款合同到期后,对所借之款仍迟迟不能偿还。①

---

① 《交通银行史料》第一卷,第621页。

中鲁银行搁浅后,市面上又出现有关明华银行资金紧张的传言,提存者蜂拥而至。5月21日,该行总经理自上海飞回青岛,向同业求援,打算以东海饭店为抵押,借款40万元。当晚,青岛市政府出面邀集各行磋商救济方案,但因明华银行现款短缺太多,协商未果。次日,该行支绌更甚,声称非百万不足以渡过难关,各同业爱莫能助,市政府也无力维持,于是自行宣告停业。但当日午后岛行的门市营业中出现该行开出的支票13000元。从顾全大局着想,岛行予以照收,经过轧账,该行共欠岛行往来款27000元。岛行与明华银行多次交涉后,对方交出自身受押的一处房产,计原债权16000元,移交岛行抵还往来欠款,同时又与原业主商定,每年抽还三四千元,作为签认移转债券的交换条件。最终,停业的明华银行欠岛行的往来款降至11000元。[①]尽管中鲁、明华两行的结局并不理想,但交行的积极援助仍值得充分肯定。

中鲁银行和明华银行出现问题后,市面上人心惶惶。5月23日清晨,商民持钞纷赴实业银行兑现。一时间,实业银行也遭遇极大困难。青岛市长召集紧急会议,声称青岛的发钞银行除中央、中国、交通三行外,唯有实业银行一家,若该行挤兑风潮扩大,势必连累三行。交行岛行表示愿意协助,于是电请总行,向总行收进15万元,交付该行应急,并代收同业交来的该行支票,要求酌提保证。实业银行当即交付本行新建行屋及仓库房契两份,计实值27万元,另有市政公债票面10万元。岛行两日间代其收进的钞券与支票其后均由该行陆续还清。交行此举得到青岛市政府及社会公众的极大好评。但数日后,实业银行再次发生挤兑,又求助于岛行,协商以行屋及仓库向交行押借20万元。最后,交、中、中三行接济该行50万元,由其平均支用,风潮始告平息。[②]

（三）救济各地市面

1935年,全国许多地方都出现资金紧张、市面紊乱的状况,交通银行总行指示各地分支行积极联络同业,组织贷款审查委员会,合作贷放,对地方政府、中小银行及工商业予以援助,其范围涉及华北、华中、华西及东南沿海地区的诸多大中城市。交行的救济措施对扭转当地的经济困局,缓和市面恐慌气氛,都起到一定的积极作用。

---

① 《交通银行史料》第一卷,第621—622页。
② 同上,第622—623页。

华北地区①受白银风潮冲击尤为严重,中小银行及工商各业举步维艰,求援之声此起彼伏。例如,1933 年钱票风潮后,徐州地区金融震荡,各小本商人均朝不保夕。交行与中国、江苏、国民等银行于当年年底开放小额借款,原定总额 1 万元,嗣后增至 4 万元。总计在 1936 年内共放款 260 笔,计 33150 元,其中,交行徐州分行摊借 8645 元。1934 年 9 月,北洋保商银行需款接济,呈请财政部代为保证,向各银行借款 100 万元,其中,交行承借 20 万元,由财政部分函各行证明,并在合同上签盖印章。②

1935 年春,青岛市面出现危情,银钱业纷纷倒闭,牵动整个青岛金融。青岛市长邀集银行同业公会协商,并请交通银行及中央、中国两行拨款 100 万元救济。经银行同业公会共同商讨,决定合力组织贷款团,轻利放款以资调剂,并接受市政府提议,对未到期的款项一概不催。交行岛行与各行就旧欠与贷款问题议定以下办法:关于旧欠问题,1. 未到期的定期信用放款,一概不催。2. 有往无来的活期往来信用放款,酌情竭力维持。3. 有往有来的活期往来信用放款,照旧办理。关于组织贷款团问题,1. 筹集现银 50 万元,组织贷款团准备借款。各行承担比例为中国、交通两行各 8 万元,大陆、金城、上海、中实四行各 5 万元,东莱、国华、明华、浙江兴业四行各 2.5 万元,山左、中鲁两行各 2 万元。2. 凡希望向贷款团借款者,可随时与贷款团商洽,所有借款条件,须经贷款团共同审查认定后,方能订定,但利息酌量从轻,以资调剂。

不久,明华、中鲁两行相继停业,先后退出,两行原应承担的部分由各行按比例代为承担。这项贷款交行岛行共计放出 11000 元。③

1935 年 12 月间,济南地区金融形势严峻,山东省财政厅据济南市商会的呈报,请求在济南的各家银行照常放款,以维持商业正常运转。其后,财政厅又两次召集各银行,议定由银钱业合作组成放款委员会,办理以不动产为第二担保品的动产抵押及信用小额借款等。当时,由银钱业共同凑集资金 150 万元,交行承担了 25 万元。④

同年底,天津和石家庄市面也出现危情。天津市政府、天津商会与银钱两业共同办理天津救济商业贷款,议定贷款总额为 100 万元,交通银行承担 16 万元。此外,交

---

① 民国时期,华北地区是指包括北平、天津以及河北、山西、河南、山东、陕西、甘肃等省在内的中国北部地区。
② 《交通银行史料》第一卷,第 623—624 页。
③ 同上,第 625—626 页。
④ 同上,第 624—625 页。

行还参与组织贷款审查委员会,推定各方面代表为委员,①负责相关事宜。石家庄商会于阴历年终时向各家银行商借救济贷款,以房地契作抵押。该笔贷款由交行及中国、大陆、金城、河北省银行五行合放,交行石家庄分行摊借五分之一。②

1936年初,北平地区的金融形势危机四伏。当地官方与银行界会商后,交通银行北平分行等多家银行立即组织北平市救济商业贷款审查委员会,拟定救济商业的贷款规则。各家银行共集款510万元,以备各商号店铺请求贷款之用,其中,交行承担了100万元。③

当时,位于华中地区的汉口的金融市场也岌岌可危。1935年6月间,汉口钱业首先告急,各银行为救济市面,同意由钱业公会组织临时金融调剂委员会,协调放款事宜。借款人以特货为抵押品,向交行及中央、中国、农民、湖北省银行等五行借款。五行共放出贷款20户,总额60余万元。其中,交行汉口分行摊借13万元。

7月间,汉口又遭遇水灾,市面险象环生,各业要求银行出手救济,承做短期押款。当时,由15家银行议定共同放款100万元,但实际上仅做了茶叶押款两批,共计16300元,交行汉行摊借了1630元。④

1935年11月间,法币制度实施后,交行又援助江西省政府财政厅救济当地市面,并应财政部之请,与中央银行、中国银行及裕民银行合作组成商业贷款审查委员会,办理审查贷款事宜。⑤ 同月,湖南省政府因中央政府实行集中准备办法,为维持当地市面,要求中央、中国、交通三行合放三个月盐税期票贴现共计100万元,由盐务稽核处直接办理,交行长沙支行陆续摊放贴现共计31.8万元。其后,湖南各钱庄也以法币政策施行后,资金周转不灵为由,要求以各庄庄票向中、中、交三行贴现。交行长沙支行又承贴17.3万元。此外,湖南第一纱厂因当地钱业紧缩,也以该厂期票向三行贴现,总额30万元,长沙支行承贴了7.4万元。⑥

1936年初,陕西省政府为了整理省钞,调剂当地金融,曾拟议向交行及中央、中国两行合借国币300万元,其后,交通、中央、中国三行与陕西省政府经过反复协商,

---

① 《交通银行史料》第一卷,第623—624页。
② 《交通银行行务纪录》(三),中国人民银行上海市分行金融研究室:《交行档案》第272号,第103页,交通银行博物馆藏资料Y36。
③④ 《交通银行史料》第一卷,第626页。
⑤ 同上,第626—627页。
⑥ 《交通银行行务纪录》(三),《交行档案》第272号,第104—105页,交通银行博物馆藏资料Y36。

决定贷款总额定为 110 万元。其中,交行承借 40 万元。①

东南沿海一带,交行主要对广东、福建两地实施援助。1936 年 9 月,广东省银行为稳定当地金融和币值,商请交行和中行贷款救济,以生金 12556 两 7 钱 9 分,押借国币 165 万元,其中,交行共承借 55 万元。② 1935 年,福建省政府为救济市面,也提出两项贷款方式,电请交行及中央、中国两行考虑。三行经过会商,决定借款 100 万元,由福建省银行出面承借转放。③

这一时期,杭州市面也出现波动。1935 年法币改革后,杭州各钱庄请求以银铜辅币向交通、中央、中国三家银行抵借法币,按法定兑价办理。鉴于此事有利于调剂市面和推行币政,三行会商后准予抵借。1936 年 4 月间,杭州商会以金融奇紧为由请求救济,杭州市财政厅邀集各方协商后作出两项约定:1. 关于不动产抵押放款,在不动产抵押银行未成立之前,请由交通、中央、中国三行杭州分行转请总行变通办理,先给予抵借。2. 关于救济工商业的贷款,由各个行业研究具体的抵押办法。交行总行仔细研究了浙江地区各分支行呈报的相关情况,复函指示杭州分行,若借款行号确实能提供稳妥的押品,可以酌情承做,以帮助相关行业渡过难关。④

第五节　配合政府改革币制

一、交行钞票成为法币

30 年代白银风潮的巨大冲击,使中国的银本位货币体系摇摇欲坠,国民政府为改变被动局面,决意推行货币体系改革。1935 年 11 月,国民政府宣布改革货币,实施法币政策。中央银行、中国银行、交通银行发行的钞票被国民政府定为法币,并享有无限制买卖外汇的特权。

考虑到全国各地情形各异,国民政府在颁布货币改革公告的次日,又发布了一项允许某些地区暂时变通的通告。通告指出,"我国幅员辽阔,交通又多不便,中、中、交

---

① 《交通银行行务纪录》(三),《交行档案》第 272 号,第 96—97 页。
②④ 《交通银行史料》第一卷,第 627 页。
③ 《交通银行行务纪录》(三),《交行档案》第 272 号,第 106—107 页,交通银行博物馆藏资料 Y36。

三行钞票及其他银行钞票,未必各地方均有流通",所以在指令各银钱行号设法"迅将法币输送各地,使之均足敷用"的同时,也准许一时无法兑换法币的地方,暂且保持市面原有的惯例。各公会和各税收机关应迅速将银币、生银等银类暂时收换,并将上述银类运赴有法币的地方予以兑换。中央、中国、交通三行以及各银钱业公会、商会,则须负责"就地方实在情形,妥筹便利人民及切实奉行法令办法,随时商承当地政府办理"。① 此外,根据法币政策的规定,中、中、交三行钞票被指定为法币后,截至11月3日,所有地方的银行、钱庄,其库存钞票的种类、数目及现金数目,无论是行庄自有的,还是代人保管的,均应核查明白。设有中央银行的地方,由中央银行负责召集当地银钱业汇集数据报告财政部,未设中央银行的地方,则由交行和中行负责办理此事,以协助法币在全国的推行。②

1935年11月15日,财政部公布了《兑换法币办法》,规定各地银钱行号、商店及其他公共团体或个人,凡持有银币、厂条、生银、银锭、银块及其他银类者(工艺品、古银币文物及有关银质器具除外),必须在法币政策实行后三个月内,就近向兑换机关换取法币。

兑换机关可分为四类:1.中央、中国、交通三行及其分支行或代理处。2.受中、中、交三行委托的银行、钱庄、典当和邮政、铁路、轮船、电报各局,以及其他公共机关或公共团体。3.各地的内地税收机关。4.各地的县政府。后两类政府部门充当兑换机关,主要是针对内地无中、中、交三行的地方而作出的权宜调整。各兑换机关收兑的银币、厂条、生银、银块及其他银类,应立即送交附近的中、中、交三行

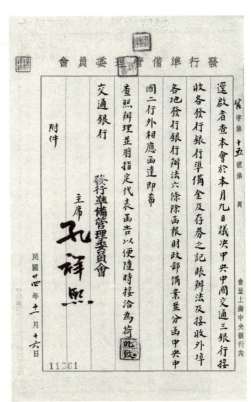

1935年11月16日孔祥熙签发关于接收各发行银行有关事项的通知

①② 《中华民国货币史资料》第二辑,第183页。

兑换法币,如有藏匿或转付其他用途者,以侵占罪论处。①

　　交行的钞券被指定为法币后,为配合政府指令,交行取消了各地分库,集中发行,尽力推行法币。法币政策实行之初,各地需求量很大,其中,一元面额的法币尤为缺乏。交行因原有的券料不足印发所需数额,于是呈报财政部核准,将中国实业银行未启用的一元新券共 500 万元,改印交行行名,加上签字后,流通市面以应急需。随后又开始发行德纳罗公司和美国钞票公司印制的无地名法币券,以及商务印书馆印制的 5 元法币券、大东书局印制的 10 元法币券等。②

二、推广法币的积极努力

　　法币推行后,虽然国民政府及中央、中国、交通三行极力宣传提倡,但大多地方性的银行,仍抱有观望甚至排斥的态度。当时,国民政府对地方的控制力有限,不敢对地方逼迫太甚,所以,只能利用中央、中国、交通三行深入各地,晓谕宣扬,调解中央与地方的矛盾,以利法币的推行。中、中、交三行历经坎坷,通过积极努力,在多数地方取得明显成效。但仍有少数地方,如陕西、广东等,受各种因素的影响,难以疏通,陕、粤两地的法币推行也因此耽搁。

　　(一)陕西方面

　　法币政策公布后,根据法令规定,交行、中行须配合中央银行清查各地银行、钱庄的库存现钞。中、中、交三行随即派员与陕西省财政厅接洽,召集商会、钱业公会开会,由财政厅长主持,商讨现银封存办法。不料会上有当地商人起哄,三行人员虽极力解释,阐述政府政策要旨,少数商人仍持对立态度,讨论未终即哄然而散。陕西市面币制随之混乱不堪,现银照常使用,法币出现折扣,每千元差百元左右,物价上涨,人心惶惑。陕西省政府又颁布公告,明确宣布,以省钞为法币,与中、中、交三行法币同样使用,并封存省银行现银,公然与国民政府相对抗。③ 中、中、交三行只得致电财政部请示应对办法。

　　就在这时,陕西省银行的全体董事、监事也向财政部发去电文,陈述自己的理由。电文称:"陕省地处边区,中、中、交三行设立尚浅,人民认识未真,既准照常流通,自应

---

① 《中华民国货币史资料》第二辑,第 185 页。

② 《交通银行史料》第一卷,第 821 页。

③ 《中、中、交三行报财政部文》(1935 年 11 月 18 日),《中华民国货币史资料》第二辑,第 221—222 页。

维持其价值,倘将现金准备、保证准备转移,则民信势将动摇,不独以后金融周转发生问题,而法币流通区域与习惯仍旧之处,恐将难以沟通。"随后,该行又以陕西省地理位置特殊、事关地方金融等理由百般搪塞,最后,竟抨击中、中、交三行"更有进者,本行钞票照常流通,中、中、交三行收入已经兑给法币,而三行竟有不肯接受之事,并有以法币存储法币银行,因不肯照旧计息,致被拒绝者"①。

1935年12月15日,中、中、交三行人员与陕西省政府主席邵力子商谈,请求遵照财政部令,接收陕西省银行所存现金钞票。双方磋商、辩论达一小时之余。邵力子表示,陕西省银行所存现银100万,可交发行准备管理委员会西安分会加封,已印未发的钞票也可交该委员会接收,但必须先与陕西省银行董事、监察两会详细商洽,方可实行。

随后,陕西省财政厅长召集准备委员会西安分会各委员开会,决议遵照省政府主席指示执行。但因西安的中、中、交三行库房狭小,发行准备管理委员会分会保管库又未建成,所以决定在此期间,仍暂借省银行保存现银的金库,暂且存放,由发行准备管理委员会分会各委员共同加封,省银行负完全保管责任,待委员会分会保管库建成后,再行移交保管。陕西省银行已印未发的钞票1202000元,已发收回钞票133392元,共计1335392元,现金准备项下100万元,均经加封。

但加封并不等于接收,由于陕西省不合作,准备委员会西安分会人员甚至未能开箱点验,仅于原箱上分别加封,陕西省银行实际上仍然具有所有权。而且陕西省政府拒绝提供现银及钞券的具体统计报告,中、中、交三行人员对真实数据都心中无底。事后,交行的调查人员称:"中、交两行奉了总行的电令去封存现银的时候,各行所有的现银,并没有我们估计的那么多。有人说他们已经很迅速地把现银运到各自的总行,或早得到消息,封存到别处。"②

因此,法币在陕西地区的推行非常困难,中、中、交三行作了种种努力,但收效甚微。正如三行致财政部电文所言:"个中情形,复杂错综,笔难罄述,阻碍多端,实难解决。"③

---

① 《陕西省银行全体董、监事致财政部电》(1935年11月),《中华民国货币史资料》第二辑,第221—222页。

② 《陕州实施新币制之经过》,《交行通信》第8卷第1号,第80—84页。

③ 《中、中、交三行呈财政部文》(1936年1月6日),《中华民国货币史资料》第二辑,第223页。

（二）广东方面

自近代以来，广东地方势力兴盛，排外性极强，与中央对抗也最为激烈。国民政府成立后，对广东省也不敢过分干预，粤地实际上处于一种半独立状态。法币改革后，广东省政府表面上表示拥护，实际上却偷梁换柱，可谓有"法币"之名，无"法币"之实。按照广东省政府的布告，广东省的法币改革，是以广东省银行的银毫券以及广州市立银行的凭票为法定货币，而不是以国民政府指定的中、中、交三行货币为法币。

广东省的发行准备管理委员会，由所谓"政府人民"共同组织，实际上将国民政府指定的中、中、交三行排除在外。该委员会于1935年12月28日在广州市商会大礼堂成立，各位委员同时宣誓就职。其委员共有16人，包括广东省商会联合会代表2人，广州市商会代表2人，汕头市商会代表1人，海口市商会代表1人，江门市商会代表1人，广州市银行同业公会代表2人，广州市银业公会及忠信堂代表各1人，广东省银行行长及副行长各1人，广州市立银行行长、广东省财政厅代表各1人，广东省政府选派的金融界领袖或专家以及在社会上有声望者1人至3人。常务委员共5人，其中2人为广东省财政厅代表和广东省银行行长，其余3人由各委员选举各团体派出的代表充任。委员会对广东省政府负责，奉广东省政府命令保管准备金，并审定法币的发行额。委员会受广东省议会的监察，广东省参议会可随时派稽核人员前往该委员会查核准备库，并将发行数额及准备种类、数额按月分别公告并函报广东省政府查核备案。①

为防止白银外流，广东省政府还规定，由省立银行及市立银行大力收买白银。不久，省立、市立银行收集白银多达5000余万元。随后又开始收买黄金，发布通告，令持有黄金者到省银行变卖，由省银行订定收买黄金条例，并公布《广东省禁金出口暂行章程》。

与此同时，广东省银行又罔顾自身实力，滥发纸币，最后导致港、沪汇价暴涨，市面随之动荡，工商各业均受其害，华侨汇款也因之大减，毫券信用低落。迫于市面恐慌的压力，广东省政府只得派员向中央政府求援，商请救济。

交行和中央、中国两行奉国民政府之令，选调精干练达的人员，与广东省政府"开诚洽商，拟定具体办法"，同时积极派员赴粤，以切实推进广东省的法币改革。但广东

---

① 《广州市实施新币制之经过》，《交行通信》第8卷第1号，第58—69页。

省政府只是希望中央政府帮助解决经济问题,并不愿意其插手广东的当地事务。因此,对中央政府彻查当地"法币"详情,清理整顿广东币制的要求,广东省政府百般拖延,毫无配合的诚意。① 中、中、交三行派出的精干人员,虽积极介入,却事事受阻,无从着手,最后只能不了了之。

三、接收天津外商银行现银

交通银行等国家大银行为推行法币,还须与外商银行进行交涉。由于外国势力的干预,办理难度极大,其中以接收天津外商银行现银最为棘手。

上海地区外商银行的现银接收事宜大体结束后,外界传言说在上海兑换法币可另给利息。外地的外商银行闻风而动,天津汇丰、麦加利、花旗、中法工商、德华、华比、华义等银行,拟将现银472万余元运往上海兑换。当时,天津地区的日本势力极为强横,原本即反对国民政府的法币改革。这次天津外商银行拟运银南下兑换法币,日本更要百般阻挠,指使天津海关对南运的现银不予放行。中日之间的关系骤然紧张,几乎酿成外交冲突。

天津市长萧振瀛②秉承日本人的旨意,致电孔祥熙,声称:"平津外商银行纷纷来函,说明运洋至沪,兑换法币,有优厚规定。"并据此提出要求:"如确有此约,应请即日令饬平津中、中、交三行一律照办,以示公允,此项纠纷,自可迎刃而解也。"其实日本在沪银行拒交白银时,已明知三行并无这项规定,因而此举实属故意刁难。财政部长孔祥熙复电解释,称沪上三行并无优厚规定,外界传言纯属子虚乌有。③

此时,外交部长张群也亲自出面调解,致电财政部,称该项巨额白银既不能流通市面,又未能调换法币,"银行界固觉为难,且与财政部所定办法不符",故商请将此项白银全数交由中央、中国、交通三行银行收领,换给法币,同时要求援照上海外商银

① 《财政部长孔祥熙致次长邹琳、特派员宋子良电》,《中华民国货币史资料》第二辑,第227—228页。
② 萧振瀛,宋哲元亲信,时任天津市长,擅长钻营巴结,自称日本通,好与日人"结拜金兰"。宋哲元二十九军中即有小调唱曰:"好老萧,法力高,喝兵血,吃兵膏;要大米,要钞票,干爸爸,东洋佬;见狗头,气难消,请过来,吃一刀!"因其附和日本卖国求荣,引起众怒,曾在大庭广众之下先后被爱国志士李筱帆、张自忠等痛掴面颊,萧却能面不改色,连连赔笑,其人格低下可见一斑。详见[日]矢原谦吉:《谦庐随笔》,广西师范大学出版社,2008年,第58页。
③ 《萧振瀛再电孔祥熙》(1936年3月6日)、《孔祥熙复萧振瀛电》(1936年3月28日),洪葭管主编:《中央银行史料(1928.11—1949.5)》,第341页。

行移交白银的办法,按三分之二核给五厘利息二年,"以符法令,并使津、沪办法得归一律"。①

财政部复函以"本部无案可稽"为由予以拒绝,并指出,上海的中央、中国、交通三行在1936年2月4日兑换法币办法的期限以内,针对当时国内外银价差额较大的情况,对各外商银行以银币兑换法币曾酌情给予利息,但仅限一次。此后,兑换法币办法虽经外交部展限,但仅限于内地法币尚未畅行的地方,天津这样的通商大埠不适用这项规定,不应再有给息之事。天津外商银行若需以所存现银就地兑换法币,应直接与天津的中、中、交三行洽商。②

交通银行与中央、中国两行为加快现银的接收,虽竭力与天津外商银行商讨处理办法,甚至不惜代价,提出以一换一的解决方案,但外商银行仍认为优惠太少,不予合作,双方的谈判陷入僵局。

1936年4月18日,交行与中央、中国两行会商,并征得发行准备管理委员会同意,提出更为优惠的条件,"为表示宽大起见,勉准酌贴手续费,至多不得超过百分之二,俟硬币交到,一次付给。惟半数硬币,必须装出,以便调度法币准备"。随后,交、中、中总行致电天津三分行照此办理。③ 事情至此,本已可顺利解决,但日本方面贪得无厌,再次授意萧振瀛致电孔祥熙,提出无理要求:中、交两行须与河北省银行会同办理现银接受事宜。④

上述要求,实际上包藏着日本方面的险恶用心。日方势力企图进一步提高河北省银行的地位,迫使南京政府承认该行的特殊性,使之成为华北的"中央银行"。⑤ 据日本驻天津总领事电文称:"我们嘱咐了林世则,并将我们的意图告诉他,林即立刻去找萧振瀛商量,商量好后,即去怂恿天津中、中、交三行要求有关七家外商银行(花旗、华比、华义、汇丰、中法工商、德华、麦加利)将白银交出,兑换法币(似未提具体兑换方法)。但三行加以拒绝了。"其后,日本军部又向萧振瀛提出币制独立的要求,企图借机加强对华北地区的经济控制。于是,萧振瀛又提出了由河北省银行负责兑换白

① 《外交部长张群咨财政部文》(1936年4月2日),《中华民国货币史资料》第二辑,第216—217页。
② 《财政部咨复外交部文》(1936年4月10日),《中华民国货币史资料》第二辑,第217页。
③ 《天津三行致电财政部》(1936年5月8日),洪葭管主编:《中央银行史料(1928.11—1949.5)》,第342页。
④ 《萧振瀛致孔祥熙电》(1936年5月10日),洪葭管主编:《中央银行史料(1928.11—1949.5)》,第343页。
⑤ 《日本驻天津总领事代理岸致北平武藤书记官极密电》(1936年5月23日),《中华民国货币史资料》第二辑,第219页。

银的办法,具体内容为:先由中央、中国、交通三行以本行兑换券向外商银行兑换白银,上述兑换券中的二分之一,在日后二年内由三行支付年息五厘的利息,每年支付二次。然后再由河北省银行以该行银行券向中、中、交三行兑换这批白银,支付给三行相同的利息。

交行和中央、中国两行看出了日本的用心,不愿按照萧振瀛的方案参与此事,致使河北省银行与外商银行的谈判一再拖延,始终没有结果。至 1936 年 5 月 5 日双方谈判的最后日子,中、中、交三行仍拒绝合作。日本驻天津总领事心里也明白,"因为三行暗中请示各该总行,看来总行有了命令,所以在会上本地交行经理表现了不愉快的态度,使会议流产"。①

萧振瀛恼羞成怒,再次向孔祥熙告状,要求管束三行,声称:"三行拒绝由部长批准的兑换法币,同时破坏对河北省银行的援助约束,是不妥当的。河北省银行所接收的现银,和其他银行一样,归天津准备保管分库保管,并非私有,希望急电三行总行履行援助约束。"孔祥熙却在回电中模棱两可地予以搪塞。②

萧振瀛见孔祥熙"袒护"三行,而天津的三行又无意配合,于是又秉承日本方面的旨意,转而暗中令河北省银行直接与外商银行商洽接收现银事宜,将三行排除在外。

交通、中央、中国三行见萧振瀛竟然作出这一卖国之举,于是紧急会商决定,参与同外商银行的接洽,不让萧的阴谋得逞。萧振瀛更为震怒,又致电孔祥熙,指责中、中、交三行先前有意拖延,不予配合,如今又阻挠破坏,声称:"不得已乃饬河北省银行与外商银行洽商,近始大致就绪。不意昨天各该分行等又奉令参与此事,意在分兑,致已成之局,枝节横生,贻外商议论。"随后又要求孔祥熙"转令上海中、中、交各总行即日分令该分行等,停止接洽,以便此事得早日解决"。③

孔祥熙接电后,态度强硬地予以逐条驳斥。日本方面见事情闹得不可开交,担心进一步发展下去会对自己不利,于是指示萧振瀛、林世则等人与中、中、交三行会商,为尽快达成协议可作出一些象征性的让步。日本驻天津总领事提议:"为了让三行有点面子,在平、津外商银行保存白银的五百九十万元(内天津为四百七十万元)中,其

---

①② 《日本驻天津总领事代理岸致北平武藤书记官极密电》(1936 年 5 月 23 日),《中华民国货币史资料》第二辑,第 218 页。
③ 《萧振瀛致孔祥熙电》(1936 年 5 月 7 日),洪葭管主编:《中央银行史料(1928.11—1949.5)》,第 343 页。

中四百万元通过三行的办法,由河北省银行兑换,其余由三行向外商银行兑换收回。利息办法照旧。"①至此,接受华北外商银行事宜方告一段落。

经过这次风波,日本华北军部作了总结,形成了一些认识,其中最重要的一条是:"三行等似已成为实行南京政府经济政策的机关,现在若再更加强化,极需考虑(例如我国商人原想接受中国纺织厂,遭到政府系统银行的反对)。"②可见,日本在华势力也意识到交行和中行经过第二次改组后,已转化为国民政府的国家银行,中、中、交三行的步调完全与官方一致,在经济和金融方面担当了为国民政府折冲御侮的角色。就交行而言,在这次事件中也与中央、中国两行密切配合,发挥了积极的作用。

---

① 《日本驻天津总领事代理岸致北平武藤书记官极密电》(1936 年 5 月 23 日),《中华民国货币史资料》第二辑,第 218 页。
② 同上,第 219 页。

第三章
国民政府主导下的再次改组

    1928年,国民政府对交通银行进行第一次改组时,触角尚未深入到交行的核心领导层。而且,交行所秉持的商业化经营理念实与国民政府试图进一步控制全国金融的目标背道而驰。30年代经济危情频现,政府财政开支庞大,急需统一全国金融系统以巩固政权。为此,国民政府对交行进行了第二次大刀阔斧的改组。

    这次改组历时两年之久,以1933年改任董事长和总经理开其端,以1935年更定股本"官六商四"而告终。交行原先的组织机构、高层人事及规章制度等都出现很大变更,与官方关系密切的胡笔江和唐寿民入主交行。在改组过程中,国民政府财政部强行增加官股比例和官董人数,最终从资本构成、人事管理、业务经营等方面完全掌控了交行,交行自此成为国民政府金融统制系统中不可或缺的重要成员。

第一节　再次改组的原因与背景

一、商业化倾向背离政府意愿

    交通银行自成立以来,与政府来往过密,为政府频垫巨款,并为此付出了惨痛的代价。鉴于此,交行在张謇、钱新之时期即致力于商业化的经营方式,竭力避免官方的控制,由此开始了加强商股、弱化官股的努力。

    南京国民政府初期,为解决严峻的经济问题,自1928年10月起,先后建立中央银行,改组交行和中行。在初次改组中,交行虽然被定位为发展全国实业银行,但仅增加了数项政府特许的业务(如发行实业机关的债票和经理公司债票等),仍办理各项存款、放款、信托业务,并发行兑换券(银行钞票)等。可见,交行仍在按照商业银行的模式经营。

在初次改组中,交行股本改为1000万元。其中,官股仅200万元(实际仅交100万元,其余以金融公债抵充),股本比例为"官二商八"。因此,新成立的董事会中,江浙财团的势力依然强大。5名常务董事中,没有一名财政部指派的官股董事,而且宋子文信任的胡笔江和唐寿民都未能进入交行的核心领导层。此时,交行依然掌握在以钱新之、卢学溥、胡祖同、张嘉璈等人为代表的上海银行家手中。正因如此,交行才能遵循商业银行的发展路径。

然而,随着30年代经济风潮的频繁出现和内战的不断加剧,国民党政权的财政开支也日益庞大,商业模式的正常垫款已无法满足政府的需求。交行颇具"独立"性的商业化发展倾向,显然违背了国民政府的意愿。与此同时,国民党政权逐渐巩固,已有能力依靠政权的力量强制推行各项政治、经济政策,加强对全国的控制。

以上因素致使国民政府决心进一步推进垄断性的金融统制政策。然而,这项政策不仅中断了中、交两行的商业化进程,也断送了"北四行"和"南三行"的发展前途,这对中国商业银行的发展而言,无疑是个悲剧。

二、国民政府加速金融统制

1928年至1937年,中国银行业和金融系统的最大变化是国家银行与金融垄断资本的形成。国民政府通过建立中央银行,确立"四行二局"的国家银行体系,建立并扩张国家银行垄断资本。[①] 在1928年召开的全国经济会议和财政会议上,国民政府即着手研究如何逐步建立国家控制下的中央银行管理体制。同年11月,中央银行成立,标志着国民政府迈开了建立金融垄断体系的第一步。中央银行被赋予特殊的地位和特别的权利,其各项业务发展迅速,但毕竟成立时间较短,与中行和交行相比,其实力仍有较大差距。

---

① 所谓"四行二局",是指中央银行、中国银行、交通银行、中国农民银行"四行",以及中央信托局、邮政储金汇业局"二局"。

表2－3－1　交通银行与中央、中国银行实力比较表　　　　　单位:亿元

项目	年份	交通银行		中央银行		中国银行		三行合计	全国总计
		亿元	占三行(%)	亿元	占三行(%)	亿元	占三行(%)		
实收资本	1932	0.087	16.29	0.2	37.45	0.247	46.26	0.534	2.15
	1934	0.087	6.51	1.0 *	74.79	0.250	18.70	1.337	3.34
	+%			400		1.210		150.370	55.35
资产总额	1932	3.26	23.62	2.49	18.04	8.05	58.34	13.800	30.03
	1934	4.25	22.62	4.78	25.44	9.76	51.94	18.790	42.96
	+%	30.37		91.97		21.24		36.160	43.06
发行额	1932	0.95	29.78	0.40	12.54	1.84	57.68	3.190	4.52
	1934	1.12	27.79	0.86	21.34	2.05	50.87	4.030	6.23
	+%	17.89		115.0		11.41		26.330	37.83
各项存款	1932	2.14	24.88	1.69	19.65	4.77	55.47	8.600	21.16
	1934	2.93	26.32	2.73	24.53	5.47	49.15	11.130	29.81
	+%	36.92		61.54		14.68		29.420	40.88
各项贷款	1932	1.73	24.37	1.63	22.96	3.74	52.67	7.100	18.57
	1934	2.63	27.25	1.67	17.31	5.35	55.44	9.650	26.07
	+%	52.02		2.45		43.05		35.920	40.39
纯益	1932	0.005	3.50	0.12	83.91	0.018	12.59	0.143	0.29
	1934	0.009	5.06	0.15	84.27	0.019	10.67	0.178	0.39
	+%	80.00		25.00		5.56		24.480	34.48

资料来源:《全国银行年鉴》,1936年,第35、43、49、67、73、85、103页。

说明:中央银行资本1934年末增为1亿元,1935年3月才拨足。

由表2－3－1可知,1932年中央银行在三行中的地位,资产总额相当于交行的76%,仅及中行的31%,在全国银行的总份额中只占8.3%。发行兑换券4000万元,为交行的42%,只有中行的22%。各项存款额为交行的79%,中行的35%。各项贷款额为交行的94%,中行的44%。以中央银行这样的实力,实难企望其全面掌握和调剂全国金融。

此时,国民政府正受内忧外患的困扰,财政需要不断扩大,而中央银行的实力却难以满足,所以又设立农民银行。这是一家完全由蒋介石掌握的银行,成立之初的目的是"剿共"。"一·二八事变"爆发后,上海经济遭受严重破坏,国民政府的财政危机急剧加重。为了摆脱财政困境,政府与上海金融界协商,希望公债减息延本。金融界则要求政府承诺今后不再为筹措军政费用向金融、工商团体举债。宋子文接受了

这个条件。1932 年夏,蒋介石准备大规模"剿共",宋子文不同意提供军费,事实上财政部也没有能力提供军费。蒋介石不得不自己另觅"钱袋子",故于 1933 年 4 月 1 日成立豫鄂皖赣四省农民银行,总行设在汉口,资本额 1000 万元,收足四分之一即开张营业。两年之后,四省农民银行改组为中国农民银行。该行是蒋介石直接控制的银行,拥有很多特权,业务发展很快。

三、率先改组是政府各个击破的需要

交通银行和中国银行历史悠久,信誉卓著,实力雄厚。欲建立垄断性的金融统制体系,关键在于控制交通、中国两行。不过,蒋介石等人也意识到,掌控交行、中行这样的大银行并非易事,断难一蹴而就,最好的策略是先易后难,各个击破。

中行确实属于国内实力最强的银行,长期以来,一直是政府借款的最大承受者。但是,政府实现对中行的完全控制所遭遇的困难也更大一些,主要因为以张嘉璈为首的商股股东,向来对官方的一系列要求想方设法地予以推脱,不肯唯唯诺诺,甚至有意识地摆脱政府的干预和束缚,逐步减少政府公债的承购数额。例如,中行所持投资用的证券储备从 1931 年 12 月的 7200 万元减少至 1934 年 12 月的 2540 万元,下降了60% 多。[①] 此外,蒋介石与张嘉璈之间还有颇深的积怨。北伐时期,蒋介石为向中行借款,甚至"屈尊"亲赴张宅吊唁张母,给足了张嘉璈面子。但张嘉璈身为江浙财阀的领军人物,又与日本方面深有关系,颇获支持,因此对蒋介石不断加码的巨额借款要求十分反感,百般敷衍,一再拖延,迟迟不肯就范。蒋介石再三约他面谈,他仍置之不理。

张嘉璈的傲慢让蒋介石恼羞成怒,1928 年 9 月,蒋介石电令张嘉璈火速筹款1000 万元,并召集中央委员会议,提出要查封中行库存,并以勾结桂系及奉系军阀的莫须有罪名通缉张嘉璈。但张嘉璈并不理会,对通缉令悠然处之,连各方提议的"讲和茶会"都不参加,并立即请假,不到银行办公。蒋介石心知暂时还无法撼动张嘉璈与中行。其后,经虞洽卿等人调解,蒋介石主动来函解释讲和,一场风波方告平息。[②]经历此事以后,蒋介石对张嘉璈与中行耿耿于怀,但也无可奈何,深知要彻底掌控中

---

① [美]小科布尔著,杨希孟译:《上海资本家与国民政府(1927—1937)》,第 209 页。
② 《中国银行行史资料汇编》上编,第 373—374 页。

张嘉璈

行,还须创造条件,做些铺垫。

　　交行与中行相比,实力稍逊。而且,国民政府方面对交行的渗透也较深一些。交行的高层领导与蒋介石等人并无深刻的矛盾和积怨,交行重镇上海分行的经理唐寿民还是宋子文的亲信。显然,相对中行而言,彻底改组并完全掌控交行,会更容易一些。若能一举拿下交行,当能获得敲山震虎,各个击破的效果。因此,国民党政权选择先从交行下手,以此作为铺垫,再解决中行。对交、中二行进行第二次改组的策略已定,具体的实施只是时间问题了。

第二节　高层领导变更与董事会调整

一、卢学溥和胡祖同的离任

　　国民政府对交通银行进行第二次改组的目的,就在于阻断胡祖同在交行总经理任内极力提倡的具有独立倾向的商业化发展道路,实现对交行的完全掌控,将其纳入国家统制的金融体系。为实现这一目的,国民政府尽可能将官方信任的并能体现官方意愿的人选安插进交行的要害部门,同时将主张独立性和商业化的人士排挤出去。这一人事调整的具体表现,就是宋子文的亲信胡笔江和唐寿民进入交行的最高领导层,而原董事长卢学溥和总经理胡祖同被迫离任。

交行内部的权力较量,在多年前争夺沪行经理一职的纠纷中已明显地表现出来。当时,社会上有交行"外重内轻"的说法,大意是沪行根基雄厚,交行总经理若不兼沪行经理,等于"空心大老官"。胡祖同身后有李馥荪、陈光甫、张嘉璈等人的支持,势力不可小觑,当然不愿实权旁落,而且钱新之、王子崧等人也在一边极力怂恿,所以胡决意力争沪行经理一职,甚至不惜以拒绝担任总经理一职相要挟。交行高层的意见颇有分歧,一时陷入僵局。官股董事徐寄庼约晤唐寿民,一同劝说胡祖同,但胡虚与委蛇,劝说并无效果。唐寿民遂将此事报告财政部驻沪办事处,并转达财政部长宋子文。

当时谋求沪行经理一职的,还有李承翼和交行的董事陈福颐。陈福颐尤为活跃,四处奔走请托,并向王子崧、黄筱彤等人疏通,表示只要支持他就任,一定遵从各位意见。陈还贸然造访相识未久的国华银行总经理唐寿民,请求唐的指点和关照。唐明白陈的来意,但并未明确表态,仅客套一番应付过去。陈福颐的背后有财政部的支持,传闻董事长卢学溥已予以默许,因而陈自己认为沪行经理一职已非他莫属,于是印好了经理名片,准备发放。然而,交行董事会最终未予通过,表面上是因为胡祖同的反对,实际上是受到钱新之等江浙财团势力的暗中阻挠。

董事长卢学溥见事情陷入僵局,各方相持不下,深怕内斗的局面影响交行发展,因而极力劝解,甚至痛哭流涕地劝说胡祖同放弃己见,遵从财政部的意向,让陈福颐出任沪行经理。无奈各方执念太深,难以和解。其后,事情发展到财政部坚持非由其派任沪行经理不可,否则全体董事辞职。卢学溥在一筹莫展之际,突然想到唐寿民。唐寿民为宋子文的亲信,由其出任该职必能获得官方的支持,而且唐先前与交行并无渊源关系,以唐代陈似可平衡各方矛盾,打破僵局。

唐寿民担任国华银行总经理之前,曾任上海商业储蓄银行汉口分行经理。在汉口期间,唐寿民与宋子文过从甚密。不过,据唐寿民所言,1928年被宋子文安排为交行官股董事时,他本人事先并不知晓。

1928年12月,交行召开行务总会(董监事联席会议),商讨有关改组事项。唐寿民收到交行送来的会议通知后,一头雾水。次日清晨,他向财政部驻沪办事处询问究竟,未果。于是,又立即赶往财政部拜访宋子文。其实,宋子文正是这一切的幕后安排者,早就料到唐的来意,甫一见面,不待唐发问,就先问道:"何以不去交行出席会议?"唐寿民如实回答:"昨夜始接通知,不知底细。"宋子文笑道:"你是交行官股董事,现在开会时间已到,请先去开会,会后再谈。"就这样,唐寿民"糊里糊涂"成了交行的官股董事。

会后,唐寿民再度拜访宋子文,宋向唐讲述了事情的来龙去脉。交行这次改组,财政部原本指派顾诒穀(顾立仁)、徐寄庼(徐陈冕)和唐寿民三人为官股董事。但当时有传闻说唐寿民为人很好,只是有些"颜色"(指从汉口过来,与联工会有联系,故有亲共嫌疑)。宋子文闻言大怒,出面力保唐寿民,称:唐寿民与政府中人都不认识,只认识我宋某,如果说唐"颜色"不对,何不说我颜色不对? 虽有宋子文的支持,但唐寿民出任交行官股董事一事仍被耽搁下来。交行因官股董事缺额,无法召开行务总会,屡催财政部补派。最后,宋子文顶住压力,坚持指派唐为交行官股董事,唯因事情仓促,事前未及通知唐寿民这一任命,所以唐接到会议通知后,不知就里。① 唐寿民事先是否真的毫不知情,后人已难以知晓,但通过此事确实可以看出,宋子文对唐寿民是何等的信任与赏识。

卢学溥为旧交通系人士,又是浙江实业银行董事长,与南三行有极深关系,在当时中国金融界、银行界具有相当地位,所以经他极力游说后,陈光甫、李馥荪、张嘉璈、徐寄庼等人都表示赞同,国华银行董事长邹敏初也支持唐寿民兼任交行沪行经理一职。事已至此。胡祖同不得不表示赞同。

卢学溥与胡祖同联袂拜访唐寿民,请求他出任交行的官股董事兼沪行经理。唐寿民最初不敢轻易答应,原因是还须宋子文最后拍板。因此,他直奔财政部请示意见。宋子文对交行内部的沪行经理之争是了如指掌的,事情的发展趋势也不乏其背后运作的因素,唐寿民能获得沪行经理之职,自然正中其下怀。所以宋子文明确表示:"今既请你兼任,也是解决问题之一,请你能担任也好。"②有了宋子文这番表态,唐寿民心里便有了底。

随后,唐寿民又征询张嘉璈的意见,并提及中、交两行以往存在的矛盾,请求

---

①② 以上见《唐寿民回忆录》(1962 年 2 月 25 日),交通银行博物馆藏资料 Y48。

张嘉璈放弃前嫌,日后给予支持和帮助。张嘉璈回复说:中、交合作当无问题,若有困难还可寻求中央银行的支持,并建议唐与央行加强商洽。于是,唐寿民再次拜见宋子文,将其与张嘉璈谈话的内容完整地复述于宋。宋子文又明确表示,唐兼任交行沪行经理后,如果真有困难,中央银行必定协助。至此,唐寿民已完全放下心来。

交行方面再次催促后,唐寿民表示愿意接受沪行经理一职,但也提出一些要求,声称自己仍负有发展国华银行的重任,兼职交行沪行后无法按照常规整日在行办公,每天只能到行两小时,故请胡祖同就沪行副理中指定一人,在日常事务中代行经理职务。交行方面接受了这一要求。

作为以唐代陈的后续处理,胡祖同就任交行总经理后,由他提议,经董事会通过,给陈福颐以常务董事的待遇,并拨给每月400元车马费,以示安慰。

唐寿民于1929年初就任沪行经理后,按照约定,每日在交行办公两小时,唐不在行内时,由沪行原任副经理黄筱彤代行经理职务。1931年1月,国民政府调派唐寿民为中央银行常务理事兼业务局总经理,秦润卿继任沪行经理。唐寿民虽暂时离开交行,却为日后升任总经理奠定了基础,而国民政府方面也以唐为合其心愿的主要人选,开始酝酿交行高层人事的调整方案。

国民政府计划对交行和中行加强掌控,以推进国家金融统制政策时,1928年的交行沪行经理事件记忆犹新,由此深切地认识到交行内部江浙财团势力的强盛,若不对其高层人事进行全面调整,恐难实现自己的计划。

1933年4月,国民政府率先从高层人事方面就交行的改组实施了关键的一步,指派胡笔江担任董事长,唐寿民担任总经理兼业务部经理,二人均于4月8日就职。卢学溥和胡祖同则被迫辞职,离开交行,卢改任上海造币厂厂长,胡调任中央银行国库局总理,这两个都是无关紧要,没有多少实权的职位。事后,交行员工潘仲麟回忆称:"可以说国民党政府完全霸占了交通(银行)全部人事、业务组织。原有人事上、组织上已根本摧毁,卢涧泉(卢学溥)去任造币厂厂长,胡孟嘉(胡祖同)调任中央银行国库局局长,郁郁不得志,酗酒解愁,为以后致死因素之一。"①

据目前留存的档案资料可知,交行的上述人事调整,完全是国民政府方面一手策

---

① 《潘仲麟访问记录》(1961年3月24日),交通银行博物馆藏资料Y48。

划的结果。当时,宋子文任财政部长兼中央银行总裁,他曾给副总裁陈行发过一封密电,并让陈转给胡笔江。电报上说:"陈副总裁鉴:可密。译转胡笔江兄鉴:弟辞中央银行总裁职,与财政金融有益无损。一切仍照原定计划进行,请转告寿民、孟嘉(胡祖同字孟嘉)两兄为祷。弟子文。"[①]这封密电于1933年3月5日由南京发往上海,同年4月,国民政府即对交行作了重大的人事调整。电文中所说"一切仍照原定计划进行",无疑泄露了"天机",这表明国民政府方面早在当年3月之前,已制定好了通过改组进一步掌控交行的方案,只需按照计划步步推进即可。从程序上看,1933年3月,交行第二十二届股东总会在上海召开,改选了商股董事;4月,第六届董事会召开,互选出常务董事,人事调整是在这一基础上作出的。但实际上,国民政府在此之前已将卢学溥、胡祖同的离任与胡笔江、唐寿民的接任部署妥当。财政部指派胡笔江出任董事长,原本就是1928年条例的规定,自不待说,而常务董事"互选"唐寿民为总经理,也仅是走走形式而已。

二、胡笔江和唐寿民入主交行

国民政府在推进金融统制政策的过程中,极为关键的步骤是将中国银行和交通银行紧紧控制在自己手中,但考虑到双管齐下可能会遭到较大阻力,因此采取先易后难,各个击破的策略,先从实力稍逊的交行下手。在对交行进行整体改组之前,作为一项至关重要的铺垫,国民政府于1933年对交行的高层人事作了调整,将官方更为信任的胡笔江和唐寿民安排为董事长和总经理,取代了先前的卢学溥和胡祖同,从而为1935年彻底改组交行奠定了基础。

胡笔江原名敏贤,字筹,号笔江。原为中南银行总经理,曾任交通银行北京分行经理,又是金城银行发起人之一,在银行界颇有名气。1921年中南银行筹建时,因《申报》总经理史量才的推荐,胡笔江被中南银行发起人黄奕住任命为中南银行总经理,并受黄的委托全权处理业务。胡笔江在北方经营多年,当地人脉广泛,所以中南银行早期的业务重心仍置于北京和天津,成为北四行之一。黄奕住是印度尼西亚爪哇岛的华侨,因这一特殊身份,经政府特许,中南银行享有兑换券的发行权,这也是该行优于北四行中其他三行的地方。1921年至1922年,胡笔江提议设立四行准备库,

---

① 洪葭管主编:《中央银行史料(1928.11—1949.5)》,第43页。

共同发行中南银行纸币。准备库号称十足准备,还聘用英国会计师检查账目,每月在报上公布,中南银行纸币的信誉得以逐渐树立。当时,北四行股东之间往往互相投资,互相兼职,金城银行不仅有其他三行的股份,而且董事、监事也有其他三行的人士,因此,胡笔江与吴鼎昌、周作民、谈荔孙等人具有同乡、同学或其他各种关系,交往十分密切。① 凭着良好的业务素质与深厚的人事关系,胡笔江在银行界可谓如鱼得水,得心应手。

胡笔江

1933 年 4 月 6 日,交行假上海银行业同业公会召开第二十二届通常股东总会,改选胡笔江、唐寿民、胡祖同、钱新之、陈行、王承祖、周作民、李铭、陈辉德(陈光甫)、叶熏、杨德森、张嘉璈等 12 人为商股董事。同日由财政部指派张寿镛、李承翼、秦祖泽三人为官股董事。新董事会于次日成立,互选胡笔江、唐寿民、胡祖同、钱新之、陈行 5 人为常务董事。即日成立常务董事会,选唐寿民为总经理,同日奉财政部指令,选定胡笔江为董事长。唐、胡两人于 8 日就职,前任董事长卢学溥、总经理胡祖同于同

---

① 叶世昌、潘连贵:《中国古近代金融史》,复旦大学出版社,2001 年,第 239—240 页。

日卸职。

唐寿民成为交行总经理后,通过董事会作出两项决定:1.改交通银行总管理处为交通银行总行,撤销发行总库和上海分行,建立总行发行部和业务部。2.将各分行头寸集中于总行统一调度运用,优给利息。全行公债证券,统一由总行业务部经营。业务部应广开工商业往来户,争揽存放业务,大做货物押款。于是,交行的管理大权和业务大权,都集中到唐寿民手中。

1933年的调整之前,交行总管理处仅为管理机构,主要监督稽核各行,本身不理业务。总管理处制改为总行制后,总行除稽核各行业务外,还要直接经营业务,并指示各行具体办理。① 这就为唐寿民揽权创造了条件。

唐寿民担任交行总经理之初,曾兼任业务部经理,行内大事不许旁人插手,并且在要害职位上安插了不少亲信。如业务部副经理张佩绅,原为中央银行业务局副局长,是唐寿民手下的得力亲信,随唐寿民进入交行后,继续为唐效力。张先在稽核处副处长的职位上过渡了一下,不久即升任业务部副经理,其后,又担任业务部经理。再如当时交行的总经理室秘书陈子培,也是唐寿民的亲信,平时独居一室,很少与人会面,但善于打听消息,无论听到什么消息,都即刻报告唐寿民,故被称为唐的特务、暗探,人人避而远之。②

唐寿民"为人骄气十足,大权独揽",而且讲究派头。据行员张叔毅回忆,"唐寿民当总经理后,就想揽权,关照同事遇事要同他接洽,因为他肯负责处理。公文先送唐批办,后送胡笔江阅洽,有时关于临时发生的事件,外边已经流传,胡因尚未据报,没有知道"。③胡笔江初任董事长时,对行内的具体事务不太过问,故与唐寿民相处得尚好。但是唐寿民一味揽权,时间久了便与胡笔江屡屡发生矛盾,最后,胡、唐二人终于闹翻,分道扬镳。胡笔江与唐寿民都是宋子文的亲信,而且唐寿民完全是宋子文一手提拔起来的,但此时唐寿民与宋子文也产生了矛盾。相比之下,胡笔江与宋子文更为接近,也更受宋的信任。不久,唐寿民的势力逐渐被削弱,有知情者说,唐"仅仅阔了一二年"。④1935年国民政府对交行增资改组,并修改章程,将交行的管理体制改为董事长制。交行行务遂由胡笔江主持,"一切公文及重要事项先与接洽,直接批

---

①③ 《张叔毅访问记录》(1961年4月25日),交通银行博物馆藏资料Y48。
②④ 《潘仲麟访问记录》(1961年3月24日),交通银行博物馆藏资料Y48。

办"。① 唐寿民的地位大大降低,亲信张佩绅的业务部经理之职也被胡笔江剥夺,改由庄叔豪担任。

国民政府通过调整领导层的方式加强了对交行的控制,但从性质和体制上说,交行毕竟是个"股份有限公司",程序上的最高权力机构是股东总会和董事会。当时的股本构成是"官二商八",官股的比例较低,董事会中的官方代表不多。因此,国民政府实际上只能通过"遥控"胡笔江、唐寿民等少数高层领导来影响交行,并不能完全掌控交行。所以,国民政府的进一步计划就是彻底改变交行原先的股本结构,以大大增加官股来降低商股的比例,从而完全掌控交行。

三、国民政府对交行的完全掌控

20 世纪 30 年代以来,国民政府为了应付日益庞大的军政开支,只能大量增发公债,并照例先由中国银行、交通银行等垫款应急。中国银行对此颇为反感,不愿一味屈从,因而有意识地逐步减少为政府垫款。交行经 1933 年的高层人事调整后,虽比较"顺从",但碍于其"股份有限公司"的性质,国民政府仍不能随心所欲地加以支配。为此,蒋介石非常恼火,故在 1935 年 3 月 22 日致财政部长孔祥熙的电文中,对中、交两行大加挞伐:"国家社会皆濒破产。致此之由,其结症乃在金融币制与发行之不能统一,其中关键全在中、交两行固执其历来吸吮国脉民膏之反时代之传统政策,而置国家社会于不顾,若不断然矫正,则革命绝望,而民命亦被中、交二行所断送,此事实较军阀割据破坏革命为尤甚也。"蒋介石认为"无论为政府与社会计,只有使三行(指中央、中国、交通三行)绝对听命于中央,彻底合作,乃为国家民族唯一之生路"。② 可见,国民党政权对中、交两行的彻底改组已是箭在弦上。

1935 年 3 月底,即蒋介石发出上述电文一周后,孔祥熙提出议案,要求对中行和交行进行增资改组。当时,国民政府并无大量的真实资产可用作官股,无奈中想出一个绝招,以金融公债充作官股。因此,孔祥熙的议案还提出,发行 1935 年金融公债 1 亿元。最初为掩人耳目,还为发行此项公债列出三项目的:1. 拨还财政部所欠中央银行的垫款。2. 充实中央、中国、交通三家银行的资本力量。3. 便利救济市面及工商

---

① 《张叔毅访问记录》(1961 年 4 月 25 日),交通银行博物馆藏资料 Y48。
② 《中国银行行史资料汇编》上编,第 385 页。

业。至 1935 年金融公债条例公布时,财政部已毫不讳言其首要目的,即以这笔"虚拟"的资产作为官股,达到完全掌控中、交两行的目的,"国民政府为充实银行资金,拨还垫款,便利救济工商业,发行公债,定名为民国二十四年金融公债"。①

当时,中行的资本总额是 2500 万元,其中官股为 500 万元,商股为 2000 万元;孔祥熙的议案提议增加官股 2500 万元后,政府资本就拥有 3000 万元,超过商股 1000 万元,占增资后资本总额 5000 万元的 60%。② 交行的资本总额是 1000 万元,其中官股为 200 万元,现将股本总额增至 2000 万元,官股再增加 1000 万元,占比也提高到 60%。

国民政府此时已迫不及待,以至在金融债券尚未印制完毕的情况下,即火速命令中华书局赶印一种暂代金融债券的预约券,于 3 月 28 日上午由财政部分别备文送交中、交两行,目的是赶在 4 月底中、交两行召开股东大会之前将股款拨发完毕,使其在股东大会讨论时,已成为正式官股。③ 1935 年的金融公债,从审核通过,到预约券的送达,前后仅用了一天半时间,国民政府改组两行的行动,可谓效率奇高。

交行在建立之初以及民国北洋政府时期,股本的构成一直是"官四商六"。1928 年,交行首次被南京国民政府改组时,股本构成变成"官二商八"。在 1935 年的再次改组中,交行的资本总额被提高至 2000 万元,国民政府强行增加官股 1000 万元,连同原有的 200 万元,官股共计 1200 万元。而商股表面上是 800 万元,实际上只有 693.51 万元。从股本的占比看,官股上升为 63.37%,商股下降为 36.63%。至此,股本的构成变成"官六商四"。官商股占比的变化,为国民政府增派官股董事,彻底掌控交通银行提供了"合法"的理由与途径。

4 月 20 日,交行在上海香港路银行公会举行第二十四届股东总会,按照新修正的交通银行条例改选董监事人选。与 1928 年的条例相比,修正条例规定交行董事由原先的 15 人增为 21 人,监察人由原先的 5 人增为 7 人。财政部指派的官股董事由原先的 3 人增为 9 人,当时对外发布为宋子良、杨厚生、张寿镛、李承翼、秦润卿、王正廷、徐新六、杨虎、沈叔玉。当选的商股董事 12 人,分别为胡笔江、唐寿民、胡祖同、钱新之、陈行、王承祖、周作民、李铭、陈光甫、叶熏、杨德森、张嘉璈,因任期未满,实际并

---

① 《民国二十四年金融公债条例》,洪葭管主编:《中央银行史料(1928.11—1949.5)》,第 236 页。
② 《中国银行行史(1912—1949)》,第 377 页。
③ 洪葭管主编:《中央银行史料(1928.11—1949.5)》,第 236 页。

未改选,仍是原先的人选。财政部指派的官股监察人为赵棣华、许修直、张寅(张啸林)3人。商股监察人4人原为于宝轩、贾士毅、梁定蓟、叶崇勋,因任期已满,改选为叶崇勋、邹敏初、贾士毅、温襄忱。4月22日,交行召开董事会,各官商股东推举钱新之为临时主席,报告增加官股后,依修正条例第十四条规定,增选常务董事2人,宋子良、杨厚生当选(杨厚生忽于5月4日因病出缺,财政部改派席德懋为董事,并由董事会补选为常务董事),原任常董胡笔江、唐寿民、胡祖同、钱新之、陈行任期未满,未作更动。

财政部增派官股董事一事,因须避开金融界对中行1935年改组的强烈反应,延迟至1937年4月才实现。1937年4月,交行在第26届股东会上宣布,财政部指派的官股董事9人分别为:宋子文(国民政府经济委员会常委、中央银行常务理事、中国银行董事长)、王儒堂(即王正廷,曾任外交部长)、席德懋(中央银行业务局局长)、沈叔玉(邮政储金汇业局局长)、宋子良(宋子文之弟,国货银行总经理)、李承翼、杨啸天(即杨虎)、陈行(中央银行副总裁)、徐新六(浙江兴业银行总经理)。董事长一职仍由胡笔江担任。

上述可见,国民政府增派的9名官股董事,大多与官方关系密切,加上商股董事中也有官方安插的亲信,所以官方已有足够的力量左右董事会的决策,控制交行的全局。与此同时,官方对交行中下层的人事也作了大规模的调整。至此,交行从资本构成、人事管理、业务经营等各方面都完全被国民政府所掌控,从而成为国民政府金融统制系统中不可或缺的重要成员。

四、中交两行改组的社会反应

1935年,国民政府强行增资改组中国银行和交通银行的消息传出后,当时的金融界反应强烈。交通、中国两行本身,因情况有所不同,对待改组的态度也不尽相同。大体而言,交行在1933年已经过高层人事调整,且对即将到来的变动已有心理准备,所以能够比较平静地接受改组。中国银行则意图作些抗争,但最终不得不屈服。

中行在接到财政部的改组训令后,立即召开董事会,众董事的态度非常强硬。对官方以未上市的金融公债缴充股本,强行提高资本总额,增加官股份额,未经股东同意自行修改官商股契约等行为,颇表愤慨,一致主张向国民政府提出质问。改组中,对中行刺激最大的是,张嘉璈受蒋介石威逼,被迫辞去中国银行总经理一职。张、蒋之间积怨已久,此次国民政府对中国银行进行大改组,事先并未通知张嘉璈。蒋介石早已领教过张嘉璈在中行内的深厚根基和巨大影响,深知不逼走张,即不能完全控制中行,所以他在 1935 年 3 月 23 日致孔祥熙的密电中称:"弟意应即劝其(张嘉璈)决心完全脱离中国银行关系,而就政府其他任命或调任其为中央银行副总裁",若能这样,即可"公私两全,是为至幸"。时任行政院长的汪精卫曾就此发出电文,有意调解张、蒋矛盾,但蒋介石强硬地表示:"如为救国家与社会计,今日财政惟有此一办法,舍此之外,皆为绝路。中、交两行如能顾全大局,不为少数人之自私,能为国家与社会稍一着想,而放弃其历来吸吮国脉民膏及反时代之传统政策,则应促成现在财政政策之实现,正所以救国而自救也。"①

张嘉璈被迫辞去中行总经理职务后,满腹怨言自不待言。他在私人笔记中说道:"因在行二十三年,几于年年在奋斗中过生活。与事斗争,即不免牵入人事恩怨","眼看国难近在眉睫,何可因小愤而害大局。且因人事斗争,更难登大雅之堂。况天下无不散之筵席,手栽的美丽花枝,何必常放在自己室内。能让人取去,好好培养,何尝不是一桩乐事。"②在张嘉璈自我解嘲式的叙述中,既可看出他为了顾全大局而作出的牺牲,也可看出他对官方肆意侵夺的满腔愤懑。由于中行众董事大力对抗,而国民政府方面也自知理亏,为缓和与商股股东的矛盾,最后决定将原计划增加的 2000 万元官股减为 1500 万元,连同原有官股 500 万元,共计 2000 万元。

国民政府攫取中、交两行,在当时的社会舆论看来,实属一大阴谋。尽管行政院长汪精卫竭力为官方作解释:"三行之增加官股,绝无纵横捭阖之意存乎其间。"但从他 1935 年 3 月调解蒋介石、张嘉璈矛盾的电文中已可看出,他对蒋介石、孔祥熙的计划是知晓的。汪、蒋对攫取中、交两行的看法,本质上是一致的,区别仅在于汪精卫希望采用较为缓和的手段,而蒋介石则力主强硬。③ 蒋介石在贵阳的谈话中即极为直白地表示:"三行之增加官股,即统制经济之实施。"④在上述的整个过程中,国民政府只用了一纸公债(甚至只是预约券),不拨一元现金,即将中国、交通两大银行收入囊中,手段确实"高明"。

---

① 《中国银行行史资料汇编》上编,第 385—386 页。
② 同上,第 393 页。
③ 同上,第 386 页。
④ 洪葭管主编:《中央银行史料(1928.11—1949.5)》,第 271 页。

第三节 条例的修改与组织结构的调整

一、《交通银行条例》的修改

1928 年交通银行首次改组后形成的一系列条例与规程,仅适用于总管理处制,而不适用于总行制。1933 年,为配合由总管理处制向总行制转变,交行对先前的组织规程作了修订,提交董事会议决实施,作为转制的依据。其后,又修订总行各部、处的分课职掌规程,并将其他各项规则一律加以修正(任免规则、薪给规则、寄庄规则、行员储金规则等稍晚实行)。总行与各分支行的转账统系及各库发行账项的移转办法,也都于转制改组时分别厘定。

值得注意的是,唐寿民首先将各项规则中行员甲乙等分职条文一律废除,以示地位平等。不过,修订后的《行员任免规则》,却将总行各部经理、各处处长以及各分行经理的任免权授予董事会,由常务董事议决执行。如此一来,人事大权就集中于常董手中。1933 年修订的各项规则共有 13 种,即《交通银行组织规程》《寄庄暂行规则》《行员任免规则》《行员薪给规则》《行员服务规则》《行员保证规则》《行员旅费规则》《行员请假规则》《行员奖惩规则》《行员恤养规则》《行员领用物品规则》《行员膳宿规则》《试用员规则》。

1935 年,国民政府对交行进行增资改组,交行的股本结构完全改变,与之相应,由政府颁布的《交通银行条例》也应重新修订。不过,早在 1933 年,国民政府已经完成对交行高层人事和组织机构等方面的改组,因此,1935 年的条例修订,政府方面无须对交行人事、管理、组织、营业等方面的内容再作大的变更,只需对新的股本总额和股本构成,以及由此出现的董监人数的变化,尤其是官方指派的董监人数的变化,作出明确规定即可。

交通银行条例与章程的修订,历来受到官方的重视。交通银行的章程以清光绪三十三年十一月四日奏定的章程为草创。进入民国时期后,1914 年 4 月 7 日奉大总统令颁布的《交通银行则例》,可视为首部由政府制定的交通银行条例。随后,交行根据政府条例自行制定了一系列章程规则,并在实施中不断予以修改。但早期的章程规则往往都是单行法规,彼此并无有机联系,因而尚未形成完整的规章体系。1923年6月,交通银行成立修改行章委员会,制定章程61条,经股东会议一再修改,于1925年5月议决通过,呈报交通部转咨财政部备案,这是交行首次制定的内容比较完备而系统的本行章程。

1928年11月,南京国民政府继北洋政府之后,制定并颁布了《交通银行条例》。当月,交行股东总会议决,依据这一条例对1925年的章程加以修订,形成1928年的《交通银行章程》,共10章69条。

1935年6月,国民政府根据股本的变化,修订并颁布新的《交通银行条例》。与1928年的条例相比,其内容的主要变动体现在股本以及与之相关的问题上。如将股本总额改定为国币2000万元,官股扩充为1200万元,对由此引起的董事与监察人数额及其官商构成,以及股息、股权、营业种类等问题,都作了相应修改。当月,交行根据新颁布的政府条例,再次对《交通银行章程》进行修订,使各项具体规定都与新条例相吻合,形成1935年的《交通银行章程》,共10章72条。从1923年算起,这是交行第三次对自订章程进行系统的修改。

二、1933 年的组织机构改组

1933年,交通银行进行组织机构改革,这在交行发展史上具有重大意义。此后,交行在全国范围内逐渐形成比较系统的营业网,各项业务次第展开,从此进入了一个新的阶段。正如《交行通信》所说:“交通银行自创设以来,累有兴革,而其最重大之措施,除民国十七年(1928)奉国民政府特颁条例,总处南迁,实行改组外,要以二十二年(1933)全行改组一案为尤著。值此之故,1933年实为交行鼎新革故之转变时期。不惟今日行务兴革变更关键之所系,亦将为日后行务循序演进之所自始。”①

(一) 总行的改制

交行创办之初,即于北京设立总管理处(交行燕行即当时的北京交行总行),至1933年已有二十余年。1928年,中、交两行同时改组,国民政府颁布的《交通银行条例》以及交行据此修订的《交通银行章程》,都规定“设总行于上海”。1933年,依据上述规定,正式改总管理处制为总行制。实行总行制后,原总管理处辖下的总务、业务、券务、

---

① 《二十二年交通银行之行务》,《交行通信》第4卷第1号,第3页。

设计等部及沪行库部,一律并入总行。各地分支行库部,也统归总行管辖。总行的组织机构,除秘书直接隶属总经理,又设业务部、发行部、储蓄信托部三部和稽核处、事务处两处。三部各设经理和副经理,两处各设处长和副处长。各部、处都分课办事,各课设课长一人。总行秘书及各部经理、副经理,各处处长、副处长,各课课长,都须经过遴选,然后再委任。原有的办事员生,也须经过严格考核,再将职务重新派定。同时,实行紧缩用人的原则,将前总管理处各部及沪行库部原有员生33人改为预备员。

(二)分支行的改组

1933年6月,交行重新修订组织规程,对分支行的调整作出以下规定:1.撤销上海分行。2.改汉、杭二支行为汉、浙二分行,增设直隶支行。3.各地分行改分为三等,支行改分为六等,各办事处一律撤销,改组为支行,改为支行的原办事处主任一律改称经理。4.各分支行经理、副理、襄理等职务设置照旧,但支行不再设襄理,三四五六等支行不再设副理。5.三四五六等支行不分股,设文书、营业、会计、出纳等员。6.经理、副理、襄理及各课主任,都须经遴选后重新委任;办事员生也须从严考核,再将职务重新分配,并仿照总行紧缩用人的原则,将部分员生改为预备员。综计这次改组中分支行的变动状况,除上海分行改并为总行业务部外,共有2处支行改为分行,9处支行升等,29处办事处改为支行,增设支行5处,复业者1处。至1933年底,交行总行属下的分支机构,共有分行5处,支行60处,寄庄、自办仓库等机构11处。

此后,交行在江北、闽粤、西北等地不断增设分支机构,拓展营业网络,截至1936年底,交行在各地的分支机构,分行为7处,支行为70处,办事处为36处,临时办事处10处,总计123处。

表2-3-2　1936年底交通银行分支机构名称表

名　称	简　称	地　址	隶　属
天津一等分行	津行	天津法租界四号路	总行
香港二等分行	港行	香港雪厂街	总行
汉口三等分行	汉行	第三特别区湖南街	总行
厦门三等分行	厦行	厦门市海后路	总行
杭县三等分行	浙行	杭州市开源路	总行
青岛三等分行	岛行	青岛市中山路	总行

（续表）

名 称	简 称	地 址	隶 属
长春分行	长行	长春市内西三道街	总行
北平一等支行	燕行	北平前门外西河沿	津行
广州支行	粤行	广州市太平南路	港行
石家庄四等支行	石行	石家庄大桥街	津行
张家口四等支行	张行	张家口堡内阁西街	津行
开封六等支行	汴行	开封河道街	郑行
营口四等支行	营行	营口西双街	沈行
汕头六等支行	汕行	汕头市居平路	港行
济南一等支行	鲁行	济南商埠二大马路	岛行
沈阳一等支行	沈行	沈阳小南门内大街路西	总行
南京一等支行	京行	城内新街口中山东路	总行
烟台二等支行	烟行	烟台北山下滋大路	岛行
无锡三等支行	锡行	无锡城内北塘街	总行
枣庄六等支行	枣行	枣庄镇南门内新街	岛行
徐州五等支行	徐行	徐州大同街	总行
郑县二等支行	郑行	郑县大同路	总行
唐山五等支行	唐行	天津唐山镇广东大街	津行
保定五等支行	保行	保定扬淑胡同	津行
扬州五等支行	扬行	扬州新城内左卫街	镇行
镇江二等支行	镇行	镇江江边日新路	总行
长沙四等支行	湘行	长沙黄道街	汉行
哈尔滨支行	哈行	道外北四道街路西	长行
宜昌六等支行	宜行	宜昌二马路	汉行
沙市五等支行	沙行	沙市中山一马路	汉行
芜湖五等支行	芜行	芜湖上二街	总行
蚌埠三等支行	蚌行	蚌埠中山街	总行
清江浦六等支行	清行	清江浦城内东门大街	镇行
吴县三等支行	苏行	苏州阊门内西中市	总行
宁波三等支行	甬行	宁波东大街	浙行
大连一等支行	连行	大连大山通十二番地	总行

（续表）

名　　称	简　　称	地　　址	隶　　属
归绥五等支行	绥行	归绥市小东街	津行
黑龙江五等支行	黑行	齐齐哈尔市南大街	长行
龙口五等支行	龙行	蓬莱县龙口宝善街	岛行
南京下关五等支行	关行	下关大马路	京行
常熟三等支行	常行	常熟城内道南街	总行
武进五等支行	武行	武进城内西瀛里	总行
南通五等支行	通行	南通西门外大街	总行
四平街四等支行	平行	四平街驿北四条道	沈行
包头五等支行	包行	包头镇前街	津行
新浦五等支行	新行	新浦镇中大街	总行
陕州六等支行	陕行	陕州城外通秦街	郑行
潍县五等支行	潍行	潍县东关大街	岛行
天津北马路五等支行	北行	天津北马路	津行
天津小白楼六等支行	白行	天津大沽路小白楼	津行
上海南京路三等支行	南行	南京路山西路西	总行
上海民国路三等支行	民行	新北门天主堂街转角	总行
上海提篮桥五等支行	篮行	提篮桥东百老汇路	总行
绍兴六等支行	绍行	绍兴城内利济桥大街	浙行
吴县观前街五等支行	观行	苏州城内观前街	苏行
威海卫五等支行	威行	威海卫中山路	岛行
南京白下路五等支行	宁行	城内白下路中正街	京行
上海界路五等支行	界行	北车站南面界路	总行
泰县六等支行	泰行	北门外坡子大街	镇江
余姚五等支行	姚行	余姚新建路	浙行
青岛东镇六等支行	东行	青岛东镇威海	岛行
东台六等支行	台行	东台县彩衣大街	镇行
盐城六等支行	盐行	盐城西大街	镇行
丹阳六等支行	丹行	丹阳城内中市大街	总行
如皋六等支行	如行	如皋县府前南门大街	总行
温州六等支行	瓯行	温州五马路	浙行

（续表）

名　称	简　称	地　址	隶　属
金华六等支行	华行	金华后白路	浙行
福州支行	闽行	福州南台中亭路	总行
西安三等支行	秦行	西安竹巷市街粉巷	郑行
渭南五等支行	渭行	渭南西关	郑行
武昌六等支行	鄂行	武昌南楼前街	汉行
南昌二等支行	赣行	南昌中山路甲戌坊	总行
北平东城六等支行	燕东行	北平东四牌楼南大街	燕行
北平西城六等支行	燕西行	北平西单牌楼北大街	燕行
漳州六等支行	漳行	龙滨县马坪街	厦行
赣县六等支行	虔行	赣县城内公园北路	赣行
泉州六等支行	泉行	晋江县泉州新桥头	厦行
洛阳办事处	洛处	洛阳城内北大街	郑行
彰德办事处	彰处	彰德西大街路西	郑行
大同办事处	同处	城内四牌楼西街路南	张行
宣化办事处	化处	宣化城内南大街	张行
孙家台办事处	孙处	孙家台掏鹿大街	沈行
九江办事处	浔处	九江西门外大中路	赣行
哈尔滨道里办事处	里处	道里中国十道街路南	哈行
宣城办事处	宣处	宣城北门外大街	芜行
济南城内办事处	历处	济南城内院西大街	鲁行
南满站办事处	站处	奉天驿千代田通 34 番地	沈行
兰溪办事处	兰处	兰溪城内双隔巷	华行
定海办事处	定处	定海城内西大街总府弄口	甬行
板浦办事处	板处	灌云县板浦镇东大街薛巷	新行
淮安办事处	淮处	淮安南门大街县前坊	清行
镇海办事处	海处	镇海南董路	甬行
高邮办事处	高处	高邮城内中市口	扬行
溱潼办事处	溱处	东台溱潼镇东大街	泰行
金坛办事处	金处	金坛城内思古	丹行
姜堰办事处	姜处	泰县姜垛镇东大街	泰行

（续表）

名　称	简　称	地　址	隶　属
泰兴办事处	兴处	泰兴鼓楼西街	镇行
黄桥办事处	桥处	泰兴黄桥镇孙家巷	镇行
宝应办事处	宝处	宝应北门大街	清行
太仓办事处	太处	太仓城内中和西路	常行
福州城内办事处	福处	福州城内下南路	闽行
鼓浪屿办事处	鼓处	鼓浪屿球埔前山大宫边	厦行
周巷办事处	周处	余姚周巷镇东河沿	姚行
朝邑办事处	朝处	朝邑城内西大街	秦行
宁波江东办事处	甬东处	宁波老江桥堍	甬行
张店办事处	店处	桓台县张店大马路	岛行
咸阳办事处	咸处	咸阳城内西大街	秦行
太原办事处	晋处	太原钟楼街	石行
灵宝办事处	灵处	灵宝城内西大街路北	郑行
潼关办事处	潼处	潼关西大街	秦行
溧阳办事处	溧处	溧阳西门大街	锡行
宿迁办事处	宿处	宿迁东大街	清行
涵江办事处	涵处	涵江前街	闽行
涟水临时办事处		涟水县	清行
新安临时办事处			新行
临清临时办事处	临处		岛行
平地泉临时办事处	集处	集宁县平地泉车站	张行
滨县北镇临时办事处			岛行
庵东临时办事处	庵处	庵东厂局街	姚行
石码临时办事处	码处	石码新行街	漳行
泰安临时办事处			岛行
商丘临时办事处		商丘县车站中山街	徐行
泾阳临时办事处			秦行

资料来源：《交通银行史料》第一卷，第131—136页。

经过 1933 年的机构改组,交行的各项业务出现不少新的变化。当年的《交行通信》中有这样一段评论:"交行行务在此兴革之始,已非简单之比,则将来递演递进,持此以达最后之鹄的者,其工作之益艰且巨,可断言矣。当兹国家多故,农工商业,俱皆不振之秋,社会之责望于银行者,正极殷切。银行之将以自效于社会者,亦复不一其端。交行外顾舆情,内固行本,从实事求是之中,为奋斗策进之计。凡所措置,原非若急功近利之比。"可见,交通银行明白社会的期望和自身的责任,也深知在当时的环境下,前途将布满荆棘,因此希望通过"实事求是"的渐进式改革不断前行。

（三）分区管辖系统的变更

交通银行原先大多数的分支行与办事处,皆分属上海、天津两大区域,管辖范围,大小悬殊,颇为不便。1933 年,交行总行改组后,为了更有效地对各地分支机构进行管控和支配,依据新修订的组织规程,对原先的管辖区域作了调整,并重新厘订了分区管辖办法,自当年 7 月 20 日开始实行。经过这次更定,总行属下的分行增为 5 处,直隶于总行的支行增为 25 处。改定后的交行分支行管辖系统与等第详见表 2-3-3。

表 2-3-3　1933 年改组后交通银行分支行管辖系统表

天津一等分行(津行) 　经理　钟锷 　副理　区绍咸　严敦咸	北平一等行(燕行)　〔经理　陈杨祜　副理　刘孚淦〕 张家口四等支行(张行)　〔经理　杜赓尧〕 石家庄四等支行(石行)　〔经理　汪贻曾〕 天津北马路五等支行(北行)　〔经理　尔永义〕 归绥五等支行(化行)　〔经理　蔡书禾〕 包头镇五等支行(包行)　〔经理　王德绶〕 保定五等支行(保行)　〔经理　管绍贤〕 唐山五等支行(唐行)　〔经理　周杰英〕
沈阳二等分行(沈行) 　经理　陈艺 　副理　李凤　吴善培	四平街二等支行(平行)　〔经理　吴善培　副理　徐曾沆〕 营口四等支行(营行)　〔经理　单启鹄〕 孙家台四等支行(孙行)　〔经理　吴鼎〕 洮南四等支行(洮行)　〔经理　潘祖丞〕 沈阳南满站五等支行(站行)　〔经理　梁嘉赞〕
哈尔滨二等分行(哈行) 　经理　刘展超 　副理　汪宗焘　刘廷灏	长春三等支行(长行)　〔兼经理　刘廷灏〕 吉林四等支行(吉行)　〔经理　方镜清〕 哈尔滨道里五等支行(里行)　〔经理　石祥和〕 黑龙江五等支行(黑行)　〔经理　朱致祥〕
汉口三等分行(汉行) 　经理　浦拯东 　副理　龚鳌　魏昌博 　　　　沈诵之	长沙四等支行(湘行)　〔兼经理　魏昌栩　代经理　谭翼〕 沙市五等支行(沙行)　〔经理　沈青山〕

（续表）

杭州三等分行(浙行) 　　经理　黄启埙 　　副理　沈剥复	宁波三等支行(甬行)　［经理　冯　熏］ 绍兴五等支行(绍行)　［经理　葛祖礼］ 余姚五等支行(姚行)　［经理　胡家骐］ 定海六等支行(定行)　［经理　金嗣焯］ 兰溪六等支行(兰行)
大连一等直隶支行(连行) 　　经理　钱家驹 　　副理　钱启元	
济南一等直隶支行(鲁行) 　　经理　陆廷撰 　　副理　郭文宝	
南京一等直隶支行(宁行) 　　经理　江祖岱 　　副理　唐永宗　张宝箴	南京中山路五等支行(山行)　［经理　侯汝楳］ 南京下关五等支行(关行)　［兼经理　张宝箴］
青岛一等直隶支行(岛行) 　　经理　姚仲拔 　　副理　徐永年	潍县五等支行(潍行)　［经理　贺民牧］ 青岛冠县路六等支行(冠行)　［经理　陆　湘］ 青岛东镇六等支行(东行)　［经理　单任钧］
烟台二等直隶支行(烟行) 　　经理　王家壬	威海卫五等支行(威行)　［经理　戴兆龙］ 龙口五等支行(龙行)　［经理　黄慕韩］
吴县三等直隶支行(苏行)　［经理　程光洛］	
苏州观前五等支行(观行)　［经理　张文英］	
常熟三等直隶支行(常行)　［经理　张谷如］	
无锡三等直隶支行(锡行)　［经理　伍受谦］	
蚌埠三等直隶支行(蚌行)　［经理　严敦彝］	
上海南京路三等直隶支行(南行)　［代经理　刘　华］	
上海民国路三等直隶支行(民行)　［经理　沈乃浩］	
郑县四等直隶支行(郑行)　［经理　史济道］	
镇江四等直隶支行(镇行)　［兼代经理　徐积康］	
扬州四等直隶支行(扬行)　［经理　江世德］	
九江四等直隶支行(浔行)　［经理　屠　磊］	
开封五等直隶支行(汴行)　［经理　王克勤］	
武进五等直隶支行(武行)　［经理　朱保衡］	

（续表）

南通五等直隶支行（通行）	［经理　张永春］
芜湖五等直隶支行（芜行）	［经理　陈俊三］
徐州五等直隶支行（徐行）	［经理　谢　枢］
新浦五等直隶支行（新行）	［经理　周尔麟］
上海提篮桥五等直隶支行（篮行）	［经理　郭锦坤］
上海北站界路五等直隶支行（界行）	［经理　龚齐杰］
泰县六等直隶支行（泰行）	［经理　蒋士彦］

资料来源：《交通银行史料》第一卷，第 1365—1367 页。

交行各地分支行的新管辖系统，改变了以往津、沪两大区域各统"半壁江山"的格局，使总行能够更为有效地对各地进行管控与协调，也更符合交通银行新的发展需要。

三、1935 年的规章制度修订

1935 年，国民政府颁布修订后的《交通银行条例》。按照惯例，交通银行依据政府的新条例，又对 1928 年的《交通银行章程》进行修订。其后，又按照条例和章程的规定，就行内组织、人事、业务等方面一系列具体的规章制度进行了增删改订。

（一）各项业务规章的修订

储蓄部章程的修订。交通银行储蓄部于 1930 年正式开业，原订储蓄规程已呈财政部核准备案。1935 年，交行向储蓄部增拨基金 200 万元，加上原先拨付的 50 万元，共计基金 250 万元。同年，交行又重新修订储蓄部规程，改其为《储蓄部章程》，并于 8 月 26 日呈报财政部核准备案。相关的储蓄存款规则，自 1934 年 4 月、6 月两次修订后，1935 年未作变更。

信托部章程及其相关规则。1935 年 7 月 27 日，交通银行董事会议决，向信托部拨发国币 250 万元作为信托基金。8 月 26 日，交行将修订的《信托部章程》，呈报财政部核准备案。交行总行储信部及上海四支行，定于 1936 年 1 月 10 日开始办理信托业务，并制定了有关信托业务的各项规则，如《信托部营业通则》《信托存款规则》《寿险信托规则》《公司债信托规则》《执行遗嘱管理遗产规则》《经理有价证券规则》《经理房地产规则》《代理运销商品规则》《代客投保各种保险规则》《公司委托事务规则》《保证业务规则》《代理学校收费规则》《信托部暂行记账办法》（其后改订为

《信托部暂行会计规则》)等。上述各项规则,都于 1935 年底通函发寄各行处查照办理。

仓库规则的修订。交行的仓库业务自创办以来,进展非常顺利。1933 年和 1934 年,交行先后制定的相关规则有仓库营业规则、银钱及寄托物记账办法等。1935 年,各地分支机构自办以及与其他机关合办的仓库日益增多,因而纷纷陈请总行制定有关仓库设立程序及其管理方法的规定,为此,总行印制了《仓库暂行办法》和《仓库各项图记式样用途》两项规则,分别于 4 月 17 日、6 月 26 日通函发寄各行处遵照办理。鉴于上述两项规定都属临时性质,1935 年底,总行又重新厘定《仓库规则》《仓库管理规则》《仓库及押品堆栈检查规则》《押品管理员服务规则》等,于 1936 年底通函寄发各分支机构。

农业合作贷款处理规则。交行举办农业合作贷款以来事务日繁,故须就农业贷款的处理方法制定相应标准,供办事人员参照执行。1935 年 9 月,交行订立《农业合作贷款处理规则》,提交董事会议决后,付诸实施。

行员退职金的规定。交行原先制定的《行员恤养规则》规定,唯有资历较深、年逾六十的行员才能享受规则中规定的退职待遇,年龄未满六十的行员均不在此例。为感念和照顾在交行工作多年的老行员,交行特地将退职年龄减至五十岁以上,并制定了《核给退职金及特别退职金暂行办法》,于 1935 年 8 月 8 日通函颁发各分支机构遵照执行。

据统计,交行于 1935 年改组时,所改定的规章制度有 3 项,增订的有 18 项(1935 年底续订或改订,待 1936 年通函寄发的不计在内),其中,有关储蓄信托和仓库的规章制度增订得最多。

(二)组织规程的变更

1935 年,虽未重新修订交通银行的组织规程,但出于因时制宜的考虑,仍酌情变更了其中的一些条款。如储蓄信托部。交通总行的储蓄信托部原在南京路,与南京路支行同处办公。1935 年 5 月 6 日,交行先将储蓄信托部文书、会计二课迁回总行,7 月 24 日,又将储蓄、信托二课迁回。同时,又增设保管、仓库二课,添设课长二人。又如稽核处,因业务量不断增加,总行为便利办公,在原先设立的五课外,增设第六、第七两课。此外,还设立旧欠整理室,除另行委派副处长一人兼任旧欠整理室专员,又增派课长二人,当年 12 月 30 日发布通告实行。

交通银行组织规程原先规定支行不设襄理,但从更好地协助经理处理对内对外事务考虑,董事会特别议决,各支行在必要时可添设襄理一职。总行于2月19日发布这一通告,随后,于6月20日增派北平支行襄理,8月20日增派蚌埠支行襄理。此外,交行为统一行库的统属关系,特将各分支库的等级及其管辖关系,一律暂改与当地分支行的等级及其管辖关系相同,自1936年1月1日起实行,库经理也一律改由当地行经理兼任。

四、第二次改组以来的业绩

交通银行自第二次改组以来,所取得的业绩主要体现在分支机构的增设和新业务的开拓上。

据统计,交行改组前,总分支行处及仓库机构等共有65处;1933年底增加12处,共77处;1934年底增加47处,共124处;1935年底增加16处,共140处;1936年底增加36处,共176处。机构规模的扩大可谓非常迅速。

表2-3-4 1932—1936年机关增减比较表

机关类别	1932年	1933年	1934年	1935年	1936年
总行		1	1	1	1
总管理处	1				
一等分行	2	1	1	1	1
二等分行	2	2	3	1	1
三等分行		2	3	4	4
未列等分行				1	1
一等支行	6	5	5	5	5
二等支行		3	5	4	4
三等支行	4	7	8	8	8
四等支行	13	10	7	6	5
五等支行		24	26	25	24
六等支行		11	19	15	20
未列等支行			2	3	4
办事处	33	1	23	27	36

（续表）

机关类别	1932 年	1933 年	1934 年	1935 年	1936 年
临时办事处			2	5	10
寄庄		4			
收税处				3	3
清理处	1	1			
自办仓库	3	5	18	27	44
合办仓库			1	4	5
共计	65	77	124	140	176

资料来源：陈子培：《交通银行近五年业务统计图表》（民国二十一年至二十五年），申部第 53 表，中国人民银行上海市分行档案交通银行卷第 207 号。

1933 年交行改组后，从加强发行部门的独立性和发展储信业务考虑，在原先设立分支行的地区，另外增设发行分支库和储信分支部。至 1935 年底，陆续设立的发行机构有 53 处，储信机构有 62 处。行、库、部地位相等，鼎足而立。之所以作出这样的决定，是因为发行重在准备公开，储蓄必须会计独立，二者都属于对外性质，与银行对内的办事程序没有多大关系。但自国民政府币制改革，准备集中后，交行各地的分支库已无存在的必要。而储蓄信托方面，自行、部账目分开，会计业已独立，且储信分支部经理事实上全由行方经理兼任，因此无须徒留形式。为此，交行在 1936 年 3 月间将分支库、部名义一律撤销，所有事务全部划归所在地分支行办理。

此外，仓库网与运输线的展布，也是交行发展内地业务的重要组成部分。1933 年以前，交行的仓库仅有自办的青岛第一、第二仓库和徐州仓库，以及尚在筹设中的上海仓库、常州仓库。仓库稀少，设备落后，致使运输计划很难展开。为此，交行改组后在仓库建设方面着力进取。凡交行尚未设置仓库的地方，而当地又属商货集散中心，皆着手筹备，或购地自建，或租屋试办，或由本行独办，或与同业合作，或择殷实商家洽订押品堆栈，均视具体情况而积极推进。截至 1936 年底，交行增设与扩充的仓库、堆栈已达 260 所，其中，自办仓库 44 所，合办仓库 5 所，押品堆栈 167 所，无论农工商矿，都可储存押品，抵借货款。与此同时，交行还直接与铁路、轮船、公路、汽车、内河航运等公司，洽订水陆线路联运办法，使各地存押货物得以便利运输。依靠仓库网与运输线的发展，交行大量承做货物押款与押汇，于是，这两项业务在放款总额中逐渐占据多数份额,获利丰厚。

国民政府1933年至1935年对交行的第二次改组,阻断了交行自20年代以来的商业化自主经营之路,就交行的发展历史而言,不能不说是一大挫折。然而,任何事情都不是绝对的。国民党政权既然将交行改造成政府财政的支柱之一和国家金融统制政策的重要工具,当然不会任其自生自灭,日渐衰落,相反,必定会动用国家的力量扶助并支持其不断壮大。所以说,交行在丧失其自主性的同时,却获得了对政权力量的依凭,由此,可以利用这一新的"机遇",借助政府的扶持,开拓新的"空间"。这也是交行在第二次改组后,短时间内即可迅速扩展其规模的主要原因。持以客观的态度和历史的观点,即可看清上述两个方面。问题的关键是,与官方紧紧绑在一起后,其兴衰沉浮便深受政治局势的影响,相对安定的时候,银行业务也会蒸蒸日上,一旦遭遇兵荒马乱,即会深陷困境,难以自拔。交行以往的历史和日后的道路,都证明了这一点。

第四节　再次改组对行内人事的影响

一、中下层人员的大规模调整

1935年国民政府对中国银行的改组,其高层人事的调整,惊动了政界与金融界,而交通银行的改组,高层人事的调整则显得相对平稳。中、交两行同样是增加官股,增派官股董事,同样是改总理制为董事长制,交行的董事长、总经理得以续任,而中行的董事长、总经理都被迫离任(张嘉璈象征性地成为一名普通董事,李铭成为一名普通监察人),两种结局形成鲜明对照。显然,这是国民政府对不愿听命于蒋介石的张嘉璈所作的惩罚。张嘉璈对此心知肚明,他在董事会作报告时不无感慨地说:"孔财长决定派宋子文为本行董事长,调本人为中央银行副总裁,交行人事未予更动。显见其中尚有人事关系。"①

不过,张嘉璈等人所看到的"交行人事未予更动",仅限于交行的董事长和总经

---

① 《中国银行行史资料汇编》上编,第383页。

理没有变动这一事实,张及社会各界却未看到或未充分注意到另一个事实,即官方利用改组的机会,对交行的中下层行员进行了大规模的"换血"。早在1933年胡笔江、唐寿民入主交行时,即秉承官方的旨意,开始在中下层行员中进行力度不断加大的人事变动,例如,大量提拔办事员、会计员等低级职务人员,处分或撤换一部分中级职务人员。此类人事变动虽不会在社会上引人注目,却非常真实地反映交行的改组在人事方面的深刻影响。1933年至1936年行员的进退情况可见表2-3-5:

表2-3-5 1933—1936年全体行员进退升调状况表　　　　　　　　　单位:人

	1933年	1934年	1935年	1936年	总　计
新进	89	413	251	238	991
升职	42	60	239	252	593
调职	269	363	362	619	1613
改派	48	63	118*	3	232
退职	2	2	3	10	17
停职	10	22	25	20	77
另候任用	1	2	2	0	5
辞退	0	0	4	3	7
解职	6	8	15	9	38
开除	7	4	24	6	41
除名	0	1	0	0	1

资料来源:《交通银行行务纪录》(二),《交行档案》第271号,交通银行博物馆藏资料Y35。

说明:＊其中雇员改派一人,其余皆为试用员改派。

从表2-3-5可以看出,在这段时间中,交行的人事变动确实非常频繁。其中有两点尤值得注意:

其一是录用了大批新进人员,并出现大量的升职、调职、改派(改派人员中绝大部分为试用员)现象。这一情况自然与这一时期交行大量增设分支机构,规模迅速扩大有关,但也有另一方面的原因。1933年以前,交行各级行员中主要存在两股势力,一是北洋政府时期留存的旧交通系势力,二是20年代以来不断渗入的江浙财团势力。有上述背景的人员多集中于中上层,并形成拉帮结派,盘根错节的状况。其中不少人自恃有关系、有背景,不仅热衷于巴结、倾轧,而且暮气沉沉,萎靡懈怠,败坏了行内的风气。新进人员和低级行员则多无背景,大量录用、提升此类人员,在行内进行大规模的换岗、改派,有助于冲决和抑制原有的派系势力,客观上也有利于改变行内的不良风气。

其二是 1935 年改组时,交行领导层明显加大了对旧行员的整肃力度,因此,停职、辞退、解职、开除的行员人数形成一波高峰。这说明,遵从官方意愿的胡笔江、唐寿民等人已牢牢控制了交行的领导权,有能力对异己的旧势力进行较大规模的清理。

二、人事改革和新生力量培养

交通银行改组期间,以胡笔江、唐寿民为首的领导层在对中下层尤其是中层人员进行清理、调整的同时,非常注重培植一批有生气、有能力,可为己所用的新生力量,因此,众多低级行员得到提升,被安插进各个部门,以取代那些异己的或无所作为、行为不端的旧行员。1933 年至 1936 年低级行员的提升情况可见表 2 - 3 - 6:

表 2 - 3 - 6　**1933—1936 年交行办事员或会计员等低级行员提升情况表**

年　月	姓　名	原　职	人事升迁
1933 年 9 月	曹 纶	镇行营业员	东台寄庄主任
	季乃法	镇行办事员	盐城寄庄主任
	朱全寿	汉行办事员	汉行襄理
1933 年 10 月	夏廷正	办事员	总行事务处第二课课长(1936 年 1 月调任常务董事室秘书)
	刘培严	烟行办事员	试充黄县寄庄主任
	谢 典	新行办事员	板浦寄庄主任
	劳元裳	会计员	代理行库部事务
	徐鸿雪	出纳员	代理行库部事务(1935 年 11 月又代理浔处主任)
1934 年 1 月	张寿鄷	甬行办事员	代理定行库部经理(1936 年 3 月兼周处主任)
1934 年 2 月	张瑞伯	办事员	收支课课长
	王元寿	发行部办事员	会计课课长
1934 年 3 月	陈龙田	总行办事员	代理烟库经理
1934 年 6 月	张金书	苏行办事员	溧阳办事处主任
1934 年 8 月	潘恒勤	办事员	营业课课长

（续表）

年　月	姓　名	原　职	人事升迁
1934 年 9 月	毕丹屏	总行办事员	郑行副理
	冯　瀚	总行办事员	青口办事处主任
1935 年 1 月	方镜清	总行办事员	徐行库部经理
1935 年 2 月	黄霖庆	港行办事员	港行襄理
1935 年 5 月	陶遵新	业务部办事员	高处主任
1935 年 6 月	王念慈	清行营业员	代理清行库部经理
	郑念嘉	清行会计员	代理清行库部经理
	计凤超	清行出纳员	代理清行库部经理
1935 年 7 月	赵彝卿	镇行办事员	代理清行库部经理
	郑振业	浙行驻兰处办事员	代理兰处主任
	屠律劲	棉业组办事员	代理仓库课课长
	袁愈佺	信托部办事员	代理信托课课长
	杨蕴纯	总行办事员	代理业务部文书课课长
	高恩爵	办事员	储信部保管课课长
	吴　山	棉业组办事员	调任业务专员，在储信部办事
1935 年 8 月	冯振玉	业务部办事员	代理会计课课长
	许　鹏	蚌行会计员	蚌行襄理
1935 年 9 月	寿质仁	总行驻禾收款员	甬东处主任
1935 年 11 月	林屏翰	岛行办事员	张店临时办事处主管员
1935 年 12 月	孙蕴三	秦行办事员	咸处主任
	陆同坚	郑行办事员	试充潼处主任
1936 年 1 月	唐嵩山	总行发行部驻秦办事员	秦行襄理
1936 年 2 月	杨若曾	总行稽核处办事员	业务部襄理
1936 年 4 月	杨延年	总行办事员	枣行经理
	赵秀严	郑行试用员	灵处主任
	卢惟周	虔行筹备员	虔行经理

（续表）

年　月	姓　名	原　职	人事升迁
1936 年 5 月	王玉书	灵处办事员	代理灵处主任
1936 年 6 月	康叔群	宣处办事员	代理宣处主任
1936 年 7 月	李鼎智	办事员	代理业务部存款课课长
	张鸿基	办事员	代理内汇课课长
	许纯杰	办事员	会计课副课长
1936 年 8 月	张炎卿	彰处办事员	试充彰处主任
1936 年 9 月	郑大勇	业务部办事员	板处主任
	许德高	稽核处办事员	代理稽核处第四课课长
	夏孚卿	岛行办事员	北镇临时办事处主管员
	徐　荫	岛行办事员	岛泰处主管员
1936 年 10 月	韩忠元	秦行办事员	秦处主管员
	赵守和	徐行营业员	兼徐宿处主管员
1936 年 11 月	席元勋	业务部办事员	静行筹备员
1936 年 12 月	吴瑞森	闽行办事员	马处主任

资料来源：《交通银行行务纪录》（二），《交行档案》第 271 号，第 6—42 页，交通银行博物馆藏资料 Y35。

从表 2-3-6 可以看出，在 1933 年至 1936 年短短 3 年中，即有 50 多名办事员、营业员等下层职员得到提升，其中越级擢拔的也为数不少，如一些低级行员直接升任分支行副理、襄理。其中，固然有以新人群体清除异己旧势力的用意，但不能否认，胡笔江、唐寿民时期的交行领导层，确实能从推进交行发展的角度考虑人事问题，以"用人严加甄别，善为培养"的原则，[①]提拔品行端正，注重实干的骨干人才。

在注重培育新生力量的同时，交行领导层还对中下级主管人员进行了一番声势不小的清理整肃，处分了一批萎靡懈怠、贪赃违法的行员。具体情况可见表 2-3-7：

---

① 唐寿民于 1933 年 4 月 21 日行务会议上通告："用人宜严加甄别，善为培养。"见《交通银行史料》第一卷，第 281 页。

表 2-3-7　1933—1935 年中下级职员处分情况表

年月份	姓 名	原 职	因 由	处 分
1933 年 8 月	史怡祖	站处主任	亏挪公款	开除，永不录用
1934 年 1 月	王克勋	汴行库经理	整旧迎新殊无成绩	另候任用
	江世德	扬行库部经理	精力稍衰，难期振作	调总行办事
	金嗣焯	定行库部经理	办事不力	调回总行
1934 年 3 月	张树芬	烟库经理	私挪库款	开除，并送交法院从严法办
	王家壬	烟行部经理	经手放款，催收不力	调总行另候任用（1935 年 2 月起停薪）
1935 年 2 月	葛兴华	关行部代经理兼宁行仓库主任	挪用行款	开除，永不录用并送交法院究办
	江祖岱	宁行经理	挪用行款	开除，永不录用并送交法院究办
	安炳	宁行会计主任	挪用行款	开除，永不录用并送交法院究办
	包祖寿	宁行代理出纳员主任	挪用行款	开除，永不录用并送交法院究办
1935 年 3 月	单启鹄	营行部经理	原因不明	调总行另候任用并停薪
	胡家麒	兰行经理	亏挪公款	开除，永不录用并送交法院究办
1935 年 5 月	季乃法	盐行库部经理	办事无方，使本行亏损严重	调镇行办事，6 月开除，永不录用
1935 年 9 月	张亦飞	总行驻鲁业务专员	棉花放款舞弊	停职停薪，后开除，永不录用

资料来源：《交通银行行务纪录》（二），《交行档案》第 271 号，第 78—79 页，交通银行博物馆藏资料 Y35。

表 2-3-7 显示，1935 年的清理整肃力度最大，处分的人员也最多。值得一提的是，交行的清理整肃也注意刚柔并济，区别对待。对于经济舞弊、挪用公款等行为一律严惩不贷，予以开除，永不录用，甚至送交司法机关追究。如 1933 年至 1935 年，交行对站、烟、宁、兰四大侵占行款案的处理，手段极为强硬果断，丝毫不讲情面。① 对于一些能力有限、办事无方的人员，则处分时比较缓和，往往以调离的方式解除其职

---

① 详细经过可参见《交通银行行务纪录》（二），《交行档案》第 271 号，交通银行博物馆藏资料 Y35。

务,并以另候任用的名义让其赋闲。在人事调整的过程中,注重奖拔与严惩的明白区分和并行不悖,确实有利于整顿行风,形成有效的激励机制。

三、胡、唐相争及其影响

自1933年胡笔江、唐寿民入主交通银行以来,交行虽丧失了原先的经营自主权,但也由此获得"国家银行"的多种特权,数年间实现了业务上的腾飞。其间,精通银行业务的胡、唐等人对交行的发展是有贡献的,但因二人与官方的关系过于密切,再加上为人处世、派系利益等方面的影响,胡与唐的关系逐渐恶化,他们在行内拉帮结派,相互内斗,因而又对交行造成不小的负面影响。

唐寿民出任交通银行总经理时,带回了他在中央银行时的得力亲信张佩绅,让张担任交行业务部副经理。不久,唐寿民又将自兼的业务部经理一职让给了张。唐寿民曾任交行沪行经理,对交行的内部情况非常了解,就任总经理后,立即将总管理处改组为总行,实行集权制,并在江北、西北、华南等地广设分支行,短短数年,交行的业务即呈飞速发展的态势,发行和存款数额节节攀升,局面迅速打开。于是,唐寿民雄心勃勃,踌躇满志,决意"自力更生",不甘心再处处居于中国银行之下,甚至对宋子文等人的干预也渐生不满。据唐寿民当年的亲信陈子培回忆:"中国(银行)是董事长宋子文当权,而唐是宋一手提拔的人,唐认为交行已可独立,业务上不再像以前以小弟弟自居,处处跟着中国(银行)走,这自然要引起宋对唐的不满,而唐也逐渐失去了宋的信任。"①

胡笔江初任交行董事长时,并不过多干预行内的具体业务,表面上也十分尊重唐寿民,但时间久了,自然对唐寿民独揽大权的做法非常不满,胡、唐二人的矛盾逐渐激化。此时,胡笔江见唐寿民渐遭宋子文冷落,觉得有机可乘,于是极力亲近宋子文。陈子培回忆说,胡笔江"送汽车,送房子,有一次宋有病,胡陪同中医去诊视,并把药煎好,亲自送去。这样的巴结,当然得到了宋的欢心"。②宋子文的态度使交行的权力天平发生了倾侧。1936年4月,交行召开第二十五届股东总会,改选董监事,并参照中行的做法修改章程,改总经理制为董事长制,变更原先的总经理职权,将"商承董事长"五字修改为"秉承董事长",一字之差即矮化了总经理的地位,大大削弱了总经理

---

① ② 《陈子培访问记录》(1962年4月11日、5月25日),交通银行博物馆藏资料Y48。陈子培当年是唐寿民的亲信,即便在后来的访谈中,崇唐抑胡的倾向仍很明显。

的实权。①

唐寿民失去宋子文的信任后,又想另辟蹊径,靠拢孔祥熙。胡笔江得知此事后,也极力亲近孔祥熙。在改选商股董事时,胡将孔祥熙的长子孔令侃与宋霭龄的干儿子盛昇颐两人添加进来。当时钱新之曾就此事提出质疑:"照交行章程,股东会前三个月内股票不能过户,新董事的商股股份是怎样来的?"但胡笔江已大权在握,行内无人敢继续追问下去,事情就由胡决定了。

胡笔江凭借董事长制掌握大权后,开始着手削弱唐寿民的势力,并在要害部门安插自己的亲信。他将自己的旧部亲信吴锡嘉调任董事长室秘书,交行三类公事都由吴锡嘉先行审阅,再送胡笔江批阅。胡笔江授意吴锡嘉向唐寿民索取总经理公章,理由是现在对外都由董事长行文,总经理公章应封存。据陈子培回忆,唐寿民当时"气得不得了",经陈劝解后,相约次日再商谈应对办法。第二天,陈子培到唐寿民住处,唐依然怒气难消,称胡笔江这一做法"未免太令人难堪了",陈则极力劝说唐暂时忍让,"取帅印"是改制后的必然结果,并不奇怪,并提醒唐,若唐甩手不干,恐对国华银行不利。唐寿民无可奈何,只得忍气吞声,声称"就是铁弹子我也要吞下去"。② 至此,唐、胡两人的矛盾已无法调和,直接的冲突正式爆发。

"取帅印"事件过后,胡笔江又将矛头对准唐寿民的得力亲信业务部经理张佩绅,暗中传言,说张在放款时有收取暗息之类的不端行为,为撤换张制造理由,同时也将这一说法传入唐寿民耳中,以期达到敲山震虎的目的。不久,胡笔江解除了张佩绅业务部经理的职位,由自己的亲信庄叔豪取而代之。张离任后,胡笔江给他一个高等顾问的虚职,以示安慰。③至此,唐寿民主管业务的权力也被大大削弱。

胡笔江与唐寿民的内斗,原因错综复杂,既有脾气性格、个人私利、派系观念等方面的因素,又有国民政府要员本身的政治派别及其倾轧争斗对交行所产生的影响。但不管怎么说,有一点是肯定的,即这种内讧必然对交行的正常发展造成诸多不利影响,所以,30年代后期,当交行的发展颇显亮色之时,也因此被投上了一抹阴影。

---

① 《陈子培访问记录》(1962年4月11日、5月25日),交通银行博物馆藏资料Y48。据1935年6月与1943年2月修订的两份《交通银行章程》(《交通银行史料》第一卷,第216—234页),其中第26条的表述皆为"交通银行总经理承董事长之命,办理全行事务",其间并无变化。但陈子培当时为总经理室秘书,所言应有相当之可信度。
②③ 《陈子培访问记录》(1962年4月11日、5月25日),交通银行博物馆藏资料Y48。

第四章
"九一八事变"前后在东北的艰难经营

20世纪初,东北地区的金融领域被分割成几大部分:北满铁路沿线被俄国控制,南满铁路沿线则属日本势力范围,俄、日两国分别在各自区域内设立金融机构,发行钞票,扩张势头凶猛。其他地区则被以东北官银钱号为主的中国金融业所控制。交通银行在东北也设有多个分支机构。日本对东三省的金融业一直虎视眈眈,第一次世界大战爆发后,俄国势力衰退,日本乘机北进。

为了完全掌控东北地区,日本悍然发动"九一八事变",东三省的交通银行分支机构受到严重冲击,不断遭受日本方面的查封、强提和勒索,交行虽极力周旋,但仍损失惨重。伪满洲中央银行成立后,日本推行金融统制政策,对交行分支机构的打压有增无减,交行在东三省的业务举步维艰,生存环境日趋恶劣。30年代中期,日本强权势力甚至逼迫交行的东北各行脱离上海总行,因此抗日战争全面爆发时,交行总行与东北各行之间的联系完全断绝。

第一节 "九一八事变"前的经营

东三省是辽宁、吉林、黑龙江三省的简称,总面积约80万平方公里,辽宁在清朝被称为奉天,1929年改名辽宁,奉天市也改名沈阳市。伪满洲国时期,仍旧恢复奉天省和奉天省城名号。

一、东三省金融的整体状况

东北地区最早的金融业务与典当业有关。随着商品货币经济的发展,清代中期,相继出现了钱庄、票号、当铺以及镖局等行业,大多为私营,其后稍有发展,出现银炉、官帖局、官钱局、官银号等旧式的金融机构。清末民初,随着外国势力的进入,新式的银行和保险公司等现代金融机构相继兴起。

(一)东三省境内的外国银行

最先在东北设立银行的是华俄道胜银行。该银行由沙俄圣彼得堡万国商业银行以及法国霍丁盖尔公司、巴黎荷兰银行、里昂信托公司、巴黎国家贴现银行等5家金融机构共同出资组成,总部设在俄国圣彼得堡。该行于光绪二十四年(1898)七月在哈尔滨设立分行,后与北方银行合并,改名"俄亚银行",1936年1月被伪满洲国政府查封。[①]继俄国之后,欧美其他国家也纷纷在东北开设银行,如英国的汇丰、麦加利,美国的花旗、信济,法国的法亚、万国储蓄会等,都在东北的哈尔滨、沈阳、大连等地建有分行。

在众多外国银行中,日本在东北开设的金融机构最多。光绪二十六年(1900)一月,日本横滨正金银行在辽宁牛庄开设支行,这是最早进入中国东北的日本金融机构。光绪二十九年(1903)正金银行开始发行银行券,是为日本在东北最早发行的钞票。次年,日俄战争爆发,正金银行先后在大连、奉天设立支行。光绪三十二年(1906),正金银行成为日本在中国东北地区的代表机构,此后又陆续在旅顺、辽阳、铁岭、安东、长春和哈尔滨等地增设支行。继横滨正金银行之后,日本的朝鲜银行于宣统元年(1909)在安东设立支行,随后又在奉天、大连、营口、开原、长春、哈尔滨等地增设支行。1917年,朝鲜银行成为日本在中国东北进行金融侵略的领头羊。此后,朝鲜银行发行的纸币成为东三省日本钞票的主要代表,所发行的金票数额在1928年已达到4000余万元,此外,正金银行发行的银券也有400余万元,而中国银行与交通银行在东北发行的钞票,加起来也"只达到四千与五千万余元",[②]与这两家日本银行在东北发行的钞票大体相当。除横滨正金银行和朝鲜银行,还有多家日本银行先后在东北建立或进入东北,如正隆、满洲、协成、振兴、日华等。据统计,至1931年,设

---

① 黑龙江省地方志编纂委员会编:《黑龙江省志·金融志》,黑龙江人民出版社,1989年,第126—130页。
② 陈经:《日本势力下二十年来之满蒙》,上海华通书局,1931年,第115页。

于我国东北的日本银行,包括总行、支行、办事处共有58家,名义资本3.1亿元,实缴资本1.3亿元。截至"九一八事变"前,东北境内的外国投资总额中,日本占72%强,其他国家仅占28%。① 可见,日本的金融势力此时已渗透到东北的各个经济角落。

(二)东北的中资金融机构

东北本土的金融机构以著名的"四行号"为代表,分别是东三省官银号、黑龙江省官银号、吉林永衡官银号、边业银行。

东三省官银号,原名奉天官银号,由当时的盛京将军赵尔巽创办于光绪三十一年(1905),创办的主要目的是集中辽宁省的金融势力,统一辽宁省的纸币发行和管理辽宁省的省库;其资本金沈平银30万两,全由省政府拨给。宣统元年(1909)时,营业范围扩大到吉林、黑龙江两省,名称也改为东三省官银号。1924年,为统一东三省纸币,兼并了奉天兴业银行和东三省银行,资本增至奉大洋2000万元。该号除了发行纸币,管理省政府金库,办理汇兑业务等,还投资多种附属事业,有当铺、磨房、纺织厂、缫丝厂等28家。经二十余年的勉力经营,在"九一八事变"前,东三省官银号的分支行已达到88家。②

黑龙江省官银号,其前身可追溯到光绪三十年(1904)成立的黑龙江广信公司。当时的黑龙江都统程德全为开发边疆而设立该公司,资本由官府出银20万两,商股出银31.23万两,合资本金共51万余两,③属官商合办的有限公司。该公司除经营银行业务,还从事农垦、土木和运输等。1919年与光绪三十四年(1908)成立的黑龙江省官银号合并,改称黑龙江省广信公司,资本为白银200万两。1930年又改称黑龙江省官银号,分支号共有37处,附属事业有24家。

吉林永衡官银号,初名永衡官帖局,当时的吉林将军延茂于光绪二十四年(1898)十月创设,由官府出资。光绪三十四年(1908),局内设立官钱局,发行银两票和银元票。次年,官帖、官钱两局合并,改称永衡官银号。资本由省政府拨给,资本金号称大洋1000万元。永衡官银号对附属业务的经营非常积极,经营种类有钱庄、油房、当铺、绸缎庄、杂货商和各类工厂等,日本人称之为"永衡王国"。"九一八事变"前,共有分号24处,代理处50处。

---

① 解学诗:《伪满洲国史新编》,人民出版社,2008年,第157—159页。
② 吉林省金融所研究:《伪满洲中央银行史料》,吉林人民出版社,1984年,第31—34页。
③ 同上,第38页。

边业银行,由当时的西北筹边使徐树铮初设于 1919 年,资本金为现大洋 100 万元,总行设在库伦,后停办。第二次直奉战争后,张作霖重新筹办边业银行,资本金实收 525 万元,张作霖一家即拿出 500 万元,总行设在天津,1926 年迁至奉天。至 1931 年,边业银行共有分支行 29 家。

边业银行及其发行的钞券

除上述关外本土的"四行号",东北本土的金融机构还有奉天商业银行、奉天实业银行、奉天商工银行、黑龙江农业银行、华商银行、东三省银行、吉林省储蓄会、惠华银行、益通商业银行、益华银行等。

当时一些关内的中资银行也在东北设有分支机构,其中最有实力的即为交行和中行,此外还有浙江兴业、殖边、金城、大中、中国国货以及河北省银行等。

(三)东三省的钞券

东北地区因多家银行并立,而且各自发行钞券,所以货币体系紊乱不堪。华俄道胜银行发行的卢布,东北人俗称"羌帖",1926 年华俄道胜银行倒闭后,各种卢布变成废纸,东北商民遭受巨大损失。横滨正金银行和朝鲜银行发行的银钞与金票,至"九一八事变"前,至少已占东北全部货币流通量的五分之一。[①]

国内中资金融机构发行的货币有钱帖、炉银、银两票、银元票、铜元票、奉洋票、永洋票、哈大洋票、现大洋票、一二大洋汇兑券、四厘债券、准备库券等,名目繁多。据统计,"九一八事变"前,中资金融机构在东北发行的纸币共有 22 种,其中东北"四行号"发行的有 15 种,交行和中行发行的有 7 种。[②]

---

① 献可:《近百年来帝国主义在华银行发行纸币概况》,上海人民出版社,1958 年,第 141—142 页。
② 孔经纬:《东北经济史》,四川人民出版社,1986 年,第 284 页。

表 2 - 4 - 1 1927—1931 年东北流通的货币、发行银行和流通额　　单位:千元

	币　名	发行银行	1927 年	1928 年	1929 年	1930 年	1931 年
奉天票	汇兑券	东三省官银号	470052	1251413	1529799	1178140	1003676
		中国银行	10135	9203	6195	2821	2029
		交通银行	11500	9512	6061	3464	2561
	公济铜元票	东三省官银号	65627	78092	80544	78932	72809
	奉小洋票	中国银行	1026	929	902	872	850
	合　计		558340	1349149	1623501	1262229	1081925
现大洋票	现大洋票	东三省官银号	—	—	—	21227	30347
		边业银号	2	1138	11780	17938	7654
	准备库券	东三省官银号	—	—	7900	13000	4000
		中国银行	—	—	—	1000	500
		交通银行	—	—	200	1000	750
	合　计		2	1138	19880	54165	43251
哈大洋票	哈大洋票	东三省官银号	15667	26301	23841	15420	13487
		边业银行	11546	15104	14617	9158	11594
		中国银行	5163	3594	3558	3596	3668
		交通银行	8054	8815	9968	9216	9382
		黑龙江省官银号	—	—	2500	8000	8000
		吉林永衡官银钱号	—	—	—	—	5532
	合　计		40430	53814	54205	45390	51663
吉林大洋票		吉林永衡官银钱号	6522	8146	8727	5985	8238
吉林小洋票			16776	15714	14332	13239	12157
吉林官帖(千吊)			6249653	7135948	8366678	8443479	9680852
江省大洋票		黑龙江省官银号	9861	8820	12260	14240	22551
黑龙江官帖(千吊)			6889012	7765173	7601323	10045102	10860139
四厘债券			14250	39000	39700	40000	39956

资料来源:孔经纬:《东北经济史》,第 285—286 页。

二、在东三省设立的分支机构

交通银行成立的次年,即宣统元年四月初二日(1909 年 5 月 20 日),邮传部便派遣协理周克昌至奉天筹设分支机构。

(一)辽宁(1929 年之前称为奉天)

交通银行在奉天境内最早设立的分支机构是营口分行,宣统元年九月十二日(1909 年 10 月 25 日)于营口西双桥正式开张营业。[①] 与总行相同,也实行股份制经营,资本金 60 万元,分成 6000 股,每股 100 元。其中,交行总管理处出资五成,当地官府出资三成,在当地商民中募资二成。该行以办理京沈铁路及邮政收入存款为主,兼营一般业务和国库事务。营口濒海,航运发达。1916 年,海关出入口货物总值为4500 万元,通过营口分行汇款即有 3000 万元。当时,汇兑的业务量逐年增长,汇出款项以纱布、茶业、面粉为主,汇入款项以购买粮食、豆饼、豆油和山货居多,汇款地为上海、天津、烟台、锦州等。1919 年 7 月,遵照总管理处指令,营口分行改为营口支行,隶属奉天分行。[②]

较营口分行稍晚一些的奉天分行直隶于总管理处,宣统二年(1910)三月在奉天省城小南门里正式开业。该行初期资本金为 100 万元,总管理处拨付 50 万元,当地官府筹集 30 万元,商民募集 20 万元。[③] 行务由经理、副理主持,下设营业股、文书股、会计股、出纳股,办理各种专项业务。由于东三省官银号势力强大,奉天分行偏重于办理商业存放款和国内外汇兑业务,并发行银元票和银两票。1929 年,随着奉天省城改名沈阳,奉天分行也改名沈阳分行。

除奉天分行和营口支行,辽宁境内尚有 1913 年 6 月设立的孙家台支行,1919 年设立的朝阳办事处和锦县办事处,1927 年设立的大连支行以及 1930 年设立的南满站办事处。

(二)吉林

宣统元年(1909)十一月,交通银行长春支行在长春西三道街正式开业,主要经

[①] 营口分行的成立时间,1931 年 7 月交通银行总管处所印《交通银行同人录》的记载为宣统元年六月,此处以辽宁省地方志编纂委员会办公室所编《辽宁省志·金融志》的说法为准。

[②] 辽宁省地方志编纂委员会办公室:《辽宁省志·金融志》上卷,辽宁科学技术出版社,1996 年,第 38 页。

[③] 《辽宁省志·金融志》上卷,第 36—37 页。

1927年交通银行大连支行开业

营关内外汇兑、押汇和各种存放款业务。1917年,长春支行改为长春分行,管辖东三省内交行各分支机构。1919年6月,总管理处将长春分行降为支行,并取消其作为东北地区总管辖行的地位,由哈尔滨分行取而代之。[①]

交行在吉林的分支机构还有1913年3月15日在永吉县(今吉林市)设立的吉林支行,1923年在洮南县(今洮南市)设立的洮南办事处(后升格为洮南支行),1918年5月26日在四平街设立的四平街支行。

(三)黑龙江

1913年11月30日,交通银行哈尔滨支行在哈尔滨道外北四道街开业,原属长春分行管辖。1919年6月,总管理处将哈尔滨支行升格为分行,并取代长春分行成为东北地区的总管辖行,管辖北满区域的各分支机构。该行业务主要有货币发行、存放

---

① 吉林省地方志编纂委员会:《吉林省志·金融志》,吉林人民出版社,1991年,第33页。

款、汇兑等。其资金来源主要依靠发行哈大洋券,其次是吸收社会存款,贷款业务则以抵押放款为主。

交通银行在黑龙江的分支机构尚有1914年5月设立的哈尔滨道里办事处,1915年8月设立的黑龙江办事处(后升格为黑龙江支行),1928年9月设立的富锦支行等。

根据1931年7月交行总管理处所印《交通银行同人录》可知,"九一八事变"之前,交行在东北总共设有2个分行、9个支行、5个办事处。两个分行为沈阳二等分行和哈尔滨二等分行,负有管辖其他分支机构的责任。沈阳分行下辖四平街三等支行、营口四等支行、孙家台四等支行、洮南四等支行以及南满站、锦县、通辽和朝阳等4个办事处。哈尔滨分行下辖大连一等支行、长春三等支行、吉林四等支行、富锦四等支行、黑龙江四等支行以及道里办事处。

三、在东三省发行的钞券

交通银行在东北发行的货币有奉小洋票、奉大洋票、一二大洋汇兑券、准备库券、哈大洋券等,其中,哈大洋券发行得最多。

奉小洋票,为奉天各官银号和银行发行的以小银元为本位的兑换券,又称"小银元票"。宣统二年(1910)四月,交行奉天分行发行了奉小洋票,面额有1角、5角、1元、5元、10元五种,发行总额为50万元。[①] 1912年收回旧票,发行新纸币,共计10元券5万元、5元券10万元、1元券30万元、5角券2万元、1角券1万元,总共48万元。[②] 1913年冬又发行新票,收回旧票。营口分行、长春分行等也先后发行了银元票。

奉大洋票,为奉天各官银号和银行发行的以大银元为本位的兑换券。以1元合奉小洋票12角,又称"一二大洋票"、"大银元票"。计有1元券、5元券、10元券三种。东北沦陷后,奉大洋票仍然流通,一直持续到1934年。

一二大洋汇兑券,为奉天各官银号在东北境内发行的不能兑现的纸币。因发行量大,流通面广,逐渐成为奉票的主币,被称为"奉天票"。该券每1元合奉小洋票十

---

① 《辽宁省志·金融志》上卷,第134页。
② 同上,第37页。

二角,也称"一二汇兑券"。交行奉天分行发行的汇兑券只有 1 元、5 元、10 元三种。后因贬值被东三省官银号发行的大洋兑换券、辽宁省城四行号联合发行准备库发行的准备库券所取代。"九一八事变"后禁止流通,被伪满币收兑,1932 年汇兑券的收销额为 6878.2 万元。①

准备库券,是指 1929 年至 1932 年间由交行奉天分行与东三省官银号、边业银行、中国银行组成的辽宁省城四行号联合发行的、以现大洋为本位的一种纸币,系利用边业银行印制后未发行的 5 元券、10 元券,在票面上加盖"联合准备库"及"监理官"印章后即成为所谓的"准备库券"。该券被当作东三省的通用货币,总额为 1500 万元,其中 5 元券 500 万元,10 元券 1000 万元。准备库券以 1 元合一二大洋票 50 元、合奉小洋票 60 元的比价,收回一二大洋票和奉小洋票。1932 年 6 月,联合准备发行库券流通券为 523.5 万元。伪满中央银行以伪币 1 元合准备库券 2 元的兑换比价,将其收兑并销毁。

哈大洋券,是指 1919 年至 1931 年间由交通银行与中国银行、东三省银行、黑龙江广信公司、边业银行及吉林永衡官银号等六行号发行的大银元兑换券。因该纸币皆印有"哈尔滨"地名,且主要流通于哈尔滨及中东铁路沿线,故称"哈大洋券"。哈大洋券从 1919 年开始发行,至 1937 年伪满洲国中央银行将其全部收回,共流通 18 年,是东北货币流通史上影响较大的一种纸币。②

第一次世界大战期间,沙俄在东北发行的羌帖日益贬值,形如废纸,日本的金票渐有取代之势。为使东北民众免遭外国金融侵害,同时也为收回国币主权,1919 年 5 月 13 日,滨江道尹傅强召集交通银行哈尔滨分行、中国银行哈尔滨分行、哈尔滨钱业信托公司、哈尔滨粮业信托公司和道里商业公会、道外商业公会,在哈尔滨举行金融整顿会议,共同议决由交通、中国两银行发行以中国大银元为本位的银元兑换券。③

1919 年 10 月 27 日,交行哈尔滨分行率先发行印有"哈尔滨"字样的国币券,面额为 5 分、1 角、2 角、5 角、1 元、5 元和 10 元。11 月,中国银行也发行了同样面额的哈大洋券。然而,哈大洋券的流通却遭到当时黑龙江省省长孙烈臣的干涉。他于当年 11 月 9 日发表声明称,发行印有"哈尔滨"字样的不兑换国币券在黑龙江省流通,

---

① 《辽宁省志·金融志》上卷,第 139 页。
② 王学文:《"哈大洋券"发行始末》,《北方文物》,2004 年第 4 期。
③ 《黑龙江省志·金融志》,第 56 页。

违背了黑龙江省省情,难以实行。[1] 针对上述声明,交通、中国两行于 1920 年 3 月 10 日联合发出公告,声明两行发行的哈大洋券即日起在哈尔滨无限兑换现大洋。这一声明大大增强了哈大洋券的信誉,流通量日益扩大。至 1920 年底,交行经当地官厅核准发行的哈大洋券共为 450 万元。[2] 1925 年,奉天省当局强行将积欠交行款项 452 万余元的戊通公司收归官办,并强将该公司的全部财产估价 160 万元,付款的方式则是允许交行增发 300 万元哈大洋券,以十年发行的所得利益抵偿上述 160 万元。1928 年,张作霖主政北洋政府,代理交通部长常荫槐因筹建齐克铁路经费不足,推翻前交通部放弃交通银行戊通公司现大洋 80 万元保证金的承诺,令交行再增发 200 万元哈大洋券,将折合现大洋 80 万元的哈大洋券 105.6 万元,充作修建齐克铁路的经费,剩余的 94.4 万元哈大洋券用以抵充平汇准备金的损失。交行上述数次发行的哈大洋券共计 950 万元,其中盖有当地监理官印的为 890 万元,称"有印券",未盖印的有 60 万元,称"无印券"。[3] 此外,交行还额外发行了不在当地官厅核准数额之内的哈大洋券 350 万元。额内额外两项,共计 1300 万元,因此,交行是当时发行哈大洋券数额最多的银行。

除了交通、中国两行,曾发行哈大洋券的银行还有东三省银行和黑龙江广信公司。第二次直奉战争之后,被张作霖收买的边业银行获得哈大洋券的发行权。1931 年 2 月,吉林永衡官银号也取得哈大洋券发行权。至此,哈大洋券的发行银行增加至 6 家。在此期间,外国在华银行也私下发行哈大洋券,华俄道胜银行、美国花旗银行和日本横滨正金银行曾先后抢发哈大洋券纸币,后因中国当局干涉禁止,外国银行才停止私自发行。

哈尔滨的六行号竞相发行哈大洋券时,并无统一的组织,而该券又可随时兑换现银,再加上外国银行的趁机捣乱,致使哈大洋券遭遇两次挤兑风波。1921 年 11 月 14 日至 17 日,京、津两地的交行和中行同时发生蜂拥挤兑的骚乱。受此影响,哈尔滨交通、中国两行发行的哈大洋券也掀起挤兑风潮,兑换最多的 11 月 21 日,全天兑现额高达 15.1 万元。幸亏现银准备充分,数天后,哈尔滨的挤兑风潮随着京、津挤兑风潮的平息而逐渐平息。此后一段时间,当局禁止现银输出,将现银集中在哈尔滨。但这

---

① 《黑龙江省志·金融志》,第 56 页。
② 《交通银行史料》第一卷,第 903 页。
③ 同上,第 904 页。

一做法造成现大洋与哈大洋券的比价在各地出现很大差异,若使用哈大洋券兑换100元现大洋,在长春要比在哈尔滨贵6.5元。因此,不少商人想方设法将现大洋运出哈尔滨。当时又盛传东三省银行、中国银行和广信公司现银准备不足,导致市面出现恐慌。一些外国银行也趁机抢兑现大洋。在各种因素的影响下,1923年12月,哈尔滨发生第二次挤兑风潮。后因地方当局出面干涉,对恶意挤兑行为严加取缔,并于12月29日颁布了《查禁现洋、现银秘密输出及取缔暴利兑换办法》,从重处罚违规的人员与商号,才得以平息。

两次挤兑风潮对哈大洋券的信誉产生了非常不利的影响。其后,当局加强了对东三省银行的监管。1929年,东三省特别区行政长官张景惠增设银行监理一职,自任监理官,并规定,凡发行哈大洋券,均须加盖监理官印。从此,市面流通的哈大洋券分为两类:一类是原发行的,无监理官印;另一类是1929年以后发行的,有监理官印。

其后,哈大洋券不断贬值。1921年时,每100元哈大洋券可兑换104.84元日本金票,至1931年,只能兑换36.59元,[1]其市值跌至最低价。

据《伪满洲中央银行史料》统计,截至1932年6月30日伪满洲中央银行开业前,哈尔滨六行号发行的哈大洋券分别为:交通银行996万元,其中无监理官印49万元;中国银行447万元,其中无监理官印22万元;东三省官银号(原东三省银行)1457万元;边业银行1184万元;黑龙江省官银号(原广信公司)795万元;吉林永衡官银号483万元。六行号净发行哈大洋券总额为5362万元。[2]

第二节 "九一八事变"对东三省的冲击

1931年9月18日晚,盘踞在中国东北的日本关东军按照精心策划的阴谋,自毁柳条湖附近的一段南满铁路,反诬中国军队所为,并以此为借口,突然向驻守沈阳北大营的中国军队发动攻击,随即占领北大营和沈阳。随后,日军继续向辽宁、吉林、黑

---

① 《黑龙江省志·金融志》,第61页。
② 吉林省金融研究所:《伪满洲中央银行史料》,第144、145、151页,其中的数据为约数。

龙江的广大地区进攻。由于当时的东北保安总司令张学良执行"不抵抗政策",短短四个多月,东三省全部沦陷。这就是震惊中外的"九一八事变"。这一事件的爆发对交通银行在东三省的经营造成严重的危害。

一、日本疯狂掠夺"四行号"

"九一八事变"之后,日本急于控制中国的金融机构,首当其冲的便是东北地区的"四行号",即东三省官银号、黑龙江省官银号、吉林永衡官银号和边业银行。上述行号是伴随东北经济发展而创办、成长起来的官办银行,在东北各地都有庞大的经营网。

9月19日,日本关东军占领沈阳后,立即封锁了城内的东三省官银号和边业银行。21日夜,关东军第二师团抵达吉林,进城后即派兵驻扎城区各主要金融机构,切断银行与外界的往来。24日,关东军又查封了东三省官银号支号、边业银行支行及吉林永衡官银号包邮的通货和账册。日军占领齐齐哈尔城后,11月19日,封锁了黑龙江省官银号。[①]

日本侵略者对"四行号"垂涎已久。占领东三省官银号后,日军在门口贴上"擅入者枪毙"的标语,随即大肆掳掠,将库内所存66万斤黄金和200万元大洋全部劫走。这些金银一部分被直接运往日本,一部分转往长春,充当后来伪满中央银行的储备金。"九一八事变"前,边业银行从上海购进本用作储备金的7000两黄金,也落入日军之手。日军还劫走张学良存在边业银行的私有黄金七八千两和大量的古玩字画。战后,日本侵略者供认,日军从"四行号"掠走的资金高达1.4亿元。"四行号"不仅代理省库,发行货币,从事存储、信贷等全部银行业务,且经营钱庄、油坊、当铺等,对这些附属企业的投资高达3800万元,附属企业的财物也被日军全部掠走。1932年1月,关东军统帅部设立"币制及金融咨询委员会",发布《货币及金融制度方针案》和《货币及金融制度关系法案》。在朝鲜银行、横滨正金银行和满铁的操控下,6月15日,伪满公布《满洲中央银行法》《满洲中央银行组织办法》。7月1日,伪满洲中央银行开业,"四行号"被强制并入。日伪分别将东三省官银号总号改为满洲中央银行奉天分行,将黑龙江省官银号总号改为满洲中央银行齐齐哈尔分行,将吉林永

---

① 吉林省金融研究所:《伪满洲中央银行史料》,第50—58页。

衡官银号总号改为满洲中央银行吉林分行,边业银行总行则成为满洲中央银行总行所在地。[①] 至此,东北本土的"四行号"完全被日伪金融机构吞并。

二、事变后的险恶处境

(一)受日军严格监控

"九一八事变"当天,交通银行总管理处就接到日军已占领沈阳的消息。次日,日军以断绝东北方面军军费供应及冻结张学良存款为借口,打着保护银行财产,防止金融恐慌的幌子,派兵封锁交通银行沈阳分行,不准行员进出。数天后,长春、哈尔滨等地的交行分行均被日军控制。22日,交行和中行的负责人约见日本关东军首领,说明两行是经营外汇和实业的银行,并无张学良的股份或存款,要求启封复业,以免牵连关内分行业务,引发挤兑。在接受关东军的查账和提供"不做利敌行为"的誓约后,交行沈阳分行于26日恢复营业。

10月10日,在关东军刺刀的威逼下,交通银行沈阳分行的经理与东三省官银号会办、边业银行经理以及日本方面的横滨正金银行、朝鲜银行和满铁的负责人在沈阳成立金融研究委员会,由沈阳地方维持委员会会长袁金铠充任委员长。在成立会议上,日本满铁理事公然表示要由日本方面监督东北地区的华资银行。次日,一大批日籍现役军官作为监理官派驻各华资银行,包括东北各地的交通银行分支机构。

(二)遭日伪非法查账

日伪统治东北期间,当地交通银行的各分支机构多次遭到日军和伪满洲财政部的非法查账,其日常经营遭到严重干扰与破坏。1933年10月11日,伪满财政部第一次派员赴交行沈阳分行查账,理财司长田中恭、科长松崎健吉率同日本事务官等到行,一直折腾了五六天才告称检查结束。10月18日,日伪方面相原义确、林清泉等人到交行长春分行查账,嘱令各种表格以后须按月造报,并声称还要查账。1934年1月,交行哈尔滨分行也被检查。日伪查账人员到达后,随意检查库存,蛮横盘问存款、放款、发行等情况。1935年3月30日,松崎健吉又率日满事务官等前往沈行查库查账,直至4月3日结束。

---

① 吉林省金融研究所:《伪满洲中央银行史料》,第88页。

1936 年，长春分行、沈阳分行及其所属哈尔滨、营口两支行①遭遇了比以前更为严格的检查。对于各行的负债，伪满财政部强调在满洲吸收的存款，必须在满洲运用，若调往关内营运，即以违反满洲金融政策而给予处罚；对于各行的资产，则要求对所有不确实的资产都须逐一提出书面回答。

日伪的多次非法检查，以及在检查过程中所提出诸多无理要求，表明日伪方面试图以查账为名逐步加强对东北地区交行机构的控制。这一行径无疑对交行各分支行的正常经营造成很大干扰。

（三）分支机构趋于萎缩

在日伪金融特务的监视下，交行在东北的经营日趋艰难，分支机构不断萎缩。1933 年 11 月 9 日，伪满政府公布《银行法》，规定：凡经营收受存款、放款，或办理票据贴现和汇兑者均视为银行；银行业非经伪财政部总长批准不得营业；非经经济部大臣许可，银行不得兼营其他事业。② 所有地域内的国外银行（指非伪满洲国银行）须在 1934 年 12 月之前申请办理新的营业许可。伪满方面此举意在取缔关内银行在东北设立的分支机构，或使这些分支机构脱离关内的总部而成为东北境内独立的银行。

在伪满发给的营业执照中，华资方面的银行机构共 23 家，其中，交通银行 8 家，中国银行 13 家，大中银行 1 家，金城银行 1 家。重新获得在东北营业许可的交通银行 8 家机构分别为：长春分行及其所属哈尔滨支行、黑龙江支行、吉林支行，沈阳一等支行（隶属总行）及其所属营口支行、四平街支行、大连支行。1934 年，长春分行被伪满政府改为"新京"分行，经理为钱家驹，交通银行总行不予承认，仍称长春分行。到 1936 年底，交行在东北的分支机构又多了两个办事处，即孙家台办事处和南满站办事处。抗日战争全面爆发后，东北的交通银行分支机构断绝了与总行的联系。

三、日军强提沈行军记存款事件

"九一八事变"以前，交通银行沈阳分行存款账内有军记定期存款 100 万元，为 1931 年 5 月由长官公署军需处往来存款拨转而来。1932 年，总管理处要求沈阳分行将这笔款项转列入总册，逐步扣抵奉军所欠鲁（济南）、烟（台）、张（家口）三行的款

---

① 1936 年时，长春支行已升为分行，哈尔滨分行则降为支行，隶属长春分行。见《交通银行史料》第一卷，第 131—132 页。

② 吉林省金融研究所：《伪满洲中央银行史料》，第 177 页。

项。当时,这笔款项已引起日伪方面的注意,1932年底,即有人多次向沈阳分行、上海分行探询这笔存款的原委。1935年1月13日,日本宪兵队突然前往沈阳分行经理、副经理私宅探询此款。交通银行总行得知该事后,指示沈行向当地伪满政府说明情况,并调陈子培秘书充任沈行副理,与稽核处处长庄道一同从平津出关,与日本军部及伪满各方接洽。1月15日,日本宪兵队与奉天特务机关第一次到沈行强行提取款项。陈子培行至天津,适逢奉天特务机关长土肥原贤二也在天津,于是商请土氏先行电饬奉天特务机关停止提款,待其回到奉天后再商定如何处理,但遭到奉天特务机关的拒绝,理由是此事由关东军司令部饬办。日军继续于2月12日、3月7日两次至沈行,强行提取了现金60万元和价值40万元以上的财产契据,包括定期存单存根、定期存款账各一册,以及交行总管理处致沈阳分行信函一件。

为了便于处理此事,交通银行总行决定以陈子培为总行驻长春业务专员,随时与长春、沈阳各方面周旋应对。土肥原贤二南下上海时,总行稽核处请其出面斡旋。土氏返回奉天后,介绍陈子培与日本关东军军部的主管人员原田、监泽会面。陈子培据理力争,并提出充分的证据,原田等人起初承认该款为公金,但借口交行有私自冲抵账目的欺瞒行为,坚持全部没收该款,后又表示所提60万元款项用于"剿匪"军费,已由伪满财政部收归政府账下,至于其余的40万元,可商量延缓提取。随后,日本军部又将案件的交涉推给奉天特务机关。陈子培立即会晤奉天特务机关副官田岛,田岛表示,此案由军部操办,被提走的款项绝无发还的希望,未提取的款项,也无法幸免,并拟定两个办法:一是1935年夏、冬分付10万,来春付10万,余下20万,20年后再付;二是1935年夏、冬分付20万,其余20万无限期展缓。① 此后,陈子培多次向关东军军部、伪满财政部和奉天特务机关交涉,但各方皆搪塞推却,辛苦奔波终无结果。

1936年5月,沈阳分行突然接到奉天宪兵队通知,必须将全额款项连同利息于6月5日前一并交付。总行四方托人与关东军军部和奉天特务机关斡旋,最后仅获免息。在日军的刺刀下,沈阳分行只能设法调剂,一次性将其余的40万元全部交出。②

---

① 《交通银行行务纪录》(五),《交行档案》第274号,第128页,交通银行博物馆藏资料Y38。
② 同上,第131页。

第三节　伪满政府统治下的勉强维持

东北沦陷后,不到半年,日本侵略者即在1932年3月1日一手炮制了伪满洲国,将清朝末代皇帝溥仪抬上伪满洲国元首的位置,使其成为日本侵略者的傀儡。为了全面控制东北的经济命脉,1932年7月1日,伪满洲中央银行成立,并在东北实施金融统制。在这一背景下,交通银行在东北的各分支机构经营日趋艰难,与交通银行总行的联系时续时断。

一、日常营业备受限制

（一）各行存汇业务受伪满法令限制

1935年前后,伪满政府先后推出一系列法令,使交通银行东北各行的经营遭遇重重困难。

其一,迫使东北各行停止储蓄业务。1935年1月,伪满财政部给交通银行8家分支行颁发了在东北营业的许可证,但同时责令长春、沈阳分行整顿储蓄部,先前吸收存款的方法,诸如零存整付、整存分期付息等,一概停用;停止开设新户,先前办理的存款虽允许照旧办理至期满为止,但必须每月造册通报具体情况。长春、沈阳分行清楚地知道停止吸收存款的后果,却难以违抗,只能照令办理。

其二,限制各行现洋收付。伪满财政部就处理货币问题于1932年1月11日公布了《货币法》,1935年5月又先后发布两次训令。5月14日的训令称"津、沪现洋存放款除附属地之各行外,新户一律停止,旧户到期悉改满钞",5月30日的训令称"现洋存放款均按一抵一以满钞收付,违者处罚"。① 长春、沈阳分行与当地的中行协商后,只能按照伪满训令,对现洋存款照付满钞,同时改合津、沪现洋互相平兑。交行总行得知消息后,即与中行总行商洽,根据伪满第一次的训令,预测"彼方(伪满政府)对津、沪现洋,实有同等处理之心,现洋既已受其第二次训令之束缚,则津、沪洋问题,自不容

---

① 《交通银行行务纪录》(五),《交行档案》第274号,第84页,交通银行博物馆藏资料Y38。

不趁彼方办法继续颁布以前,预筹布置"①。总行遂会电长春、沈阳两行,令现洋部分照训令办理,津、沪现洋则劝存户移存至关内。如果有不愿意移存的储户,则按照现洋以满钞支付。可见,交行总行仍希望尽量维护存户的利益,免收伪满的侵夺。

其三,颁行汇兑管理法。伪满财政部于1935年11月30日公布汇兑管理法,禁止或限制东北各银行的生金、生银和存款流出伪满洲国境,限于12月10日实行。长春、沈阳分行的移存之策,受到影响。长春分行曾酌定临时办法六条,及移存补救办法三项,呈请总行核示。但总行经过研究,认为上述办法阻碍太多,最后于1936年7月确定了数项关于移存的对策,指示长春、沈阳分行照此办理。1.两分行不再继续吸收新存户。2.没有移存的旧存户,到期后商劝改存伪满通行的货币。3.如果不愿意改存,则支付满钞。然而,当时已经移存的旧户,在到期后,就地请求向关内各行转期的为数众多。为了便利存户办理手续,防止存单在邮递往返时发生问题,以及避免交行的存款流出,长春分行拟定了"通信转期申请书"和"存款行复函格式"。总行作了缜密考量,几经商榷,将"通信转期申请书"改为"转期申请书","复函"改为"转期凭函",原拟文本也略有增删。同时,为了避开伪满方面的注意,决定转期凭函由存款行预先签盖,连同转期申请书寄交当地行保管,以备伪满政府核验存单代填。转期申请书由存户同时签盖,交当地行转寄。如果遇到伪满政府提存,必须将存单凭函一并缴行,并另订实行办法。

(二)各行土地所有权受伪满法令限制

伪满洲国建立后,将关内银行一概视为"外国银行",并规定"外国银行之土地所有权,在满洲建国以前取得者,为既得权,依法应受保护,并可申请登记。其在建国以后,则不能再为所有权之取得及保有。"②这就意味着交通银行东北各行因有债款而处分押品地产时,只能按照程序拍卖,以此收回债款,而不能拥有抵押地产的土地所有权。对于交行东北各行在"九一八事变"之前所拥有的土地,伪满方面责令各行调查核实,并上报相关的情况。

伪满对土地所有权的限制,给交行东北各行带来很大困难,造成不小损失。债务人在抵押土地产权时,抵押价格往往很高,而在拍卖抵押的产权时,从自身利益考虑,

① 《交通银行行务纪录》(五),《交行档案》第274号,第84页,交通银行博物馆藏资料Y38。
② 同上,第86页。

又经常暗中阻挠,使他人不敢或不便自由竞价抢购,当拍卖的价格减至极低之时,债务人再托第三者出面承购,一进一出,作为债权人的交行无形中损失很大,却无法阻止。如果拍卖的价格降至债权人的底线,不再继续降价,则执行债务抵押的目的就无法达成,债款纠纷最终难以清理,受损的仍是交行。如果抵押品拍卖后的价格不足以抵偿欠款,即便令欠户或担保人以其他物产补偿,但前项操纵、干扰抵押品拍卖的事情也未必能避免。[1] 可见,交行东北各行实际上丧失了债权的保障。1936年,黑龙江支行曾发生拍卖客户抵押的房产时,价格数次下降仍无人举牌的情况。交通银行曾就这一问题向伪满财政部提出陈述,要求设法解决,但伪满财政部表示,土地所有权问题有司法部的明文规定,无法变更,不过最终提出两项权宜之计:1. 由满人出面,另外组织一公司,独立办理交行的房地产事务;2. 由交行委托合法私人(即取得伪满洲国籍者)出面,代为承受交行的房地产所有权。[2] 长春分行认为,在东北另行组织公司,不易操作,而委托合法私人出面代办似较可行。但总行认为,委托合法私人出面办理,弊端太多,不如以满籍人出面另组公司妥善。不过,总行也深知后一种方法实行时同样十分困难,因此向长春、沈阳分行函嘱:先缜密研究,再决定如何进行。[3] 其后,东北各行在处理抵押房产时,多由行方指派伪满籍同人出面。当时东北的情况非常复杂,在没有稳妥可行的办法时,也只能相机行事,以谋应对。

二、收缩整理附属企业

伪满政府成立后,即颁布相关法令,不允许交通银行在东三省经营附属企业,勒令交行限期收缩各行的附属业务。

(一)哈行收缩附属通记油坊

哈行建行以来,向来与当地油坊有业务往来。1921年,哈尔滨成发合机器油坊因积欠哈行26.5万元,到期而无力偿还,被哈行全部没收,但因市面不佳,金融告紧,无人承买。当时,哈行因戊通公司一案,增发哈大洋券300万元,在市面上推行颇感困难。哈行想借该油坊的名义,用哈大洋券收买粮豆,以此推广哈大洋券,因此,决定自行经营,并暂时先拨给8万元作为流动资金。经总处核准,原油坊改名通记油坊,

---

[1][2] 《交通银行行务纪录》(五),《交行档案》第274号,第86页,交通银行博物馆藏资料Y38。
[3] 同上,第87页。

于 1923 年 5 月开办,哈行为此制定十项办理细则,后历经波折,于 1928 年暂告停业,不久,又重新开办。1929 年,因世界经济危机的波及,油坊无利可图,大豆巨量存压,至 1931 年,又遭"九一八事变"冲击,市况剧变,更难逆转亏损。哈行遂向总行提请常务董事会议决,总行函嘱"随时考察,逐步收束"。于是,哈行将油坊所存粮豆,变卖后陆续出清,同时裁汰冗员,紧缩开支。由于伪满对各银行调款出境极为警惕,考虑到哈行日后调款时,尚可利用通记油坊的名义进行操作,所以,最终决定该油坊暂不报停业,仅作收缩处理。

(二)沈行附属营业的开办与整理

银炉业为加工铸造元宝银锭的行业,其铸造的银锭现货称为炉银,曾是东北的一种特殊货币。银炉业兴起于 19 世纪中期,最早出现于营口。诸多银炉字号还开设附属产业。营口炉银的产生方便了营口和东北地区的市场流通,稳定了东北地区的金融秩序,繁荣了东北地区的经济。但炉银作为一种地方性的特殊货币,难以长久地存在。由于营口港贸易的萎缩、官僚机构的束缚和外国势力的逼迫,加上该业内部各派系的相互排挤,民国初期已不断衰落,至 20 世纪 30 年代,营口炉银终于退出历史舞台。①

在这一过程中,营口银炉业最大的义字号同样面临日益严重的困境。1919 年,义字号总号西义顺因周转不灵,开出的 780 余万炉银羌条难以兑现,故陷于停顿。东北地方当局建议由交通银行、东三省官银号、兴业银行和中国银行合资接兑。合办的条件是允许交行增发奉票 300 万元。

交行沈阳分行由此分得的财产为五个字号,共兑付出奉票 70.3 万余元,除盖平义顺合号出兑外,其余四号都改换名称,继续营业,分别是:

1. 义顺通号,即原开原义顺号,创办于清朝宣统二年(1910),营业种类为机器油坊、杂货代理店、粮栈、粮米店、纸坊等项。当时该号营业颇为发达,截至沈阳分行接收时,获利炉银 38 万余两,改名义顺通号后,仍旧经营原有的业务。

2. 义源通号,原为开源义顺元号,创办于 1912 年,经营绸缎、布匹、杂货。截至交行接收时,获利炉银 3 万余两。改名义源通号后,仍经营原有业务。

3. 申通号,原为甜草冈义顺号,开设于中东铁路沿线的甜草冈,经营油坊、粮栈,交行接收后改名申通号,仍经营油坊,兼做粮食买卖以及存放款业务。

---

① 佟静:《近代营口的地方性货币——过炉银》,《辽宁师范大学学报》1994 年第 5 期。

4. 庚通号,原为甜草冈西义顺号,经营油坊。交行接收后改名庚通号,仍经营油坊,兼做粮食以及存放款业务。①

1920 年,沈阳分行接办"通四号"以后,将其作为本行临时的经营业务。此时,总管理处也要求沈行在有利的情况下设法尽快结束"通四号"。但鉴于东北各行都开设自己的附属营业,且东北土壤肥沃,正在兴辟农场,粮食产量和价格一路上升,沈行想借此囤积粮食,兼做粮食生意,以此作为开拓沈阳分行盈利的另一条途径。因此,沈行并未遵照总行的要求予以结束,而是设法自行经营。

自 1920 年至 1929 年,"通四号"的营业额以奉票为本位,获利颇丰,每年都有盈余。接收当年即盈余奉票 54103.99 元,1928 年盈余的奉票更高达 9655537.64 元,十年间盈余奉票共计 16757470.95 元。② 按照规定,盈余的四分之一作为奖金分发员工,故实际盈余奉票 1200 余万元,折合当时市价可兑换现大洋 128 万余元。该款项皆收入沈行账目下,无疑增强了沈行在东北的实力。但 1930 年,"通四号"的营业额改为现大洋本位,当年即亏现大洋 1038727.01 元。③ 亏损的原因除 1929 年中苏"中东路事件"影响,最主要的还是受 1929 年世界经济危机的影响。这场危机于 1930 年波及东北,使原先销往欧洲的东北粮豆大量积压,造成金价昂贵,粮豆贬值。1931 年"九一八事变"爆发后,"通四号"的经营更是连年亏损。据统计,从 1930 年至 1935 年,总共亏损现大洋 2175526.36 元。④

沈阳分行经营亏损严重,而伪满政府又禁止交通银行在东北经营附属业务,迫使沈行限期整理,总行遂督促沈行设法收缩"通四号"业务。1931 年冬,沈行先将庚通、义源通两号收歇,分别归并于申通、义顺通。1933 年 10 月,又停止义顺通粮栈代理店的两项业务,裁减人员,仅留杂货、粮米、油坊、纸局四项。1934 年,开始出兑义顺通号,经多方接洽,至 1935 年才以伪满钞 9.5 万元的价格出兑给义顺和的代表人马秀升,包括房产两处及油坊的全部机器,期限三年,租金为伪满钞 3 千元,义顺通号镇东分号的存货一并折价 13188 元。1933 年 10 月,申通号也开始收缩。

三、长春、沈阳两行存欠款项冲抵案

"九一八事变"爆发后,日本迅速占领整个东北地区,并组建伪满州国政权。按

---

① 《交通银行史料》第一卷,第 1528 页。
②③④ 《交通银行行务纪录》(五),《交行档案》第 274 号,第 93 页,交通银行博物馆藏资料 Y38。

说原东北地方政权在交通银行的存欠款项应随之搁置,然而,日伪对此萌生觊觎之心。此事既牵涉交行的切身利益,又关乎民族权益,因此,交行不遗余力地与伪满政权进行斡旋。

(一)沈阳分行原官存官欠的冲抵

"九一八事变"爆发后不久,日军部派员往交行沈阳分行查账,前满铁理事首藤正寿提出存欠冲抵办法。沈行复业后,将存欠各款列单送奉天当局转伪满财政部备案,希望办理划抵手续。然而,除东三省官银号所欠50万元及有价证券项下的公债票面60万元,与京奉路局存款拨抵了结,其余官欠301.5万余元,官存265.3万余元,终以伪满不予同意,未能办理划抵手续。

(二)哈尔滨分行的官欠情况

"九一八事变"之前,东北原政权在交行哈尔滨分行只有官欠,并无官存。官欠共计以下四项:

其一,戊通公司债权。1919年,交通银行秉承扶助交通事业的宗旨,在北洋政府的授意下,援助戊通公司收购沙俄船只,经营松花江、黑龙江流域的航运事业。1925年,奉天省政府为了统一地方航权,以大洋160万元的低价估值强行将戊通公司收归官方。当局未以现款支付,只是允许交行增发300万元哈大洋券,以十年所得发行利益抵充上述价格。"九一八事变"后,交行根据戊通公司移转契约的内容,认为仍拥有戊通公司的所有权,约折合哈大洋券350万元(原为450万余元,因原交通部放弃了所存保证金现大洋80万,故折成此数)。

其二,齐克(齐齐哈尔至克山)铁路债权。1928年,张作霖主政北京政府时期,代理交通部长常荫槐因筹建齐克铁路经费不足,推翻先前交通部放弃戊通公司保证金现大洋80万元的承诺,令交行再增发200万元哈大洋券,并将折合现大洋80万元的哈大洋券105.6万元,充作铁路工程经费,剩余94.4万元作为平汇损失准备金。因此,交行认为该铁路款项在未收回之前,理应拥有齐克铁路债权。

其三,吉、奉军借款。当时地方发生变故,交行被奉军强提现大洋50万元,被吉军强提现大洋80万元,这130万元现大洋属交通银行用作发行哈大洋券准备金的一部分。至1931年底,本金利息合算,应折合哈大洋券约331.1万元。

其四,平汇损失。交行主动发行的哈大洋券都有充足的准备金,本可十足兑现,但因准备金的一部分被奉军、吉军强行提走,而戊通公司、齐克铁路两项债权也只以增加发行额为交换,遂出现平汇损失问题,约合哈大洋券100万元(原为190余万元,除去齐克案发行项下拨抵的94.4万元,故折成此数)。

以上四项官欠共为880余万元哈大洋券,[1]若再计算利息,总数当在1000余万元。四项官欠都与交行发行哈大洋券有直接关系,因此,后来在回收哈大洋券的问题上,交行要求伪满政权承认上述四项债权,发还现款,或以转账的方式,冲抵伪满中央银行回收交行所发850万元哈大洋券垫款数额。

关于处理东北各行原官存官欠的问题,伪满洲国财政部于1935年5月1日发布训令,规定东北境内交行各分支行及办事处原政权存、借款的整理事宜,以1933年12月至1934年1月的结束余额为基础。训令后面另有五条办法并附有三表。

表2-4-2 交通银行原政权借款补偿明细表 单位:元

分支行名	借款名	伪满初借款额	伪满币概算额	伪满财政部承认补偿额
哈尔滨分行	戊通公司	哈洋4529761.93	3623809.54	1600600.00
	齐克路	哈洋1056000.00	844800.00	全额否认
	奉军	现洋500000.00	1538279.86	50000.00
	吉军	现洋800000.00	1772859.88	现洋800000.00
	东省特别区关系	哈洋88650.00	67880.00	55880.00
	合　计		7847629.28	2955880.00
沈阳分行	帅府	现洋167000.00	2046908.07	850000.00
	第一方面军团部	现洋286666.66	278121.02	12000.00
	四库全书筹备处	现洋75000.00	39757.02	35316.94
	慰劳讨逆军	现洋9750.00	9750.00	全额承认
	东北业公司	现洋100000.00	100000.00	116560.51
	辽宁自动电话局	现洋75000.00	119687.62	100607.19
	整理金融公债	现洋600000.00	480000.00	480000.00
	合　计		3074223.73	1702484.64

---

[1] 《交通银行行务纪录》(五),《交行档案》第274号,第102页,交通银行博物馆藏资料Y38。

（续表）

分支行名	借款名	伪满初借款额	伪满币概算额	伪满财政部承认补偿额
黑龙江支行	各省水灾义捐金江分会	江洋 5000.00	3571.42	3571.42
	总计		10925424.43	4661936.06

资料来源：《交通银行行务纪录》（五），《交行档案》第274号，第104—106页，交通银行博物馆藏资料Y38。

说明：表中所记原政权欠款总额共计伪满国币1092.5万元（沈、哈各行合并数），伪满政权起初不予承认，甚至强令交行此后不再陈述异议，可谓无理至极。

表2-4-3　别途处理的交通银行哈尔滨分行借款明细表　　　　单位:元

借款名	伪满初借款额	伪满币概算额	备　考
东北航务局关系	哈洋 17000.00	13600.00	铁路总局处理
哈尔滨市政局关系	哈洋 83000.00	66488.76	特别市处理
总　计	哈洋 100000.00	80088.76	

资料来源：《交通银行行务纪录》（五），《交行档案》第274号，第106页，交通银行博物馆藏资料Y38。

表2-4-3所记原政权借款，须与伪满当局接洽后别途处理。伪满财政部又提出第三号表中关于原政权存款251.2万余元，在交行呈交誓约书后必须放弃，并限于5月底以前解决。沈、哈分行得知训令后，在致伪满财政部的公函中表示："（一）第一号表所记载之旧政权借款不予补偿一节，事关敝行之生存问题，应请贵部再予考虑；（二）附开各条所示办法，关系均极重大，须经转陈敝总行，再经常董会董事会之审议程序，方能确定。"①交行虽根据上述理由与伪满财政部几经交涉，但未能达成解决方案。

其后，交行得知中行方面已单独依照伪满的意见办理，自感势单力薄，便托日军阪西中将及小山贞知代为疏通接洽，并拟订抗议书三点:（一）伪满政府既抹杀官欠，放弃官存，则凡旧政权契约，应全部无效，我行事变后陆续支付之官存540万元，理应如数拨还；（二）要求将哈钞偿还年限延长，并将分年摊还数额改与中国银行相等；

① 《长春交通银行致伪满财政部公函（三）》，《交通银行行务纪录》（四），《交行档案》第274号，第110—111页，交通银行博物馆藏资料Y38。

(三)官存欠冲抵余额,如无补偿办法,仍须保留账面。① 但伪满方面强硬表示此案已决定,无法变更。

交行继续就原政权官欠交行总额 1090 余万元(伪满钞)一案进行交涉,伪满方面表示,原政权官欠总额可成立的不过 466 万元伪满币,若冲抵放弃的官存 239 万元,官欠余额仅 227 万元,而代收哈钞无息垫款为伪满钞 712 万元,②若以 6 厘 5 计息,18 年后,可得利息 439 万元,即以此补偿官欠余额。伪满政府还威逼说,如果交行再持异议,将限令哈钞即刻全数收回,取消已承认的官欠 466 万元。

交行无可奈何,只能接受伪满的方案,对官欠余额予以转账,确定哈钞分年还款的数额,并将正式公函送达伪满财政部。伪满方面令交行将官存、官欠相抵后的余额 800 余万元,暂行转入催收科目,分 18 年 36 期平均摊提。同时,还催促交行将沈、哈各行的官存、官欠各款,一并转归长春分行集中处理。交行总行核定转账办法后,指示东北各行,分别将长春分行所属各行官欠 785.1 万余元,官存 870 万余元,以及沈行(此时沈行隶属总行)官欠 301.5 万余元,官存 265.3 万余元,③各按原币转归总行,再由总行按伪满钞转回长春分行,并列催收科目,以备日后分期摊付。

四、哈大洋券的回收

伪满洲国成立后,其财政部以维持金融为借口,指令东北发行兑换券的各银行、银号提供价值与发行额相等的资产,充作发行保证金。伪满洲中央银行成立后,此事划归该行办理。1932 年,伪满财政部颁布《货币法》及《旧货币清理办法》,提出《新旧货币兑换率》,规定了伪满国币与东北各银行、银号发行的各种货币券的兑换率,并限期二年内收回旧币。对交通银行、中国银行发行的哈大洋券,伪满的回收办法规定,以 1932 年 7 月 1 日之前交、中两行发行的哈尔滨大洋票流通额为限,计交行发行额为 950 万元,中行发行额为 450 万元,皆以伪满国币 1 元兑换 1.25 元哈大洋券的比率回收,每年须收回发行限额的五分之一,五年内全数回收。④ 在未到期之前,交、中两行须向伪满中央银行透支款项,用以回收哈大洋券。伪满中央银行是在原东北本土各银行、银号基础上改组而成,因此,这项限期收回旧币的办法,其实专门针对着

---

① 《交通银行行务纪录》(四),《交行档案》第 274 号,第 97 页,交通银行博物馆藏资料 Y38。

②③ 同上,第 98 页。

④ 吉林省金融研究所:《伪满洲中央银行史料》,第 134—135、151 页。

交行和中行。交行发行的哈大洋券为中行的两倍,所受亏累自然比中行大得多。

在交行发行的950万元哈大洋券中,1925年增发的300万元与戊通公司债券有关,1928年增发的200万元与齐克铁路债券有关。哈行发行这500万元哈大洋券时并无准备金,加上历年办理平汇摊认铸币及平汇损失也不下哈大洋券240万元。[1]伪满债券回收哈大洋券,却要求交行提供数额与之相等的资产充作保证金。为此,哈行与伪满政权交涉,提出以戊通公司、齐克铁路以及吉军、奉军等债权抵充回收哈大洋券的资金,如有不足,再以平汇损失移抵。伪满方面表示此为两码事,不同意交行以债权冲抵的办法。经多次谈判,此事仍未得以解决。所有缴做发行保证金的资产,估值354万余元,一时也无法提回。

其后,伪满国币券在东北推行日广,哈大洋券的流通空间不断缩小,故以哈大洋券兑换伪满国币券者日益增多。为了防止巨额哈大洋券蜂拥而至,哈行一方面限制哈大洋券的回收数额,一方面与伪满中央银行商订回收哈大洋券的透支契约。然而,对于交行提出的以变更透支偿还年额,俾以息差余额抵补损失的方案,伪满中央银行起初并不同意。经过多次斡旋,伪满方面才稍有松动。有关息差补偿的算法,也几经周折,至1935年12月30日,交行才与伪满中央银行签订了《收回整理交通银行发行哈尔滨大洋票借款契约书》。契约书规定,交行自1919年以来享有的发行哈大洋券的特权,至1937年6月30日取消,同时,根据伪满《旧货币清理办法》回收交行发行的哈大洋券。交行为收回哈大洋券的资金,特向伪满中央银行透支伪满国币券712万元,不计息,还款年限18年,从1935年起至1952年止,按年平均分配偿还贷款。[2]其后,又签订追加契约证(具体签订时间不详),变更了每年偿还伪满国币的数额,第一年(1935年)偿还40万元,第二、三年停还,第四年至第六年每年偿还20万元,第七年至第十七年每年偿还51万元,第十八年偿还51.44万元,每年均于12月30日如数付清。[3]偿还方法变更后,息差利益较原订契约增多,借款抵押品也增加不少。

回收哈大洋券原则上由交行、中行自行收回,伪满中央银行为加速收回也提出两项办法。其一,由伪满中央银行代收,然后再向交、中两行索回在代收中所付出的等

① 《交通银行行务纪录》(四),《交行档案》第274号,第116页,交通银行博物馆藏资料Y38。
② 《收回整理交通银行发行哈尔滨大洋票借款契约书》,具体条目见《交通银行行务纪录》(四),《交行档案》第274号,第123—125页,交通银行博物馆藏资料Y38。
③ 《交通银行史料》第一卷,第905页。

价伪满国币或现大洋。其二,边远地方,由伪满中央银行贷款给交、中两行,供回收哈大洋券之用。伪满中央银行之所以提供一些便利,一是为了早日统一币制;二是因为交、中两行先前为张作霖代垫的军费以及在当地的投资,都用现大洋,其金额远远超过所发行的哈大洋券;三是因为日伪觉得在金融统制中,交、中两行的信誉仍有利用价值,不愿让两行关门停业。[①]

至1937年6月底,交、中两行发行的哈大洋券清理完毕,具体情况见表2-4-4:

表2-4-4 1937年6月底交通、中国两行哈大洋券清理情况表 单位:元

行号	伪满政权承认的哈大洋券发行额	原发行额折合伪满币应回收额	未回收伪满币额	回收率(%)
交通银行	9500000	7968067.44	239042.03	97
中国银行	4500000	3575854.86	143034.19	96

资料来源:《黑龙江省志·金融志》,第62页。

上述可见,"九一八事变"之后,交行在东三省的各分支机构因日伪势力不断地查封、强提和勒索而遭受严重冲击,虽积极应对,努力维护,仍损失惨重。伪满中央银行成立后,推行金融统制政策,交行生存环境日益恶化,其经营更是举步维艰。30年代后期,在日伪的威逼下,东北各分支机构与总行的联系越来越少,直至音讯断绝。

---

① 吉林省金融研究所:《伪满洲中央银行史料》,第152页。

第五章
整旧营新的开展与成效

　　唐寿民虽有深厚的官方背景,并作为国民政府的代理人对交通银行实施掌控,但他确实又是一位精通业务,有思路、有才干的出色银行家。就任交通银行总经理后,针对交行的现状,他提出了一整套的经营策略,并通过实践不断予以改进和完善,其中最为突出的是以"整旧营新"这一理念作为这一时期交行工作的指导思想。全行上下从"整旧"入手,破除旧制度,清理积欠,提高办事效率;立足区域开发,将江北、闽粤和西北列为重点开发对象,完善各地的营业线路与服务网络,形成区域特色;大力拓展业务领域,在商业和实业上求出路、谋发展,与政府保持密切关系,配合政府货币政策,采用商业银行运营模式,走发展实业的专业银行之路。为保证这一新思维能够得到有效的贯彻落实,唐寿民对交行的组织机构和人事管理制度进行了大刀阔斧的改革,匡正行风,建立起完善的人才培养与行员任用机制。经过三年的辛勤努力,交行各个方面的工作都取得了良好进展,经营业绩达到了历史最好水平。

第一节　"整旧营新"的提出、改进与完善

一、以"整旧营新"突破旧时瓶颈

　　唐寿民于 1933 年 4 月就任交通银行总经理后,根据交行实际状况,确立了"整旧营新"的发展理念。针对交行的行政计划和各项业务,他提出五点意见,主旨为"整

旧营新",具体内容涉及储蓄、发行、用人及经费开支等多个方面,力求突破旧日瓶颈,进入新的发展阶段。

唐寿民

所谓整旧,是指改革旧有制度,整理旧时积欠,清理账面,提高效率。唐寿民指出,交行的旧账为数极大,随着时间的推移,清理难度也会加大。虽说其中有不少呆账、滞账,但若能下定决心彻底清理,实际可收回的旧欠不在少数。为此,唐寿民要求各分支行处一方面立即审查所存旧账的性质和类别,分别呆账、滞账,开列清册,并作详细说明;另一方面拟订妥善的整理方案,报送总行,等候核办。唐寿民指示总行设立机构,并派专员负责办理此事,期望各行处内外一致,团结合作,积极解决旧账问题。

营新方面,唐寿民指出,1933 年以来,随着内地资金涌入沿海大城市的现象加剧,金融存底日益丰厚。尽管如此,农业、工业反而日渐衰落,这种畸形现象实际上已潜伏着经济危机的多种因子,因此,银行界应提高警觉,尽快转移目标,妥善筹划安定之策,力保经济繁荣。交行既然作为发展实业的银行,尤应努力担起投资实业的责任,在以后的放款中,应"注重对物信用,避免对人信用,务必扶助国内生产事业,以免趋于分利之途"。放款之前必须进行实地调查,详细了解各方面的情况。唐寿民特别强调要重视同业间的联合与协作,指出同业之间既然具有共同的利害关系,就应当随时共谋合作,多做联合放款。

对于整旧、营新两者的关系,唐寿民认为,必须做到统筹兼顾,分途并进,不可偏废任何一个方面。在行内的各种会议上,唐寿民也一直将改进旧有营业方式、增进办事效率与拓展业务、刷新行务这两方面相提并论,期望相辅相成,互策互进。

具体到储蓄业务和发行工作,唐寿民坚持"独立"二字。他指出,发展储蓄业务,应以"经营独立为固定原则,永久弗渝",发行以自身发行为最上策。总之,交行绝不可轻易放弃政府授予的发行特权,同时也应依法保持发行准备,不辜负社会的信任。

对于用人制度,唐寿民主张严加甄别,善为培养。1932 年董事会决议各行库暂不添加新人,对此,唐寿民指出原有行员已任职多年,对各项业务驾轻就熟,多数可以放心任用,但不引用新人,极不符合交行长远发展的需要。他认为,行务兴衰的关键在于人才,对具有实际才能的行员,应予以拔擢提升,能力不够、不堪造就的人员,则应破除情面,随时淘汰。针对经济不振的现状,宁可少用人,优给薪金,也绝不能徇情敷衍,虚靡公款。

培养行员方面,唐寿民尤注重道德培养,主张行员在日常工作中应遵行章程,严守纪律。总行为此曾多次发布公告,告诫行员戒除奢靡,养成节俭的习惯,主管人员更应以身作则,躬亲表率。

经费开支方面,唐寿民力主酌情限制,尤其在国难期间,更应切实戒除奢靡,提倡节约。他要求交行各项开支必须严格控制在原有的预算之内,不可超支,但也应根据实际情况灵活处理,必要时,"当先其大者远者,随时陈报理由",若某事确属必要,"开支虽多,亦不稍吝惜"。

唐寿民认为以上这些方面,"均属切实易行,但求抱定宗旨,勇往直前,勿甘放任,勿图苟安,必可独辟新途径"。他还表示,在振兴行务方面,愿意虚心接受大家的意见与建议,"同人等如有真知灼见,条陈兴革大计,极愿虚心接受,采择施行。尚其遇事推诚,交资匡济,行务前途,实利赖之"。①

二、"整旧营新"方针的改进

唐寿民上任一年后,其"整旧营新"的理念,在业务、发行、人事、开支等方面得到

---

① 以上见《唐总经理对于本行业务及各项行政之计划》,《交行通信》第 2 卷第 8 号,第 2—4 页。

了贯彻,行内的风气有所改变。对此,他在 1934 年 7 月的行务会议上表示了肯定:"自上年接任今职,已逾一年,对于本行内部事务,如并合总处与沪行库部,改组总行,变更发行管理组织,改订分支行管辖范围及系统增设重要各地分支机关,取销沪属统账,改订行员存款等。凡人事上所可致力之处,无不悉力迈进,以求本行之前途光大。"①

1934 年,唐寿民亲往鲁、燕、豫、鄂各省分支行以及西北晋、陕各地考察,对内地经济和社会的现实状况有了更为切实的了解,"概括言之,外则工商业萧索无生气,而同业竞争日烈;内则开支膨胀而业务无出路,其他如人才不敷支配,精神不能振作"②。为此,他决意加快革新步伐,于 1934 年 7 月将最初的"五点建议"归结升华为"四个方面",进一步丰富和完善了"整旧营新"的理念。

(一)业务方面,提倡认清形势,紧跟时代步伐,时时保持革新理念。唐寿民指出,各分支行先前受体制和环境的限制,各项业务停滞,实有无奈之处。而现在业务方略既已变更,各行则应以奋发精神,转移营业方向,以整刷业务为目的,努力前进。为适应环境、求得生存,"不容我辈之因循濡滞,歧路彷徨","已往之一成不变政策应请认为过去,勿再盘旋脑际"。业务办理必须深入实际,调查研究,做好规划,不可以事事盲从,步人后尘,食人余唾,要有独到的见解和做法。要积极进取,向外拓展业务,不可"受人支配以及专从内部讨取便宜,不向外界发展"。1934 年 5 月,他下令总行发布通告,要求各行"以对外发展为要图,对内盘剥为切戒,使各分支行和衷共济,相互为用,扫除内部纠纷,共谋外来之利益"。③

唐寿民认为,时代在变,人的行为方式在变,银行的经营方式也理当顺应潮流而变革,不可故步自封。他以银行投资企业和自办副业为例,指出:"如在过去,必致备受指摘,认为大错特错,但近年已习以为常,且均认为必要。"原因即在于这种经营方式符合当前发展潮流,因而效益显著,赢得了社会认可。由此"可知时会所趋,情势逼迫,欲谋生存,有不容不加以改进者"。因而交行亟须转变观念,以参加投资或举办副业等形式,发展那些不能直接经营,或由于自身力量不够而未能深入开展的业务。为此,总行一再强调,切忌执而不化,好大喜功,各分支行处应"实事求是,各就其业务上

---

①② 《唐总经理告全体同人书》,《交行通信》第 5 卷第 1 号,第 1 页。

③ 《交通银行行务纪录》(二),《交行档案》第 271 号,第 73—74 页,交通银行博物馆藏资料 Y35。

之需要及真实的考察"，①详细研究规划，随时提出方案，作为总行决策的依据与参考。

关于规章制度，唐寿民指出如果实际工作中，章则有阻碍发展、不尽适用之处，须由各行陈请总行审核，重新定夺。总行必须不断改善，而各行不得借口章则限制，不求进取，并以此作为逃避责任的托辞。

在具体业务上，唐寿民鼓励行员积极思考，悉心研究，竭尽心智，贡献良策。他以各行存款利息为例，指出若按照当时市场行情，本应极力降低，但降低存款利息极易导致交行存款来源减少，不利于与银行同业的竞争。如果努力缩减开支，降低运营成本，就等于无形中降低了存息，而又不致影响存款。对此，各行主管要"细心研究，善为运用"。② 再如放款，唐寿民认为，当前市面极度萧索，同业竞争激烈，揽做放款很难进行，唯有平时充分准备，遇事留心调查，做好计划，一旦遇有可以承做的款项，便可迅速下手，而不能因循迟疑，延误时机，"否则妥善放款尽为他人所得，即终日追随人后，恐唾余亦无可食"。若平时不加留意，往往导致临事错乱，稍有不慎即受大累，被人利用而不自觉察。

此外，唐寿民还对交行以往业务上的不良风气提出严厉批评，如"喜与官府往还，为无关业务之酬酢，不在商业、实业上谋接近，求出路"，"依赖一部分库债券投资以为便，尽营业能事于工商业押款，汇款完全忽略"等，凡此种种，均与当前银行业的发展趋势极不适应，要求各行加以省察，尽快转变。他希望各行主管人员能够认清自身责任，随时随地细心研究行务，将心得发表在《交行通信》上，供同人切磋研讨。

（二）发行也是交通银行的生命线，必须高度重视。唐寿民指出，将交行的全盘账面加以核实计算就可以看出，钞票发行额与存款额处于对等的地位，发行的实力不容小觑。钞票发行除了必要的纳税与印费，其他支出较少，成本远远低于其他业务，实可着力推进。

唐寿民坦言，发行工作涉及的方面很多，具体实施过程中一定困难重重。过于用力，则有侵越营业权限之嫌；任其自然又导致行务荒废，从开支及人事上讲，"增重负担，虚耗才力，异常的不经济"。唐寿民还就行库分立问题提出自己的看法，认为交行

---

① 《唐总经理告全体同人书》，《交行通信》第 5 卷第 1 号，第 1—3 页。
② 同上，第 2—3 页。

先前的行库分立,"在保持准备及对外观瞻上,确有相当作用",但行方以此推诿责任,所做业务"未必处处能代发行打算,即有发行机会亦易忽略"。此外,行库分立还导致联行短期领钞等方面的诸多弊端,不利于行务开展,故强烈建议交行变更发行管理组织,裁撤鲁、烟等库专任经理,设置集中库,取消联行长期领用,并拟定沪券发行利益支配办法,作为补救措施。

针对上述问题,唐寿民进一步强调了发行的重要性,指出所有其他业务都须连带为发行考虑,随时随地研究推行方法及途径,效仿他行长处,弥补自身不足。他要求各行负责人协力推进,总行会将发行业绩纳入考核标准,同时强调集中库的设置,意在使每一发行区域形成一个重心,除秉承总行调度区内准备金及支配票料,还负有督促和稽核之责。所有区内各行发钞途径、合算与否及压搁暗钞等,都由集中库考核。此外,他还强调各行应以全行利益为着眼点,对压搁暗钞等现象,必须切实注意核查,严饬经管人员。收进的暗钞如果不能一一检点,也应迅速汇送集中库或经发行库,不得搁压或随意掉用。若非确实需要,经发本钞不得随意滥发,即便有用户前来领取,也须严加考察,以避免被利用勒交准备金。

唐寿民认为,发行的"真实用途"无非两类:"一为政治上的,如军饷政费之类,此为无法与人竞争之事,力所能及,无妨进行;一为事业上的,即各种工商业购办货物与发给薪工之用。"其中,后者又是"根本的发行途径"。因此,各行库主管应认定方向,集中精力,不嫌琐细,不畏艰难,不计私利,推进押款、汇款、往来存款、透支及购买期汇票等各种用途广、流通久,真正促民利、得民心的业务,并"能由此寻得本钞出路,立定基盘,实为发行永久之利"。①

(三) 人事方面,要求行员团结对外,奉公守法,严于律己,戒除不良嗜好,养成勤俭节约等习惯。唐寿民指出,注重人事的目的,"重在转变作风,整饬行纪,亦即所以团结人事精神所望,共相助勉,使此共同寄托之机关日臻发达"。

唐寿民号召同人认清内外界限,合力对外,切忌内争。同一机构的内部同人,应同心协力,团结一致。同人之间,应真诚相待,安危与共。一旦发现有破坏行员团结的行为,如匿名攻讦或设计倾轧等,必当严惩,决不缓纵。若发生对外事件,无论内部有何争执,都应先处理外事,再行计议。若因疏于对外而贻误行务,导致全行受损,处

---

① 《唐总经理告全体同人书》,《交行通信》第5卷第1号,第3—5页。

分格外从严。

在办理业务时,唐寿民提出行员应具有服务社会的精神,对待顾客务必谦和诚恳,切忌语言傲慢,怕累怕烦。若出现与顾客争吵等情况,先不论孰是孰非,经办人员首先应负不善应付的责任,严加处分,主管者必须切实执行,不得放任。

至于内务处理,唐寿民要求各主管人员身先倡率,形成优良风气;告诫行员奉公守法,对一切规章制度,不分等级,不论巨细,均应一致遵从;警醒高级行员尤应严于自律,不得知法犯法,败坏行风。"即以到行离行时间及请假手续而论,事虽小节,亦宜重视,否则风纪不振,精神涣散,行务亦随同衰败。"

对于个人生活作风,唐寿民呼吁同人勤俭节约,戒除不良嗜好。交行多次通告行员,应极力避免无谓的酬酢,非父母或本人的婚丧喜庆,不得滥发柬帖,所送礼品也应以俭约为主旨。他要求各主管人员就当地情形制定规章,若行员有沾染不良嗜好或行为不轨等情况,务必破除情面,查实上报,不得徇情隐瞒。若情况属实,主管人员有权先行处分,再报总行;若有隐瞒,一经查出,主管人员应为此负责。

(四)开支方面,强调应降低成本。唐寿民指出,各项开支为银行成本之一。经济不景气时,各业萧条,营运维艰,加上同业竞争激烈,不惜高利揽做存款,低利放款,获利既属不易,开支更难忽略,故节约开支,减轻成本更显重要。唐寿民要求各机构在支出款项时,必须恪守规章,核定预算,不得有丝毫浮滥,凡可节约之处,必须千方百计予以节约。业务所需的交际费用虽难以避免,但必须严格区分公私界限,不可随意支用,并要加强核实程序,防止舞弊。如办公旅费,章程上虽有最高限额的规定,但必须实报实销,不得沿袭旧习,不报细账。又如日常所需印刷品、文具及卫生设备等,也要力求节约,对公家用物应视同己物,勤加爱护。他还提倡多用本国产品,以扶助国内实业。总行要求稽核部不避嫌怨,切实考核,如有不遵章则,不守预算而浪费开支者,不论分支行库部,都应据理驳回,不得随意核销。

唐寿民涉足金融界多年,熟知银行内务中的舞弊行为,特意指出银行内务对于开支奢俭关系最大,要求各主管人员慎重选用庶务人员。"每闻有不肖庶务,任情滥用,图饱私囊,逢迎主管,希求固位,联络厨师克扣伙食,勾结商铺暗收回扣,又或假开发票,虚报价目,有时表示廉价则以劣品次品充数,甚有私设行号,专营其所管机关需用之物品,类此之事不遑枚举,而为之主管者始则受其蒙蔽,不加觉察,继则多方护惜,又不加检举,其结果往往受其牵累,有沾污令名。"唐寿民警告说:"本行是否有此种情事,不敢断言,但愿主管者加意查察,如有发现,便应从严议处,勿稍宽假。在身任庶务者,亦应尊重自身人格,以前述各事,引为省戒。"①

三、"整旧营新"方针的完善

1935 年以后,中国经济逐渐从白银风潮的阴影中走出,各行各业出现复苏的气象。唐寿民详细研究了形势的变化,在交行《1935 年营业报告》中对业务发展的方向提出新的设想,但因未能充分阐明自己的意图,于是又借 1936 年行务会议之机,将有待商讨的各项问题逐一提出,并对其经营理念作了进一步的完善。

唐寿民首先分析了当时的金融大环境,认为"中国今日最急之务,莫过于生产建设",而协助生产发展,当为银行界的天职。但中国金融组织散漫,毫无系统,票号、钱庄纷纷被时代淘汰,银行作为新兴的金融机构,虽几经演变,却仍是一盘散沙,未能步入正轨。1935 年秋季,国民政府推行法币政策,交行与中央、中国两行同为发行法币的银行,又独负发展实业的使命。所以说,交行既非纯粹的国家银行,又异于普通商业银行。唐寿民认为交行应属外国所谓的"特种银行",由此提出,交行除了遵从政府的要求管理准备,推行法币外,更应顺应潮流,参合国情,直接或间接地辅助生产,完成国家赋予的使命。② 唐寿民提出的业务主旨不仅要直接扶助生产事业,还要协助调剂一般的金融机构和银行同业,以间接方式谋求资金的通融,促进实业发展。唐寿民的上述说法与其提倡同业承兑贴现,主张办理重抵押的经营理念极为契合。

唐寿民又根据当时形势和交行性质的变化,对交行现有的各项业务作了深入分析,区分为停止、改善和进行三类情况,认为应适应时势所趋,有步骤、有秩序地逐渐推进。

(一)应逐渐停止的事项

其一,信用放款应逐渐摒弃。信用放款为旧式金融所操持的主要业务,已不适应近代社会发展需求,作为具有特种性质的大银行,交通银行更应放弃这项业务,以避免力量分散。

其二,与生产事业无关的建设借款,应力求避免。中国此时的唯一要务在于推进

---

① 《唐总经理告全体同人书》,《交行通信》第 5 卷第 1 号,第 1—7 页。
② 《交通银行行务纪录》(二),《交行档案》第 271 号,第 84 页,交通银行博物馆藏资料 Y35。

生产,如果不是必要或急需的事业,银行不宜过度浪费实力,而应随时准备集中全力资助生产发展。

其三,对前途已无希望的事业,不可投资。凡前来商借款项者,交行必须先研究对方的经济组织,并由专家审核其设备状况、生产业绩。若专家确认其确有发展前途,交行自当竭力协助;若其事业已颓废不堪,负累过重,即便银行努力扶助也难以挽救,则绝对不可再行投资。

唐寿民也考虑到最坏的情况,并提前设计了应对方案,指示若遇到情势上万不得已必须投资的,也应充分研究,揭其病根,代为拟定彻底的改善计划,使其步入正常的发展轨道,尽量解决企业的经济问题。若贸然投资,"于人无益,于我有损,甚或继续要求,应之则愈陷愈深,不应则反责我不履行发展实业之使命",交行必将陷于进退两难的境地。唐寿民估计"将来此类接触,势必日益繁多",因而预先告诫同人切加注意,力求避免。①

其四,一切恶性营业竞争一律禁止。应立即停止高利吸收存款或订立交换条件等逾越商业习惯及法律范围的做法。以发行为例,唐寿民指出自改行法币以后,发行基本上不会出现大问题,对于可能出现的特殊情形,"本行只须能发挥固有之使命,则与社会之接触日多,自然人皆向我,不宜再沿旧习,用此类非正常之手段,违背国家特种银行之立场也"。②

(二)应研究改善的事项

其一,收受存款的方式急需改善。应限制吸收高利存款,利率较低时自然应积极揽收,但最好改用特种方式,加以运用,以生利润,并借此养成国人信赖银行投资企业的心理。这样,可以促进资金流通,并推动社会趋向繁荣。唐寿民指出,目前国内经济虽然不景气,但社会游资仍比较可观。一般而言,社会经济越困难,拥有闲余资金者就越感到彷徨,急于选择稳当的金融机构存放资金,若交行拥有健全的组织,再加上适当的宣传,便可聚集游资。日本兴业银行的发展已充分说明,如果银行能够悉心研究形势,推陈出新,必能获得成功。

其二,仓库应做一番整理并推而广之,逐渐开展运销业务。中国的商业贸易自古

① 《交通银行行务纪录》(二),《交行档案》第271号,第85页,交通银行博物馆藏资料Y35。
② 同上,第86页。

以来即以信用作为交易媒介,可以说是信用极度膨胀的国家。但海通以来,商事日益频繁,国际贸易错综往来,银行界应纠正上述社会心理,促进生产流通,以取代传统的信用,如此,仓库便可作为最重要的方式之一。

唐寿民对交行的仓库建设,有一套缜密的计划。在他看来,交行原有的以及计划在建的仓库,虽然为数不少,但仍须进一步考虑如何为货主谋福利,在此基础上通盘筹划,推广增设,并统一组织,整顿改善,废除陋规。形成完整的计划后,再划分区域,并增强与运销业务之间的联系,然后在生产区域或通汇大埠,筹设大规模的新式仓库,实行科学管理。同时设置检验机构及科学设备,核定货物的等级、价格,分类存储,以满足国内外大量运销的需要。唐寿民还着重指出,必须时刻注意避免发生不良竞争的现象,在已有其他银行开办仓库的地方,交行应采取审慎态度,尽力争取与对方合作,一旦谈成,则应极力协助对方办理业务。

运销业务对内地的生产流通大有裨益,银行界应当尽力协助。唐寿民认为,交行可从代为联络运销、代洽买卖、代为收付货款、代办保险、承办押款押汇等方面入手。如果能从上述方面打开局面,不仅对工商业大有裨益,对交行押款押汇及推广发行等业务,也有极大促进。此外,诸如各分支行处的增设,与其他银行联合设立公栈,与水陆运输机构商订特种押汇手续等,都应相互策应,积极推进。

其三,对生产事业的放款应给予优惠。凡生产事业机构前来洽商资金,如果经过研究认为应给予协助的,就应立即承办,可采取联合同业共同投资的方式,或为其代理发行公司债。审核时必须从严把关,确认放款后,条件可以优惠,比如减轻其用款利息,代办各种手续等。

唐寿民指出,对符合条件的生产企业,可订立交换条件,以酌分红利的方式,作为交行轻利支助的报酬。对方既已得到优惠,必定乐于接受交换条件,但交行须有监督或代管的地位,其会计事务必须公开,以防止对方舞弊。唐寿民认为:"本行业务只在求得合理之展拓,一切措施固不必悉以赢利为前提,而事经辛苦之造成,亦必有最后利益之收获也。"①

(三)应逐渐展开的事项

其一,办理重抵押业务,以调剂商业、金融机构的资金。该业务的经营方针已在

---

① 《交通银行行务纪录》(二),《交行档案》第271号,第88页,交通银行博物馆藏资料Y35。

1935 年的营业报告中有所提及,唐寿民认为该项业务关系重大,所以再次重申。他指出,重抵押与票据重贴现相比,一个为实物,一个为票据,其实具有同等意义,都是调剂一般商业、金融机构资金的工具。当时,交行重贴现业务已经开办,重抵押业务还在酝酿,故应积极推进。

其二,代办公司债,经募股票,促进工商业资金通融。从发展实业的立场考虑,银行绝不能减少对公司债或公司证券的投资,而且必须使其资金周转流通而不停滞。但以往国内银行投资实业、地产等,方式比较呆板,容易出现资金停滞的风险。外国银行投资实业,多半采用购买或承销公司债券、股票等方式。

经过中外银行的详细对比,唐寿民认为国内银行虽已开办公司债的代办发行业务,但推销机构不够完备,相较国外,尚不能使之充分流通。他建议应提倡国内基础巩固、组织健全的公司,在证券交易所开拍,并由银行代为买卖或承销其债券和股票。当时银行代收的股款虽不少,但应募和承销的却很少。他指出如果有特别的企业经专家详细调查后,认为确可获利的,即可代为承销,甚至可以自购一部分作为投资。同时,必须监管该公司的财务与业务,以降低风险。这样可使工商资金得以流通,达到扶助实业的目的。

其三,代办担保制度。在工商业尚不发达、信用尚未巩固时,可以此作为推广公司债的有力辅助。例如,某家企业设施比较完备,前景看好,若有信用良好的金融机构为其担保,即可面向国外发行公司债,以吸收外资,这对该企业的业务发展必然大有帮助。交行前总经理胡祖同曾主张利用外资,作为发展中国实业的良策,但生产事业直接借用外资,恐难获得优惠条件,甚至会有损国家主权。如果担保制度发达,则可趋利避害,实收外资之利而无借款之害。唐寿民又以日本兴业银行为例,指出该行自首创担保发行办法后,业务量猛增,效益非常显著,且信誉巩固。除担保制度外,交行还积极推进有关货物买卖、机器订购等其他各项扶助工商实业的担保业务,为企业提供便利。

其四,为农产品出口贸易提供便利,以扭转贸易入超现象。中国货物出口以农产品为主,为此提供便利,扭转贸易入超,对国计民生至关重要,银行界应极力予以扶助。唐寿民曾在《1935 年营业报告》中强调过这一问题,在 1936 年的行务会议上又补充了诸如扶助产殖、优待出口贸易、提倡以物换物的新贸易等内容。他尤其重视以物换物的新贸易形式,并预料将来中国产业发达,对外以物换物更便于实现,提出该项业务"纯为近代化之业务,亦应及时研究,并予以深切注意者也"。①

经过一番梳理后,唐寿民强调,已明确应停止的事项,各行应渐渐收缩,逐步结束;应改善的事项,务必尽快着手研究,逐步实施。至于应继续保持并不断推进的事项,虽不能肯定是否一定能达到目标,但唐认为"吾人立场所在,职责所在,有不得不共相努力者",②必须知难而进,才能推动各项业务取得新的突破。

胡笔江、唐寿民等人"整旧营新"的理念是在调查研究、审时度势的基础上提出的,随后又在实践与总结中不断改进,逐渐趋于完善,形成一套体系比较完备,内容颇为丰富,操作性很强的工作思路。在这一思路的指导下,交行这一时期的各项具体工作都颇有起色,出现了新的局面。

第二节 "整旧"工作的努力实施

一、清理旧欠的总体绩效

在"整旧营新"的方针中,广义的"整旧"工作虽涉及整顿旧时积弊的诸多方面,但就当时交通银行所面临的具体问题而言,最急迫、最棘手的是清理整顿旧时积欠问题,所以,交行领导层作了很大努力,希望以此作为突破口。

1933 年交行改组以前,除政府欠款外,各分支行账内的历史欠款也是非常惊人的,欠款户数有 1100 多户,总金额高达 2089.30 万元。改组以后,交行为了切实整理旧欠,于 1933 年 4 月由董事会议决并通函各行处,各项放款及应催收款项,无论旧欠还是新放,一概于 1933 年 3 月底截止,凡有呆滞账户,均须查明款项性质及放款原由、日期、本息数目、押品等情况,逐项登记列册。各行处必须妥善拟定催收方案,陈报总行以备参考,并由总行督饬各行办理。

至 1933 年底,全行旧欠账面结余 1060 户,金额达 1800.10 万元,当年共整理旧欠 117 户,收回金额 289.20 万元。1934 年底,全行旧欠账面结余 1014 户,金额 1761.10 万元,当年整理旧欠 85 户,收回金额 48.9 万元。1935 年底,全行旧欠账面结余 962 户,金

①② 《交通银行行务纪录》(二),《交行档案》第 271 号,第 91 页,交通银行博物馆藏资料 Y35。

额 1676.20 万元,当年共整理 109 户,收回金额 84.90 万元。1936 年底,全行旧欠账面结余 848 户,金额 1471.90 万元,当年共整理旧欠 187 户,收回金额 204.30 万元。经过数年努力,交行的旧账整理取得一定成效,截至 1936 年底,交行共计整理旧欠 498 户,收回金额 627.30 万元。① 但账内呆滞款项数额仍然很高,整理难度也越来越大。

面对这种困难的局面,唐寿民态度坚决地表示,交行今后的营业,营新固然重要,整旧更刻不容缓,"能设法收回一分现金,即可多增厚一分实力,辅车相依,利赖实重"。② 为此,交行总行运筹帷幄,指导各行处根据实际情况,分别轻重缓急,有序开展工作,并专门成立旧欠整理室,指定专门人员负责督饬,要求各行处务必破除情面,积极催收。此外,总行又制定《旧欠款项分户说明表》,要求各行处按照规定填报。

总行依据旧欠的不同性质,将其分为五大类,即有办法接洽者、尚未解决接洽办法者、接洽中有纠葛者、没收后尚未处理者以及尚无办法接洽者,并据此制定不同的催收方案。对有办法接洽者,要求各行处依照原定办法催还欠款,切实履行合约。对尚未解决接洽办法者,加紧洽商,以便早日设法变卖收抵,尽快结束。至于尚无办法接洽者,则分别不同情况进行处理。若因人情关系而导致拖延者,必须破除情面,严格催收;若有抵押品,则应与欠户交涉,希望其早日偿还欠款,否则依法处分;对于顽固欠户,则应详加调查,查明其有无其他财产可作抵押,并责令保人偿还欠款;若仍无办法解决,则依法追诉;若欠户处境确实困难,可酌情予以通融,适当降低利息,让欠户尽快筹措资金,解决欠款问题。

各行处在具体工作中,须将相关情况详细填入《旧欠款项分户说明表》,并附上整理意见,报送总行参阅研究后核定具体办法,再发回各行处重新办理。总行非常重视清理旧欠的工作,对各行处报送的说明,逐项研究,细致分析,并就其中的不足之处一一点明,要求进一步调查核实。例如,针对各行处呈报的欠户押品及没收押品的情况,总行会提出种种疑问,诸如房产地皮各项是否为欠户所私有,每年所收房租及应纳地租数额多少,是否已办妥登记及过户税契等手续,邻近地段类似房屋地皮的价值如何等。如果总行认为各分支机构缺乏详细的调查,不足以说明问题,即会要求重新

① 《交通银行行务纪录》(四),《交行档案》第 274 号,第 1—4 页,交通银行博物馆藏资料 Y38。
② 同上,第 2 页。

查明上报。为此,总行特别制定《抵押动产说明书》《抵押不动产说明书》《没收动产说明书》《没收不动产说明书》及《不动产平面图书》五种说明书,发往各行处,指令其逐一查明,分门别类,详细填报。

关于辛亥革命以前的官商旧欠,原先因情况复杂而别立一账,与上述旧欠分别计算并处理。截至改组前的1932年底,交行全行的辛亥旧欠账面结余195户,金额达517.50万元。改组后,经数年努力整理,截至1936年底,全行辛亥旧欠账面结余128户,金额245.90万元,与1932年账面相比,共计结束67户,金额271.60万元。1936年底,交行将尚未结束的辛亥旧欠归入普通旧欠内,统一分类,审定性质,并拟订相应办法,以便全面整理。

综上所述,1932年至1936年四年间,交行全行整理旧欠及辛亥旧欠款项,共计898.60万元,整理成绩颇为可观。但上述两项的余额相加,尚有1749万余元仍无法清理。对此,唐寿民表示,要以不畏艰难繁琐的决心,继续积极催讨,尽可能收回旧欠,以此"整旧"方式打开"营新"局面。

二、清理旧欠旧账的具体案例

(一) 清理各类旧欠

交通银行所清理的旧欠,按内容大致可分为政府旧欠、商家旧欠、公益性社会服务机构旧欠和个体欠款等方面。

1. 清理政府旧欠。

政府旧欠大多与交通垫款(尤其是铁路垫款)有关。交行与交通事业关系密切,凡是政府大规模的交通建设,必定参与,且放出款项数额巨大,清理工作非常艰难。其中不仅有国民政府修筑铁路的各项旧欠,还有辛亥年间的旧欠款项,拖欠达20余年之久,涉及陇海铁路、平绥铁路、平汉铁路、津浦铁路、沪杭甬铁路、粤汉铁路等多条主干线,欠款往往与各届政府、各个路局有关,情况异常复杂。

以整理辛亥旧欠为例。辛亥旧账开始于民国元年(1912),当时受战乱影响,交行业务陷于停顿,所有放款一时难以清理,加上各存户纷纷要求提款,交行无法应付,遂于当年11月陈准交通部,仿照大清银行办法,将辛亥年前旧账存欠分为官署及商家两类,另行立账清理。1928年交行首次改组,经交通部同意,将邮传部及各路局的一部分旧欠划抵总行新账。而其他款项因时间过久,各相关官署已变更或裁撤,完全无从追讨,总行不得不造具清册,交由会计顾问详细研究。根据顾问研究结果,将此类官署旧欠分为三类,即普通官署部分、邮传部及路局部分以及有抵押品的部分。三类欠款经分别清理后,无法追讨的旧欠皆转作亏损,在备抵呆账内冲销。①

交行在与各路局洽商旧欠问题时,因各路局情况各异,催收过程颇为棘手。加上各路局与国民政府责任不清,经常相互推诿,催收难度极大。为早日结束旧欠,交行不得不牺牲一部分利益,与各路局协商,以打开局面。

如清理平绥铁路债款案。平绥铁路因连年经营不佳,所欠款项拖延多年,无法完全清偿。1933 年 7 月,交行北平分行(燕行)等推举周作民为代表,与铁道部及该路局磋商清理办法。双方议定,路局与各行订约整理旧欠,银行降低一部分利息,按每欠本金 1 万元标准计算,由路局还本息 1.7 万元,分 60 个月还清。同时,路局购买材料时向各行商定保付期票合约,总额以 200 万元为限。银行出具期票时,路局

交行编制辛亥年前各路局邮传部存欠各款账略

在银行存足保额的半数,期票到期之月,路局将应付款全数预存足额,如有不足,即由银行在存款或进款内提拨。按照上述办法,交行虽损失一部分利息,但考虑到平绥路局确实能力有限,与其无限期拖延下去,不如规定切实可行的办法陆续收回现金,权衡利弊,交行最终接受了上述方案。平绥路局共欠交行三笔款项,但该路局又以其中一笔欠款性质不同为由,拒绝将该笔欠款按双方议定的办法清理。燕行据理力争,经反复磋商,平绥路局才同意将三笔旧欠全部纳入合约进行清理,并将期限延长七个月,此案最终得以解决。②

---

① 《交通银行行务纪录》(四),《交行档案》第 274 号,第 12—13 页,交通银行博物馆藏资料 Y38。
② 同上,第 7—8 页。

2. 清理商家旧账。

上文已述,交行在民国初年将辛亥旧欠以官署与商家两类分别造册。除20余年来陆续结清的商家旧欠外,也有将剩余各户押品没收变价抵欠的情况,但仍有不少欠户已散居各地,一时难以查明具体情况,交行只能汇案办理,等待时机成熟后再渐次清理。商家旧欠户数众多,总额不小,且情况各异,内容复杂,加上少数欠户百般拖延、搪塞,催收难度很高。交行不得不想方设法进行协商,甚至放弃一部分利润,以求早日了结旧账。

如青岛分行清理丁雪农欠款一案。1927年,岛行经理丁雪农先后以雪记名义透支行款2.4万元,又经手买入王叔贤申元汇票五万两,总计6.8万余元。丁某离职后,交行屡次催讨欠款,均无结果,以致拖延多年。1933年6月,总行再次与丁雪农交涉,于当年12月追回欠款8千元,丁又交出青岛莱阳路房产六所,估值约为7.5万元。当时房产已租给他人,交行为之代还押款3.5万元,将剩余的4万元连同已追回的现款8千元,用以清偿丁所欠交行本息。总行函嘱岛行据此办理,与丁的叔父丁敬臣办理房产交割手续。但岛行了解详情后反映,该房产已在别处抵借4.5万元,交行若付给3.5万元,仍不敷取赎。再次交涉后,丁敬臣表示愿以其商行的名义向岛行商借1万元,以五个月为期,以便凑集欠款。为了迅速清结该案,岛行同意照此办理,该案方告结束。交行后来作了总结,认为"虽属不无吃亏,惟多年疲欠之户,倘不趁早了结,诚恐愈累愈深,将来一无办法,尚不如忍痛了结"。①

再如汉口分行辛亥旧账内刘歆生欠款一案。辛亥旧账内,汉口商会共欠交行白银21.8万余两,该欠款其实是刘歆生的地产押款,商会只是保人,交行多年追讨而无着落。1933年,交行商请财政部协调,由汉行与保人及债务人直接接洽。刘歆生同意划出7000平方地皮抵还债务,但提出豁免辛亥以后的利息。汉行了解情况后反映,刘歆生年近八旬,其子患有精神病,若有意外,该案更难处理。交行总行也通过其他银行获悉,刘负债总数约有500万元之多,其财产、房屋、地皮等虽号称1000万元以上,但在当时经济萧条之际,难免大幅度贬值。所以其他银行也建议"现有债务能趁其本人在时了结最好"。② 因此,交行将该案提请常董会议决后,由

---

① 《交通银行行务纪录》(四),《交行档案》第274号,第16—17页,交通银行博物馆藏资料 Y38。
② 同上,第18页。

汉行具体处理,同意刘以地产抵还,准予其免息要求。事情又拖了两年多,1936年汉行报称,经多方会商后,决定以一本一利的方式解决欠款问题,刘歆生也接受了这一办法。于是,汉行以汉口市政府估定的价格为参考,对押品地皮进行估价,并指定地势比较优越、容易出售的地块用于抵偿。但刘歆生又生变,欲将地皮中价值最高的地块抽出,且将地块内的大小马路也作为地皮抵算,后经汉口市长吴国桢等出面调解,刘终于愿意与交行配合,而交行也免去一部分款项的尾数,作为优惠。然而,刘歆生抵还的地皮面积过大,一时不易出售,而每年的纳税数额也不小,仍给交行带来很大麻烦。

上述案例充分显示,即便是普通商家的旧欠,情况也极为复杂,往往牵涉多个方面,而且在催讨的过程中常常节外生枝,出现许多意想不到的问题。所以,交行在最终结束刘歆生一案后,感慨道"本行牺牲已巨"。①

3. 对公益性机构旧欠的处理。

交行对于慈幼院、学校、医院等公益性社会服务机构的欠款,往往从服务社会的角度考虑,宁愿牺牲自身的经济利益,也会根据实际情况给予减免,一般是通过认捐等方式放弃追索。

如清理香山慈幼院旧欠一案。至1932年初,北平香山慈幼院共欠交行北平分行四笔款项,本金总额为2.9万元,其中两笔有押品。1932年1月,慈幼院院长熊秉三来函,希望交行能将上述欠款转为捐款,并将原押品取回,交行起初不明就里,予以婉拒。1934年,该院又致函交行,称该院因负债过多,已组织整理债务委员会,由委员长熊秉三分别向各债权方商榷结束办法。熊院长请求交行将欠款中有抵押品的两笔(本金1.7万元),以抵押品作价偿还,其利息与无抵押品的两笔欠款(本金1.2万元)充作该院学额基金,由该院留出学额给交行员工子女。经过查证,交行得知该慈幼院确实经费短绌,其请求实属"无办法之办法"。交行最终应允。将该院所欠交行本息46471.28元,除抵押部分作价偿还,剩余的29471.28元,作为该院学额基金,由该院为交行留出学额12名,交行将陆续保送员工子女就学。②

再如整理旧陵行欠款一案。交行先前曾将裕源祥评事街的房地产租给南京市西

---

① 《交通银行行务纪录》(四),《交行档案》第274号,第20页,交通银行博物馆藏资料Y38。
② 同上,第30—31页。

区小学,其后,南京市计划收购该处房产,建筑新校区。双方经过商议,议定最低价格为 2.4 万元。但南京市因教育经费拮据,仅凑足 2.3 万元,故请求交行将所缺 1000 元作为捐助。交行觉得此举有益社会教育事业,核准同意,于 1934 年 12 月签约成交。①

4. 对涉及复杂人际的旧欠处理。

至于因人情关系复杂造成的旧欠,交行则严肃对待,根据实际情况酌情处理。如清理津行抱经堂欠款一案。抱经堂于 1926 年在交行天津分行开户,当时由交行董事长卢学溥作保,以新华、懋业、保商三银行及北平证券交易所、北平电车交易公司等股票总计面额 28150 元作押,实欠交行本金 16900 余元。截至 1934 年底,津行账面上合计已欠本息 30700 余元。1936 年 8 月,卢学溥亲自到行接洽还款事宜,说明该笔欠款实系本人所用,其中有代李祖恩还前京行欠款,代道记还前沪行欠款,两笔款项共计 14000 余元,均有账册可查。卢学溥解释说,当时因顾全行务而设法筹垫,但李祖恩等人一直未归还欠款,因此所欠款项应由自己负责。但上述欠款中有因公受累的情由,卢请求免去历年利息。总行查验旧有账册,认定卢学溥所述与事实相符,所欠款项确为顾全当时行务,并非私人挪用,故允准所请,仅将本金 16992.6 元如数收回。②

对个别故意耍赖,拒不配合的欠户,交行也决不姑息,经多方交涉无果后,依法提起诉讼,以维护本行权益。如追诉马隽卿欠款一案。1922 年至 1927 年,马隽卿从交行扬州支行借款 7 笔,总计国币 50555.96 元。交行屡次催讨均无结果,遂于 1929 年委托律师催告,其后,马隽卿的律师来函表示,完全承认欠款,但并未前来办理还款事项。交行方面的律师依法诉追,而马方仍迟迟不肯露面。交行迫不得已,又于 1933 年 6 月委托律师另行提起诉讼,开审三次,马方初则请求传证,继则借词和解,依旧没有还款诚意。为此,交行总行经第八十四次常务董事会议决,继续诉追该案。后据扬行查复,掌握大量证据,再提起诉讼。高邮县政府最终于 1936 年 8 月判决马隽卿归还欠款,马不服,又提起上诉,均遭驳回,马再向最高法院抗告。而交行也决意继续追诉,直至索回欠款。③

---

① 《交通银行行务纪录》(四),《交行档案》第 274 号,第 31—32 页,交通银行博物馆藏资料 Y38。
② 同上,47—48 页。
③ 同上,50—52 页。

（二）清理发行、业务诸部及分支行旧账

1. 整理旧汉钞的经过。

1927 年 4 月间，武汉政府颁布《集中现金条例》，当时交通银行汉口分行发行的汉钞流通额仅 600 余万元，其后，因政府需款而不断增发。据汉行呈报，湖北财政整理会提供的汉钞数目为 720 余万元。不久，国民政府颁布整理办法，规定汉钞可以 1928 年金融长期债券调换。但汉行以政府欠款换回的金融长期债券仅 389 万余元，与旧欠相差甚远。

交行通过沪、汉两地陆续收买汉钞用于抵补，至 1933 年 4 月，未收回的汉钞仅剩 100 余万元。因上述汉钞在两湖地区早已不能通用，所以不再列入汉行发行账内。但根据汉钞整理办法，汉钞以 1928 年金融长期债券按票面加一成调换，而汉行保证准备作抵的金融长期债券，票面额仅为 58 万元，不足之数巨大。当时从便于整理考虑，总行曾分函沪、汉两行取消汉行发行账目，将未收回的 107.911 万元汉钞，划归沪行营业账内处理，不足之数也归沪行垫拨，即由沪行按未收回汉钞的数目加一成，拨足金融长期债券 110.87 万元，以满足调换汉钞所需。

至 1933 年 12 月，未收回的汉钞尚有 75.7 万元，当时汉口地名新钞业已发行，新旧钞票混合，难以再用金融长期债券调换。所有抵提余存的金融长期债券 83.3 万元，由总行按市价折付有价证券科目，在营业账内按未收回的旧汉钞数目改存现款，以备兑付。①

2. 清理总行业务部账面。

交行改组之后，为促进业务发展，总行有意对业务部账面进行深度整理，以利进一步打开"营新"局面。经仔细研究发现，总行业务部账面存在问题较多。例如，甲乙两种存款及杂项存欠款账户中，有的户主已无法联系；有的款项当时未办手续，事隔多年已无须备付；更有一部分款项因时势变迁等原因无法收回。

总行业务部账面中应转归损益科目的，大都为前总管理处及前沪行账内的旧存旧欠。总行认为，账面长期虚悬，不利于行务进展，故于 1936 年决意清理原有账面，整理存欠各户。

---

① 《交通银行行务纪录》（四），《交行档案》第 274 号，第 62—63 页，交通银行博物馆藏资料 Y38。

表2-5-1　前总管理处及前沪行账内旧存概况表　　　　　单位:元

户　名	存　额
财政部寄存七年金融长期债息户	63565.65
新疆财政厅	21513.21
乙种另户	918.51
退回汇款户	2038.76
星(新加坡)行公债款户	2000.00
星(新加坡)处转来	6626.90
何长华	24.00
韩春生	13.30
港行	120.96
港处转来	367.89
殖工银行	32.48
代各户换存五年公债四期息	102.96
代各户换存五年公债中签还本及息	993.75
吴敏三	4.47
易贤启	36.00
代收各种银两款项	2027.97
代收各种国币款项	840.06
铁路工人救济上海失业工人捐款	1232.50
各行同人接济上海失业工人捐款	559.49
叶誉记	50.00
合　计	103068.86

资料来源:《交通银行行务纪录》(五),《交行档案》第274号,第67—69页,交通银行博物馆藏资料Y38。

前总管理处及前沪行账内旧欠概况表　　　　　单位:元

户　名	欠　款	户　名	欠　款
岛津寿一	400.00	汪律师经手诉讼费	289.50
区慕颐	2000.00	建祥栈	25257.54
梅佩玉	1522.03	来远公司	21300.29
蒋乐庵	10000.00	芝记	16787.96

（续表）

户　名	欠　款	户　名	欠　款
次记	2794.00	渊记	1088.66
陆闰生	7354.60	潘世经堂	25337.37
张孝记	5252.80	汪季诺	350.88
郑乐全	735.48	晋通盐号	2790.58
梁仲异	47402.94	蓝荣盛裕盛栈	528122.29
岳辟疆	6738.82	张嘉萤	1456.31
张怡记	4416.74	南通淮海银行	881.08
海门淮海银行	820.77	景记	523.80
大达银行	98166.75	金星人寿保险公司	18875.51
徐建侯	2797.20	华彰申行	85383.10
永安茧行	30021.23	豫兴花号	707.43
郑实照	3027.93	广东兄弟树胶公司	196.54
合　计		952800.13	

资料来源：《交通银行行务纪录》（五），《交行档案》第 274 号，第 69—73 页，交通银行博物馆藏资料 Y38。

据上文统计，前总管理处及沪行旧存共计约国币 10.3 万元，其中前财政部寄存七年长期公债一项，经先后提款备抵，计已积存国币 16.3 万元，除照原存面额提存备付外，尚余国币 6.3 万元。新疆财政厅公债本息各款积存已久，由于当地政局动荡，未与交行接洽。其他各项存款，或为代各户换存公债的本息，或为往来存户的尾数，或系代收及退汇款项，其中甚至有五卅惨案中接济工友的剩余存款，历时十余年，均已无法联系户主具领。总行将该款项一并转列备抵呆账科目，以结清账面。交行账面旧欠共计国币 95.3 万元，其中情况各不一样，既有因变卖押品折抵，尚余一部分亏短之数无法偿还的，也有因户主死亡、逃亡或未订契约而无法追讨者。现经分别冲销，或转列呆账，或转列杂项损益等账，一并结束。①

1936 年下半年结算时，总行为了清理账面，将各项账目分类定性，分别予以转销。由存项转入杂项损益账面的计有 1.2 万元，转入备抵呆账下的计有 5.3 万元。欠款项转付呆账的有 250 元，转付杂项损益账下的有 1391 元。统计该期各行转来的

---

① 《交通银行行务纪录》（四），《交行档案》第 274 号，第 73 页，交通银行博物馆藏资料 Y38。

呆账数目,共计6.3万元,由备抵呆账中如数提补。备抵账内除以这次清理账目转入的5.3万元冲抵一部分款项,尚有1.1万元的欠额,总行决定由杂项损益账内转出抵补。经过上述一番转账后,业务部的历年旧账得到部分清理,在此期间的呆账也由总行全部打销,而备抵呆账并无出入,实际上仅由杂项损益账下轧付156.68元。①

3. 清还岛、鲁、烟、燕、津行旧账户本息。

交行总处先前从分担各分支行欠款,以便结束旧账考虑,为之开立分担洋旧等户,月息大都按一分计算。截至1934年上半年,此类本息已达5347.2万元,利息日积月累,结清遥遥无期。若不设法逐渐清理,内部虚账势必越来越大。于是,总行与各分支行洽商,规定自1934年7月起,将各旧户存欠息率一律暂减作八厘计算,并另行筹划拨还利息的方法,使欠额不再增长。在减息后的7月至10月四个月内,共计少算利息36.56万元(按交行惯例,各旧户结息一般在每年4月及10月进行,故下半年结算自7月份起算,只结至10月份为止)。1935年以后继续实行上述办法,减息数目逐年递增,每年大约可减少一百四五十万元(连减除固有复息在内)。总行计划先以此为初步办法,随后再进一步谋划还本的办法,以便逐步清理内部虚账。

1935年上半年,财政部改组交行,增加官股并拨给1935年金融公债1100万元。交行决定将上述债票先用于清偿各行一部分旧欠,使总行减轻内部的利息负担,各分支行也可将多年旧账呆账灵活转化,故可收一举两得之效。这一办法实行时,分拨各行债票的数目如下:

岛行:结息至1935年3月底,共欠本息42.1万元,拨还金融公债42万元,余数由往来户内转清。

鲁行:结息至1935年3月底,共欠本息67.1万元,拨还金融公债67万元,余数由往来户内转清。

烟行:结息至1935年3月底,共欠本息31.7万元,拨还金融公债31.5元,余数由往来户内转清。

以上三行,账面向来比较实在,内部旧欠数额亦属不多,总行为确保三行账面更加确实起见,故先将该三行旧户全部予以清理。

燕行各旧户欠款827.8万元,其中分担一户,截至1935年3月底,共计本息

① 《交通银行行务纪录》(三),《交行档案》第272号,第37—38页,交通银行博物馆藏资料Y36。

28.2521 万元,数目不大。经津行转还金融公债 28 万元(余数由津行拨还),先将该户结清。至于其他旧户,总行指令津行,在拨给津行的 400 万元金融公债中,酌拨一部分给燕行,以用于逐步清理各旧户。

津行分担户,欠额总计 834.2 万元。该行因发行、储蓄等业务有所增长,向总行函请代购债券提供保证。总行为了抵补该行所需,以 1935 年 4 月 1 日为期,拨给金融公债 400 万元(其中一部分指令拨给燕行),先行清还分担户中的一部分欠额。

上述清理办法实行后,总行拨还各分支行金融公债共计 568.5 万元,总行留存债票 531.5 万元。但先前交行总管理处尚欠前沪行分担户 482.4 万元,因计息关系仍保留账面,目前各分支旧户既已着手清理,总行决定以留存的金融公债将该户欠额悉数冲销,作为结束。此后,燕、津两行旧户每期结欠利息,即以此项金融债券,按照票面如数拨付,以免累计复息再增加欠额。

至此,岛、鲁、烟三行及燕、津两行旧户整理已告结束。

第三节 "营新"方针的渐次推进

唐寿民等人提出的"整旧营新"方针,就"营新"而言,主要体现在两个方面,一是内部行务制度的改革更新,二是经营业务的推陈出新。同时,又强调两者相辅相成,不可偏废。唯有扫除内部制度上的障碍,方能取得对外业务的突破;而业务上的进展,又可带动内部行务制度的革新。

一、内部行务的"营新"举措

自 1933 年以来,交通银行重新审订内部行务的各项制度,若尚有改进余地的,则加以革新,若已不符合时势需要,无须继续实行的,则果断加以革除,代之以新的办法。

其一,实行总行统制,统一调拨资金,集中转账。交行为统筹全局,自 1933 年 7 月改组以来,由总行负责调剂各分支行资金。实力较雄厚的分支行,可在当地自由运作以招徕资金,也可将余款调存总行,开立定期户或由总行代为搭放,总行酌加利息,最高年息一分,最低八厘。实力稍薄弱的分支行,可透用总行款项营运,其利率比照当地放款利息酌减,最高月息八厘,最低六厘。上述统制办法,虽在一定程度上加重了总行的负担,但对各分支行而言,则得到资金的保障,款项能够合理循环地加以利用,就交行整体的运作而言,可谓大有裨益。

国民政府实行币制改革后,银行业务日益推进,为简省对内手续,降低各行往来利率,交行总行经详细研究,决定改革原有会计制度,采用总行集中转账办法,为此拟定十二条办法。①

办法规定,所有各分支行处,除会计未独立的办事处依旧由派出行转账,一律直接与总行开户往来,所有行处相互收付,一概转入总行账面。各行处转账制度变更后,管辖系统仍按照原先惯例。为了方便实际工作,管辖行在所辖分支行处头寸短缺时,可就近予以调剂。此后,分支行处内部往来的账目,无论事务繁简,均应增补日记账(属于支行管辖的办事处,增补日记账应多复写一份,寄该派出行存查)。分支行处与总行往来各户的余额,应按要求填表,连同抄报日记账,每日寄报该管辖行或派出行。各行处与总行往来,不再分来户与往户,如果是国币,则统一以国币户记载,利率不分存欠,一律按月息四厘计算;国币之外的其他货币则须另外立户记载,利率由总行与各行随时商洽确定。如果国币户存额较大,可由各分支行处根据头寸多余情况,填具简明表单商请总行或由管辖行转请总行开设定期户,重新订定利率。如果欠额较大,则由总行斟酌洽转,另外立户记载,重新订定利率。每年 1 月 1 日至 6 月底期间,各行处所请拨转定期户款项以 10 月底为到期日;7 月 1 日至 12 月底,所请拨转定期户款项,以次年 4 月底为到期日;定期户利息也以 4 月底及 10 月底为结算期。定期户到期时,各行处若需拨回一部分或全部头寸,应于到期日之前接洽,否则,到期后即由总行如数续转一期。定期户未到所定期限之前,如果必须调用,由各行处申请将定期户转拨国币户,收付均以上届结息之日起息。此外,考虑到津、长、沈三行因政治格局的关系(受日伪势力影响),情况比较复杂,而且其移转账户与计息办法涉及旧账较多,总行又制定特别规则,另行整理。

其二,厘定管辖行对所属行处的管辖办法。交行总行对各分支机构负有督查之责,可随时考查、稽核其业务、账目等。由于分支机构众多,地域跨度很大,总行制定了专门的管辖制度,通过区域性的管辖行管理各地的分支机构。但因种种原因,各管

---

① 《交通银行行务纪录》(三),《交行档案》第 272 号,第 13—19 页,交通银行博物馆藏资料 Y36。

辖行出现了对所属行处管辖不力的现象。1933 年改组以后,总行积极推进各地业务,着手整顿各管辖行消极疲软的弊端,批评管辖行对所属行处责任心不强,往往因循守旧,仅将各地行处的事务转报总行,未能恪尽管辖行的职守。为了消除这一积弊,总行制定了六项办法,经行务会议议决后,指令各管辖行切实遵行。①

办法规定,管辖行对下属行处抄报的账表,必须随时认真钩稽,遇有应进一步查询或纠正之处,须立即分别函饬办理,并将印底寄报总行。管辖行对下属行处的账目库存,至少每半年派员检查一次,并将检查经过详细报告总行。对于下属行处的头寸业务及资金运用途径等,应随时注意严密考核,并于每届决算期通盘筹划,厘定具体方案,陈商总行,转饬下属各行处切实遵办。如果下属行处陈请放款,或有其他请示事项,管辖行均应权衡利害,缜密研究,提出处理意见并转陈总行核办。管辖行负责考核下属行处的人事调配、行员服务等具体事务,若有调配失当之处,应随时函饬纠正。若发觉行员有不守行规的行为,应立即陈请总行予以惩戒。管辖行审核下属行处开支时,若有浮滥或超过预算等情况,应随时提出警戒,并将印底寄报总行。上述规定经总行通饬各管辖行执行后,对改变管辖行以往的疲软作风,促进其对下属行处的严格管理,都起了重要作用。

其三,修正办事处的记账办法。交行 1933 年后设立的办事处,是由原先的寄庄演变而来,设立初衷在于便利调拨与推广发行,业务也仅限于办理收解及汇款买汇等指定事项。所以,从实际情况和简省手续考虑,先前订定的办事处记账办法,规定主要账目及各项表报,均由派出行填记,办事处并不单独记载。②

交行改组之后,各地办事处不断增加,并开始承接存放汇兑及货押、仓库等业务。其经营方向实已进入“营新”轨道,但一切账目仍由派出行记载,这不仅不利于总行考查,而且其业绩也无法充分展示。因此,总行规定,自 1936 年 7 月 1 日起,除与派出行同处一地的办事处以及临时性办事处,经核准后会计暂不独立,其余各办事处的所有账目一律与派出行划分,记账办法均按照支行的惯例执行。

各行处的会计手续趋于一致后,业务程序趋于规范和简省,试行一段时间后,成效颇为显著,总行对此也比较满意,表示将继续改进会计制度,以推进各项业务的顺利

---

① 《交通银行行务纪录》(三),《交行档案》第 272 号,第 40—42 页,交通银行博物馆藏资料 Y36。
② 同上,第 42 页。

开展。

其四,各分支行推广关金交易。20 世纪 30 年代,中国各地海关的进口税均须采用海关金单位缴纳,给民间商业造成诸多不便。如果银行能够承做关金交易,既可以便利顾客,又能大幅增收利润,实为一举两得之策。交行对此非常关注,早已有意揽做该项业务。

1934 年 5 月,交行总行与烟台支行洽定关金交易,规定:自 1934 年 6 月 5 日起,总行于每日上午九点半向烟行拍发行市电报,告知关金行市;烟行每日售出的关金数额以 5000 元为限度,逐日统计总数电告总行,由总行按照每日电告的行市结价,市面涨落均由总行负责。若市面有重大变化时,总行可拍发第二或第三次行市电报,烟行在收到后一次行市电报后,应按照所更改的行市进行交易。若有数额 5000 元以上的大宗结款,可按照附去电报简码发电询问行市后,再请总行结购,以节省电报费用。烟行与总行开立关金往来户,存款利率照年息一厘计算,欠款利率照年息四厘计算。

至当年 11 月,因中央银行关金挂牌价较市面行市低,有时甚至相差七八十元,交行先前规定的办法无法继续实行。当时,交行在烟台、威海、龙口三地设有代理收税处,情况与其他行处有所不同。为此,交行总行与中央银行进行了洽商,规定上述三地的行处对持有完税凭单的商家,每日按照中央银行的挂牌关金行市售给关金,专门用于缴纳税项。每日再汇集售出关金总数电告总行,由总行按照挂牌行市向中央银行结购后,收入烟台关税关金户另户存储,以备随时拨付解沪汇票之用。总行函告烟行对各商家当日缴税所用关金,可照挂牌行市出售,并转知威海、龙口两处照此办理,挂牌行市也由烟行转电告知。[①]

1934 年 6 月,交行总行还了解天津、汉口等行当地的征税数目,以及关金交易的承做情况,要求各行拟定计划陈报总行。津行方面称,当地承做该项交易的,有汇丰、中国、上海、大通、美丰、天瑞、宏远七家银行;天津海关每月征收的税款约为八九十万金单位(每年约在千万左右);津行先前曾办理过该项业务,后因故停顿,目前正积极筹划恢复,拟先购存关金三五千元以资运用,以后最多不超过 1 万元,以防行市风险。对此,总行指示,该项交易为数不小,应立即开展,并告知若进行关金交易需要协助,总行随时可充当后盾。

---

① 《交通银行行务纪录》(三),《交行档案》第 272 号,第 42—45 页,交通银行博物馆藏资料 Y36。

汉行方面称,江汉海关所征收的进口税平均每月约为116万余元,关金交易应广为招徕进口商家,并需上海方面逐日电告关金行市,以补进关金。开展该项业务,汉行须向汉口的中央银行开立关金往来户,遇有顾客缴纳进口税时,可照行市开给中央银行支票。交行总行为推进汉行的关金业务,立即拟定五条办法,规定自1934年8月1日起,总行每日清晨向汉行拍发行市电报,通报中央银行关金挂牌行市及市面关金交易行市。关金市面随汇市金市上下,一日之间涨落不定,为便于汉行揽做业务,总行又规定每日售出关金数额以5000元为限,由总行按照所报市面价格包做,汉行须将每日售出数目汇总并电报总行,照结转账。若交易数额超过5000元,应先电询行市后再电话代补。若关金行市上下波动过大,总行随时拍发变更市价电报,汉行接电报后,所有交易应随时以最后电报价格为准。为节省电报费用,总行并附应用电文省码四种。

上述各项内部行务的"营新"举措,改善了交行内部的各项制度规定,理顺了总行各部、处以及总行与管辖行、各地分支机构之间的隶属、管辖关系,明确了总行在统制、协调、分配全行资金方面的职权,使资源配置更趋合理,所有这些都为交行进一步向外拓展业务奠定了良好的基础。

二、业务拓展的"营新"重点

交通银行在革新内部行务的同时,还力求推陈出新,拓展各项业务。这一时期对外业务的"营新"重点体现在以下方面。

（一）注重农产放贷

交行自改组以来,从扶助农村经济考虑,对农副产品极为关注,加大农副业生产的放贷力度,并作为业务拓展的一项重要内容。1934年,交行因各地农村合作社组织尚未健全,本行分支机构也未能深入内地,仅在冬季向陕西、山西、河南三省发放贷款,由沪行经办,数额不多。1935年,交行在西北地区的分支机构相继成立,各地农村合作社等组织逐渐完备,直接向农村放款的条件渐趋成熟,交行西北各行主动、积极地给予当地合作社各类贷款。交行与陕西省合作事务局约定,在该省大荔、朝邑、咸阳、兴平、武功五县境内,独家向合作社贷款,并为此订定《农业合作社贷款处理规则》及各种表格,由交行西安支行(简称秦行)遵照实行。①

---

① 《交通银行行务纪录》(一),《交行档案》第270号,第39页,交通银行博物馆藏资料Y34。

1936 年是交行农产放贷大跃进的一年,放贷对象广阔,形式多样,效益良好,具体情况如下:

1. 银团贷款。1936 年 3 月,交行发起组织的"中华农业合作贷款银团"结束上一年度业务,除中国农民银行退出外,其余 9 家银行继续参与。银团规定自 1936 年 4 月 1 日起,至 1937 年 3 月底,贷款总额定为 250 万元,以 10 万元为一单位,分为 25 单位。其中,交行承担 5 单位。贷放区域为河北、陕西、山西、安徽四省,贷款对象为河北、陕西、山西的棉产和安徽的农仓储押。①

2. 秦行经办咸阳等县棉花贷款。秦行在成功经办大荔等五县合作社农业生产贷款后,1936 年 3 月,又接受陕西农业合作事务局的商请,加办咸阳、武功、兴平三县合作社的棉花生产贷款。到 12 月底,秦行陆续放出的贷款总额达 39.7 万余元,较 1935 增加两倍半;收回贷款 16.2 万余元,在申请贷款的 268 处合作社中,提前归还贷款的占 60%。②

3. 江西农业合作贷款。1936 年 8 月,总行派专员赴湖南、江西两省洽谈农业贷款事宜,数度往返之后,交行南昌支行(简称赣行)与江西农村合作委员会订立《共同贷款合约》,指定江西农村合作委员会业已贷款的赣西北的武宁、修水、靖安、万载以及赣南的泰和、万安、南康、赣县、信丰等 15 个县,将贷款中的半数移转赣行承担,总额限定为 50 万元,月息八厘。一旦出现到期不还或因其他纠纷而导致贷款受损的情况,概由合作委员会拨款清结。③

4. 顺德织家贷款。1936 年 9 月,总行信托部派员考察广东顺德。考察报告指出,顺德为广东蚕丝业中心,居民多以育蚕为业。如果银行在当地办理贷款,可以蚕农、织家、丝茧三者为对象,其中织家贷款最为稳妥,因为织家贷款多用于购丝织绸,随时都有物品可供抵押,织制过程仅需一个多月,成品销售比较容易,周转灵活。报告提到广东省银行已经注意到这项业务,并与考察队员进行了很好的交流,允诺交行若举办该项贷款,广东省银行搭放若干成;如果贷款发生亏损,广东省银行可先期抵补。总行在审读报告之后,决定抓住机遇,开展织家贷款,很快拟定好《织家贷款办法原则》,要求交行广州支行(简称粤行)依照上述办法与广东省银行及蚕丝改良局商定详细协议,

① 《交通银行行务纪录》(一),《交行档案》第 270 号,第 40 页,交通银行博物馆藏资料 Y34。
② 同上,第 40—41 页。
③ 同上,第 41—42 页。

并专门派员赴粤帮助洽谈。其后,总行又会同广东省银行及蚕丝改良局拟定介绍贷款协约,由广东省财政厅作为保证人,并附协议办法 15 条和运销办法 9 条。①

5. 参加农本局放款。1936 年 4、5 月间,国民政府实业部为了流通农村资金和调整农产运销,联合银行界设立农本局,着力于"全国农业仓库网"和"合作金库网"的建设,举办各类农产贷款。参与的银行共有 30 家,理事会共有 12 人,交行业务部经理张佩绅当选为理事。农本局的资金来源分专款和合放两种,专款为 3000 万元,由政府分 5 年拨给。合放的资金也是 3000 万元,由各参与银行认额,分 5 年缴足。合放资金的周息不超过八厘,由农本局给予凭证,各银行可将数目列入法定农业贷款;5 年期满后,可继续合放,或分期发还;农本局每年决算有盈余的时候,可以酌量提出一部分红利,作为参与银行的酬金。根据农本局所制定的规程,第一年合放资金 600 万元,按照 1936 年 6 月底各行的储蓄总额,以 1% 分认。交行的储款总额计 5560 万余元,摊认合放资金 60 万元,后因抵补总额之不足,加认 5.1 万元,合计 65.1 万元。

6. 浙江农业合作贷款。江西农业合作贷款签约后,总行再派业务专员赴浙江,仿照江西转账搭放办法,会同交行杭县分行(简称浙行)及浙江省建设厅洽商订约,划定杭县、海宁、嘉善、嘉兴、海盐、平湖等作为交行和建设厅共同贷款的县份,将农民银行和农民借贷所已经贷给合作社或联合社的生产、信用、供给、储押、运销等款项部份移转交行,月息七厘,由建设厅与农民银行及农民借贷所连带负责保本保息。农行及农民借贷所不能清偿时,由建设厅负完全责任。定期为一年六个月,转账总额限定为 100 万元,交行承担其中的六成。②

除上述六大事例之外,交行还做了一件与农产放贷有关的事情。中国内地棉花产量丰富,销路畅通。各银行每年承放的棉业贷款数额巨大,仅以河南、陕西两省统计,数额已在 5000 万元以上。但因各地棉农、棉商在使用机器打包时,多有掺水、掺杂等作伪行为,致使棉花成色不齐,价值大大降低,至 30 年代,中国棉花信用低落,销路日益狭窄,致使贷款者也遭受重大损失。为彻底革除这一积弊,切实提高国棉信誉,交行经过反复调查,向国民政府实业部递交报告,提出建议,指出各省应尽速成立棉花掺水掺杂取缔机关,指派查验员驻查各地机器打包厂,对棉花打包的各个环节进

---

① 《交通银行行务纪录》(一),《交行档案》第 270 号,第 42 页,交通银行博物馆藏资料 Y34。
② 同上,第 44 页。

行监督,所有棉花运厂打包,必须由查验员登记,打包刷牌时,再请查验员复验,棉花与标识确属相符者,方能给予合格证;凡有掺水、掺杂、掺粗等行为,或棉包产地标识不符者,一经查出,立即取缔;国民政府尽快制定和完善相关章程,以作为取缔机关的法律依据。[①] 实业部以交行上述意见为参考,修订《取缔棉花掺水掺杂暂行条例》,由行政院提交立法院通过。交行的这一做法对于维护中国棉业的信誉,保障银行界棉业贷款的利益,都起了非常重要的作用。

（二）辅助国货工业

30 年代以来,中国国货工业逐渐起步,交通银行改组后,担负起发展全国实业的使命,故对新兴的国货工业自然具有扶助义务。1933 年和 1934 年,交行针对国内规模较大的纺织厂、染织厂、面粉厂、制糖厂、造纸厂和化工厂等,选择其中经营稳健但缺乏流动资金的酌情贷放,金额较先前增多。投资过程中,不仅要求手续严密,还款基金稳固,还格外注意厂方的营业收支状况。

1935 年,国内实业外遭国际金融风潮的冲击,内受农村经济凋敝的影响,再加上国内通货紧缩等因素,诸多产业出现衰退现象,市场呈现颇为萧条的态势。1935 年 11 月至 1936 年间,受国民政府币制改革的刺激,实业界渐有复苏迹象,但民众购买力依然未见明显提高,工商业急待大量资金的充实。

交行以使命所在,又值当时不利的环境,故对工商各业竭力辅助。针对纺织厂、面粉厂、化工厂等,继续给予贷款支持,拓宽企业的资金周转空间。对于资金需求较大,必须统筹规划方能营运的厂家,交行又协助其制定规划,设计合理方案,或帮助其发行公司债,由交行受托承募。在这一过程中,交行非常注重培养各家企业自力更生和抵御风险的能力。

1933 年至 1936 年,交行的资金支助有力推动了纺织、面粉、针织、化学工业、矿产等企业的发展。这一时期接受交行资金帮助的企业,纺织工业方面有上海章华公司、申新九厂、纬通公司、太仓利泰纱厂、无锡豫康纱厂、申新三厂、南通大生公司、九江利中纱厂、汉口复兴公司、民生公司、湘省第一织厂、宁波和丰纱厂、青岛华新纱厂、济南仁丰纱厂、成通纱厂、天津东亚织厂、诚孚公司、西安大兴纱厂等,面粉工业方面有扬州面粉厂、芜湖复兴面粉厂、绥远面粉厂、泰县泰来面粉厂、南京大同面粉厂、沙市正

---

① 《交通银行行务纪录》(一),《交行档案》第 270 号,第 45 页,交通银行博物馆藏资料 Y34。

明面粉厂、宁波太丰面粉公司等,针织及化学工业方面有中华第一针织厂、亚光电木公司、江南化学工业厂、永利化学工业公司等,采矿工业方面有灰山煤矿公司、大通煤矿公司、烈山煤矿公司等。

南通大生公司股票及息折

据统计,1932 年交行对上述四类工商业放款的总额不超过 641 万余元,1933 年为 925 万余元,增长了 284 万余元,1934 年为 2444 万余元,较上年增长 1518 万余元,1935 年达到 3367 万余元,较上年又增长 922 万余元。截至 1936 年底,交行全部工商业放款总额为 6922 万余元,较 1935 年度激增 3555 万余元,而与 1932 年相比,增长幅度已达 10 倍左右。①

由此可见,交行改组以来为扶持民族工业的发展可谓不遗余力,与此同时,依然秉承其一贯追求的稳健方针,力求营运安全。鉴于国内实业半数属于新兴产业,经营成效未必能达到预期目标,交行还特意选派专员,在贷放期间随时对相关企业进行稽核,既帮助其周转资金,又促进其提高效率。

(三)促进交通建设

交通银行的创办与交通事业紧密相连,二者之间渊源深厚,而国内的交通建设又

① 《交通银行行务纪录》(一),《交行档案》第 270 号,第 47—48 页,交通银行博物馆藏资料 Y34。

与实业发展息息相关。再者,当时国民政府正致力于国内建设事业,积极从事铁路、公路、水利等各项工程。因此,交行深感促进交通事业的发展责无旁贷。自 1933 年改组之来,交行分途并进,一方面努力促进已开办的交通事业,主动提供存放、汇兑等方面的便利;另一方面积极联络同业,共同投资计划中的交通建设,扶助其早日实现。

1932 年,交行单独或与其他银行合作投入各地交通机构的贷款,总额不过 238 万余元。1933 年改组之后,交行在这方面的贷款总额达到 582 万余元,较上年增加 343 万余元,1934 年又增至 623 万余元,较上年增加 41 万余元,1935 年达到 853 万余元,较上年增加 229 万余元,1936 年的投放总额更达到 1607 万余元,较上年激增 754 万余元,足见交行在促进交通事业发展中不断加大的扶助力度。

从资金的流向看,主要为铁路放款、公路放款及水利放款。其中,1933 年度,铁路放款增加 338.5 万余元,公路放款增加 6.2 万余元,水利放款减少 1.3 万余元,增减相抵共计增加 343.3 万余元。1934 年度,铁路放款减少 8.1 万余元,公路放款增加 12.2 万余元,水利放款增加 37.6 万余元,增减相抵共增加 41.6 万余元。1935 年度,铁路放款增加 24.5 万余元,公路放款增加 23.7 万余元,水利放款增加 181 万余元,合计共增 229.3 万余元。1936 年度,铁路放款增加 648.1 万余元,公路放款增加 106.8 万余元,水利放款减少 6000 余元,增减相抵共计增加 754.2 万余元。四年合计共增加 1368.8 万余元,与交行改组之前相比,增幅达 7 倍左右。[1]

从扶助的具体项目看,投入铁路建设的资金中,有代铁道部购料委员会保付价款;承借大潼潼西铁路工程垫款;承受财政部、铁道部发行的六厘英金庚款公债;承借江南铁路筑路借款;承借陇海铁路西宝段工程垫款等。投入公路建设的资金中,有承借宁横、湘桂、湘黔、湘鄂、川湘、川鄂、洛潼、福瓯等公路建筑工程借款;承借全国经济委员会西北公路工费借款;承借豫、鄂、湘、赣、浙、闽等省开辟增筑各线公路借款。投入水利建设的资金中,有承借江苏修理沙腰河、修筑塘堤、导淮工程、江北运河堤防工程;承借疏浚黄河借款等。大致而言,凡是交通银行认为有助于国计民生,促进产业发展的,无不竭力相助。[2]

(四)提倡同业合作

30 年代以来,中国社会的金融组织日益繁复,银行的业务范围不断开拓,国内实

---

[1] 《交通银行行务纪录》(一),《交行档案》第 270 号,第 48—50 页,交通银行博物馆藏资料 Y34。
[2] 同上,第 50 页。

业也逐渐萌芽、成长,资金的需求量极大。交行指出,银行业若要顺应潮流,共策安全,必须全面开展同业间的合作,协力共进,唯有如此,才能切实有效地促进实业的发展。即以棉花产业为例,1936 年的全国棉花生产,据估计可获皮棉 1444 余万担,若按每担 40 元计算,则需资金 57000 万元以上。如果将其他各种国产原料合并计算,资金需求更为巨大。就此而言,银行理应协力合作,而不该恶性竞争。何况当时中国的银行业发展既不平衡,也不健全,资源配置颇不合理。各家银行若能"切实合作,非但一切投资愈臻安全,且较合于经济原则"。①

交行为之积极奔走,竭力转变同业间的门户成见,防止恶性竞争,经多方努力,成绩颇为可观。以上海地区为例,交行参与的合作项目有:与大陆银行合做利泰纱厂押款;参加外汇平市委员会,平衡白银出口税率;与中国、中央两行联合拆放,救济市面;会同中行担任集中汇划票据交换人,并联合筹垫英金购运现银,调剂上海金融。此外,交行还参与银团拆放委员会,应对金融风潮;会同中央、中国两行负责稳定债市;组织工商业贷款审查委员会,联合维持钱业放款;参与农本局的计划,与各银行合作办理农村贷款;参加沪市票据承兑所;与中行共同组织 1936 年江浙春期收茧放款银团;参加组织渔业银团等。交行还在苏州、丹阳、镇江、南京、徐州、济南、青岛、天津、石家庄、郑州、西安、汉口、长沙、芜湖、南通、福州等地与各家银行和钱庄开办合作项目,包括合办仓库、合组银团、联合救济市面等。

银行业的联合,一方面集中了资金,增强了力量,为当时正大步发展的民族工业注入了活力,另一方面减少了同业间的恶性竞争,有助于形成健康的金融环境,有利于市场的繁荣和稳定。交行首当其冲,在促进同业联合的过程中发挥了重要作用。在展望未来的前景时,交行坚定不移地表示:"今后仍当本团结主旨,更谋密切,一面再增加合作事业之种类与范围,其不适于合作方式者亦当用协调态度处理之,以期收分工合作之实效。则国内实业,前途庶几好转,而银行业务之繁荣,亦在此矣,又岂独本行之幸哉?"②

---

① 《交通银行行务纪录》(一),《交行档案》第 270 号,第 51 页,交通银行博物馆藏资料 Y34。
② 同上,第 53 页。

第四节　开发内地计划的提出

一、唐寿民视察分支行行务

唐寿民就任交通银行总经理后,即有亲赴各地分支行考察的计划,唯因上任之初,行务繁重,一直未能成行。1934 年 3 月,在交行股东总会召开之前,唐寿民决意抽出一个月时间,先从距离上海较远的北部各行开始考察,又考虑到西北地区对交行的业务拓展具有重大意义,遂决定顺带予以考察。

唐寿民此次实地考察,从上海出发,经青岛、济南、天津、北平、石家庄、郑州等处,再绕道至太原、西安,最后经汉口回沪。四十余天内,唐细致考察了北部、西北各行,回沪后写成详细的考察报告,对各地分支行日后的业务开发作了全盘规划。

(一)青岛、济南地区

青岛为全国重要的商品集散门户,济南也是物资进出的枢纽之一,两地货栈与金融业都比较发达,是华北地区重要的贸易区域。在唐寿民看来,虽然两地工商业不振,游资过剩,但银行业仍有投资余地。他注意到当地银行同业急于寻求出路,不惜放宽条件争揽各种存款,而这种以迁就客户作为竞争手段的做法,实际上是银行业务的一种错误导向,后患无穷。就银行方面而言,失去了安全保障,就商贩而言,则间接鼓励了非法经营,助长了投机和囤积居奇的心理。市场价格一旦发生动荡,银行、商贩就会两败俱伤。对此,唐寿民痛心疾首地说:"银行界自身受累,尤其余事。揆诸扶助生产,救济农村之本旨,更觉北辙南辕,所得适成其反。鄙意银行同业,在今日之社会,怠于进取,固所不许,但不顾一切之竞争,亦极非所宜。盖使银行有所牺牲,而社会蒙其福利,尚有可说。如上所述,专顾自身一时的资金出路,罔计国家社会整个的利害,人己并损,更何辞辩解?"[①]针对当地银行业在棉花押款上出现的恶性竞争现象,唐寿民呼吁同业吸取以往教训,速谋团结,在公平条件下共同投资,互策安全,使银行与商贩共同获益,以免重蹈覆辙。他指示济南支行(简称鲁行)务必明确这一

---

① 《唐总经理视察北部各行行务纪略》,《交行通信》第 5 卷第 1 号,第 9 页。

点,联合当地重要同业,筹设棉花公栈,先在济南着手试办,然后推广各地,力求有利于银行同业和国民经济。

（二）天津、北平地区

北平曾为全国政治中心,天津则为华北的门户。据唐寿民的考察,当时平、津地区的市场,仅依靠外货冲销维持表面上的繁荣,实际上各业萧条,民众购买力严重不足,内地市场尤其紧缩。而且自东北事变以后,长城一带关禁废弛,日货实际上处于一种无关税输入状态,华北地区的国货遭受重大打击。

具体而言,天津市面虽游资充斥,其用途却极为狭窄,部分银钱业倾向于购买外币、生金及证券等,从事投机交易,金融形势极不稳定。北平地区,虽因关外及内地居民的涌入致使人口增加,日用品交易非常发达,但本地商业却毫无建树,地方建设甚至有所倒退,民心浮动,市场不容乐观。针对这些情形,唐寿民认为,平、津一带经济腹地狭小,与各地商业往来并不频繁,其商品贸易比较孤立,因而"暂时盖均难言进取也"。[①]

（三）太原、石家庄地区

太原为晋绥地区的政治中心,也是当地的金融枢纽,石家庄则为晋绥地区向外发展的门户。唐寿民认为,晋绥地区可开发的资源非常丰富,商业原有较好的发展前途,但因地方政府禁止现洋出境,对金融业造成种种不便,所以虽有外省资金的投入,仍难解决当地社会经济的困境,造成资源浪费、民生日蹙的现象。而且两地金融市场混乱,各类钞币充斥市面,种类较其他地区更为繁多,给市场交易带来极大不便。唐寿民一并考察了当地的交通建设概况,认为若从物资上着眼,晋绥地区在商业上仍有较大开拓余地,但外来资金尚不易施展。此外,石家庄在商业上主要以山西为货源地,在当时形势下也难以发展,只有棉花及一部分煤炭来源比较广阔,市场相对比较稳定,因此可以放手经营煤、棉放款,其他各项业务都须慎重考虑。

（四）郑州地区

郑州处于陇海线与平汉线的交会点,是河南、陕西物品输出的枢纽城市,同时也是中部地区棉花贸易的集中地。当时,陕、豫两地政治环境逐渐安定,郑州治安条件也有较大改善,为当地的市面繁荣和金融活动提供了重要保障。唐寿民估计,将来

---

① 《唐总经理视察北部各行行务纪略》,《交行通信》第5卷第1号,第10页。

陕、豫两地植棉区域必然进一步扩大,棉产量也将随之增长,而且米、麦来源充足,纱厂、面粉厂因原料来源有保证,可获极大发展。为此,银行同业,在郑州放款时应联合一致,共同投资,以防过度迁就通融,导致资金风险。

（五）西安地区

西安为陕西省会,经济上占有重要地位,当地棉、麦种植区域日益扩大,经济远景较好。唐寿民认为,开发西北,必须先从陕西入手,将西安作为出发点,而当时最迫切的,就是要在资金和技术上对西安地区予以适当的援助和指导。

唐寿民对陕西的棉花产业做了详细调查,从棉花品种到种植方式等各方面提出了切实的建议,尤其强调同业须联合一致,制定周全的大规模投资计划,并于所有棉、麦集中地点广设分支机构,联为一体。此外,还应多办棉、麦堆栈,承做押款汇款,以此支援当地经济的发展。

唐寿民依据自己的实地考察,为交行上述地区的业务提出详细规划,他认为应尽快成立分支机构,以郑州为起点,依次向灵宝、潼关、渭南、西安等地推进。经营放款业务暂时先集中于棉、麦两项,以专营为目标,务求取得实效。同时,须注重联合同业,尝试与西安当地的陕西省银行,以及正在筹建办事处或分行的中国银行、上海商业银行、金城银行等合作,以期日后组成有力的投资团体,争取较广阔的投资前途。

（六）汉口地区

汉口自1931年遭受大洪灾后,元气尚未恢复,只有棉花一项较为畅销,货源也比较充足,居全国棉市第二位,仅次于上海。唐寿民认为,汉口金融市场虽处于萧索状态,地方建设进步缓慢,但从地理位置考虑,汉口居于长江上下游之间的枢纽地位,又是全国铁路的纵横交汇点,水陆便利,甲于全国,在商业上前途无量,应加以注意。棉花业是汉口最有希望的事业,也是银行业一致投资的目标,所以唐寿民特意强调,同业间必须联合投资,减少恶性竞争,共谋资金安全。

经过此次亲身考察、体验与思考,唐寿民认为,平、津两地已成强弩之末,且政治、外交情况十分复杂,目前只能采取保守态势而无其他良法。山西地区依据当时形势也无从着手。山东地区可承循原有事业徐图发展,待彰济线路修建成功后,青岛港口方能展现其效用,前途较为广阔。汉口地区虽以交通建设和政治安宁见长,但商业发展的限制因素过多,因此上述几处的发展潜力都不容乐观。相比而言,西北地区大有发展前途,如果以郑州为起点向西推进,所经之处都具有重大开发价值;尤其棉业发展最有希望。交行应积极筹划,逐步开展,物色专家,扩充必要设备,集合资金力量,领导各行一致努力开拓。至于筹设公栈和联合投资的计划,并非交行一行所能独办,应斟酌各地情况多方商讨,以促进这一计划的最终成功。①

二、开发内地与拓展经营范围

在"整旧营新"理念的指导下,交通银行的业务方针坚持以"辅助实业,平衡都市与农村、沿海与内地间的金融"为原则,一方面想方设法扶助农村经济,另一方面凭借推广发行,增进本行信誉。在开发内地的同时,交行还逐步建立起覆盖全国范围的营业线网,以海岸线、铁路线及长江沿线为主干,沿海口岸自连云港至瓯海闽粤连成一线,内地以苏、浙、晋、鲁、皖、赣、湘、鄂等为腹地,西北地区,自滨海东岸沿陇海路直向秦中推进,以使"神州奥区,并在力谋开发之中"。②

(一)经营江北

交行改组后增设营业机构最多的地区是江北一带③,这与当地的自然环境和经济状况密切相关。江北地区物产丰饶,南通、如皋等地为江苏的棉产中心,两淮盐、下河米,产销都为大宗。交行前总理张謇兴办实业时,曾以开发江北为目标,国民政府前财政部长宋子文也曾拟定开发江北的计划,但因时局变化最终都未实现。

交行注意到宋子文开发江北的计划,对此进行了深入的分析研究,就业务开拓方面做了比较充分的准备,先行在南通、扬州、泰县、徐州等重要地点设立了分支行。交行改组后立即制定了建立江北支行网的计划,确定除原有的分支机构外,更在当地增设营业机构,以收业务上互相策应之效,并对当地实业发展有所扶助。

江北水陆交通线可分东西二线,东为里下河,西为运河,交行即以这两条线路作为拓展江北营业的主干线。东路依里下河展开,以原先设立的南通支行为起点,经过如皋、东台、盐城、板浦到连云港口,以新浦为终点;西路沿运河北上,以原先设立的扬州支行为起点,经高邮、宝应、淮安、清江浦、宿迁到徐州支行,贯若联珠。至于两路之间的区域,交行则设立黄桥、泰兴、姜堰、溱潼等行处,配合原先的泰县支行,也可自成体系。至此,交行计划中的江北支行网已大致成形。

---

① 《唐总经理视察北部各行行务纪略》,《交行通信》第5卷第1号,第12页。
② 《交通银行行务纪录》(一),《交行档案》第270号,第20页,交通银行博物馆藏资料Y34。
③ 当时习称的江北地区主要指江苏、安徽两省的长江以北、淮河以南地区,也称江淮地区。

这一时期,交行在江北地区的业务拓展可谓不遗余力,经过多年努力,其计划也渐次得以实现。1933年,江北各地生产逐渐活跃,东台、盐城两地棉产丰收。交行得知上述情况后,即刻筹设东台、盐城两地寄庄以适应当地棉花市场的需要,不久,清江浦支行(简称清行)经过一段时间筹备,正式宣告成立。为策应清行业务,交行又在当地先后增设支行和办事处,以便互相支援,争取实质性的进展。

交行沿东西两线先后创设江北各支行及办事处后,里下河及运河两岸的金融市场得以互相联络,遥相策应。1934年以后,农村金融状况有所好转,交行以"辅助实业,调剂金融"为原则,在江北地区进一步扩展业务,并利用江北物产丰富的优势,将"提倡生产,发展农业"列为当务之急,广设仓库,推广农产押款。当时,除各地自设仓库,又于高邮、溱潼、姜堰、宝应、淮安等地增设外栈,承押货物。另一方面,交行根据市场需求,因时制宜设置机构,以"便利客商,沟通产销"为重点,吸收游资,沟通汇兑。例如,东台、盐城两地为棉产中心,每年棉花上市时,交行即在东台大中集、盐城上冈等地设立临时机构,承做买汇业务。又如,高邮、泰县、姜堰、溱潼、东台等地为麦市集中地区,每年麦收季节,各地厂家纷纷前来采办,交行事先与其接洽用款,以便利买卖双方。凡此种种,不仅有助于农产的销售,对交行自身业务也大有促进,因此发行额激增,存、汇、储、押各项业务都有显著增长。①

交行在江北地区的开拓,经1934和1935两年的努力,各分支行逐渐呈现蓬勃发展的气象。随着当地公路建设的逐渐完成,土产供应变得极为丰富。交行抓住这一大好时机,因时制宜,另辟蹊径,抓紧开办押汇业务。押汇业务期短利厚,担保确实,既能促进农产运销,也符合交行扶助实业的宗旨,故可谓一举多得。该项业务自推行以后进展非常顺利,并在当地金融界产生不小影响,大大促进了江北地区的对外经济往来。

1936年,江北农村经济趋于安定,金融市场活力迸发,交行敏锐地抓住时机,在清江以北的宿迁县增设办事处,以适应市场需要,同时派出行员分赴各地讲解宣传,引导当地农户重视银行的作用,推进业务的开展,加强对江北地区的经营。

从这一时期的具体业务看,1934年以前,镇江、扬州、泰县三行的每年存款总额仅为200余万元,自江北各行处相继成立后,存款额每年度激增至1100万元左右。镇行一家独大,几乎占十分之四五。改组前,上述三行发行额甚微,甚至可忽略不计,

---

① 《交通银行行务纪录》(一),《交行档案》第270号,第20—22页,交通银行博物馆藏资料Y34。

江北开发计划实施之后,仅 1935 年一年,发行额即增至 2160 余万元。此外如各种放款、汇出汇款、买入汇款、押汇等业务也逐年增加。三年来交行经营江北的成效,于此可见一斑,江北各行处也正是在这一阶段打下了坚实的基础。

表 2-5-2　1935—1936 年度镇行业务统计表　　　　　　单位:千元

项　目	1935 年	1936 年	比较增减(+ / -)
各种存款	8655	10959	+ 2304
各种放款	4229	4820	+ 591
汇出汇款	62459	84535	+ 22076
买入汇款	36456	45872	+ 9416
押汇	1829	3957	+ 2128
发行总额	13340	21680	+ 8340

资料来源:《交通银行行务纪录》(一),《交行档案》第 270 号,第 23 页,交通银行博物馆藏资料 Y34。

　　江北地区的局面打开后,交行决心"本以往之精神,继续迈进",[①]同时,还针对仓库体系尚未完备的现状,提出进一步发展仓库的新方针,计划在东台、宝应、淮安、盐城等地继续建筑仓库。押汇方面,着手推进出口业务,设法罗致进口业务。交行的分支机构当时虽已遍布江北地区,但交行总行表示,仍将根据需要继续增设。

　　交行发展江北的新计划是以当地交通建设状况为基础。随着江北地区水陆交通的逐渐完善,交行决定继续拓展江北的营业线网。拟议对窑湾、沭阳、响水口、阜宁等地进行详细调查,继续增设分支机构,使里下河一线的分支行处形成规模,与板浦、新浦、徐州等地互相策应。地处东台、溱潼、泰州、姜堰之间的时堰镇,也是棉、麦、杂粮产区,交行对该镇十分重视,计划先行设立办事处,以"勾通声气"。此外,扬州以北的邵伯镇,东南方向的霍家桥,一为江北商业要镇,一为江北货物进出总门户,而且邵伯地区又新建了船闸,更使该镇成为里下河货物转运的总枢纽。交行很早即注意到两地特殊的地理位置,新计划对两地开发尤为重视。拟于邵伯船闸竣工之时,在当地设立分支机构,招揽押汇业务,以掌握整个里下河流域的金融形势。霍家桥虽无特产,但货物往来频繁,而且达通轮局计划将总公司迁往该地,因此总行决议,如果轮局

---

① 《交通银行行务纪录》(一),《交行档案》第 270 号,第 23 页,交通银行博物馆藏资料 Y34。

迁移计划实现,交行也会随之前往,争取揽做押汇。[①]

上述可见,交行利用江北地区水陆交通发达,物产丰富的特点,制定了手笔颇大的经营计划,若该项计划能够圆满实现,既可促进江北实业、金融的迅速复苏并臻于繁盛,也不负交行改组后所肩负的发展实业的国家使命。

(二)开发西北

豫西、关中一带,为西北地区精华所萃之地,丰富的物产中,尤以棉花为大宗,如灵宝、陕州、渭南、咸阳等处,都是著名的棉花产地。如果银行业能在上述地区投资开发,推广棉花改良品种,可大大改善国内原棉供应不足的状况。长期以来,西北地区政治动荡,社会资金无法稳定流入,当地的发展因此一再耽搁。交行改组时,国内政局已渐趋平稳,地方当局也努力从事各项基础建设,如开发河渠,整治道路,铲除烟(鸦片)苗,招垦荒地和兴办合作社等,加上陇海铁路向西节节推进,交通情况得以大大改善,这些都为交行投资西北减少了障碍。

1934年,唐寿民赴西北实地考察后,即制定沿陇海线向西推进的业务计划。其后,又多次派专业人员前往调查研究,最终决定以投资当地棉业为重点,选择在洛阳、陕州、灵宝、潼关、朝邑、渭南、西安、咸阳、泾阳等地设立分支机构。分支机构相继成立后,有关棉花的各项业务,如棉花押款、棉票买汇以及打包厂收条押款等,逐年增加,西北的金融形势渐趋好转。

以陕西为例。陕西地势高亢,阳光充足,非常适宜种植棉花,但因水利设施落后,旱灾频仍,当地民生贫困,生产衰颓。自交行以"投资农产,开发西北"为基本方针,将业务推进到秦中以后,极力推动同业合作,联合他行共同投资,经过两年半的努力,交行投资合办的合作社已多达660余所。在调剂金融,指导生产的原则下,交行又积极将业务推向农村地区,在各地广泛设立仓库,以便存储押汇,促进当地棉花的对外销售。仅就陕西一省的棉花产量而言,1932年全年产量不过15.8万石,1934年骤增至100.4万石,1935、1936两年产量都在140万石左右。加上渭惠渠工程完竣,棉花种植区域有所扩大,前景更加看好。交行乐观地估计:"我西北各行业务,亦必随而日臻繁荣,来日方长,前途固未可限量也。"[②]

---

① 《交通银行行务纪录》(一),《交行档案》第270号,第24页,交通银行博物馆藏资料Y34。
② 同上,第27—28页。

再看河南地区。1934 年以前,交行在河南省的分支机构,仅有郑县(简称郑行)、开封(简称汴行)两支。当时两行存款总额只有 400 余万元,放款及买汇合计不过 500 余万元,全年汇款总数仅有 300 余万元。自交行豫西、关中各行处相继成立后,各项业务方有显著进展。详情可见表 2-5-3。

表 2-5-3　1933—1936 年郑行及所属业务增进比较表　　　　　　单位:元

项　目	郑汴两行 1933 年度	郑汴陕秦渭五行 1934 年度	郑汴陕秦渭五行 1935 年度	郑汴陕秦渭五行 1936 年度
各种存款	4400957.04	8485483.05	16363287.40	32039237.40
各种放款	1966774.21	24919356.80	14801067.01	27003695.47
汇出汇款	3098848.64	7995128.47	13334342.30	35161746.02
买入汇款	3668878.14	6182219.71	8653468.09	22135334.00

资料来源:《交通银行行务纪录》(一),《交行档案》第 270 号,第 28 页,交通银行博物馆藏资料 Y34。

由表 2-5-3 可以看出,交行在豫、陕增设机构后,不到三年即取得显著成效。存款总额由 440 余万元激增至 3200 余万元;各种放款总额由 190 余万元增至 2700 余万元;汇出汇款总额由 300 余万元激增至 3500 余万元;买入汇款总额由 360 余万元激增至 2200 余万元。交行开发西北的成效,于此可见一斑。

发行方面,郑、汴两行原来领用津钞代发沪钞,1934 年上半年的发行总额尚不过 56 万余元,而 1936 年除增发秦钞 194 万余元外,代发津、沪钞总数已达到 538 万余元。[①] 1936 年"西安事变"发生后,交行业务受到连带影响,甚至一度宣告停顿。

(三) 拓展闽粤

厦门、香港等地毗邻南洋,是全国华侨资金总汇之地,也是外币汇兑中心。福建省省会福州,虽属转运商港,但因福建全省特产丰富,如木、纸、茶、笋等皆由福州输出,货物往来十分频繁。广州为东南大埠,水陆交通便利,自粤汉铁路全线贯通以后,地理位置更显重要。辛亥革命以前,交通银行在上述地区已有一定程度的经营,民国之初,因当地政治动荡,业务难以正常维持,所设分支机构也陆续收缩。其后,交行虽屡次商议复兴闽粤各分支处,终因政治环境恶劣而未能实现。

30 年代以来,南方地区政局逐渐安定,各项建设取得较大进步,交行也将营业线

①　《交通银行行务纪录》(一),《交行档案》第 270 号,第 29 页,交通银行博物馆藏资料 Y34。

逐渐向南推往瓯海一带,在闽粤地区复设机构已刻不容缓,于是在厦门、鼓浪屿、漳州、石码、泉州、福州、涵江、马尾、建瓯及香港、广州、汕头等处,先后设立分支行处。由于经营得当,上述行处自开业以来,各项业务均有显著进展。例如厦门分行于1934年10月开办,截至1936年底,各项存款总数已达710余万元,发行厦钞数目达500万元左右。漳州支行于1935年6月开办,截至1936年底,存款总额虽不过70余万元,但漳州物产丰饶,以米、谷、木材等为大宗,每年运销闽、汕各处为数颇巨。交行根据实际情形,在石码设立办事处,与漳行呈互相策应之势,以期尽量推行货物押款,便利客商贸易往来。泉州支行于1936年8月开办,至1936年底仅四个月时间,各项存款总数已达30余万元,进口押汇数额很大,推行厦、沪钞成绩也颇为可观。不久,泉行又开始承租堆栈,拓展押款业务。由于经营有方,泉行在当地声誉日隆,发展前景极好。福州支行(简称闽行)于1934年11月开办,截至1936年底,各项存款总数达470余万元,放款总额达310余万元。该行原领福州地名券,因发行罄尽,又代为发行厦、沪钞券。涵江、马尾、建瓯等办事处成立后,所发钞券深入内地,极受商民欢迎,以致券料经常供不应求。[①]

香港地区各行处的业务概况与福建各行的情况有所不同。港行于1934年11月成立,当时正值美国推行白银政策,中国白银外流严重,金融市场陷入一片恐慌。香港银钱业倒闭停顿者踵趾相接。1935年冬,国民政府实行法币改革,香港当局采取集中现金手段,统制外汇。不久,中国西南地区发生政变,致使整个华南地区金融秩序大乱。其后,国民政府力图革新两粤币制,以行政手段整顿工商事业,当地金融市面又遭受新一轮震荡。因此,港区各行在营业上不免瞻前顾后,不敢冒险图功,唯求先稳住自身根基再谋发展。1935年4月,广州支行(简称粤行)成立,开办以来信誉日隆。交行为进一步打开局面,又于1936年10月设立汕头支行,以期配合当地各行。

香港地区各分支行开业以来,凭借已往的信誉,颇获社会认可,但港区币制与内地不同,汇价变动无常,造成港行畏首畏尾,为避免坐耗利息而不敢兜揽高利存款。然而,港行于1935年降低存款利息后,社会民众反而对港行十分信任,行誉由此大增。港行的稳健经营终于获得回报,即便在低息率的情况下,存款依然逐年增长。截至1936年底,港区各行存款总额已达1695万余元。

---

① 《交通银行行务纪录》(一),《交行档案》第270号,第30页,交通银行博物馆藏资料Y34。

表 2 - 5 - 4　1934—1936 年港区存款数目　　　　　单位:元

年　份	金　额
1934 年	2036318.07
1935 年	6928863.95
1936 年	16955790.75

资料来源:《交通银行行务纪录》(一),《交行档案》第 270 号,第 32 页,交通银行博物馆藏资料 Y34。

贷款业务。30 年代以来,港、粤各地受世界经济危机的冲击,地产、股票等价格暴跌,工商业十分萧条,资金投放不易,银行业多裹足不前。交行虽负有发展实业的使命,但面对如此不景气的情形,也不敢冒险图利。因此,港区各行对于各类放款力求紧缩,致力于进口押汇,希望在审慎之中努力尽到扶助工商的职责,并借此带动其他业务。

交行港区各行在货物出口方面并不占优势,洋货进口业务多被外商银行操纵,故放出数量有限,业务进展实属不易。粤、汕地区则因有来自华中、华北等地区的面粉、棉纱、杂粮等货物,各行处抓住时机竭力揽做,成绩较为可观。

表 2 - 5 - 5　1934—1936 年港行各项放款数额　　　　　单位:元

	1934 年	1935 年	1936 年
定期放款		825100.00	9220000.00
定期押款		116531.98	2268597.00
透支	100000.00	3514991.98	7456469.67
贴现	3949.50	18187.59	1349.80
押汇	1080.00	675697.14	968400.29
合计	105029.50	5150508.69	19914816.76

资料来源:《交通银行行务纪录》(一),《交行档案》第 270 号,第 33 页,交通银行博物馆藏资料 Y34。

汇兑业务。香港是华洋贸易的要冲和南方货物进出的门户。华南地区进出口商的结货价格,均以香港报纸为媒介,甚至粤、沪之间的贸易,其结算价格也往往以香港报纸为准,香港因此成为重要的申汇市场,各方贸易往来极为频繁。国外汇兑如英镑、美元等,虽不如申汇繁忙,但进出数额也相当可观。广州为中国九大都市之一,与南洋各地及内地各省有广泛的贸易往来,每年汇款进出数额巨大。汕头为华南商埠之一,临近闽、赣而接潮、梅,也有一定的对内贸易空间。加上港区每年都有大量侨胞汇款,因此该区汇兑业务非常繁盛,具体数额可见表2-5-6。

表2-5-6 1934—1936年港区汇兑数额统计表   单位:元

年 份	金 额
1934 年	14435156.37
1935 年	160943060.04
1936 年	94076946.54

资料来源:《交通银行行务纪录》(一),《交行档案》第270号,第33页,交通银行博物馆藏资料Y34。

交行拓展闽粤的规划,是以广州为核心,逐渐向外扩展,所推行的新业务主要包

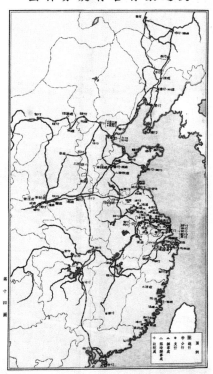

1936 年交通银行网点分布图

括农村放款、土货押汇、筹设仓库、发展华南汇兑网等内容。其中,华南汇兑网的建设是交行1937年以后的计划中最重要的工作。经过详细分析,慎重选择,最终确定了设立分支机构的地点。交行特别强调,广东省的繁荣虽然很大程度上归功于华侨汇款,但切不可忽视当地其他资源的开发潜力。如顺德等县盛产蚕丝;新会、潮州等县以产柑橘闻名;佛山、石岐等地虽无特产出口,但人口繁盛,消费市场广阔,是广东重要的商业区域;台山、梅县等地则多为华侨原籍地,市面非常兴盛。上述地点相对优势较大,都是设立分支机构的绝佳之处,交行将其一一纳入计划之中。

综上所述,交行自1934年10月起致力于闽粤地区的拓展,先后成立的分支行处不下10余处。至1936年底,虽然时间短暂,业务成绩却极为可观。除港区各行已有预定计

划,交行总行计划在闽江上游继续推进,并待珠江一带的机构部署完成后,再向西、向南分别朝广西、南洋一带扩展,以期形成西南及海外营业网线,与内地各行互相呼应。

第五节 "整旧营新"的成效

一、营业区域大为扩展

交通银行改组后,坚持"辅助实业建设,救济农村经济为主"的方针,稳健而积极地向前迈进。交行领导层对各地进行周密调查后,着手制定各项业务计划,有意识地选择地点增设大量分支机构,积极谋求进取,营业区域较前大为扩展。诚如总经理唐寿民所说:"嗣今而后,乘机推进,正无止境。营业范围虽并不以此为限,然而经营擘画,端绪正繁,事业愈进,责任愈重。"[1]

前文已述及交行在此期间扩展营业线网的具体情形。概括而言,1934 年上半年,交行已着手经营江北,沿运河、里下河两线至陇海线和连云港,陆续增设的分支处渐呈密集化的态势。另一条营业线由瓯海而达闽粤,北沿陇海线向秦晋一带推进,这一拓展华南与开发西北的计划,也在 1934 年下半年至 1936 年陆续完成。此外,交行还计划向广西及南洋扩展。唯有东北地区,因种种原因而鞭长莫及,交行只能"因时制宜,为适应环境做必要措置",进行被动应对。[2]

据 1934 年的统计,交行已开业或已着手筹备的分支机构共有 79 处,营业范围显著扩大,正所谓"外而数千万里之沿海各岸,已自连云港口伸长营业线于闽、粤之间。内而苏、浙、齐鲁以迄赣、皖、湘、鄂等内部腹地,亦复为营业网展布所及"。[3] 综观全国(东北情况特殊,前文已述及),交行已在各地逐渐形成六大业务区域。

(一)海岸系。中国东部沿海地区向为经济发达之地,因此,沿海一带成为交行改组以后着力最多、延伸最长的区域。交行沿海地区的分支机构,先前以华北最为密集,渤海胶澳之间,自大连到青岛,一线骈列如林,而华中、华南地区仅有沪、杭两处机

① 绍衣:《本行改组一年来行务改进记》,《交行通信》第 5 卷第 1 号,第 20 页。

② 《交通银行行务纪录》(一),《交行档案》第 270 号,第 11 页,交通银行博物馆藏资料 Y34。

③ 绍衣:《本行改组一年来行务改进记》,《交行通信》第 5 卷第 1 号,第 13 页。

构濒临海岸。1933年改组之后,交行决定在华中、华南地区增设分支机构,以连接东南海岸营业线。当年下半年,交行即在定海增设分支机构。1934年,为发展连云港往来贸易,又在江北设立新浦支行(简称新行)和板浦办事处(简称板处),并在浙江境内设立温州支行(简称瓯行)、镇海办事处(简称海处)等,用于沟通联络。此外,在华南设立厦(厦门分行,简称厦行)、港、闽、粤等行作为海岸营业线的延伸,向北则上溯至登州,在烟台、龙口之间增设办事处,形成南北呼应之势。至此,中国沿海各口岸几乎处处可见交行的行徽辉映其间。

(二)江北系。交行在长江北岸的分支机构,原有徐州、泰县、扬州、南通四行,但因内地分支行处数量不足,不能形成连贯的营业线。交行改组之后,以新设立的新行、板处为起点,经过盐城、东台、如皋向南到达原有的南通支行;又自运盐河旁的泰兴、黄桥、姜堰、溱潼等办事处,经过泰县支行向西至扬州支行;再经高邮、淮安、清江浦,向北到达徐州支行,形成完整的江北环线。这条营业线充分发挥了环形连接的优势,内部联络区域非常广阔。

(三)江南系。交行原在江南的分支机构,沿京沪线路一带比较密集,虽可收便于交通之益,但与内地的联系颇有阻隔。1933年以后,交行自镇江向南推进,沿金坛漕河分别于丹阳、金坛、溧阳等地设立行处,交行的业务赖此得以深入江南内地。这一线路与京沪线上原有的武进(武行)、无锡(锡行)、吴县(苏行)三支行及总行也形成一条环状联线,极大地完善了江南的营业网络,对促进江南地区农业经济的发展具有重大意义。

(四)浙江系。浙江线网大致分为东、西两条线路。东线起自钱塘江口的浙行,依杭甬路东向以达海岸,经过原有的余姚(姚行)、绍兴(绍行)、宁波(甬行)等支行延至镇海办事处(海处),穿过定海办事处(定处)而终于沈家门办事处(沈处),结成联珠,形成完整的东线体系。西线同样起自浙行,向南经过临安,再经兰溪江到达金华、衢州两地办事处为终点。交行通过东、西这两条线路,将业务活动贯穿浙江全省,并联合沿海行处形成完整的浙江营业区域。

(五)长江系。交行改组之前,沿长江设立的分支行处为数不少,但基本上偏于江苏一省境内。自上海、南通、镇江、南京向西,皖、赣、鄂三省境内只有芜(芜湖)、浔(九江)、汉(汉口)三行,致使长江上游数千里范围内未能均衡发展。1933年以后,交行在芜湖南部的宣城设立办事处(宣处),又在江西设立南昌支行(赣行),在湖北设立武昌(鄂行)、沙市(沙行)、宜昌(宜行)三支行,此举使长江沿岸各埠节节相联,城市金融得以通融流动。交行总行还计划在重庆、成都等内地城市继续设立分支行,形成长蛇状的营业线,使长江流域首尾呼应。

(六)西北系。交行原先沿陇海线的分支机构,东起海州,经徐州、开封至郑州戛然而止,故对西北地区鞭长莫及。交行改组后,在陕州、灵宝、潼关、渭南、西安等处分别筹设行处,业务也随陇海线不断向西推进,甚至扩展至秦岭、渭水之间。这条营业线路以陇海铁路为主干线,以扶助西北实业为宗旨,与交行开发西北的计划互相配合,渐次推进。①

综上所述,交行在构建营业线网,开拓营业范围的过程中,以海岸、江北、西北三线区域最大,江南、浙江、长江等区域稍次之,而且点面结合,兼顾城乡,这样的布局为交行日后在全国范围内拓展业务,奠定了坚实的基础。

二、各项业务迅猛增长

交通银行改组后,提出"整旧营新"的理念和方针,各项业务迅速发展。1934年度,交行一方面更加重视对工商业的投资,另一面致力于业务范围的开拓,在江北、华南、西北等地陆续增设机构,营业脉络得以贯通,各项业务账面均有提升。1935年度,交行继续在内地增设行处和仓库,既注意吸收存款,又力求资金的合理运用。虽政局动荡,金融紊乱,但因经营有方,各项业务仍能平稳进展。1936年,因各地农产丰收,国内经济形势有所好转,上一年的法币改革也出现正面效应,交行业务乘势推进,分支机构增设更多,各行处之间的联络策应愈显便利,账面又有锐增。交行业务的增长态势可从存款、放款、汇款三项业务的进展状况中得到说明。

(一)存款方面

交行改组后以发展营业、充厚实力为要旨,高度重视对存款的揽收。但因1933年遭受经济危机的冲击,工商业凋敝,资金运用极为困难,交行只能制定有限制吸收资金的策略,在降低存息的同时,灵活运用多种手段以保证资金来源。截至1933年12月底,各项存款总额达21299万余元,较上年度增加2914万余元。若不减低利率,酌量拒收某些存款,当年存款应远不止这一数额。

---

① 绍衣:《本行改组一年来行务改进记》,《交行通信》第5卷第1号,第13—17页。

1934年秋季以后,因受美国收购白银的影响,国内现银大量外流,市面金融枯竭,局势异常紧张。但交行存款非但没有减少,反而较上年增长2905万余元,达到24204万余元(对内丙种活期存款及证品保证金除外),其中增加最多的是定存金额,开创历年最高纪录。

1935年,国内现银外流加剧,各地金融危局频现。自夏及秋,国内银钱业大量倒闭搁浅。一般商民为求资金安全,都选择国内实力雄厚的银行存储资金,交行即属首选之一,因而当年存款数额有增无减。截至1935年底,各项存款(对内丙种活期存款及证品保证金不计)总额已达33147万余元,较上年度增加8942万余元。其中,定存甲乙活期存款及本票金额的增长幅度,均开创历年最高纪录。从各区域情况看,沪区增额占全部增额的三分之二,浙江、香港、厦门三区次之,约各占十分之一,其余如汉口、郑州等区各增加百万元至数十万元不等。关外长春、沈阳两区因当地禁收津、沪现洋存款,华北平津、青岛两区因政治环境关系,存额略有减退。

1936年,国内金融进一步好转,民众购买力有所上升,交行信用也因推行法币而得以巩固,存款业务进展顺利。截至1936年底,各项存款(除对内丙种活期存款及证品保证金)总额达到47063万余元,较上年增加13915万余,其中定存增势较往年尤为可观。同时,以票据交换所存项为大宗,活存中使用支票者有所增加,而凭折收付者多拨转定存,表现出国内社会经济状况好转的征象。分析各区域增长数额,仍以沪区为最多,约占全额十分之六,浙区次之,约占十分之二,港区又次之,约占十分之一。其余如天津、厦门、郑州、汉口等区也均有进步,唯有关外长春、沈阳两区,存款数额继续减退。

(二)放款方面

1933年度,虽然国内经济萧条,但交行经营得当,存款仍有大量增加,为充分利用资金,交行积极谋取对外营运。鉴于内地工商业不振,交行决定在确保资金安全的情况下,稳妥地予以调剂,尽量为工商企业提供帮助,指令各地行处注意揽做货物押款。截至1933年底,放款总额达到18453万余元,较上年度增加1536万余,其中,货物及厂基押款增加比例最高,工商业透支及证券存单押款等项目稍次之。在这一年中,关外各行业务基本处于停顿状态,浙区各行也因福建地方政乱而未能充分进展,这对交行的整体业务不免有所拖累。

1934年,交行各地仓库相继建立,已达十余处,对经营货物押款颇有助益。同时,交行又酌情投资急待扶助的国货工业,一年中放款数额不断增加。截至年底,各项放款总额为 22126 万余元,较上年增加 3673 万余元,其中增加最多的是货物押款,其余如贴现押汇及工商业透支也都有不同程度的增加。此外,交行因性质任务的转变,更加注重实业领域的生产事业,对证券方面的投资额略有减少。又因库存现金不宜长期呆搁损耗,交行除对同业酌情增加存放以资调剂外,注意酌量控制当年的存放与库存这两项,其数额均比往年有所减少。

当时,交行的放款更注重对于物品的信用,除自设仓库直接经营货物押款,还与各行大栈订立合约,包做押款,视其具体产销情况而确定投资额度。1935 年交行放款仍本此宗旨,经过全行同人努力,成绩颇为可观。此外,交行针对公路、电气等建设事业,积极联络同业共同投资,但受形势的制约,原先预定的计划多未能放手进行。截至 1935 年底,各项放款总额为 26239 万余元,较上年增加 4142 万余元。其中,为维持债券信用,促进建设事业,中央政府债券及各省建设公债抵押仍占一定比重,但仍以货物及机器押款增加最多。货物押款中,棉、盐两项仍占大宗,丝茧、杂粮、小麦、花生等也有显著增加。证券购置项目,因当年 5 月政府下拨 1935 年金融公债抵充官股增资的缘故,较上一年度有所增加。存放项目,因与中央银行、中国银行合作办理同业拆放以调剂市面,对同业不得不斟酌增放,所以整体存放总额较上年有所增加。

1936 年,交行的放款仍以既定方针为主,侧重于扶助产业与促进建设两个方面。一方面尽量利用外栈,与之订约,包做押款,进行严密的管理;另一方面在较为殷实的厂家中选择急需资金者予以扶助,方式以厂基机器抵押贷款或代为发行公司债为主。对于建设事业,凡与发展实业有关,并符合交行投资条件的,如铁路、公路、电气、水利等,均多方联合同业予以贷款协助。1936 年,国内政局趋于稳定,交行的投资项目也获得良好的发展环境,绩效可观。

（三）汇款方面

这一时期,交行存款、放款数额都有大幅度增加,加上内地分支机构广为增设,办理业务的手续也有很大改善,汇款数额迅猛增长。1933 年全年汇款总额达 21060 万元,较上年增加 2640 余万元。其中以沪区增加最多,其余如浙江、汉口、天津、山东等区也各有相当数额的增加。东北地区因关内外贸易阻滞,汇款数额有所下降。

1934 年,交行在各地增设的分支机构相继开业,汇兑调拨愈加便利,各项业务都有拓展,汇款业务更为突出。全年汇款总额为 29100 万元,较上年增加 8040 万元。

1935 年,交行内地分支机构继续增设,通汇地点较以前增加很多,为求简化汇款手续,便利顾客,交行规定自法币改革后各地汇款一律免费,更促进了国内资金流转。当年交行的汇款业务进展极为顺利,全年汇款总额为 45700 余万元,较上年增加 16600 余万元。其中,以沪区最多,港区次之。而东北各行因当地的特殊情况,汇款业务有所退步。

交行的汇款业务自 1935 年变更办法以后,急速增长。加上当年法币推行非常顺利,市面逐渐复苏,资金流转更加通畅,经济形势明显好转。1936 年,交行汇款业务的发展势头迅猛,汇款总额高达 66400 余万元,较上年增加 20700 余万元。其中仍以沪区为大宗,津区次之,青岛及汉口、郑州两区又次之。而港区及长春、沈阳两区受政治因素的影响,略有萎缩。

第六章
存汇款的增长与储蓄的兴办

　　1927 年至 1936 年,是民国经济迅速发展的十年,也是交通银行体制不断完善,理念不断创新,业务快速拓展,存款大幅增长的十年。十年间,交行全行存款数额翻了三番,1936 年的存款数额为 1926 年的 8 倍。尽管有公债危机、白银风潮等诸多不利影响,但交行均能妥当应对,存底较丰,资金运用合理,在全国性的大萧条中,交行的存款非但没有减少,而且持续地增长。第二次改组后,交行广设分支机构,借助同业网点,建立通汇关系,汇兑网点渐趋完备。在推进汇兑业务时,灵活调拨头寸,运用多角套汇,注重揽做大户汇款,积极健全汇兑体制,充分发挥了汇兑业务以盈济虚,疏通经济的作用。外汇业务方面,交行逐渐完善了外汇课的组织机构,积极参与外币债券投资,获得丰厚利润。国民政府实行法币改革后,交行获得无限制买卖外汇的特权,加上香港分行重新设立,于是大力开辟外汇市场,揽做侨汇。储蓄部于 1930 年成立后,开创了国家银行开办储蓄业务的先河,由于信誉良好,储蓄存款在短短六年内即增长了 36 倍,可见这一时期交行发展势头之迅猛。

第一节　存款数额的迅速增长

一、存款数额的成倍增加

　　交通银行创立之初,除承办官办交通事务的款项往来,也兼营一般银行业务,其中即包括存款业务。清末的三年中,该项业务曾有稳步的增长。但民国初期,战事不断,时局动荡,其存款数额也随政局变动而大起大落,与同业相比,增长速度不尽如人意。为了扭转这一颓势,交行在第一次改组以后,即将吸收存款置于首要地位,采取有力措施积极推进,使存款数额在十年之中成倍增长。

交行1926年的存款数额为7118万元,1927年为7227万元,增长幅度十分有限。但从1928年开始,其存款额即一跃上升至九位数,并保持逐年递增,1933年突破2亿元,1935年突破3亿元,1936年更比前一年增加了13916万元,高达47063万元,为1926年的8倍,翻了三番。①

表2-6-1　1926—1936年交通银行存款比较表　　　　　单位:元

年　份	存款金额	基　比	环比(%)
1926	71180000	100	100
1927	72277000	101	101
1928	129830000	182	179
1929	140400000	197	108
1930	152870000	214	108
1931	165370000	232	108
1932	183850000	258	111
1933	212990000	299	115
1934	242050000	340	113
1935	331470000	465	136
1936	470630000	661	141

资料来源:《交通银行史料》第一卷,第311页。

交行1912年至1926年十余年间的存款增长率为326%,自1927年开始,存款增长幅度持续加大,1936年的增长幅度已超过中行。②

———————

① 《交通银行史料》第一卷,第311页。
② 中国银行1936年的存款金额为97867万元,在中、中、交三行和全国银行的存款总额中所占的比例却是下降的,在三行中由1928年的70%下降到1934年的50%左右,在全国银行中的比重由31%下降到15%左右。详见《中国银行行史(1912—1949)》,第233—236页。

表2-6-2　1927—1936年交通银行与全国十一家重要商业银行存款比较表　单位:元

行　名	1927 年	1931 年	1936 年
中国通商银行	8273750	32422661	43741273
浙江兴业银行	44244464	71480345	93039272
四明商业储蓄银行	29311743	50145442	59500054
浙江实业银行	25265204	38668334	56525845
新华信托储蓄银行	6874403	11746997	33662122
盐业银行	40763667	69900754	118549819
金城银行	42426308	90709516	183143011
大陆银行	25989419	68400772	122068847
中南银行	33791456	76441185	120500432
中国实业银行	17746971	43703229	65317986
上海商业储蓄银行	31329119	99692333	169012565
11 行合计	306016504	653311568	1065061226
交通银行	71180000	165370000	554162852

资料来源:《交通银行史料》第一卷,第 315 页。

说明: 1. 该表的统计因数据来源与表 2-6-1 不同,故交行 1936 年的存款数额也与表 2-6-1 有异,只能作为参考。

2. 1936 年一栏内,中国通商银行、中国实业银行是 1934 年的存款数字,四明商业银行是 1935 年的存款数字。

从表 2-6-2 可以看出,1927 年至 1936 年,交行的存款增长率,与全国十一家主要商业银行存款总和的增长率相比,超过一倍。1936 年交通银行的存款总额约为当年十一家银行存款总和的一半。由此可见,交行的存款业务在这十年中进展迅速,成就斐然,已奠定了比较坚实的资金基础。

值得一提的是,在这十年中,中央、中国、交通、农民四行存款的迅速增长,改变了当时全国银行业的存款结构。1927 年底,全国银行业存款共计 4 亿余元,其中,中行 13100 万元,交行 7277 万元,共计 2 亿余元,其他商业银行合计 2 亿余元,两者比例约为 1:1。至 1936 年底,中、中、交、农四行的存款为 26 亿余元,加上官办省市银行的存款合计为 30 亿元,而各家商业银行存款的总数为 15 亿余元,两者比例约为 2:1。这表明,在全国银行的存款结构中国家银行与商业银行的平衡关系已被打破,受国民政府控制的国家银行在抗日战争前夕已经掌握了全国66%的存款。①

表2-6-3　1927—1936年国家银行与商业银行存款增长比较表　　　单位:万元

行　别	1927	1928	1929	1930	1931	1932	1933	1934	1935	1936
中央银行		1500	4000	6600	9000	15400	22700	27300	63400	75700
中国银行	13100	27500	31000	38000	46200	47600	54900	68500	99300	120600
交通银行	7277	12983	14040	15287	16537	18385	21299	29300	39900	55400
农民银行							800	1600	8000	15900
小　计	20377	41983	49040	59887	71737	81385	99699	126700	210600	267600
省市银行						10300	11800	15100	25900	31600
商业银行	20500	56800	67200	83400	97200	97900	115800	157900	142400	155900
合　计	40877	98783	116240	143287	168937	189585	227299	299700	378900	455100
国行占比	49.85	42.50	42.19	41.80	42.46	48.36	49.05	47.31	62.42	65.74
商行占比	50.15	57.50	57.81	58.20	57.34	51.64	50.95	52.69	37.58	34.26

资料来源:《交通银行史料》第一卷,第319页。

说明:表中交通银行的存款数含对内丙种活期存款及证品保证金。

二、存款数额增长的若干因素

交通银行在存款业务上的重大突破,固然有其客观原因,即当时国家经济建设颇有成效,民众存款意愿增强,社会存款总量随之大幅增长,但也离不开交行主观上的努力。

第一,善于分析时局,坚持稳健发展。首次改组之后,交行急于扭转先前的颓势,十分注重吸收存款。不过,鉴于国内经济连年不振,工商业凋敝的现状,交行深知流通资金的匮乏势必导致整个金融业的衰落,所以在存款业务上采取稳健中求发展的方针。具体办理时,一面吸收存款,一面降低利率,酌量拒收,以限制部分存款,计划待时局安定之后,再放步前行。因此,1928年至1932年,交行的存款增长率相对较低。即便如此,每年的增幅仍保持在一千二三百万元左右,实现了稳健发展。

---

① 参见《交通银行史料》第一卷,第319页。

1933 年 4 月,交通银行第二次改组,资本总额得到扩充,官股比例提升至60%。①在南京国民政府的大力扶植下,截至 1933 年 12 月底,交行的存款总额已增至 21299 万余元,较前一年增加 2914 万余元。

1934 年秋季以后,国内现银外流,金融市场动荡,局势异常紧张。交行凭借稳健的经营和良好的信誉,再加上储蓄部的设立,其存款数额不减反增。截至当年 12 月底,各项存款(除对内丙种活期存款及证品保证金)总额已增至 24205 万余元。

1935 年,国内现银外流现象愈演愈烈,金融市场枯竭,民众异常惶恐,稍有资财者,都乐意将多余的钱财存储于安全可靠的银行。交行夙有口碑,信誉良好,因此当年的存款额度,实现了又一次跨越,截至 1935 年 12 月底,交行的各项存款(除对内丙种活期存款及证品保证金)总额已增至 33147 万余元。②

1936 年,国内金融环境趋于安定,交行开始改变将业务范围集中于都市的做法,有意识地将业务范围扩展至农村,实现了本年度定期、活期两种存款的增势平衡。在这一新策略的指导下,交行当年的存款数额再创新高,总额高达 47063 万余元,较前一年增加 13915 万余元,再一次实现了增幅的突破。其中,定期存款余额为 13174 万余元,较前一年增加 5554 万余元;活期存款余额为 32649 万余元,较前一年增加 8246 万余元;本票及杂存余额为 1239 万余元,较前一年增加 115 万余元。③

上述过程明显反映出,交行能随时分析时局的变化,及时调整策略,运用多种手段掌控存款的增减,稳健而积极地推进存款业务的发展。

第二,因地制宜,根据市场现状调整业务。交行虽有总管理处(后为总行)对全国各分支机构实行管理与监控,但在各项业务的具体办理上,各分支行处具有一定自主权。各地现状各异,情况复杂,但各分支行处多能因地制宜,根据当地实际状况推展存款业务。④

1929 年,上海分行致力于旧账整理,逐渐清理历年积欠的款项,从中收回大量现金。并注重增加定期存款、活期存款的数额,在此基础上按照本行规章谨慎地进行放

① 交通银行总行:《交通银行简史》,1988 年内部印行,第 22—23 页。
② 《交通银行史料》第一卷,第 317 页。
③ 同上,第 317—318 页。
④ 以下 1929 年交通银行各分支行处的经营情况,主要依据《交通银行民国十八年份营业状况》,《银行周报》第 14 卷第 18 号。

款投资。同时,还在同业的短期押款以及债券本息的贴现方面,多番用力运作,收益颇丰。汉口支行因政局连年动荡而低迷许久,此时终于迎来转机。各地往来于汉口的货物日渐增多,武汉政府用公债收回汉钞,①都为汉口支行的复兴提供了契机。恢复营业的汉行着力对昔日债权、债务进行整理,例如,将各项存款单据换发为与中国银行一致的分期存单,各项欠款中的官欠部分通过财政部核准,归入整理汉口债案内一并处理,积极催收各户欠款,取得明显成效。杭州支行高度重视杭州作为丝、茶大宗出产地的特点和优势,洞悉当地与各地存款、汇款往来频繁的现象,于是在绍兴、兰溪等地增设代理机关,以利存、汇款业务的开展。苏州地区的商务也以大宗丝织品为主,近年来却因成本加重和人造丝的侵扰致使市面惨淡,鉴于上述现状,苏州支行决定将其大部分资金调存上海分行,以资运用。

北方地区,天津分行虽多年遭受战事滋扰,但凭借其坚固的行基及善于观察市情相机而动的能力,业务成绩依然显著。1929 年收回许多旧时欠款,促进了存款数额的激增,并树立起良好的信誉。在当年的天津金融风潮中,津行不仅未受波及,还有余力接济市面。济南市面因北伐战争和济南惨案②受损严重,待日军从济南撤退,省政府迁回后,局势趋于稳定,加上南北交通恢复,金融市场出现转机,济南支行的业务也逐渐恢复。1929 年,济南支行的业务活动根据当时的现状,主要在济南腹地开展,也有一定成绩。当时,青岛支行利用当地作为进出口货物集散地的优势开展业务,即便在粮食、面粉、棉纱、花生、水果、烟叶等大宗土产贸易蒙受损失的情况下,存款数额仍有所增长,行誉也得以进一步提升。

辽宁是粮栈、丝房、皮货的集中地,因而辽宁支行收益颇丰。但众多商家改用现洋交易后,受国际金价影响,不得不歇业,市场趋于凋敝,辽行业务受到波及。不过,辽行尚能积极应对,与边业、三省、中国三行联合发行大洋券以平息金价风潮,并寻找机会在南满站、通辽等地筹设办事处,积极招徕客户,揽收存、汇款项,成绩斐然。平埠为洮南、通辽的粮食集中地,开原、公主岭市面逐渐衰退后,刺激了平埠的繁荣,尽

---

① 汉钞即由设立在汉口的银行及其分支行所发行和负责兑现的纸币,因其票面上带有"汉口"字样而得名。详见张通宝:《"汉钞"始末》,《武汉文史资料》1997 年第 4 期。
② 济南惨案又称"五三惨案"。第二次北伐战争期间,日本以保护侨民为名,派兵进驻济南、青岛及胶济铁路沿线。1928 年 5 月 1 日,北伐军占领济南,日军于 5 月 3 日派兵侵入中国政府设立的山东交涉署,将交涉署职员全部杀害,并肆意焚掠屠杀。惨案中,中国官民死亡人数达 17000 多人,受伤人数 2000 多人。

管有种种因素的干扰,但城市内部的交易,尤其是粮食交易,大体维持繁荣局面。当地四平街支行的营业见机行事,以吸收存款为主,存款数额迅速增长,同时利用富余资金揽做粮食押款,获得稳步发展。洮南地处四洮、洮昂两条铁路的交汇点,周围沃野千里,农产丰饶,每年输出的粮食超过50万石,牲畜皮毛贸易也十分繁盛。因此,洮南支行力保存、汇各款有所增长,同时还注重粮食押款,获益颇丰。

哈尔滨为粮食重要产地和北满运输重心,哈尔滨分行在吸收存款方面的显著成绩即得以于此。即便在1929年7月中东路事件发生后,水陆运输梗阻,哈洋价格暴跌,哈尔滨分行仍能镇静应对,保证各项业务的正常开展。长春分行也因地处东三省南北要冲而备受中东路事件影响,行内商务锐减。为此,长春分行转而以吸收机关及路局的存款为主,推行押汇,谨慎之中谋求进取,得以基本维持业绩。

上述可见,交行经首次改组之后,各地分支机构多能因地制宜,适当运用经营自主权,根据当地的实际状况随时调整经营方针和业务方向,从而取得显著成效。这为交通银行进入30年代以后,尤其是经过第二次改组后,各分支机构既贯彻总行的指导方针,又根据各地现状发挥各自长处,努力发展存款业务,奠定了很好的基础。包括东北各行,即便在"九一八事变"后大受影响,但在抗日战争全面爆发之前,其存款数额也只是略有减少,未出现大幅度下降的情况。

第三,注重细节,努力开拓盈利空间。1934年7月,交行的《总经理告同仁书》提出以"增加存款即无形降低成本"[1]为经营方针,并指示各分支行处根据市面状况降低存款利率,要求各主管部门在从事存款业务的过程中,探索降低成本的各种办法,以避免对吸收存款造成负面影响。《总经理告同仁书》举例论证,假定某行所收存款共为500万元,每年开支需10万元,而在努力将存款增加为1000万元时,并未增加开支,或者增加数未超过10万元,实际上就是降低了成本,等于无形中降低了存息。[2]

1936年,交通银行总行召开行务会议,对收受存款的方式进行调整。总经理唐寿民在会议上提出:"高利吸收,应有限制,利率较小,自宜揽收,但最好能提倡特种方式,代为运用生利,以养成国人信赖银行投资企业之心理,则资金可以融通,社会易趋繁荣。"[3]然后又以性质和使命与交行相似的日本兴业银行为例,强调作为发展实业

---

[1]　《交通银行史料》第一卷,第282页。

[2]　同上,第283页。

[3]　同上,第293页。

的银行,若在建立之初未重视存款,日后将在扩展经营范围,频繁接触社会的过程中历经波折。然而,只要努力不懈,坚固信誉,及时吸取教训,仍能实现存款日增的繁荣。为此,交行必须仔细考察国内经济动态,重视市面上的各种流通资金,利用资金持有者的彷徨心理,展示本行的健全组织,并配合缜密的设计方案,力求推陈出新,不断扩大存款业务。

第二节　汇兑业务的发展

汇款,包括通过汇款结算兑付,是商业银行的重要业务之一。交通银行的汇兑事业一向比较发达,所得汇水收益每年达数千万元之多。因此,当时曾有报刊大力赞扬交行,称其为"中国各事业中之最有希望者"。[①]

一、积极推广汇兑业务

交通银行早期即十分重视开展汇款业务,北洋政府时期,交行曾积极构建全国汇兑网络,使大小各埠都能通汇,以方便资金的调度,这为二三十年代交行汇兑业务的发展奠定了基础。

1924年,在交通银行第二届行务会议上,天津分行提出"改良调拨,推广汇兑"的提案,建议从四个方面推进汇款业务。[②]

其一,放宽分支行往来透支限额,灵活应对汇款所需。原先各分支行之间资金往来的透支限额很低,遇有大宗汇款时,付款行如果没有相当数量的存款,无法承接该项汇款业务。但实际上,汇款不同于放款,付款行若能暂时垫付,即可获得一笔汇水收益,在揽得汇款业务后,汇款行可设法将资金调还付款行,对于付款行的头寸不会产生多大影响,因此,汇款业务不必有相当存款做保证。各分支行可相互约定,放宽彼此往来的透支限额。若考虑到各自的资金周转需要,则可相互约定透支的日期,透

----

① 《交通银行之发达》,《申报》1915年6月26日。
② 《交通银行史料》第一卷,第558—560页。

支数额大,期限缩短,透支数额小,期限放长。总之,各分支行可在考虑当地商情与各自头寸松紧的基础上,订立透支契约,增加汇款往来。

其二,注重逆汇,创新揽汇方式。逆汇是一种托收方式,即由本地银行先付款给收款人,然后再向收款人指定的外地银行取回所付的款项,由于这种方式的资金流向与一般信用工具的传递方向相反,故称之为"逆汇",此类汇兑常用的一种方式是购买外地银行票据,即会计科目中的"买入汇票"。① 在一些通商大埠,分支行汇入款多于汇出款,而内地各分支则往往相反。出入款项不能平均,往往造成资金短缺,致使内地各行在汇出款频繁的时节出现调拨不灵,营业受阻的情况。为解决这一问题,可采用逆汇的办法,其中最有利的方法是押汇。各通商大埠的分支行采取积极态度,大力兜揽内地汇款,以带动内地各行业务的发展。

其三,详报金融状况,及时协调各行汇费。交通银行曾制定星期报告的规定,已沿用很长时间,但报告者视之为具文,收阅者目之为废纸,没有发挥报告的应有作用。事实上,一份及时、准确的报告有大量信息可以作为经营的参考,如当时的报告曾显示,哈尔滨分行汇往京、津、沪、汉各地,每百元收取汇费15元,而京、津、沪、汉等地汇往哈尔滨,每百元仅收取汇费一二元。这一来一往之间,汇费的差距如此之大,其中的原因颇值得注意。汇费过高等于将汇款人拒之门外,而过低的汇费则使汇款行无利可图。发展汇款业务不能墨守成规,而应根据行市随时调整,包括汇费的高低。

其四,确定银元往来户名称,明确价格与汇费。交行原先各分支行间的银元往来分为往户与来户,但在以往的记载中,究竟往户、来户代表何处银元,却不是很明了。因为两地银元价格不同,划抵时常常发生种种纠葛,与其这样,不如取消往来户名称,直接予以明确记载,如津行、沪行可分立京洋户与汉洋户。如果所属各支行所在地银元与管辖行所在地银元价格相差太大,可以另行开立专户。各户存欠数目经双方同意,得以抵冲,否则按照汇水行市定价,以免引起争执,同时也可杜绝投机取巧的行为。

30年代,沈阳支行提出的十项意见也很有建设性。该行建议,应对汇款业务进行积极宣传,委派行员招揽汇兑,并给予一定的奖励;酌设分行、寄庄以进一步充实汇兑网;与同业订立通汇契约,并可委托邮局代为转汇;通过降低汇费、便捷手续等方式

① 《交通银行史料》第一卷,第587页。

吸引顾客,努力创新汇兑方式,引导顾客按照需要分别采用,如推行活支汇款以利旅行,提倡商业信用证以利贸易等。① 交行领导层采纳了上述建议,在通都大邑和商业繁盛地区积极设立分支行,并与同业合作,借用对方营业网点建立通汇关系。

二、改进方式与加强合作

交通银行的汇款种类,根据划转款项方法及传递方式的不同,最初分为电汇、信汇、票汇三种。② 三种方式各有所长,由汇款人自行选择。汇款通过电报传达的称为电汇,其特点是交款迅速,安全方便,但汇款人须支付较高的电报费,如果不是紧急情况,一般较少采用。通过信件传达的是信汇,汇款一般随信件到达,信用保证较好,交款时间略迟于电汇,汇款人须支付邮费,费用较少。票汇是由汇款人将银行票据(汇票、本票、支票)自行寄给收款人,或亲自携至付款地,凭票领取汇款的方式,一般是票到款到(须托收的本票、支票除外)。此外,收款人在必要时,可按汇票的规定手续进行转让,以便于流通。汇票有定期与即期(见票即兑)的区别,各分支行在办理汇兑业务时,往往随汇随解,通过"解汇"解冻汇票的款项,以投入使用。交行在推广汇兑业务的过程中,不断对汇款方式及其手续加以改进,以招徕更多的客户。

推进汇兑业务的基础是完善的汇兑网络,为此,交行一方面在各地增设分支机构,一方面寻求并加强与同业的合作,互相利用对方的营业网点,形成更为完善的汇兑网络。交行与同业的汇兑合作在 1934 年已初见成效,先后与广州国华银行(各分支行托代收解)、甘肃农民银行(托总行及津、宁各行收解)、中央银行(中央银行赣行托交行湘行收解)、金城银行(金城银行苏、常两行托交行锡、武两行收解)等银行签订代理收解合同,其中对中央银行的代理收解续约一年,改订旧约的有浙江兴业银行(上海兴业银行托苏行收解)。1935 年,交行与之新订合同的有汕头国达银庄、昆明永丰银业公司、宝应晋康庄、昆山新裕庄、浙江兴业银行(托甬行收解)等。1936 年,交行又与兴化聚成丰庄、广东省银行、浙江兴业银行(托兴桥两处收解)、金城银行(托鲁行收解)、上海银行(托通行收解)等签订收解合同。③

---

① 参见(沈行)梁耀堂:《发展汇兑业务之意见》,《交行通信》第 4 卷第 5 号,第 36—41 页。
② 《交通银行广告》:"(本行)信用昭著,专办银行一切交易,各项存款,无论定期、活期一律收储承办,电汇、信汇、汇票、押款、押汇无不简捷。"(《申报》1914 年 2 月 16 日)
③ 《交通银行史料》第一卷,第 569 页。

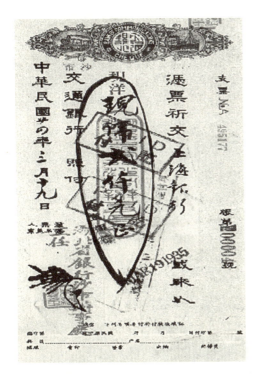 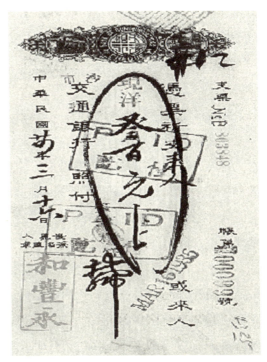

1935 年交通银行票据

除代理收解外,交行又极力扩大通汇合作方。1934 年,交行与金城、中南、盐业、大陆、农商等银行签订互相通汇合约。1935 年,交行与国信、浙江兴业(与该行吴兴分理处通汇)、国华等银行签订通汇合约,与中南、盐业、农商、劝工、大陆等银行的通汇合约,继续延续。1936 年,交行与之合作通汇的又增加了江苏银行、四行储蓄会等,原先已建立合作关系的各家银行,通汇合约依然延续。①

经过不懈的努力,至抗日战争全面爆发之前,交行的通汇地点已遍布全国各地。其中江苏 134 处,浙江 65 处,安徽 37 处,江西 25 处,湖北 33 处,湖南 12 处,河北 10 处,山东 60 处,河南 7 处,山西 4 处,陕西 6 处,甘肃 1 处,福建 40 处,广东 14 处,广西 24 处,贵州 1 处、四川 1 处,云南 1 处,察哈尔 2 处,绥远 11 处,辽宁 27 处,吉林 3 处,黑龙江 1 处,香港 1 处,共计 520 处。② 至此,交行利用本行的

① 《交通银行史料》第一卷,第 569 页。
② 同上,第 570—571 页。

分支机构,并借助各合作银行的营业网点,构建了覆盖面极广的通汇网络,形成了颇为完善的汇兑体系,商户或个人通过交行汇款或结算,几乎可在全国范围内通行无阻。

三、努力揽做大户汇款

交通银行通过增设分支机构以及与其他银行、钱庄广泛合作,构建起颇为完善的汇兑网络,从而夯实了汇兑业务的基础,扩展了通汇地点,大大提升了汇兑的效率,为客户提供了极大便利。交行因此成为众多商户十分信任,乐于选择的汇兑机构,诸如南洋烟草公司等一些大企业皆将交行列为首选对象。交行从增强业务的稳定性和便利性考虑,也努力揽做各家大户汇款。

南洋烟草公司可谓当时民族企业的翘楚,交行自 1920 年开始,即揽做该公司的汇款。当时,该公司委托交行代为收汇张家口、归化城等地的货款,其后,随着交行汇兑网络的完善和委托收解服务的扩大,南洋烟草公司与交行的合作更加深入与全面。该公司又于 1933 年 7 月委托交行代收武进、常熟、泰县的货款,随后又增加天津、北平、芜湖等地的货款,并由交行承做该公司采办约 80 万元烟叶的汇款业务,派遣专人送钞至该公司的烘叶厂。1934 年,交通银行揽做了该公司张家口、北平、天津、开封、郑州、泰县、芜湖、丹阳、金坛等地的汇款,并约定山东、江北等地收烟及代为堆货等项目。1935 年初,南洋公司因每年 11 月至次年 3 月收运烟叶需要用款,以厂基等为担保,向交行透支借款 50 万元,遂将华南、华北以及长江各埠的货款,皆委托交行代为收汇。此后,透支契约又续展多次,直至 1936 年底。①

上海大美烟公司也是当时著名的烟草企业,其产品在安徽尤为畅销,运销由芜湖源记公司经理,先前一直由中国银行承做押汇,将烟草运往芜湖。1933 年,交通银行芜湖支行通过源记公司与大美烟公司接洽,决定由交行分做押汇的半数,汇水按每千元 2.5 元核收。双方商定,由该烟公司将货物提单经交行寄往芜湖支行收款,由芜行开出 30 天的期票寄沪,转交该公司到期收取。其后,中行将汇费减为每千元 2 元,交行也随之减价。②

---

① 《交通银行史料》第一卷,第 579—580 页。
② 同上,第 581 页。

此外,交行还与安徽门台子颐中烟公司签订了蚌埠买汇契约,并代理该公司在张家口、绥远城、包头、大同、归化城、平地泉、洛阳等地的汇款事宜。自1935年冬币制改革后,按照财政部的规定,外省汇款手续费一律改为每千元收取1元,交行与该公司原订合同已不适用。于是,交行与该公司重新商定,该公司在交行的所有存款概不计息,作为补偿,凡委托交行汇款至各地分支行的,手续费皆按每千元0.75元收取。1936年,该公司的汇款以包头支行承汇最多,达110万元,其次为张家口、绥远两支行,各约70万元,大同办事处承汇36万余元,宣化、平地泉两地办事处各20余万元,各行处合计存汇款项约330余万元。

从揽做大户汇款的情况看,交行确实贯彻了努力开拓,积极进取的方针。上述案例即表明,交行在开拓市场的过程中,善于针对客户的不同需求,提供多样化的服务,如郑州支行属下的洛阳办事处,完全是为代收颐中烟公司的存汇款项而成立的。而且交行在汇款费用方面也能巧妙应对,灵活处理,既便利了客户,也为本行树立了信誉,获取了利润。

四、汇兑业务发展的具体分析

1928年以后,交通银行的汇兑业务大步向前迈进。客观上是因为南京国民政府成功实现对全国的控制后,政治局势渐趋平稳,尤其是1934年以后,国民政府努力振兴实业,取得初步成效,各业渐次复苏,资金流动加快,对银行业的汇兑需求也随之大增。主观上,交行被政府指定为发展全国实业的专业银行后,大力扶持民族工商业,并针对其需要,竭力提供便利,不断创新服务的内容与方式。1931年,交行的汇款总额已达到32090万元,为1928年的222.17%。其后,因受"九一八事变"、"淞沪事变"等影响,汇款额一度回落。但从1934年开始,尤其是1935年法币改革之后,市场资金流转畅达,各业经济复苏,交行的汇兑业务重现迅速发展的态势,截至1936年,交行的汇款总额已达到66465.9万元,为1928年460.16%。[1]

---

① 《交通银行史料》第一卷,第584页。

表 2-6-4 1928—1937 年交通银行历年汇款比较表 单位:千元

年　份	汇款总额	百分率	备　注
1928	144439	100.00	1928 年承担起发展全国实业的使命,汇兑业务显著增进
1929	240451	166.47	
1930	228273	158.04	
1931	320902	222.17	
1932	191974	132.91	受"九一八事变"、"淞沪事变"等影响,汇兑业务低落
1933	210624	145.82	受经济不景气影响,汇兑业务仍无起色
1934	291042	201.49	
1935	457049	316.43	法币改革后,汇兑业务迅速增长
1936	664659	460.16	

资料来源:《交通银行史料》第一卷,第 584 页。

值得注意的是,交行的汇兑业务虽整体上呈现向上发展的态势,但内部各分支行处的业务状况则因地域的差异而出现不平衡的现象。

表 2-6-5 1935—1936 年交通银行各区汇款比较表 单位:千元

区　别	汇出汇款			买入汇票		
	1936 年	1935 年	比较增减	1936 年	1935 年	比较增减
沪区	287757	208310	+79447	155680	106830	+48850
津区	88564	37617	+50947	34115	26755	+7360
青区	64256	43363	+20893	50317	32892	+17425
汉区	43562	46965	−3403	33573	39946	−6373
浙区	35173	23779	+11394	6744	1528	+5216
郑区	66748	22099	+44649	40533	11306	+29227
港区	53753	57761	−4008	50933	59854	−8921
厦区	15736	7208	+8528	13692	9773	+3919
长区	4850	5469	−619	2154	2232	−78
沈区	4260	4478	−218	1457	2202	−745
合计	664659	457049	+207610	389198	293318	+95880

资料来源:《交通银行民国二十五年度营业报告》,《银行周报》1937 年第 13 期,第 53—64 页。

根据表 2-6-5 可知,1936 年交行的汇出汇款与买入汇票以沪区数额最高,与前一年相比,沪区的增长速度也最快。当年交行各区汇款的情况是,沪区约占总额的40%,郑区次之,约占25%,津区又次之,约占20%,其余青岛、浙江诸区虽多寡不等,但皆有增长,唯有香港、汉口两区,以及关外的长春、沈阳两区,因受多种因素的影响,汇款数额有所下降。

第三节　外汇业务的活跃

一、外汇业务的前期状况

清末以来,中国的外币汇兑市场一直受外国银行操纵。早在邮传部奏请成立交通银行时,即希望中国自办的银行可以改变英镑、法郎汇价受制于人的局面,然而,包括交行在内的各家中国银行都没有能力改变这种状况。直至南京国民政府成立,外汇市场仍由外国银行控制。当时,在上海经营外汇业务的有来自英、美、法、日等国的22 家外国银行,外汇行市主要由英商汇丰银行垄断操纵。交通银行、中国银行等 10余家华资银行此时也从事一些国外汇兑,但外汇业务根基尚浅,势力薄弱,属于草创阶段。①

1840 年,鸦片战争迫使中国打开大门,中外贸易展开新的一页。1895 年至 1913年,中国的国际贸易仍处在争取进入国际市场的时期。十余年间,从进出口数额看,出口货物由 1.4 亿关两渐增至 4 亿关两,增长了 1.86 倍;进口货物由 1.7 亿关两增至5.7 亿关两,增长了 2.35 倍。1914 年至 1931 年,是中国民族工业萌芽,贸易向外推展的时期,出口货物由 4 亿关两增至 9 亿关两,增长了 1.25 倍;进口货物由5.7 亿关两增至 14.3 亿关两,增长了 1.51 倍。② 北洋政府时期的国际贸易情况可见表 2-6-6。

---

① 杜恂诚主编:《上海金融的制度、功能与变迁(1897—1997)》,第 111 页。
② 寿景伟:《五十年来之中国国际贸易》,《中国通商银行创立五十周年纪念册》,内部编印,1947 年,第 185 页。

表 2 - 6 - 6　北洋政府时期的国际贸易统计表

年　份	出　口		进　口	
	（百万关两）	（百万美元）	（百万关两）	（百万美元）
1913	403	294	570	416
1915	418	259	454	281
1917	462	476	549	566
1919	630	876	646	899
1921	601	456	906	688
1923	752	602	923	738
1925	776	652	947	796
1927	918	633	1012	698

资料来源：寿景伟：《五十年来之中国国际贸易》，第 185 页。

表 2 - 6 - 6 可见，民国前期，中国的对外贸易仍处于不平等的地位。尽管中国的金融业面临种种不利的因素，但交行开办外汇业务已蓄势待发。北洋政府于 1914 年 4 月公布的《交通银行则例》，明确规定："交通银行受政府之委托，专理国外款项及承办其他事件。"[1]同年 5 月，交行帮理梁士诒特别强调了外汇对于交行的重要意义，并从国际形势和金融格局方面考虑，提出可在伦敦、巴黎等地先行试办，待卓有成效后再行推广，并提醒行员平时应留意外汇市场行情，关注金银汇价。[2]

就交行而言，开办外汇业务实属一大创举，经过深化认识，精心准备，着手创办时并未遭遇多大障碍。[3]1917 年，交行京外各分行经理及代表经过商讨，议定"招徕汇兑"一项，明确提出这是将来的重大方向。[4] 1919 年，交行首先在沪行设立外汇科，正式开始经营外汇业务。外汇科的设立，最初不过是为了体现国家银行的身份，实际上，既未视作"赚钱的买卖"，也无积累外汇资产的打算。沪行未曾给外汇业务下拨过固定资金，营运资金也给得不多，其业务方针始终趋于保守。因此，外汇科成立之初，业务上并无突出成绩，直至胡祖同入沪行任副理，由其经管外汇业务，才开始关注外汇行市。

---

① 《交通银行史料》第一卷，第 190 页。
②③　同上，第 271 页。
④　同上，第 274 页。

外汇科虽属业务单位,但最初的规模很小,办事人员只有四人,营运资金有限,仅有美金一二十万元,所以只能做些零碎的汇票买卖,数额也不大。此外,还做些英镑、卢布、马克等的现货交易,结果在卢布、马克上还小有损失。当时,中国的银行或个人买卖外汇时还受外商银行的歧视,买进外汇时,必须先支付现款,卖出外汇时,却须等到第二天有回电收妥后,才能收到现款。[①] 上海银行公会成立后,华资银行经营外汇受歧视的现象才有所改观。

1921 年 9 月,交行总管理处暂行章程明确提出,交行需设国外业务课,其职责主要有 5 项,即经营接洽各行国际汇兑,存放调拨国际汇兑款项,考查国际贸易及金融情形,编造及保管各项表册单据,起草及保管各项文件。同时规定,各地分支行因国际营业的需要,经总管理处核准,可另设国外业务股,负责买卖及存放外国货币、国际电汇票汇、进出口押汇、代理国际收解等四项事务。[②] 为此,总管理处还订定了分支行国外业务股工作规范。同年 9 月,交行分别修订了分行暂行章程第六条与支行暂行章程第七条,加入了有关外汇业务的内容,进一步明确了国外业务股的重要性及其具体职掌。[③]

根据暂行章程的规定,交行的外汇业务,基本涵盖了当时国际通行的主要汇兑方式,如进出口押汇、代理国际收解、买卖及存放各国货币、国际电汇票汇、收买汇票等。

(一) 进出口押汇

押汇,又称买单结汇,是指议付行在审单无误的情况下,按信用证条款买入受益人(外贸公司)的汇票和单据,从票面金额中扣除从议付日至估计收到票款之日的利息,将余款按议付日外汇牌价折成现金,拨给外贸公司。议付行向受益人垫付资金买入跟单汇票后,即成为汇票持有人,可凭票向付款行索取票款。可见,押汇凭转运公司提单而放款,期限短又有相当押品,比较适宜于银行经营。因此,交行在第一届行务会议董事会提案中,要求各分支行利用总行经营外汇较灵活的优势,竭力兜揽出口商押汇,总行将随时指示经营策略,使各分支行以极公道的汇价招徕客商。1925 年 2 月,交行总管理处在北京召开第四届行务会议,再一次强调注重国外汇兑及跟单押汇等。

---

① 《交通银行史料》第一卷,第 976 页。
② 同上,第 979 页。
③ 同上,第 252—258 页。

（二）代理国际收解

交通银行早期代理的国外款项，以英、德、比、法铁路贷款居多。如津浦路借款还本付息时，津浦路局先将应付款项存储交行，应解的前几天，由津、沪两地交行向汇丰、德华两银行按行市结购英镑，委托两行汇往伦敦发付。交行代理这笔款项，可以获得一些兑换损益收入。所以代理国外款项，既可收入一笔存款，还可获得兑换损益收入。① 交行在代理收解时，手续费参照国外及当地情况办理。顾客委托代收款项未收到之前，不得预先支付现款或给以他种正式单据。至于国外同业托收款项，对于拒不承认或到期不付时，于三日内向领事署提出拒绝证书，视其轻重缓急以函电方式商承办理。

（三）买卖及存放外国货币

因受政治、经济形势的影响，各国货币市价涨落不定，风险较大，利润浮动也很大。银行如果能看准时机买卖，可以博得差益，经营得宜的话，还可获得二层套利。交通银行当时买卖外汇，有套汇、掉期、互易三种方式。套汇，即利用各地汇率之间的差异获利，如甲地买入乙地卖出，或于乙地买入甲地卖出。掉期，即近期买入远期卖出，或近期卖出远期买入。如果分支行头寸宽裕，遇到外汇套头合适时，交行总行将随时电报洽谈换头行情，并代其经营。互易，即在同一时期，以甲币卖出乙币买入。无论上述何种方式，与银行或经纪人订立买卖外国货币的合同时，均需注意对方的信用。为降低风险，须谨慎选择合作对象，尤其是与非银行订立合同时，必须全面调查其营业实情。合同订立后，即填制并发送证明书。

（四）国际电汇票汇

电汇，即以电报汇寄款项。由银行先通知汇往地银行，再由汇款人发电报给收款人，收款人凭此电报收取现金。电报费用一般由用户承担，但为了吸引客户，交行规定按照地方习惯酌量减免。如上海电汇日金 2 万元以上、英金 2 千镑以上、美金 1 万元以上者，免收电报费。所使用的汇票号码分通号、专号两种。通号是将各种货币汇票按次序编号，专号则是将特种货币汇票，按该票支付地的首字母顺序编排。例如，交行先前共发行各种货币汇票 956 张，发行纽约美元汇票 152 张，如果再发行一张纽

---

① 《交通银行史料》第一卷，第 984 页。

约美金汇票,这张汇票的编号应为 NO. 957/N. Y. 153。[①] 电汇汇票通知书均即日填发。汇票请求挂失时,待保证手续办妥后,立即电报告知或发函至付款行。此外,交行还承接一些国内对外汇付业务,如各省官厅派赴日本、欧美等国官费考察的有关费用以及留学生的学费、生活费等。

（五）收买汇票

银行对委托买入人(出票人、货主)贴现汇票,即议付货款,称买入汇票。与此相反,银行向进口商收取货款后,再给出口商交付款项的称托收汇票。在前一种情况下,由于银行在汇票期满以前,为进口商垫付了货款,因此从银行角度说是一种授信用行为;在后一种情况下,银行不垫付货款,待收取货款后,才给出口商交付款项,银行只履行受托付款项义务。交通银行经营收买汇票业务时,规定应特别注重细节。如须详细审核汇票应具条件;汇票有正副两页纸时,应将正副两纸一并收来,不得遗漏;汇票有抬头人时注意抬头人是否为转让的签字;如果曾经指名转让时,应注意受让人是否为再度转让的签字;汇票款项未收到以前,应出示临时收据,不得预为支付现款,或给以他种单据,但经人担保时不在此限。

此外,交行从事国际汇兑业务,在经营卖买生金、生银时,除以当地市价及两地汇率为标准,还须考核运费(即水脚)、保险费、手续费、利息以及地方习惯上应有的增减情况。对于各种外汇存款,根据具体情况分别转存,而对于各种外汇放款,则更须注意国外市情。

大体而言,从 1912 年到 30 年代初,随着民族工业的发展,中国对外贸易逐步扩展,但因国际汇兑业务为外国银行所垄断,加上国内烽火不断,交行的外汇业务还处在试办阶段,未有大规模发展。

二、套利与投资货币

交通银行的海外机构原可成为海外业务的重要开拓者,但这些机构实际上并未起到应有的作用。交行虽很早即设立了香港分行与新加坡支行,然而,上述两行在当地仅经营一些存放款业务,并未涉及外汇,且因种种原因,均于 20 年代被清理停业。胡祖同出任上海分行副经理后,重视外汇行市,但也只是代客买卖。1933 年 9 月,沪

---

① 《交通银行史料》第一卷,第 981 页。

行正式成立外汇课,但组织尚不健全,账册也不齐备,被内部视为处理杂务的"洋文间"。上述状况一直持续到1936年,外汇课在业务部副经理周叔廉的努力经营下,业务运作才步入正轨。当时,一般银行为求保险,不做外汇买卖,仅赚取手续费和兑换差额,交行不循常规,在准备金项下的外汇积累方面积极经营。精通外汇买卖的张怀德出任交行外汇课课长后,积极寻求突破。在其指导下,交行利用自己发行钞票,掌握法币头寸,在市场银根紧缩时无"后顾之忧"的优势,采取期货套利的方式,获得相当丰厚的利润,[①]交行的外汇积累也由此迅速增长。

在投资外币债券方面,交通银行也逐渐有所斩获。交行原先购存外币公债,收益不多。后因外币头寸和外币存款的数额不断增加,而存放在外国银行的利息又十分低微,所以将一部分外币投资于外币公债。交行最初投资的是善后公债和湖广公债,后来津浦、道清、陇海、广九等铁路线先后公布了比较妥实的整理办法,交行酌情购入上述铁路债票,稍事营运,获利丰厚。这一时期,交行购入的外币债票种类与数量如下所示。

表 2-6-7　交通银行购入外币债票种类及数额一览表

单位:英镑

善后公债	58720	道清铁路债票	4800
六厘英庚款公债	2250	广九铁路债票	13000
津浦铁路债票	65100	陇海铁路债票	77120
湖广铁路债票	214380	沪杭甬铁路债票	43400

资料来源:《交通银行史料》第一卷,第986页。

三、法币改革后的外汇业务

1935年,国民政府实施法币政策,财政部指定中央、中国、交通三行可无限制买卖外汇,交通银行的外汇业务由此获得政策保护,开始活跃起来。为抓住机遇发展外汇业务,交行要求香港分行加大投入,开辟外汇市场,揽做侨汇。同时,天津、汉口两分行又增设外汇课,专门从事外汇业务。

法币政策的推行,在一定范围内稳定了汇兑,使金融市面趋于乐观,再加上国内

---

① 《交通银行史料》第一卷,第985页。

局势比较安定,农业连续两年丰收,国内的购买力有所提升,1936 年的中国国际贸易遂呈现良好的局面。当年的入超总额与前一年相比,减少了 1 亿多元,减少的比例为31.5%。① 在良好的国际贸易环境下,中、中、交三行通过不懈的努力,使上海外汇的最高行市与最低行市始终维持在中央银行挂牌买卖的行市之间(英镑:1/2.75－1/2.25;美元:30.5－29.5)。②尽管在 1935 年底至 1936 年 12 月,外汇市场曾连续四次遭受投机商的冲击,但外汇行市仍能保持相对稳定。

交通银行从发行准备的需要考虑,不得不酌量购进英镑和美金,以增加外汇头寸。但为了避免外界误会,引起投机者争购,交行始终坚持人弃我取,人取我弃的原则。在 1936 年 5 月、9 月下旬、12 月中旬,市场遭受三次投机性冲击时,交行都敏锐地觉察到金融市场的动向,果断地大量售出,直至冲击过后,投机者大量抛出之际,才开始陆续吸进,因此,不仅未受损失,反而颇有获利。③

不仅如此,交行在 1936 年的外汇营运中,还十分重视国际金融形势的演变。例如,自 3 月开始,英、美汇兑由低价盘旋而上,至 9 月已达到全年最高纪录,随后又一落千丈,至 11 月达到全年最低纪录。交行敏锐地分析形势,准确地把握行情,因而在英、美汇兑的经营上进退自如。1936 年初,美国国会召开后,市面上流传美元贬值和通货膨胀的说法,交行及时应对,逐渐售出美元,购入英镑。当年 6 月初,法国币制遭受攻击,致使大量现金流出,汇兑行市逐步上升,交行遂将先前售出的美元结平,待汇兑行市升至 5 元以上,再购入美元,售出英镑。直到 9 月下旬,交行仍继续套做。交行当年的外汇运营方针正是在准确把握国际金融形势的基础上,经再三斟酌考量后确定的,所以能抢得先机,避免错误。④

标金(旧时对标准金条的简称)的运营,交通银行一向遵循中央银行挂牌的标准。遇到市价在标准以上且差额很大时,即售出标金套进外汇,市价在标准以下时,即吸收标金而抛出外汇。1936 年 7、8 月间,伦敦金价受法国现金流出的影响而日益跌落,以致中国的标金价格也随之下降,处在 1130 元以下。于是,交行趁机陆续购进标金 8000 余条,其后,又于当年 10 月按照 1155 元的行市价格转售给中央银行,由此

---

①② 《交通银行史料》第一卷,第 987 页。
③ 同上,第 988 页。
④ 同上,第 988—989 页。

获利甚丰。[①]

上述可见,交行能够准确判断形势的变化,善于抓住有利时机进行操作,所以外汇业务刚步入正轨既有不小成绩。1936年,交行的外汇兑换盈余为国币2622621.94元(掉期交易应得利息部分合并在内),扭转了前一年的负盈余局面。而且,无论是出口还是进口,票据总额、押汇户数、汇票张数皆有一定提升,外币存款也有所增加。具体数据详见表2-6-8。

表2-6-8 1935年与1936年交通银行外汇营运情况比较表

	项 别	1936 年	1935 年	增加(%)
出口	出口票据总额	4632715.04 元	4085796.57 元	13
	出口押汇户数	19 户	12 户	58
	出口汇票张数	692 张	672 张	3
进口	进口票据总额	7209312.80 元	1329791.20 元	442
	进口押汇户数	29 户	17 户	70
	进口汇票张数	368 张	128 张	187

资料来源:寿景伟:《五十年来之中国国际贸易》,第989—990页。

第四节　储蓄部的成立与储蓄业务的兴旺

一、储蓄机构的设立与演变

1914年北洋政府颁布的《交通银行则例》,将储蓄定为交通银行的既定业务之一。尽管当时国内的经济状况和社会观念尚不足以支撑储蓄的繁荣,但交通银行却能站立潮头,关注储蓄业务的开展。南京国民政府成立后,所颁布的《交通银行条例》也将储蓄列为交行的主要业务之一。交行经过首次改组后,更将储蓄定位为"培养社会富力之要素,亦为发展国内实业之基础",[②]着力培育,推动其迅速发展。

---

① 《交通银行史料》第一卷,第989页。
② 同上,第1098页。

1929 年 3 月,交行沪属各行纷纷拟定筹办储蓄业务的相关计划。7 月,哈尔滨分行属下的道里办事处开始办理储蓄存款,试办初期,其种类分为活期、整存整付、零存整付及整存分期付息等四种,这可视为交行办理储蓄业务的开端。一个月后,黑龙江支行也开始吸收储蓄存款,种类与道里办事处相同。

1930 年 2 月,交行董事会议定办理储蓄和信托业务的具体办法,决定先于交行总管理处及分支行处所在地的繁荣区域筹设专部,并由上海分行出资国币 20 万元,天津、辽宁、哈尔滨三行各出资国币 10 万元,合计 50 万元,作为储蓄业务基金。当年 3 月,交行长春、吉林二支行与吉长、吉敦两路局及邮政局订立邮工储金合同,代收邮工储金。

4 月,交行增订《办理储蓄规程》,①明确了办理储蓄业务的基本原则与专门机构。根据这一规程,交行在分支行所在地附设独立于营业部的储蓄部,将储蓄存款业务分为六种,并规定了储蓄资金的经营运用,即"买入国民政府公债库券及财政部认可之有价证券","以本行储蓄单据或国民政府公债库券及其他确实有价证券为担保之抵押放款"。② 同月,又订立《储蓄信托部暂行办法》,规定在各分支行所在地设立储蓄、信托两部,由总管理处随时指定一部分地处市场繁荣商埠的分支行作为业务试点。储蓄部办理各种储蓄存款,信托部则办理各种公债、库券、股票等的保管、代取本息、代理买卖,以及房地产的经管建筑和代理买卖等事务。沪行随即开收储蓄存款,在活期、整存整付、零存整付、整存分期付息之外,又增加整存零付、特种定期两种。

1930 年 5 月,上海分行成立储蓄部,所属各支行、办事处亦陆续成立相应部门。7 月,又将上海分行所设储蓄部改为沪区储蓄分部,隶属于上海分行,其所属分支行、办事处的储蓄部改为储蓄支部。同时,哈尔滨分行也设立储蓄分部,直接隶属于总管理处。储蓄分支部的"管辖系统大致与分支行相同",③主要包括管理人员、机构设置与人员职责等三部分。

其一,储蓄分部及支行所在地的储蓄支部设置经理一人,办事处所在地的储蓄支部设置主任一人,若分部事务较为繁忙,可设置副理一人。如果经理因公外出或临时

---

① 是时交行将储蓄列为信托业务的一种,故储蓄部是在呈准财政部办理信托业务时设置的,《办理储蓄规程》因而也是单行规程。

② 《行史清稿》第 13 册,第 2 页,中国第二历史档案馆藏,档号 398(2)-699。

③ 《储蓄机构及其演变》,《交行档案》第 125 号,交通银行博物馆藏资料 Y53。

有事,经总管理处核准备案,可由副理代理相关事务,无副理的可由经理委托股主任一人作为代理。储蓄分支部经理、副理、主任皆由总管理处派遣任免,或由总管理处酌情委派所在地分支行经理、副理、办事处主任兼任,但分部经理、副理的任免则须由总管理处提交董事会进行核查后才能决定。

其二,储蓄分部设有二股。第一股职掌本部文件、函电的起草、译缮及收发,案卷书类、契据的整理及保管,主要账表的登记及预算决算,所属各支部账表的稽核及资金调拨,本部各项开支及不属其他股的事项。第二股职掌本部储蓄存款的收付及储蓄资金的运用,现金及押品的收付保管,有关储蓄补助账表的登记等事项。储蓄支部不设股。储蓄分部各股设置主任一人,以掌管本股事务,各股主任除了由总管理处委派外,可由分部经理、副理与所在地分行经理、副理会商,陈请总管理处从该地分行各股主任或高级办事人员中指派兼任。

其三,储蓄分支部设有办事员、助理员、练习生,分掌各类事务。除分支部副理、主任须陈请总管理处核查派遣,其他职位可由所在地行处经理、副理、主任陈请总管理处核查派遣,也可由所在地行处经理、副理、主任挑选行处中的优秀生员陈报总管理处核准兼任。

1930年8月1日,储蓄会计与营业会计划分,各自独立,账目公开。交行为了建立储蓄业务的独立账目,专门制订《检查储蓄账目委员会暂行规则》,并从上海分行及其属下行处的储蓄分部开始,在全国各地陆续成立检查储蓄账目委员会。该委员会由董事长、总经理、常务董事(1人)、董事(1人)、常驻监察人、券务部主任、所在地行经理或主任组成;以总经理为主席,总经理缺席时,由委员会互推一人为临时主席。委员会主要检查决算报告,检查一切账目、证券、库款及营业状况是否遵循交行的储蓄规程。委员会的检查工作每月至少一次,日期由主席临时指定,届时通知各委员一同参加。委员会还招聘专门会计师一人,一方面会同委员进行检查,另一方面负责证明所有的检查结果。如果委员会内部对检查对象的账目及营业状况等出现意见分歧,将由主席召集会议讨论后,报告总管理处,再由总管理处予以确认。[①] 委员会每月检查储蓄账目一次,每三个月公告一次储蓄部的资产负债表。对储蓄账目的例行检查最初限于苏、浙、皖、赣、鄂、湘等地的储蓄部,1936年扩展至所有储蓄部的账目,

---

① 《行史清稿》第13册,第2—8页,中国第二历史档案馆藏,档号398(2)-699。

其资产负债表也全部按期公告。历任检查储蓄账目委员会委员,可见表2－6－9。

表2－6－9　交通银行历任检查储蓄账目委员会委员(截至1936年)

姓　名	所属职位	
	先	后
严鸥客	会计师	
卢学溥	董事长	
胡笔江		董事长
胡祖同	总经理	
唐寿民		总经理
钱新之	常务董事	
陈　行	董　事	
叶扶霄	监　事	
徐寄庼		监　事
许修直	常驻监察人	
秦润卿	沪行经理	
张佩绅	沪行业务部经理	
庄叔豪	稽核处处长	沪行业务部经理
张　朔		稽核处处长
袁崧藩	列席者	
恽汝承	列席者	
许效庳	记　录	

资料来源:《行史清稿》第8册,第164页,中国第二历史档案馆藏,档号398(2)－694。

在建立储蓄账目的过程中,交行哈尔滨分行、黑龙江支行账目划分颇有困难。为此,交行特别制定了一系列变通方法,在储蓄部添设余水科目。凡是津洋的储蓄存款实际上以哈洋收付时,哈洋较津洋多出的数目即交由余水科目处理,并将津洋及余水数目分别记入专门的津洋余水账单内的各栏之中。每日营业结束后,储蓄部立即根据账单内的津洋余额,以账单正张作为附件制发报单,转付或转收哈行(或黑行)的津洋户账,再由哈行(或黑行)根据报单与账单将津洋及余水的合计数目,兑换成储蓄部的往来科目以作转账;传票格式及现收付账仍应查照储蓄部的记账办法进行办理。解决了分账问题后,哈行属下各行处,除吉林、富锦二行外,全都成立储蓄支部,该区储蓄业务顺利展开。

1931 年 1 月,沪区储蓄分部直属于总管理处。7 月,交通银行第六次修订组织章程,在总管理处内增设设计部、储蓄分支部和信托分支部,分股办事。分支行皆可酌情设置襄理,①分行及一、二、三等支行收税及仓库事务可设股主办。未设分库的分支行处所在地可酌请设置发行专员及发行员。② 分支行营业主任也可由经理另指定一人代理。

9 月,津区储蓄分部成立,开始经营储蓄存款,分活期和定期两类,前者有凭折收付及支票支取两种,后者有整存整付、零存整付、整存零付、整存分期付息、特种定期等五种,随后又增加了存入整数、支取整数两种。10 月,辽区(后改称沈区)储蓄分部及辽属四平街、洮南、孙家台、营口储蓄支部成立,开始经营储蓄存款,计有整存整付、零存整付、整存零付、整存分期付息等四种。

1932 年 1 月,交行增订《储蓄存款抵借款项规则》,规定了抵借折扣、息率、期限及逾期不赎等办法。5 月,青岛储蓄支部成立,开始经营储蓄存款,计有零存整付、整存零付、整存分期付息、特种定期、活期、整存整付等六种,前四种适用津区分部的规定,后两种另订息率,储蓄会计也与营业会计划分独立,仍隶属于津区分部。不过,青岛的储蓄业务以各工厂的劳工储蓄为主要范围,其会计独立,不与津部进行统账。12 月,董事会议决增设储蓄分部及信托分部。随着交行储蓄业务日趋兴盛,支部遍设于各支行内,多达 60 余个,其储蓄总额比 1929 年始办时已增加 6 倍以上。

1933 年 1 月,交行沪区储蓄分部迁至南京路营业,交行上海第一办事处原设于沪西静安寺路,此时也迁到南京路,随后改为南京路支行(简称南行),所办储蓄业务归沪区储蓄分部办理。此外,上海分行也增设了一些储蓄支部。7 月,总管理处改组总行,撤销沪区储蓄分部,改设为储蓄信托部,仍设于南京路,此后,储蓄信托分支部的相关事务全由总行的储蓄信托部主管。原上海分行设立的储蓄支部也改为储蓄信托部驻三马路办事处。与此同时,交行津区储蓄分部、浙行储蓄支部也被改为天津、杭县储蓄信托分部,其他分支行处的储蓄分部或支部也一律改组为当地的储蓄信托

---

① 交通银行支行可设置襄理始于此。
② 1929 年已有派充至此,此时是列入明文规定。

分部或支部,不再称某行储蓄分部或支部。此后,储蓄信托分部或支部的经理、副理、主任不再分别设置。不过,储蓄、信托两部合为储蓄信托部后,原先两部的章程体系仍分别厘订,会计也各自独立。10 月,交行增订《行员储金规则》,各地储蓄信托分支部一律举办行员储金。①

1934 年 1 月,交行汉口储蓄信托分部成立。自 3 月 1 日开始,交行沪属特种定期储蓄存款并入整存整付,并将零存整付、整存零付储蓄各分为甲、乙二种,凡是适用该项办法的分支部一律实行,此外,还降低了沈阳、哈尔滨、青岛等分部的储蓄存款息率。7 月 4 日,国民政府颁布《储蓄银行法》,交行依照规定开始缴纳储蓄存款保证准备金,即将每年年末储蓄存款总额的四分之一,以政府公债库券和其他担保确实资产的形式交存于中央银行,其中沈阳、哈尔滨二地的储蓄存款因情况特殊,呈准财政部后暂时免缴。此外,还依据《储蓄银行法》终止了特种活期储蓄存款的经营。10 月,交行设立厦门储蓄信托分部,撤销了洮南支部。11 月,交行又设立香港储蓄信托分部,其他地方也续有增设。

1935 年 1 月,伪满洲国颁行伪银行法,将交行沈阳、哈尔滨等分支行视同国外银行,取缔储蓄业务。因此,哈尔滨储蓄信托分部及其所属道里、长春、吉林、黑龙江支部,沈阳储蓄信托分部及其所属营口支部等②所经营的整存整付、零存整付、整存分期付息以及类似的储蓄存款不再开立新户,已收存的储蓄存款,除活期储蓄,也至满期为止。3 月,交行撤销哈尔滨、沈阳储蓄信托分部及其所属各支部。同月,位于上海的储蓄信托部迁入总行办事,储蓄信托部先前设立的驻三马路办事处被撤销,另设南京路储蓄信托支部。青岛储蓄信托支部则被改组为分部。截至年底,交行当年开办的储蓄业务机构共计 11 处,分别为北平东城、北平西城、西安、金华、广州、漳州、蚌埠、开封、包头、南昌和保定。③

1935 年 4 月,交行增订了沈阳分行所属各部的结账办法:1. 未了储款的一切会计手续和记账办法都暂时照旧办理,日记账仍为另册记载,但须改称某行日记账,其他账表及决算表也参照处理,都不再使用储蓄信托部的名义。2. 储蓄信托部内部的

---

① 交通银行曾于 1908 年订立过《行员储金规则》,1911 年又增订了《特别储蓄金章程举办行员储金》,但于 1922 年停办,1933 年再次举办。
② 沈阳分部属下的四平街、孙家台支部设在南满路附属地,不在限制之列。
③ 《储信部大事记及储蓄概况》,中国第二历史档案馆藏档案,档号 398(2)-726。

往来科目立即取消,原有科目内的各旧户余额应与往来部账目核对清楚,然后由欠款部将款项如数拨给当地行处,以汇交往来部,再由往来部填发报单转账,以后若发生与总分支部往来的长期款项,也一概由行方拨转,不再直接往来。3. 行方储蓄部往来科目立即改称为旧储蓄部往来科目。4. 沈、哈两分部的基金各 10 万元立即转回给行方,其利息算至拨交当日,并自次年 6 月起,沈、哈两属储蓄账目一律归入行方;7 月 1 日起,零存整付旧户的按期储款一律停收,可按照原息率计算以作发还。

1936 年 2 月,经交通银行董事会议决,撤销各地储蓄信托分支部,储蓄业务转归原在地的分支行办理,相关印章一律收回,对外单据一概签盖分支行图章,而储蓄会计依旧独立处理账目。7 月,沪、津二行及其所属分支行处增办便期储款。全部储蓄账目改由总行办理统账。沪区储蓄分部开办之初的所属各支部储款原先皆归沪分部办理统账,改组总行后,沪属各部的储款由总行储蓄信托部办理统账,其余如津、辽、哈区则各自决算。至此,交行的储蓄业务全部由总行办理统账。10 月,交行改订各分支行处代收、代付各种储款的办法,由代收行将储款数额直接登入存折。[①]

综上所述,1929 年至 1932 年,为交行办理储蓄业务的初始阶段,各地储蓄分支部相继设立,而信托部尚未开办,其管辖系统除个别特殊情况外,与所在地的分支行处大致相同,而且储蓄分支部的经理、副理、主任,也多由所在地分支行处的经理、副理、主任兼任。1933 年至 1936 年,为交行办理储蓄业务的发展时期,储蓄、信托合二为一,业务上相辅相成,相互促进,新的储蓄信托部在各地陆续增设分支部,取代了原先的储蓄分支部。交行总行则掌握了储蓄业务的统账权,得以对各分支机构的储蓄业务进行更为直接、有效的监督与指导。但受时局的影响,其间也出现不少变动。

二、储蓄存款的种类

交通银行办理储蓄业务,善于根据各地的实际情况开办不同种类的储蓄项目,供顾客按需选择。储蓄业务开办之初,大多地区都开办的储蓄存款种类有活期储蓄、整存整付、零存整付和整存分期付息,各地分支部还可根据本地特点,增补其他种类。如沪、津、沈三部增办整存零付,沪、津二属增办特种定期,津属增办特种活期。

各地开办的上述数种储蓄存款,其后曾经过多次调整。1930 年,沪属各行开始

---

① 《交通银行史料》第一卷,第 1103 页。

办理储蓄时,原计划在零存整付之内增办到期支取整数,整存零付之内增办初次存入整数。这一计划于 1931 年 11 月先由津属各行试办,将零存整付、整存零付各增为甲乙两种。1932 年 7 月,沪区分部及上海四支部增办了特种活存,1933 年 12 月,沪、津二属试办的特种活存同时取消。①

　　1934 年 1 月,交行修订了沪属储蓄存款规则。3 月,沪属各部将零存整付、整存零付各增为甲、乙两种,又将特种定期并入整存整付。1936 年 5 月,岛(青岛)属各部将零存整付、整存零付各增为甲、乙两种,又增办整存便期整付、零存便期整付、团体及教育储蓄。7 月,总行、津属以及适用总行息率的各分支行处(大连行未办,香港行仅办团体储蓄)都增办了一些储蓄存款种类。截至 1936 年年底,交行所经营的储蓄业务种类可概括为活期、定期、便期三种。②

　　其一,活期储蓄存款。该项存款可随时存取,凭存折收支。各地通行办法为,初次存入时由交行签给存折,其后的收付由交行在存折上登记盖章为证。初次存入金额自10 元起,其后存取不得少于 1 元,但

20 世纪 30 年代交通银行储蓄存折

结存余额至少在 1 元以上,存额最多为 5000 元。每年 6 月 20 日及 12 月 20 日各结算利息一次,并入本金,利上生利,其 6 月 20 日及 12 月 20 日以后的利息,一概归于次

---

① 《交通银行史料》第一卷,第 1104 页。
② 同上,第 1109 页。

期结算。该项存款的最低利率按周息四厘计算,每结算期内只存不取者,除按照约定利率外,再加息一厘(即按周息五厘计算)。

其中,大连地区比较特殊,当地分支部的活期储款只收日本正金银行的钞票,其余种类的储款收大洋、正钞两种钞票,1936 年 10 月 1 日正钞停用,则改以日金替代。[①]

其二,定期储蓄存款。该项存款是一种预先约定存储期限的存款。交行办理的定期储蓄存款有整存整付、零存整付、整存零付和整存分期付息四种。

整存整付,即由存款人认定一笔数目,将本金一次存入,由交行签给存单,到期凭存单一并提取本息。该种存款分为甲、乙两种,到期本息有奇零者为甲种,存额有奇零到期本息为整数者为乙种。各地通行办法为,存入金额自 100 元起,最高为 2 万元;期限自 1 年起,最长为 15 年;利率预先规定,每扣足 6 个月计算复利一次。港、粤两地比较特殊,也分甲、乙两种,但含义与前述不同。甲种存入金额自 50 元起,最高为 5000 元,期限为半年至 15 年。乙种存入金额自 100 元起,最高为 10000 元,期限为 1 年至 15 年。大连则无甲、乙之分,存入金额自 50 元起,最高为 5000 元,期限为 1 年至 10 年。

零存整付由存款人认定一笔数目,将本金分次匀缴,由交行签给存折,到期凭存折一并提取本息。该种存款也分甲、乙两种,其区分与整存整付相同。各地通行的办法为,存入金额自 1 元起,最高为 20000 元,期限为 2 年至 15 年,期内缴款时间分为每月一次、每 3 个月一次、每 6 个月一次、每年一次四种。港、粤两地的存入金额自 1 元起,最高为 200 元,期限为 3 年至 15 年,期内缴款时间分为每月一次、每 3 个月一次、每 6 个月一次三种。大连零存整付的存入金额规定与港、粤相同,期限为 1 年至 10 年,期内缴款时间仅有每月一次一种。

整存零付由存款人认定一笔数目,将本金一次存入,由交行签给存折,以后分期匀支本息。该种存款也分甲、乙两种,其区分与整存整付相同。各地通行的办法为,存入金额自 100 元起,最多为 20000 元,期限为 2 年至 15 年,期内支款时间分为每月一次、每 3 个月一次、每 6 个月一次、每年一次四种。港、粤两地的存入金额自 50 元起,最高为 5000 元,期限为 3 年至 15 年,期内支款时间与其他地方相同。大连整存

零付的金额规定与港、粤相同,期限为 1 年至 5 年,期内支款时间分每月一次、每 6 个月一次、每年一次三种。

　　整存分期付息由存款人认定一笔数目,一次存入本金,由交行签给存折,以后分期支付利息,待期满后取回本金。该项存款也分甲、乙两种,其区分与整存整付相同。各地通行的办法为,存入金额自 100 元起,最多 20000 元,期限为 2 年至 15 年,期内付息时间分为每月一次、每 3 个月一次、每 6 个月一次、每年一次四种,但 100 元存款的付息时间只有每 6 个月一次、每年一次两种。港、粤两地无甲、乙之分,存入金额自 100 元起,最多 10000 元,期限为 2 年至 15 年,期内付息时间分为每月一次、每 3 个月一次、每 6 个月一次、每年一次四种。大连也无甲、乙之分,存入金额分为 1000 元、5000 元、10000 元 3 种,期限为 1 年至 5 年,期内付息时间分为每月一次、每 6 个月一次、每年一次三种。①

　　其三,便期储蓄存款。交行的便期储蓄存款分为整存便期整付、零存便期整付两种,港、粤、大连三地未举办。②

　　整存便期整付为整数一次存入,由交行签给存单,在期限内存款人可随时一次提取本息。该项存款的通行办法为,存款金额自 100 元起,最多 2 万元,存期为 2 年;利息按实存月数计算,每扣足 6 个月计算复利一次,如存满 2 个月至 5 个月是周息四厘,存满 6 个月至 9 个月是周息五厘,存满 10 个月至 12 个月是周息五厘七毫五,存满 13 个月至 18 个月是周息六厘二毫五,存满 19 个月至 24 个月是周息六厘五毫。未满 2 个月,概不计息,超过 2 个月而不足月的日数也概不计息。若是 24 个月满期之后,存款人未将存款本息提出,其逾期的利息一概按照活期存款的利率计算。

　　零存便期整付为初次存入时,由交行签给存折,以后不拘日期陆续存入,在期限内存款人可一次提取本息。该项存款的通行办法为,初次存入的金额至少为 5 元,以后每次缴款不得少于 1 元,但存入的本金最多为 20000 元,存足 10 年为满期。利息按照每次交款日至通知支付日的实存月数计算,每扣足 6 个月计算复利一次,如存满 1 个月至 5 个月是周息四厘,存满 6 个月至 11 个月是周息五厘,存满 1 年至 1 年 11 个月是周息六厘,存满 2 年至 2 年 11 个月是周息六厘五毫,存满 3 年至 4 年 11 个月

----

① 以上见《交通银行史料》第一卷,第 1107—1119 页。
② 《交通银行史料》第一卷,第 1108 页。

是周息七厘,存满5年至6年11个月是周息七厘五毫,存满7年至8年11个月是周息七厘七毫五,存满9年至10年是周息八厘。所有不足月的日数一概不计息,从开户到提取不满6个月的也不计息,10年满期后若存款人未将该项存款本息提取,逾期的利息一概按照活期存款的利率计算。①

三、储蓄存款规则的变化

交通银行在不断开发和完善储蓄存款品种的同时,也从保证储蓄业务的正常运营考虑,对储蓄存款的规则及时进行调整。

交通银行最初开办储蓄业务时,一般先在经济比较繁荣的地区试办,并根据当地的实际情况以及试办中遇到问题制定相应的方法与规则,待试办取得明显成绩后再逐步推广。当形成通行的方法与规则,且为各地分支机构普遍遵循时,某时某地也会出现新的特殊情况,从而与通行的规则不相适应,因此,交行各地分支机构既遵守已确定的基本原则,但也常在具体细节上作出一些调整。②

1929年,交行哈尔滨分行属下的道里办事处在最早试办储蓄存款时,即于当年7月1日制定了《交通银行道里办理储蓄存款章程》③,该章程大体上已确立了交通银行办理储蓄业务的主要内容和基本准则。其后,该章程被改为《某地交通银行信托业务储蓄部章程》;1930年5月,又被修订成《哈尔滨交通银行储蓄部各种储蓄存款规则》④。该份规则主要包括五个部分:一、规定了储蓄存款种类、入存货币、办理过程和挂失处理等通则事项。二、有关活期储蓄存款的办理准则。三、有关整存整付储蓄存款的办理准则。四、有关零存整付储蓄存款的办理准则。五、有关整存付息储蓄存款的办理准则。其中,活期储蓄存款,即个人为积蓄货币及获取利息收入而开立的存款账户,无一定期限,只凭存折便可提现。交行当时的规定是,初次存入金额须在10元以上,此后续存不得少于1元,每户总额不得超过5000元。活期储蓄的利息,哈大洋券按月息四厘计算,津大洋券按月息三厘计算,每年6月20日及12月20日各结算一次,然后并入存本。上述规则后为交通银行总行制定储蓄存款规则时沿用,并为

---

① 《交通银行史料》第一卷,第1119—1120页。
② 同上,第1098—1101页。
③ 《行史清稿》第13册,第15页,中国第二历史档案馆藏,档号398(2)-699。
④ 同上,第16—23页。

各分支机构普遍遵循。① 相对而言,整存整付、零存整付、整存付息的办理方法稍复杂,不仅规定了存储的金额和期限,而且利息的计算也因存期不同而有高低。有关上述三种定期储蓄存款的详细情况可见表2-6-10。

表2-6-10　整存整付储蓄存款一次存入金额表

票面金额	币　别	定期一年一次交存	定期二年一次交存	定期三年一次交存	定期四年一次交存	定期五年一次交存
百元	哈/津洋	80.12 91.05	80.12 81.96	70.50 72.94	61.34 64.19	52.78 55.84
五百元	哈/津洋	450.08 455.25	400.57 409.79	352.48 364.70	306.70 320.90	263.88 279.20
千元	哈/津洋	900.16 910.50	801.13 819.58	704.97 729.38	613.39 641.81	527.75 558.40
五千元	哈/津洋	4500.97 4552.48	4005.63 4097.88	3524.80 3646.92	3066.93 3209.00	2638.75 2791.98
万元	哈/津洋	9001.60 9105.00	8011.30 8195.80	7049.70 7293.90	6133.90 6418.10	5277.50 5584.00

资料来源:《行史清稿》第13册,第20页,中国第二历史档案馆藏,档号398(2)-699。

表2-6-11　零存整付储蓄存款每月应存金额表

票面金额	币别	定期二年每月交存	定期五年每月交存	定期十年每月交存
百元	哈/津洋	3.75 3.80		
五百元	哈/津洋	18.64 18.87	6.11 6.31	2.05 2.19
千元	哈/津洋	37.30 37.75	12.25 12.65	4.10 4.40
五千元	哈/津洋	186.33 188.64	61.09 63.05	20.45 21.89
万元	哈/津洋	372.70 377.30	122.20 126.10	40.90 43.80

资料来源:《行史清稿》第13册,第21页,中国第二历史档案馆藏,档号398(2)-699。

---

① 《行史清稿》第13册,第18—19页,中国第二历史档案馆藏,档号398(2)-699。

表 2－6－12　整存付息储蓄存款应付息金表

付息办法息额		每月一付			每半年一付			每年一付		
期限	币别	千元应得息金	五千元应得息金	万元应得息金	千元应得息金	五千元应得息金	万元应得息金	千元应得息金	五千元应得息金	万元应得息金
定期二年	哈/津洋	9.00 8.00	45.00 40.00	90.00 80.00	57.00 51.00	285.00 255.00	570.00 510.00	120.00 108.00	600.00 540.00	1200.00 1080.00
定期三年	哈/津洋	9.50 8.50	47.50 42.50	95.00 85.00	60.00 54.00	300.00 270.00	600.00 540.00	126.00 114.00	630.00 570.00	1260.00 1140.00
定期四年	哈/津洋	10.00 9.00	50.00 45.00	100.00 90.00	63.00 57.00	315.00 285.00	630.00 570.00	132.00 120.00	660.00 600.00	1320.00 1200.00
定期五年	哈/津洋	10.50 9.50	52.50 47.50	105.00 95.00	66.00 60.00	330.00 300.00	660.00 600.00	138.00 126.00	690.00 630.00	1380.00 1260.00

资料来源:《行史清稿》第 13 册,第 22 页,中国第二历史档案馆藏,档号 398(2)－699。

沈行与哈行同处东北境内,政治、经济状况大致相同,所以沈行的储蓄存款规则及利率计算等,都参照哈行的办法。

1931 年,交通银行津区储蓄部成立后,专门制定了《交通银行津区储蓄部各种存款规则》①,这份规则与哈行的相比,通则事项和活期储蓄存款等内容大致相同,具体操作则多有补充和创新。②

其一,活期储蓄存款中的特种活期,是将存折连同支票一并交给存款人收支,以后续存时用存折,支取时用支票。支票上一律印有号码,甲户支票不能移交给乙户使用,票面金额不得少于 5 元,并有一套详细的支票使用说明,十分便利客户的储蓄收支。

其二,整存整付、零存整付、整存零付的规定年限有所延长,为 6 个月起至 15 年。

其三,完善了整存分期付息和特种定期储蓄的规则。根据 1930 年 4 月增订的《交通银行办理储蓄规程》,交行开办的储蓄业务分为活期储蓄、整存整付、零存整付、整存零付、整存分期付息、特种定期储蓄等六种。哈行的储蓄规则中并无整存分期付息和特种定期储蓄的内容,津区则为上述两种储蓄制订了一套较为完善的运作规则。如整存分期付息储蓄存款每户存入金额须在 100 元以上,最多不超过 1 万元,期限为 2 年至 15 年,期内付息时间分为每月一付、每 3 个月一付、每 6 个月一付、每

---

① 《行史清稿》第 13 册,第 23—34 页,中国第二历史档案馆藏,档号 398(2)－699。
② 《交通银行史料》第一卷,第 1102—1109 页。

年一付四种,但 100 元的存款只有每 6 个月一付、每年一付两种。特种定期储蓄由存款人一次存入本金,金额须在 100 元以上,最多不超过 1 万元,满期后即可获得本息合计的整数。

随着储蓄用户的日益增多,交行开办了以储蓄存款为抵押的借款服务。为此,交通银行总管理处于 1932 年 1 月特地对《储蓄存款抵借款项规则》作了增订,试图对各自为政的储蓄业务稍作调整。《储蓄存款抵借款项规则》就抵借金额、抵借利率、抵借期限和偿还等事项作了明确规定:1. 零存整付存款按照结存本息余额,以存款期限为标准,定期不满 5 年的,借款至多不得超过八折,定期 5 年以上不满 10 年的,借款至多不得超过七折,定期 10 年以上的,借款至多不得超过六五折。其余各种定期储蓄存款按照结存本息余额(整存整付存款按照本金及累计利息合计,整存付息存款按照存入原本),以到期时间为标准,不满 5 年的,借款至多不得超过八折,5 年以上的,借款至多不得超过七折。2. 抵借利率可随时参酌当地情况,在原订存款利率的基础上增加,且不得少于一厘。3. 抵借期限最长不得超过 6 个月。4. 整存零付、整存付息存款的抵借款项应如数付还,清偿本息,借款到期应向储户催赎,如果逾期不赎,即将逾期利息加入原本,每半年滚算复息一次,待存期届满后照章结算本息以作抵还,若仍有不足,应向借款人追偿。为了避免法律争端,款项的滚算复息应根据当地习惯确定具体方法,待抵借手续办妥后,遵照押透规则办理。

1932 年 7 月,沪区储蓄分部及上海第一、第二、第三、第四办事处设储蓄支部,增办特种活期储蓄,以支票取款开户时,存款须在 100 元以上,每次续存 5 元以上,存款限额 3000 元以下。因此,交行又核定了沪部储蓄存款的相关手续:1. 储户缴款后,分支部及支部之间皆互相照章办理,各用报单通知,电话之类的通知不能作为凭证。2. 支部储户的支票在分部也可兑现,在未付现款之前,除应核对印鉴,必须先询问原储蓄部是否真有存款,待回复确定后才能兑付,支部还须随时创录报单,以此为凭向分部记账。3. 支部储户印鉴都应复制一份送交分部,以备核验。4. 分部储户的支票由分部自行处理,各支部概不先付。5. 支部与支部之间没有互相代付支票的义务,为了杜绝流弊,计划将利率改为周息三厘计算。①

---

① 《交通银行史料》第一卷,第 1100 页。

1934 年 10 月,交行修订《交通银行沪区储蓄存款规则》,①适用范围遍及上海、南京、镇江、苏州、常熟、无锡、武进、丹阳、扬州、南通、泰县、清江浦、盐城、如皋、东台、杭州、宁波、绍兴、余姚、定海、兰溪、金华、温州、南昌、九江、芜湖、开封、汉口、武昌、沙市、宜昌、长沙、西安、厦门、福州等重要商埠。② 内容与津区规则大致相同,唯在存款种类中没有特种定期存款,零存整付、整存零付的最低存期由 2 年延长为 3 年。

1935 年 7 月,交行董事会议决,增拨国币 200 万元作为储蓄部营业基金,连同先前已拨付的款项,共计 250 万元,皆由总行拨转。交行还遵照财政部的指令,将先前已经呈准的办理储蓄规程修订为《交通银行储蓄部章程》,于 8 月呈交财政部核准备案。《交通银行储蓄部章程》共计 12 条,其中重要规定有六点:1. 提拨国币 250 万为储蓄部营业基金。2. 储蓄部将相当于存款总额四分之一的政府公债、库券及其他确实担保资产,交存中央银行特设保管库,作为储户保障。3. 设立专部办理储蓄业务,定名为交通银行储蓄部。4. 设立检查储蓄账目委员会,按月检查储蓄部资产负债。5. 储蓄部每年决算盈余时,先提取十分之一以上余额作为本部的储蓄公积金。6. 董事、监察人对储蓄存款负有连带无限责任,卸职登记满 2 年后,责任才得以解除。

《交通银行储蓄部章程》遵照国民政府颁行的《储蓄银行法》,对交行的储蓄业务作了整体性调整,无论是营业基金,业务种类,分支部和会计的设立,还是业务结算及账目核查,都实现了整齐划一。③

原先交行各地储蓄分支部所订立的息率并不一致,苏、浙、皖、赣、鄂、湘、秦、豫、闽等地都采用上海总行制定的息率,即活期年息四厘至五厘,定期六厘至一分。天津、青岛、香港等地则自行制定息率,如岛属的息率为活期年息四厘至七厘,定期六厘至一分半。显然,相互间的差距较大。1936 年 7 月,交行对各属的储款息率进行了全面调整,其最高息率、最高限额、最长期限等,都遵照《储蓄银行法》的规定,同时又依据各分支部所在地的实际状况适当作些微调,调整后的息率一律于当月开始实行,至此,交行的储蓄息率趋于一致。在此基础上,《交通银行储蓄存款规则》于当年 7 月应运而生。该份规则除确定了活期、定期、便期 3 类,活期储蓄、整存整付、零存整付、整存零付、整存分期付息、整存便期整付、零存便期整付 7 种储蓄存款种类,最主

---

① 《储蓄存款规则》,交通银行博物馆藏资料 Y53,第 180—189 页。
② 同上,第 179 页。
③ 《交通银行史料》第一卷,第 1106—1109 页。

要的是对各种储蓄种类的息率作了详细规定,其中活期储蓄按周息四厘计算,便期储蓄按月数计息,定期储蓄因种类较多,计算复杂,所以分别各种情况制定了相应的息率表,供行员参考执行。①

四、唐寿民对储蓄业务的贡献

1933年,交通银行总管理处就设立储蓄部一事向财政部递交呈文,强调了发展储蓄业务的重要意义,"发展实业经纬万端,其要在以社会之资力办生利之事业,而社会资力分散则力薄,合聚则用宏,聚之之方首在培养社会信用,提倡民众储蓄"②。同年4月21日,唐寿民就任交通银行总经理不久,即对兴办储蓄业务提出一系列方针,特别强调开展储蓄业务必须"注重独立"。他回顾了自己在沪行经理任内首先建议创办储蓄业务的经历,指出沪行开办储蓄业务后,短短两年,存户即增至28800余户,存款数额达到1000余万元,成绩斐然。为此,唐寿民提出:"本行分支处遍国内,凤承社会信托,推而广之,事半功倍,前途进展,未有穷期。惟以储蓄款项悉为零星散户节约之资,应力谋安全之保障。经营独立,为固定原则,永矢弗渝。愿各善替斯意,笃守成规,为社会尽义务,亦即为本行增信誉。"③

其后,国民政府对先前的《储蓄银行法》17条作了修订,④颁布了《修正储蓄银行法草案》19条。⑤ 一时间,有关储蓄银行法案的讨论成了银行业的热点,唐寿民也就此发表了《对于储蓄银行法案之意见》一文。⑥ 其实,唐寿民早在《储蓄银行法》颁行之前,即对相关法案极为关注。1931年3月,他在《银行周刊》第10卷第11期发表专文,⑦以自己在银行从业二十余年的经验,提出七点具体意见:取缔有奖储蓄,规定储蓄存款最高利率,详细规定储蓄存款的运用,经理及董事管理不善应负相当责任,商业银行储蓄部的资本及会计必须划分,储蓄部应有公共检查机关。该文的部分意见被吸收进《储蓄银行法》和《修正储蓄银行法草案》(以下简称《修正草案》),分别体现在《储蓄银行法》第6条、第7条、第14条、第15条、第16条以及《修正草案》第

---

① 《交通银行史料》第一卷,第1104—1120页。
②③ 同上,第1121页。
④ 《储蓄银行法》于1937年9月1日废止。
⑤ 载《行史清稿》第13册,第112—116页,中国第二历史档案馆藏,档号398(2)-699。
⑥ 载《交行通信》第4卷第5号,第3—8页。
⑦ 原文附录于《对于储蓄银行法案之意见》之后,详见《交行通信》第4卷第5号,第5—8页。

11 条等。

在《对于储蓄银行法案之意见》一文中,唐寿民开门见山地表明了撰文的目的:"上海银行业同业公会曾向立法院商法起草委员会陈述意见,未蒙完全采纳,兹阅修正草案,有重要之点,仍须向起草委员申说。"①基于上述目的,文章就《修正草案》中的一些规定,细致分析了三个具体问题。首先是股东加倍责任问题。《修正草案》第2 条明确规定:"储蓄银行应为股份有限公司组织,非经财政部核准不得设立。"而股份有限公司的股东缴清所认股份的责任,在公司法中也有规定,故从法理上说,股东对公司的债务就不负有其他责任。这与《修正草案》中的第4 条,即股东加倍责任的条款相互矛盾。而且股票作为一种资产,虽价格时有涨落,但最坏的状况就是跌停至零,若按照《修正草案》的规定,就可能出现负债风险,必然不利于储蓄业务的投资。其次是董监事责任及资金运用问题。唐寿民认为董监事是执行和检查储蓄业务的责任人,因关乎储户财产和股东资本,自然在储蓄业务中承担最为重大的责任。为了能肩负此等重任,他们就必须能自由地处理储蓄事务,而《修正草案》第8 条的规定,使得董监事在资金运用方面几无自由支配权力,如此便不符合责任与权限之间的对等关系。第三是有价证券存放问题。购买有价证券是银行运用资金营利的途径之一,但《修正法案》第10 条中"存款总额三分之一"的规定,未免过多。

唐寿民提出上述三个问题,与先前提出七点意见相同,都是从当时银行业的实际情况出发,针对储蓄银行法案中不切合实际、不利于业务的条款而作的申诉,论点鲜明,言之成理,从中也不难看出他对于完善储蓄法案,促进业务发展的拳拳之心。

五、储蓄业务的成效

自交通银行开办储蓄业务以来,储蓄存款与年俱增。开办之初,因从事储蓄业务的营业网点不多,1930 年的储蓄存款仅为国币160 余万元。随着沪、津等属储蓄分支部纷纷建立,1931 年的储蓄存款突破了国币1000 万元大关。待汉口、香港、厦门等属储蓄分支部相继设立,再加上第二次改组后资本更加雄厚,交行1934 年的储蓄业务出现了大飞跃,储款高达3000 余万元。1935 年和1936 年继续保持了这一良好势头,至1936 年底,交行的储款已超过国币6000 万元,较1930 年开办之初的数额,增

---

① 唐寿民:《对于储蓄银行法案之意见》,载《交行通信》第4 卷第5 号,第3 页。

长幅度高达 36 倍。储蓄业务发展之迅猛,远远超过其他业务,交行高层大为感叹:"(储蓄)进展之速,为本行其他业务所不能及。"[1]有关这一时期交行储蓄存款的详情,可见下述各表。

表 2 - 6 - 13　1930—1936 年交通银行储蓄存款余额比较表　　　　单位:元

年　份	金　额	百分率
1930 年	1693937.33	100.00
1931 年	4653956.40	274.74
1932 年	10290132.65	607.47
1933 年	18420305.04	1087.42
1934 年	30028931.80	1772.73
1935 年	46083676.51	2720.51
1936 年	61100022.00	3606.98
合　计	172270967.73	
平　均	24610138.25	1452.84

资料来源:《交通银行史料》第一卷,第 1127 页。

说明:1. 上列各数额均为各该年年底的余额。

　　　2. 交通银行哈尔滨道里办事处及黑龙江支行均于 1929 年开办储蓄业务,储额不高,故自 1930 年起列表。

表 2 - 6 - 14　1930—1936 年交通银行定期储蓄存额分类余额比较表　　　　单位:元

年份	整存整付存款		零存整付存款		整存零付存款		整存分期付息存款	
1930	604896.81	100.00	163162.61	100.00	4717.65	100.00	74847.35	100.00
1931	1443339.45	238.61	547331.56	335.45	16346.29	346.54	235959.47	315.26
1932	3669600.84	606.65	839538.19	514.54	26961.07	571.59	467544.05	624.67
1933	8573672.46	1417.38	1201019.43	738.54	31417.56	166.05	1029037.10	1374.85
1934	17713283.49	2928.32	1901334.25	1165.30	63478.36	1345.74	2078592.61	2777.12
1935	2370838.31	3919.41	2567320.37	1573.48	112856.33	2392.54	3061460.01	4090.29
1936	30577435.00	5254.99	3042057.00	1864.44	156208.00	3311.60	4342611.00	5801.98
合计	64953066.36		10265763.41		411985.26		11290051.59	
平均	9279009.48	2037.91	1466537.63	898.82	58855.04	1247.72	1612864.51	2154.88

---

[1] 《交通银行行务纪录》(二),《交行档案》第 271 号,第 7 页,交通银行博物馆藏资料 Y38。

年份	特种定期存款		整存便期整付存款		零存便期整付存款		合　　计	
1930	64103.43	100.00					911727.85	100.00
1931	159928.81	249.49					2402905.58	263.56
1932	312461.52	487.44					5136105.67	583.08
1933	586216.99	914.49					11425363.54	1253.16
1934							21756688.71	2386.32
1935							29450019.81	3230.14
1936			1255601.00	100.00	169839.00	100.00	39543751.00	4337.24
合计	1122710.75		1255601.00		169839.00		110626562.16	
平均	280677.69	437.85	1255601.00	100.00	169839.00	100.00	15803794.59	1756.21

资料来源:《交通银行史料》第一卷,第1125—1126页。

说明:1. 上列各数额均为各该年年底的余额。

2. 特种定期存款自1934年起并入整存整付存款内记载。

表2－6－15　1930—1936年交通银行活期储蓄存款余额比较表　　　　单位:元

年　份	金　额	百分率
1930	782209.48	100.00
1931	2251050.82	287.78
1932	4974032.98	635.90
1933	6994941.50	894.25
1934	8272243.19	1057.55
1935	16633656.70	2126.50
1936	21556271.00	2755.82
合计	61464405.67	
平均	8780629.38	1122.54

资料来源:《交通银行史料》第一卷,第1127—1128页。

说明:1. 上列各数额均为各该年年底的余额。

2. 1932年有特种活期381257元,1933年有414780.29元,均分别并入各该年活存之内,
1934年起特种活期取消。

3. 1931年9月交通银行天津分部开始储蓄业务,并办特种活期储蓄存款,数额不详。

从以上表格中不难发现,初办时期的定期储蓄与活期储蓄数额大致相等,1933年以后,定期储款日益增多,至1936年底已高达3900余万,与1930年相比,增长幅度高达43.4倍。1936年的活期储款虽有2100余万,但与1930年相比,增长幅度仅为27.5倍,远远落后于定期储蓄。定期储蓄存款的高速增长,对银行而言,确实是个可喜的现象。交行定期储蓄之所以发展迅猛有多方面的原因,在政治局势相对稳定的情况下,民众储蓄从获取较高利息的角度考虑,多倾向于选择定期,而银行运用储金也以定期存款为宜,所以积极鼓励客户选择定期,此外,《储蓄银行法》的相关规定也对定期储蓄起了一定推动作用。

六、储蓄资金的运用与储蓄会计

在《储蓄银行法》颁行之前,交通银行在运用储蓄资金时,主要的依据是1930年呈交财政部核准的《储蓄部章程》中第4条的规定,储蓄资金的运用集中于三个方面:1.买入国民政府公债库券及财政部认可的有价证券;2.以本行储蓄单据或民国政府公债库券及其他确实有价证券作为担保的抵押放款;3.买入其他银行承兑的票据。1934年,国民政府公布《储蓄银行法》,其中第7条规定将储蓄资金的运用范围扩展为八项,除上述三项外,还可用于以下方面:1.以继续有确实收益的不动产作为抵押的放款;2.以其他银行定期存单或存折为抵押的放款;3.存放于其他银行;4.农村合作社的抵押放款;5.以农产物品为抵押的放款。[①]

由于交通银行的储蓄存款连年递增,至1934年底已超过国币3000万元,显然,原先《储蓄部章程》所规定的储金运营范围已不再适用。因此,交行按照国民政府《储蓄银行法》的规定,逐步扩大储金的运用范围,其中,用以购买有价证券的数额较大,各项抵押贷款也占不小比例。至于1935年开始从事的农业贷款,根据《储蓄银行法》的规定,应占储款总额的五分之一,因其归入信托业务中操作,所以未列入储蓄资金运用的总数中。交行1930年至1936年储蓄资金的运用状况可见表2-6-16。

---

① 《交通银行史料》第一卷,第1128页。

表 2 - 6 - 16　1930—1936 年交通银行储蓄资金运用状况比较表　　　单位:元

年份	证券投资	百分比	存单存折证券押款	百分比	房地产押款	百分比	合　计	百分比
1930	867580.00	100.00	707490.00	100.00			1575070.00	100.00
1931	1857746.52	214.13	1209610.10	170.97			3067356.62	194.74
1932	3436652.65	396.12	1590311.90	224.78			5026964.55	319.16
1933	3750181.68	432.25	1113158.00	157.34	1848142.00	100.00	6711381.68	426.10
1934	5938204.21	684.46	2284759.00	332.94	2360420.00	127.72	10583383.21	671.93
1935	12451013.97	1435.14	5054389.00	714.41	2313846.00	125.20	19819248.97	1258.31
1936	18881074.48	2176.29	33759211.00	4771.69	1854825.00	100.36	54495110.84	3459.85
合计	47182453.51		45718929.00		8377233.00		101278515.87	
平均	6740350.50	776.91	6531275.57	923.16	2094308.25	113.32	14468359.41	918.58

资料来源:《交通银行史料》第一卷,第 1129 页。

说明:1.1930、1931、1932 年的存单存折与证券押款的数据无法析分。

2.证券押款 1933 年为 905637 元,1934 年为 1807160 元,1935 年为 4546665 元,1936 年为 33425590 元,存单存折押款以表内合并数减去证券押款数即可得知。

3.上列各数额均为各该年年底余额。

表 2 - 6 - 16 可见,交行自 1930 年以后,储蓄资金的运用数额逐年增加,六年间的增长率高达 34.6 倍。当时,交行在国内银行业中,投资规模较小,仅就 1934 年上海各家银行对有价证券的投入看,交行沪区的投资额仅占资产总额的 16%,位于各家银行之末。[①]　直至《储蓄银行法》颁布,受相关规定的推动,交行才逐步增加对有价证券的投资,所以各年购置的证券数额中,以 1935 年和 1936 年增加的幅度最大。

除投资有价证券,交通银行历年运用储蓄资金承做的押款业务,其数额也随储蓄存款的猛增而不断扩大。例如,从 1933 年开始,交行的储蓄资金运营中增加了房地产押款业务,当年承做的存单存折证券押款和房地产押款,共为 296 万余元,较前一年 159 万余元的押款总额,增加了 137 万余元,将近一倍。此后,交行的房地产押款数额不断增加,至 1936 年,短短四年中共投入 837 万余元。

值得一提的是,从 1934 年下半年开始,交行遵照《储蓄银行法》的规定,开始缴纳

① 魏敦夫:《我国储蓄事业之概况即最近沪上储蓄机关资金之运用》,载《交行通信》第 7 卷第 3 号,第 21 页。

储蓄存款担保。当年7月,财政部派遣专员检查上海办理储蓄各行会的资产负债,又敕令交行依照部派专员的检查数目,将担保品交存于中央银行特设的保管库。上海市银行同业公会以《储蓄银行法》还应修改为由,呈请财政部缓办,但未获批准。不久,财政部颁布储蓄存款保证准备保管委员会章程;9月,又成立储蓄存款保证准备保管委员会,7名委员中,财政部委派1人,中央银行遴派2人,银行公会会员银行推举2人,会员银行以外各行及储蓄会由财政部指定2人。此外,还制定了《中央银行代理保管储蓄银行公债库券及资产办法》。按照保管委员会章程第二条的规定,储蓄银行交存债券或其他资产时,其种类、数量、价值须先填具保证准备品报告表,再送交委员会审核通过。10月,交行首次交存沪区的储蓄保证准备。11月,财政部又颁布上海以外各地区交存储蓄保证准备的法令,指令各行会于本年结账后一律照办。交行向财政部说明了东北地区的特殊情况,东北各行得以呈准缓办。12月,交行交存了1935年度上期的保证准备,1936年2月,又交存了1935年度下期的保证准备,随后,1936年度上下期的保证准备也依法交存。① 交行历次交存储蓄存款保证准备金的具体情况可见表2-6-17。

表2-6-17　交通银行历次交存储蓄存款保证准备金表　　单位:元

年份	期数	储蓄存款总额	应交1/4保证准备额	实交有价证券面额	按市价合国币额	备注
		6018147.37	1504536.84	2268000.00	1542240.00	储额为沪区储蓄存款总额由部派员查账实交1932年赈灾公债证券。
1935	上	32483444.14	8120861.03	11758000.00	8173440.00	储额为全部总额,交1931年赈灾公债2858千元,68折,又1934年公债890万元,7折合
1935	下	42428087.49	10607021.87	15167000.00	10616900.00	交统一公债丁种证券,7折合
1936	上	55229802.22	13807450.55	19800000.00	13860000.00	交统一公债丙种710万,丁种820万,戊种450万,均为7折合
1936	下	61100022.16	15275005.54	21859000.00	15201300.00	交统一公债丙种7833千元,丁种820万,戊种5826千元,均为7折合

资料来源:《交通银行史料》第一卷,第1132页。

---

① 《交通银行史料》第一卷,第1130—1131页。

1929 年,交行刚试办储蓄业务,所以将储蓄会计的所有工作和相关手续都暂时按照营业会计的规则执行。1930 年 4 月,交行制定储蓄记账办法,设立甲、乙、丙三个科目,甲为会计科目,分为负债类、资产类、损益类三部分。负债类中列有基本金、公积金、盈余滚存、整存整付储蓄存款、零存整付储蓄存款、整存零付储蓄存款、整存分期付息储蓄存款、特种定期储蓄存款、活期储蓄存款、预提利息等科目。1931 年,交行增办特种活期储蓄存款,于是对记账办法作了部分修订,在负债类中增设了特种活期储蓄存款科目。其后,从核实决算损益考虑,又在负债类中增设应付未付利息科目,在资产类中增设应收未收利息科目。1932 年,因中途停交的零存整付储蓄存款日后发还其利息时须重新改算,原订办法不再适用,为方便处理这类问题,又在负债类中增设停交存款科目。1933 年 10 月,交行对原有的储蓄部记账办法进行了全面的修订并颁布实施。修订后的储蓄部记账办法对原来的会计科目、传票、账簿这甲乙丙三部分的相关内容作了增删,并专门设立了丁类科目,即报表,规定各行储蓄部每日须制订一份日计表,随同抄报和当日记账一并寄报总行,其格式及制法与营业日计表相同。①

1934 年,交行因证券投资数额日益增多,为便于考核,在负债、资产两类中分别增设卖出期证券、买入期证券、期付款项、期收款项四个科目。1935 年,因增拨储蓄基金统归交行总行负责,于是取消了分部的基金科目,其后,为了能迅速地办理决算,又在负债、资产两类中分别增设内部往来整理科目。1936 年 4 月,因特种定期储蓄存款已并入整存整付储蓄存款,特种活期储蓄存款已终止,于是撤销了特种定期储蓄存款、特种活期储蓄存款这两个科目。5 月,变更预提利息办法,将预提利息科目并入应付未付利息科目。7 月,因添办便期储蓄存款,又于负债类中增设整存便期整付储蓄存款、零存便期整付储蓄存款两个科目。关于储蓄资金运用方面的记账,原来沪属各分支机构由沪分部统账,其余各属则没有统账的规定。随着交行储蓄存款的激增,而国民政府的《储蓄银行法》又对储蓄资金的运用予以严格限制,交行总行规定,自 1936 年 7 月 1 日开始,一律由总行办理统账,这可视为交行储蓄会计制度的一大变化。②

---

① 《交通银行史料》第一卷,第 1136 页。
② 同上,第 1136—1139 页。

　　储蓄会计办理的储蓄部营业报告分为两类,即储蓄资产负债表与储蓄部损益表。从储蓄资产负债表可看出历年来储蓄业务各方面的发展情况,由储蓄部损益表可看出历年来储蓄业务的经营成效。由于储蓄业务发展迅速,经营妥善,抗日战争爆发前,交行储蓄部的决算都有盈无亏。为了继续推动储蓄业务的发展,交行股东总会议决,将历年来的盈余款项都充为储蓄部基金。

第七章
钞券发行与准备金制度

　　自 1909 年发行第一版钞券以来,交通银行作为中国最早发钞的大银行之一,虽经历数次挤兑风波,但所发钞券的信誉度总体上是良好的。30 年代,交通银行在发行方面取得突破性进展。为配合日益扩展的发行业务,交行对发行机构进行了大幅度改革:发行股改为券务部;成立沪区发行总库;总管理处券务部与沪区发行总库合并为总行发行部;天津总库改为天津分库等。在发行准备方面,交行实行严格的检查制度,1931 年成立的沪区检查发行准备委员会推举董事、监察人,会同会计师按月检查。各地分支行及办事处则由总行随时派员前往检查。1935 年,为配合国民政府推行法币政策,交行又组织参与发行准备管理委员会,按月检查并公告。交通银行的钞票被政府指定为法币后,又按照官方的指令承担了一系列统一货币的工作,如接收各非法币发行银行的发行业务,以法币兑换现银,收回旧辅币等,与此同时,交行也获得一系列经营特权,投资政府的债券随之剧增,发行业务由此步入快速发展的时期。

第一节　发行机构的变更

一、津、沪区发行总库的变迁

　　早在 1922 年,交行已开始实行分区发行制,并坚持发行独立、准备公开的原则。

为贯彻分区发行的政策,交行建立各区发行库,以天津第一区发行总库和上海第二区发行总库筹备处(地址:外滩14号上海分行内)最具代表性,事实上,交行原先计划次第筹设的第三、四、五区发行总库,后来并未付诸实行。

1928年12月,交行实行首次改组,重新修订组织规程,对发行总库的组织机构也略作调整。总库改设二股,第一股职掌文书庶务、兑换券的发行、纸币兑换及准备账表。第二股职掌现金与证券的收付保管,并记载收付账与库存账。各股设主任1人,分库不再设立文书、钞券、准备等人员。[①]

1929年6月,天津第一区发行总库改称津区发行总库,下辖的各分库也改称津区发行某地分库。上海第二区发行总库筹备处改称沪区发行总库筹备处,所属分库筹备处改称沪区发行某地分库筹备处。

同年8月,交行再次修订分区发行章程,将发行区域分为上海、天津、辽宁、哈尔滨四个区,每区设置一个发行总库。《修正分区发行规程》规定:各总库可在各自区域内拟定地点,陈请总管理处核定添设分库,不设分库的地方,可酌情设置发行专员或发行员;总库隶属于总管理处,分库及发行专员归各区总库管辖,发行员归总库或分库或发行专员管辖;总库应特设专库存放兑换券及兑换券准备金,与营业资金分别存储,并特设发行账目,记载兑换券及兑换券准备金收付情况,与营业会计分别办理。

1931年1月1日,交行取消"沪区发行总库筹备处"名称,改称"沪区发行总库"。[②] 至此,沪区发行总库才正式成立,距津区发行总库成立的时间晚了近两年。其业务职掌主要包括五个方面:1.负责本区兑换券的发行、整理和保管。2.负责本区现金准备和保证准备中有价证券的点验。3.负责本区准备的调拨。4.与其他银行订立领用本区兑换券的合同。5.负责本区发行账表的记载、检查和整理。在统属关系上,沪区发行总库直接领导九大分库筹备处,具体见表2-7-1。

1933年7月,总管理处改组总行,沪区发行总库名称撤销,改组为总行的发行部,津区发行总库也改为天津发行分库。至此,津、沪区发行总库均不复存在。

---

① 《交通银行史料》第一卷,第858页。
② 同上,第854页。

表 2 - 7 - 1　分库筹备处一览表

名　　称	成立时间	名　　称	成立时间
沪区发行汉口分库筹备处	1929 年 4 月	沪区发行吴县分库筹备处	1924 年 8 月
沪区发行九江分库筹备处	1928 年 11 月	沪区发行常熟分库筹备处	1924 年 8 月
沪区发行南京分库筹备处	1925 年 4 月	沪区发行湖州分库筹备处	1924 年 8 月
沪区发行杭县分库筹备处	1924 年 8 月	沪区发行镇江分库筹备处	1925 年 4 月
沪区发行无锡分库筹备处	1924 年 8 月		

资料来源:《交通银行史料》第一卷,第 859 页。

二、发行分支库的调整

1933 年 7 月,交通银行总管理处改组为总行,其发行钞券的权限得以提高,而各分区的发行权则有所收缩。

为了便利总行管辖,交行将原总管理处券务部与沪区发行总库合并,改组为总行发行部;原沪区发行总库属下的各发行分库筹备处,一律改组为支库;原津区发行总库属下的燕(北平)、鲁(济南)、岛(青岛)、烟(烟台)四分库亦改组为支库。同时,交行还规定,直接隶属于总行的分、支库一概以地名命名,称为某地发行分库或支库,不再有沪区、津区之别。

交行总行发行部成立后,前总管理处券务部驻津第五组改为发行部驻津印销课,专门负责北方各行、库印发新券,销毁旧券以及管理津、平两处切留票角等事务。1934 年,平、津库内历年切留的票角分别焚毁封存。此后,印销课一度裁撤,后因法币制度实施后,事务繁多,于 1936 年再次恢复。

当时,交行再次修订组织规程,进一步明确了分支库的机构建制,主要三项内容:1. 分库分为三等,直隶总行,设经理 1 人,也可设副经理;分库可设第一、第二两股,办理具体事务,每股设主任 1 人,事务较简的分库,可不分股。2. 支库分为六等,隶属分库,在特殊情况下,可直隶总行;等级较高的支库可管辖等级较低的支库;支库设经理 1 人,不设副经理,不分股。3. 各分、支库的会计主管人员不得兼任营业与出纳事务。经过此番调整,交行分区发行制逐渐废止。

1933 年 7 月改组之前,交行正式设立的发行库仅有上海、天津、北平、青岛、济南、烟台等六处,其他地方的发行事务实际上都由交行当地分支行兼管。为进一步划清发行与营业的界限,贯彻发行独立的原则,此后,交行陆续在原有以及后来增设分支行的地区,设立发行支库,并添设支库经理,专门负责发行事务。是年,交行由发行总库改组为分库的有 1 处,由分库或分库筹备处改组为支库的有 12 处,增设或重设支库的有 29处,总共有分、支库 42 处。1934 年,交行又增设了 10 处发行支库。[1]

随着发行业务的开展和发行区域的扩大,交行总行为了统一协调各发行库的设计调查、运输调拨等事务,依照路线分别划分区域,每区指定一库作为集中库,由其负责照应区域内各支库有关发行的所有事宜,以便总行在鞭长莫及的情况下,可借集中库的力量互相联络,收指臂相助之效。

当时,沪区的苏、锡、武、常、通、如等支库邻近上海的总行,津区的燕、张、石、化、包、保、唐等支库隶属津库,闽区的闽库隶属厦库,秦区的渭库隶属秦库,上述诸库无须再另行指定集中库,其他各支库分别划分,指定了下列集中库:

浙、绍、兰、临、衢、瓯等库划为浙区,指定浙库为集中库。

甬、姚、定、海、沈等库划为甬区,指定甬库为集中库。

宁、蚌、芜、宣等库划为宁区,指定宁库为集中库。

镇、扬、泰、丹、盐、清、淮、高、台、溧、金、兴、桥、宝等库划为镇区,指定镇库为集中库。

徐、新、板、青等库划为徐区,指定徐库为集中库。

汉、浔、湘、沙、宜、鄂等库划为汉区,指定汉库为集中库。

岛、鲁、烟、龙、威、潍、枣、黄等库划为鲁区,指定岛库为集中库。

郑、汴、陕、灵等库划为郑区,指定郑库为集中库。[2]

1935 年 11 月,国民政府颁行法令,实施法币政策,指定交通银行发行的兑换钞券为法币,交行参加法币发行准备管理委员会,并以交行的库房作为准备库之一。至此,交行的发行业务又进入一个新的阶段。

截至 1936 年 1 月,交行有发行分库 5 处(除天津分库,此时青岛、汉口、杭州、厦门支库已改组为分库),发行支库 51 处。

---

① 绍衣:《本行改组后一年来行务改进记》,《交行通信》第 5 卷第 1 号,第 18—19 页。
② 《交通银行史料》第一卷,第 863—864 页。

鉴于法币推行后,交行的钞券已不再区分地名,可在全国通行,因此,原先划分的发行区域按照政府法令全部取消,而各分支库的钞券发行和准备金账目也全部集中于总行,由总行进行统制和调配。同年2月,交行撤销各分、支库的名义,各分、支行的经理、副经理不再兼任各分、支库的经理、副经理,发行事务全部划归原先所在地的分、支行办理。在分、支行内,按照行、库、部、股的隶属系统,分别处理与发行有关的各类事务。为贯彻发行独立,准备公开的既定原则,原先确立的发行办法,如发行准备与营业资金严格划分,发行与营业在会计系统上相互独立,发行准备金的定期检查等,一如既往,依旧实行。

第二节　准备金制度与发行准备委员会

一、沪区检查发行准备委员会

沪区检查发行准备委员会是交通银行准备金公开的产物。1930年12月,交行总管理处在呈交财政部的信函中,即提及在成立沪区发行总库的同时,需要组织检查发行准备委员会予以检查监督。交行认识到,当时各发行银行陆续对准备金予以公开,而交行自发行独立以来,在筹备期间,一直未办理准备金公开手续,因而计划自1931年元旦起,将筹备字样取消,正式成立沪区发行总库,并组织检查发行准备委员会实行定期检查。显然,交行此举,说明其已感受到其他银行公开准备的压力,决意紧跟时代潮流,在竞争中谋求生存。

1931年1月1日,沪区发行总库正式成立,根据交行总管理处的规定,沪区检查发行准备委员会也随之成立,开始进行每月一次的发行准备公开检查,并按期向社会公布。交行制定的《检查发行准备委员会规则》规定,组织检查发行准备委员会,先从沪区总分库实行。委员会由董事长、总经理、常务董事、董事、常驻监察人、券务部主任、所在地分支行处经理或主任组成,以总经理为主席,总经理缺席时由委员中互推一人为临时主席;检查事项为现金准备和保证准备,每月至少检查一次;聘请会计师1人会同检查,检查的结果由会计师证明并公布。

《检查发行准备委员会规则》公布后,财政部曾提出异议,认为交行检查委员会的各个委员均为行内职员,与中行检查委员会加入银行公会、总商会、钱业公会及领券各行庄代表,并由财政部指派主管司长参加的情形不同,不符合公开的原则,而且关于准备金的成数也未予分别订明。但考虑到交行初次实行准备公开,难免有准备仓促或为难之处,从交行的良好初衷和实际情况考虑,财政部最终准予交行按照原订规则试行一年或半年,然后,再由财政部对相关规则加以修订。[1]

二、兑换券准备金制度的建立

兑换券准备金,是指发行银行为保证银行兑换券的及时兑现而提取的准备金。完备的准备金制度可将钞券的发行限制在合理的范围内,以保证钞券的信用。然而,这一制度在中国近代银行业的发展史上却推行得非常迟缓,从而影响了金融市场的稳定。20 年代初期的几次挤兑风潮,尤使这一制度凸显其不容忽视的重要性。

1922 年,交行鉴于民国初期两次挤兑风潮对行誉和营业的影响,决定实行发行独立政策。当年 1 月,交行恢复无限制兑换,着手进行发行制度改革。首先,将1917 年设立的钞券科改为发行课,京、津、沪三行增设发行股,并筹备发行独立,准备公开。当时筹议发行准备以现金准备七成,保证准备三成为标准。8 月,交行修改总管理处章程,将试办的发行课改为发行股;将发行准备确定为现金准备六成,保证准备四成。至此,基本确立交行发行准备的定制,其后虽历经调整,但变化不大。[2]

交行自 1922 年起决定充实兑换券准备金,并予以公开,为了尽量避免受政治局势的拖累,也为了便于商业上的发展需要,尽可能将资力集中于津、汉、沪等处分行。又因天津地区发行的钞券数量较少,现金容易筹措,所以津库先予试行。1922 年 10月 25 日起,交行开始在北京的《银行月刊》上公告钞券的流通额和发行准备,公告以后,发行数额显著上升。但交行津库的发行准备公开,由该行董监事和会计师一同检查,尚不属于公开检查。该行前三周的准备金公开情况可见表 2-7-2。

---

① 《交通银行史料》第一卷,第 877 页。
② 《交通银行史料》第一卷,第 810 页。

表 2-7-2　1922 年 10 月 25 日公布津行准备金数额表　　　单位:元

日　　期	流通券数	现金准备	公债证券准备
截至 9 月 30 日	579390	448042.50	242538
截至 10 月 7 日	681000	510750.00	280338
截至 10 月 14 日	706000	529500.00	284638

资料来源:《交通银行史料》第一卷,第 867 页。

　　交行规定,发行区内各分支行领用兑换券时,应交付十足准备金,其中现金至少六成,保证准备至多四成。现金准备以通用银元及银两为准,银两总数不能超过现金准备的二分之一,并由总库酌情将银两随时向原缴入行处调换银元。保证准备可以是政府公债库券、短期确实商业票据、上海天津房地产道契等,但房地产道契不能超过保证准备总额的四分之一。交行还规定,准备金及兑换券流通数必须经当地银行公会、商会、钱业公会检查。

　　交行准备金制度的建立与逐步完善,适应了形势发展的需要,提升了交行的信誉,也推动了交行发行业务的有序发展。

表 2-7-3　1932—1936 年交通银行准备金数额表　　　单位:元

准备金	1932 年	1933 年	1934 年	1935 年	1936 年
发行兑换券准备金	94500925	93004611	112512472	180825650	302140924
现金准备	49530358	56890009	66636150	117621833	185166094
保证准备	44970567	36114602	45876322	63203817	116974830

资料来源:陈子培:《交通银行近五年业务统计图表》(民国二十一年至二十五年),中国人民银行上海市分行档案交通银行卷第 207 号。

三、币制改革前后的发行准备

　　交通银行的发行准备金成分,自 1922 年以来,一直执行现金准备六成,保证准备四成的标准。1933 年首次改组后,交行的业务迅速发展,现金的存储也日益宽裕。鉴于当时国家征收发行税限于保证准备部分,以现金充作发行准备可以减少发行税的支出,于是,交行陆续将宽裕的现金移置发行方面,不断充实现金准备。截至 1934 年年底,沪区所发行的钞券,其准备金成分中,现金准备已提升至 90% 强。其他地区,如天津、济南、青岛、烟台、汉口等区,也斟酌各自的情况,将数量不等的现金移置发行方面。至法币制度实行之前的 1935 年 11 月 3 日,交行全行发行钞券的总额为 10450 余万元,发行准备中的现金准备数额为 6450 余万元,占比近 62%。现金的类别包括现银元和厂条(银条)、金条、公单①、英镑、美元等。

1935 年年底,交行钞券的流通总额增至 30210 余万元,发行准备中的现金准备数额为 18510 余万元,占比为 61%。现金类别中,现银比例减低,美金比例升高。原因是,法币制度施行后,财政当局为稳定法币的对外汇价,指令交行等以所存现银购入外汇存储,并以此充作发行准备。此外,1935 年的现金准备中还新增了一部分纯金、铜元以及其他银行的钞券。增入铜元是因为币制改革后,交行各地分支行间或以兑存的铜元拨充发行准备,其中赣行收存的铜元数量尤多。以铜元充作发行准备虽不甚妥当,但中行也有这一做法,所以交行呈请财政部后,被准予暂时通融。当时,中央、中国、交通三行还商定,除三行及中国农民银行发行的钞券外,所有现存的尚在市面流通的其他银行钞券,都可充作发行准备金,并规定此类钞券以六成转入现金准备项下,四成转入保证准备项下。总而言之,在币制改革前后,交行的现金准备还是相当充实的,而交行准备金制度的完善,也为其 1936 以后大量发行法币奠定了基础。有关情况可参见表 2-7-4。

表 2-7-4　实施法币改革前后交通银行现金准备表　　　　　　　单位:元

	1935 年 11 月 3 日		1936 年 12 月 31 日	
	合国币	百分比	合国币	百分比
银币及厂条	58700000	90.8	70890000	38.29
金条	1190000	1.8	2120000	1.14
公单	3090000	4.7	1160000	0.63
英镑	930000(5600 镑)	1.7	14090000(850000 镑)	7.6
美元	673000(200000 元)	1.0	60570000(18035040 元)	32.71
纯金			26830000(227961.07 盎司)	14.49
他行兑换券			9450000	5.1
铜元			80000(22500000 枚)	0.4

资料来源:《交通银行史料》第一卷,第 874—875 页。

---

① 民国时期,上海银行业同业公会联合准备委员会发行的一种信用凭证。该委员会依据各家银行缴存的房地产、货物、外币证券以及国外存款、金币、金条等财产,按照估价打七折,发给三种凭证,其中一种凭证称为"公单",可代替现金,流通市面。

四、官方组建的发行准备管理委员会

国民政府实行法币改革以前,中国各地金属货币与纸币并行,在某些偏远地区,甚至完全以金属货币作为交易媒介,纸币信用的高低完全取决于发行准备是否充实以及能否随时兑换现金。因此,骤然在全国推行不予兑现的纸币制度,必然引起人们的恐慌。国民政府为向社会昭示法币发行准备的充实,成立了专门的管理机构——发行准备管理委员会,由其负责法币准备金的保管以及发行收换等事宜。

1935 年 11 月 4 日,发行准备管理委员会总会在上海成立,委员主要由财政部、中央银行、中国银行、交通银行、银行公会、钱业公会、商会等机构的代表构成。财政部长兼中央银行总裁孔祥熙担任主席,交通银行董事长胡笔江以及继任董事长的钱新之都是该委员会委员。发行准备管理委员会总会最初设在上海,后受战事影响,于 1937 年 11 月迁往汉口,其后又迁往重庆。

当时,中国虽在形式上完成了统一,但国民政府未能完全有效地控制全国,发布的政令时常遇到地方当权派的抵制,在一些地方还遭到日伪势力的破坏。显然,法币的推行和现金的集中必然有损于各省银行及地方金融机构的利益,使各省政府减少了重要财源,而且现金集中后,一旦政局变动,法币即成为废纸。所以各省都极力要求将现金留存本地,并出现了查封现金,保护地方钞券流通的各种现象。日本一直企图全方位控制中国的经济,金融统制即是其既定的目标之一。早在法币改革之前,日本就在华北地区大量收购白银,贩运至美国换取外汇。国民政府实施法币政策,无疑对日本贩运白银是个很大的阻碍,并且白银停止流通后,日本在金融方面对中国经济的控制力就会降低,这些都是日本势力极不情愿的。所以,日本政府一方面公开宣布不支持国民政府的法币政策,另一方面在暗中大肆破坏,不仅利用华北地区民众使用白银的习惯散播谣言,诋毁法币政策,而且极力阻止国民政府将华北的白银转运出境。面对这样的局面,交行依托发行准备管理委员会,为推广法币做出了积极的贡献。

为了让广大民众接受法币,交行等金融机构建议国民政府在各地设置发行准备管理委员会分会,采取各种措施取信于民,借此推广法币。1935 年 11 月 28 日,财政部颁布发行准备管理委员会分会章程,规定在各通商大埠设立分会,负责办理当地法币准备金的保管、检查等事宜。分会的人员构成,也遵循总会的原则,考虑行业的发布,以便利市面,昭示信用。1935 年 12 月 2 日,发行准备管理委员会第十九次常务会

议议决:"案查发行准备金,在未施行法币以前,向以在申兑现关系,大部分集中上海以应实际需要,自法币施行以来,推行范围以内地为较广,各地发行数量既增,准备金自应分存各地以坚民信。……兹为安定人心,巩固法币信用起见,拟请贵部分别函令中、中、交三行,嗣后对于发行准备金之调度,应随时酌量分存各地分支行处,以昭大信而息浮言,相应录案奉达,即希查照办理。"关于各地分会的设立和准备金的分区保管,交行曾通过发行准备管理委员会致函财政部积极建言。例如,交行提出,"西安为陕西省会并为秦陇金融中心,为便利市面昭示大信,拟请该处设立分会,并请派宁升三、潘益民、王燧生、李泰来、王怡然、李惟诚、武念堂等为该分会委员"。① 鉴于浙江一带的穷乡僻壤,现存各类货币流通较多,一般民众,对于行使法币,一时间还不能完全了解,交行浙行曾代表杭州商会及杭州银行公会,联合浙江商业联合会向财政部提出建议,请求在浙江省会或通商口岸,筹设发行准备管理委员会分会,就近集中准备金予以保管,以消除一般民众的疑惑。

在推行法币的过程中,各地反应最大的是集中现银的做法。交行觉得,集中现银无非是为了增加法币信用,避免现银流出国外,故现银尽可分区集中,不必全归上海保管。为此,交行在天津、汉口、广州三市主动与中央银行、中国银行商洽,筹设发行准备管理委员会分会。在青岛、济南、西安、长沙、广西等地,交行也积极参与新设的发行准备管理委员会分会。

根据发行准备管理委员会章程的规定,交行的职责为:保管法币准备金,办理法币的发行、收换事宜;与中央、中国两行共同接受委员会的指定,成为法币准备金的准备库;交行各地准备金的分存数目,由发行准备管理委员会决定,并陈报财政部备案;发行准备管理委员会每月应检查准备库一次,并将发行数额及准备种类、数额,分别公告,并陈报财政部备案。交行在发行准备委员会的指导下,积极开展法币的推广工作,取得明显效果。

关于发行准备管理委员会的准备金检查制度,财政部于 1935 年 12 月 23 日公布了《发行准备管理委员会检查规则》,以此作为依据。规则规定:

第一,法币发行数额及其准备金种类、数目,定为每月检查一次。法币发行准备金,应分别进行现金准备与保证准备两项检查。

---

① 以上见张秀莉:《南京国民政府发行准备政策研究》,复旦大学博士学位论文,2009 年,第 77 页。

第二，法币发行，须按发行数额十足准备。现金准备为六成，类别为金银或外汇。保证准备为四成，类别为国民政府发行或保证的有价证券，经财政部认为确实的其他资产，以及短期确实商业票据等。

第三，现金准备检查，如系库存现币、现金银，应分别点验。如系寄存分库或存放国外银行者，应核验各该分库存放银行的单据予以证明。保证准备检查，如系库存证券或其他资产，应分别点验，如系寄存分库或寄存国外银行者，应核验各该分库或寄存银行的单据予以证明。

第四，凡设有发行准备管理委员会分会的地方，其法币发行数额及准备金的种类、数目，由分会检查后，转报发行准备管理委员会汇办。无分会的地方，由当地中央、中国、交通三行将发行及准备的数额填报各自的总行，再转报发行准备管理委员会汇办。

第五，发行准备管理委员会每次检查后，应将发行数额及准备种类、数目分别公告，并陈报财政部备案。[①]

第三节　法币改革前的发行概况

一、兑换券的种类与发行数额

交通银行自 1909 年发行第一版钞券以来，历年发行的兑换券随着中国政治、经济形势的变化和金融业本身的发展需要，出现多种形式。至 1928 年，交通银行发行的兑换券按货币种类分，有银两券、大银元券（包括四版以上银元券及五版以下国币券）、辅币券、小银元券、铜元券等 5 种。就券面金额而言，银两券有 1 两、2 两、3 两、4 两、5 两、10 两、20 两、30 两、40 两、50 两及 100 两等 11 种；大银元券有 1 元、5 元、10 元、20 元、50 元、100 元等 6 种；辅币券有 5 分、1 角、1 角、5 角等 4 种；小银元券有 1 角、2 角、5 角、10 角、50 角、100 角、500 角、1000 角等 8 种；铜元券由 20 枚、30 枚、50 枚、100 枚、150 枚、200 枚、250 枚、300 枚、500 枚、1000 枚等 10 种。就印制版数而言，银两券有两版，大银元券除中国实业银行券改印版外有 11 版，辅币券有 3 版，小银元

---

① 以上见《中华民国金融法规选编》（上册），第 415—416 页。

券及铜元券有 4 版。至于地名券,则视分、支行所在地的需要而有所不同,其中尤以上海、天津等地地名最多。截至 1936 年年底,银两券共印制 474436 两,大银元券共印制 741839528 元,辅币券共印制 2723203.4 元,小银元券共印制 390684992 角,铜元券共印制 538545270 枚。①

1914 年,民国政府颁布国币条例后,交行向美国钞票公司订印,开始发行国币券,金额分 1 元、5 元、10 元、50 元、100 元等 5 种。1917 年起改银两本位为国币本位。1927 年,交行向美国钞票公司分批订印第十版国币券,券面及其他纹内印有上海、天津、汉口、山东、奉天等五区地名。山东券券面加印济南、烟台、龙口、威海、青岛等行地名,券面金额分 1 元、5 元、10 元等 3 种,共印 11737 万元。1930 年开始发行沪、津、汉、鲁等地名券,一直流通于市面,其中唯有奉天地名券 500 万元,因东北局势的变化,印制后尚未发行,即悉数切销。1931 年,交行除向美国钞票公司订印钞券外,又向英国伦敦德纳罗公司订印第十一版国币券。原先计划印制上海、天津两地名,面额分 1 元、5 元、10 元 3 种,总额为 3000 万元。后因版式屡次修改,仅于 1932 年、1933 年先后印制上海地名 1 元券

交行接收上海各发行银行有关事宜的文件。

200.4 万元。1935 年,又经该公司改用优等纸张添印上海地名 1 元券 110 万元。原印 3000 万元的合同废除。②

交行自 1928 年改组,至法币改革之前,其兑换券的发行虽受各种因素的影响,但总体上呈逐步增长的态势。

---

① 《交通银行史料》第一卷,第 837 页。
② 同上,第 834 页。

表 2-7-5　1928—1934 年底交通银行兑换券发行流通额表　　　单位:万元

年　份	交通银行发行额①	国家银行发行总额②	交通银行发行额占国家银行发行总额百分比(％)
1928 年	6802.6113	25203	26.99
1929 年	6922.1511	28233	24.52
1930 年	8289.3785	30941	26.79
1931 年	8109.8079	29762	27.25
1932 年	9450.0925	31892	29.63
1933 年	9300.4611	34779	26.74
1934 年	11251.2472	40327	27.90

资料来源:《行史清稿》第 11 册,第 20—22 页,中国第二历史档案馆藏,档号 398(2)-697;《交通银行史料》第一卷,第 838 页;《全国银行年鉴》1936 年,下篇第十九章,第 S85 页;《中国金融年鉴》1939 年,第 A40 页;《中国银行行史(1912—1949)》,第 230 页。

说明:国家银行在 1927 年指中、交两行,1928—1934 年指中、中、交三行。

二、1928 年至 1935 年发行概况

交通银行自 1922 年实行分区发行后,小地名券逐渐停发,地名券种类减少。1927 年武汉国民政府集中现金事件发生后,汉口地名券未能开兑,河南地名券也随之停兑,至 1933 年新汉口地名券再次发行。1932 年,东北境内的伪满金融机构下令,对交通银行发行的哈尔滨、奉天地名券限期收回,哈尔滨地名券须在五年内按照 100 元换 80 元的比例换取伪满中央银行的钞券,奉天地名券则立即停止流通,于是,交行先前发行的哈、奉钞券被迫陆续收回结束。③

1933 年,交行分区发行的制度有所调整,各地发行的兑换券大致可分为六类,即沪属券、津属券、鲁属券、岛属券、烟属券、汉属券。

1934 年,交行发行第五版改色通用大银元券、第十一版上海大银元券,续发第十版上海大银元券,并增发厦门、福州地名券,即厦属券。当时,辅币券流通市面,小银

---

① 《交通银行史料》第一卷,第 838 页。
② 《中国银行行史(1912—1949)》,第 230 页。
③ 《交通银行史料》第一卷,第 839—844 页。

元券陆续收回,不再发行。7月,交行销毁并封存平、津库房所存券角,又销毁北平库房封存的券版。

1935年,交行续发第十版天津大银元券,所发行的济南、烟台、青岛地名券合并为岛属券,又增发西安地名券,即秦属券。同时,销毁、封存上海库房所存券角。天津、北平、青岛、济南、烟台、龙口、威海卫、厦门、徐州等地因美国收买白银引起挤兑现银风潮,交行协同各银行予以应对。[①] 这一时期,交行各区钞券的流通额可见表2-7-6。

表2-7-6　1933—1935年年底交通银行兑换券分区流通额表　单位:万元

区　别	1933 年底金额	1934 年底金额	1935 年底金额
沪属	4312	5945	9729
津属	2484	2412	4495
鲁属	615	735	
岛属	545	702	3035
烟属	301	384	
汉属	52	67	307
厦属			325
秦属			188

资料来源:《交通银行史料》第一卷,第840—841页。

交行在1933年二次改组以前,发行业务谨慎推进,兑换券信用长期保持稳定状态。二次改组后,交行以更为积极的态度努力开拓,因此,1933年底的钞券流通额,除了津区,各区均有增长,其中沪区较改组前增加了357万余元。津区钞券的流通额较改组前减少468万余元,有多方面原因,当时华北局势日趋紧张,平、津一带人心惶惶,市面不振造成现银使用不能畅旺,而津汇行市的高涨也未能在西北地区推行获利。至1934年,平、津市况仍未见明显好转,故津区钞券较上一年又减少72万余元。[②]

1934年,交行对供给同业领用的钞券采取紧缩政策,自身发行约占十分之八,依

---

① 以上见《交通银行史料》第一卷,第844页。
② 《交通银行史料》第一卷,第815、817页。

然取得颇为优良的成绩。尤其是沪区钞券,因交行陆续在浙江与江北一带增设机构,钞券流通日益广泛,所以流通额迅猛增长,甚至超过中央银行、中国银行在沪区的增发数额。当年,交行沪区钞券发行额为 5945 万余元,中央银行钞券在沪区的流通总额为 8520 余万元,中国银行钞券在沪区的流通总额为 13630 余万元,虽然总额仍有差距,但就当年的增长数额而言,交行沪区达到 1630 余万元,较中国银行沪区的增长数额多 220 余万元。①

第四节　法币改革后的任务与发行业绩

一、法币改革后所承担的任务

交通银行被国民政府指定为法币发行银行后,根据国家法令,承担了一系列与币制改革相关的任务,主要有接收发行,兑换现银,买卖外汇,收换旧券,收换旧辅币,检查准备等六项。

（一）接收发行

国民政府币制改革的一件重要事项是,原先各家发行钞券的银行,按照国家法令,一律停止发行,其发行业务均由国民政府指定的中央、中国、交通三家法币发行银行予以接收。当时,发行准备委员会委托交行独立接收在上海地区的浙江兴业银行、中国垦业银行、中国实业银行,及在外埠的边业银行、湖北省银行、大中银行的发行业务。与中行共同接收四行准备库津区的发行业务（四行准备库由中南、大陆、盐业、金城四家银行共同组成,发行中南银行兑换券)②

1935 年 11 月 25 日,发行准备管理委员会颁行《中、中、交三行接收中南等九银行发行钞券及准备金办法》,该办法规定:1. 各地发行行的现金准备应即刻由中、中、交三行接收,限期运送至集中地点并上报。2. 各地发行行的保证准备应尽快由三行接收,并须开具清单,注明估值或市价,呈报发行准备管理委员会审核。审核不合格

---

① 《交通银行史料》第一卷,第 817 页。
② 同上,第 909 页。

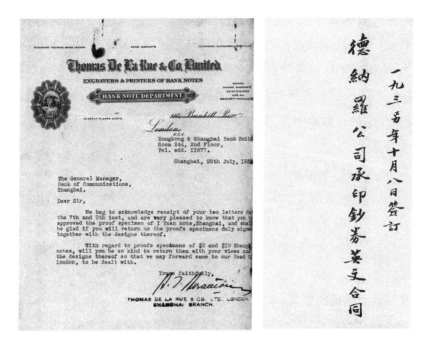

交通银行 1932 年与伦敦德纳罗公司签订的英文印钞合同

的,原发行行必须予以调换或增加。3. 如果发行行的现金准备不足六成,三行应先尽现有数额接收,并责令原发行行出具说明,函报委员会讨论解决办法。4. 接收原发行行钞券时,对于新印未发的券料以及已印回收的券料,均应全部接收。如果原发行行营业准备不足,周转发生困难,三行可与之商洽,设法予以维持。5. 原发行行上报的钞券发行额,应由发行准备管理委员会计核课详细审查,核对其是否符合事实。同时,须责令原发行行出具所报与实际相符的书面声明。6. 原为发行监督机构的银行,每月 10 日之前,应将上月发行与准备情况予以检查公告。①

　　交行严格遵照上述办法,积极推进接收工作,至 1936 年底,接收工作基本告一段落。有关各家发行行具体的接收情况,大致如下。

　　浙江兴业银行。接收工作启动后,至 1935 年 11 月,交行对该行的有关发行业务的各项数据已全部查核清楚。据统计,浙江兴业银行已印未发及已发收回的钞票,共计 9581295 元,券角 13275575 元,未发样本券 24431 元,现金准备金 5669750 元,保证

①《交通银行史料》第一卷,第 922 页。

准备金 3779023 元。截至 1935 年 11 月 3 日,该行发行额为 9448773 元,现金准备与保证准备的数额,与法定四六成分相符。其保证准备部分原以国民政府发行的各种公债面额 3328510 元,折充 2258637 元,其余 1520386 元以英册道契四宗抵充。上述四宗道契,由上海银行业同业公会联合准备委员会于 1936 年 7 月间估值,只能抵充 799400 元,不足之数为 720986 元。交行虽多次催促该行补缴保证准备品,该行仍未照办。另外,该行上述道契应缴纳 1936 年度地捐注册等费用,合计 5196.03 元。交行为之垫付后,多次向其收取,也未付还。于是,交行将该行保证准备项下公债的中签票及到期息票国币 109312.03 元扣留抵补,其余不足之数,仍继续向其催促补缴。截至 1936 年底,陆续回笼该行的钞票共计 550 万元。交行已按照相关规定,将接管该行的现金准备划出 330 万元,保证准备划出 220 万元,转入交行的发行准备金账目下。①

中国垦业银行。交通银行接收该行时,该行应移交的已印未发及已发收回的钞票共计 1232.3 万元,现金准备 465.3 万元,保证准备 284.3 万元。钞票及保证准备已于 1935 年 11 月接收清楚。该行应有的现金准备除 1935 年已接收 2958041.96 元,1936 年总计续收 1351558.04 元。截至 1936 年底,该行陆续收回的钞票,共计 250 万元。交行仍按照相关规定,将接管的该行现金准备金划出 150 万元,保证准备金划出 100 万元,转入交行发行准备金账目下。②

中国实业银行。交行接收该行时,应移交的为:已印未发及已发收回的钞票,共计 73722436 元,现金准备 42087695.65 元,保证准备 12124113.35 元,销毁钞券 4065755 元的券角。截至 1935 年底,交行接收的现金准备金为 8742355.83 元,保证准备金为 10657325.08 元,应收而未交的现金准备金为 33345339.82 元,应收未交的保证准备金 1466788.27 元,销毁钞券的券角也未交。交行多次催交,该行仍未照办。交行只能将情况上报财政部和发行准备管理委员会。截至 1936 年底,该行已交发行保证准备金项下的证品陆续收回本息款 113833.35 元,已全部转入该行保证准备金账下。③

边业银行。对该行发行业务的接收,最初由中央、中国、交通三行共同办理,1936

① 《交通银行史料》第一卷,第 909—910 页。
② 同上,第 910 页。
③ 同上,第 911 页。

中国实业银行大楼。中国实业银行系北京政府财政部在熊希龄、张謇等敦促下,于1915年呈准大总统开始筹办,1919年成立的。总行设于天津,1932年移至上海。

年2月划归交通银行单独办理。该行定制的钞券总数为300万元,截至1936年,除流通券额35.08万元,所有已印未发及已发收回的钞票共计264.92万元,应有现金准备金21.048万元,保证准备金14.032万元,均已收齐,并上报发行准备管理委员会。①

湖北省银行。该行发行业务的接收事宜原本也由中、中、交三行协同办理。1936年2月,经发行准备管理委员会议决,全部划归交通银行单独办理。经交行查实,该行定制的钞券总额为2000万元,流通券额为344.2856万元。应交出的为:已印未发及已发收回的钞票共计1655.7144万元,现金准备金207.2856万元,保证准备金137万元。现金准备金与保证准备金两项由中央、中国两行接收后,于1936年4月移交交行接管。中央银行移交的该行保证准备金是以1935年湖北省建设公债面额191.74万元,以及1932年湖北省善后公债面额38.84万元折充,这两项保证准备的品类与财政部规定的标准不合。交行将这一情形上报发行准备管理委员转陈财政部,财政部指示"特予通融",准许以中央银行核准发行的湖北省公债四成,搭配中央银行发行的公债六成缴抵,不足部分,交行仍在催交。该行应交出的钞券,交行已接收70.7144万元,其余的1585万元(包括未印签章的新券1220万元,已签章而未发行的新券及回收旧券共365万元)于1935年12月被中国农民银行接收保管,至1936年

---

① 《交通银行史料》第一卷,第911页。

底,该项钞券尚未移交交行。①

大中银行。该行发行业务的接收工作,原先也由中、中、交三行协同办理。1936年2月,发行准备管理委员议决划归交通银行一家接管。经交行查实,大中银行的发行状况非常复杂,所报定制钞券数额,原为1500万元,后又续报两批,合计463万元。其中一批计有263万,据称由北洋政府时期的财政部委印;其余的200万元,则由大中银行擅自委托北平财政部印刷局印制,并在法币制度实施后,擅自发行182万元。据此,该行先后上报的定制钞券总额为1973万元。除流通额171.4685万元,应移交交行接管的部分为:已印未发及已发收回的钞票共计1609.5315万元;擅自发行的钞票182万元;销毁钞券10万元的券角;现金准备金与保证准备金共171.4685万元。该行的发行准备金项目相当混乱,交行已接收的为现金准备金55.4685万元,保证准备金16万元。其现金准备金中的100万元,该行以北洋政府财政部的结欠划抵,交行上报财政部,经核准后,暂时先记入交行账内,待财政部日后归垫。保证准备金16万元,该行以九六公债面额100万充抵,但按照规定,此项公债不能充作发行保证准备,交行一再催其调换,该行一直未办。该行擅自发行的钞票182万元,虽经交行屡次催促,但仍未收回移交。②

四行准备库津区发行部分。对四行准备库发行部分的接收原由中央银行办理,1936年2月经发行准备管理委员议决,凡属津区四行库的发行业务划归交通银行与中国银行共同接管。交行与中行磋商后议定,津区四行库应交出的钞券全由中行接管,现金准备金与保证准备金由中、交两行各半接管,发行账目归中行记载,收回的中南银行天津地名券由两行各半受理。经查实,津区四行库流通券数额为1245.78万元,应移交中、交两行接收的,计有库存钞券178.22万元,现金准备金747.468万元,保证准备金498.312万元。其中由中、交两行各半接收的项目,交行接收的为现金准备金359.734万元,保证准备金项下有价证券155.8479万元。截至1936年底,中南银行天津地名券共收回750万元,交行接收其中的半数,共计375万元。同时,交行按照规定,将津区四行库发行项下现金准备金划出225万元,保证准备金划出150万元,转入交行的发行准备金账目下。③

① 《交通银行史料》第一卷,第911—912页。
② 同上,第912—913页。
③ 同上,第913—914页。

大中银行发行的钞券。大中银行经北京政府财政部制局批准，曾于1921年和1932年发行上海地名兑换券。

接收各家银行的发行业务，是国民政府推进金融统制政策的前提，也是银行业界乃至官私资本之间的重大利益调整。就中央、中国、交通三行日后发行法币而言，无疑为之拓宽了道路，夯实了基础，但对其他发行行来说，必然遭受不小损失。为减少币制改革的阻力，以便按照计划步步推进，发行准备管理委员会对其他发行银行的利益诉求，也给予一定考虑。1936年1月，中央、中国、交通三行鉴于浙江兴业银行、中南银行等应交发行准备金已按法定成分缴足，且先后登报公告，结束了发行业务，于是咨询发行准备管理委员会，如何处理原发行行发行准备金的获利问题。发行准备管理委员会第六十四次常务会议决定，"其四成保证准备之利益，暂仍归原发行行享受，其期限自二十五年（1936）一月一日起，以二年为限，凡接收各行一律照此办理"①。

在接收过程中，较难办理的是核定保证准备金中的房地产价值。发行准备管理委员会曾就此规定，"地产价值由中、中、交三行组织评价委员会估定之"。1936年1月，交行与中央、中国两行商定，并经发行准备管理委员会同意，委托上海市银行业联合准备委员会组织专业人员，对各发行行保证准备项下的房地产进行估价。上海市银行业联合准备委员会接受委托，进行房地产估价时，收取一定费用，其标准大致为：房地产估价在10万元以下或满10万元的，收取25元；估价在10万元以上满50万元的，收取50元；估价在50万元以上满100万元的，收取75元；估价在100万元以上的，收取100元。上述费用，均由原发行行承担。交行在接收过程中，就浙江兴业银

---

① 《交通银行史料》第一卷，第915页。

行与中国垦业银行所交保证准备项下共计 14 宗房地产,进行了委托估价。①

此外,发行钞票皆有印制钞票的成本,不少发行银行在被接收时,往往将印制钞票的成本冲抵准备金。但承印各行钞票的公司有国内、国外之分,印制的价格并不一致。所以,中央、中国、交通三行与发行准备管理委员会商定了相应的办法。例如,抵充发行准备金时,仅限于交出未发券额的印制费;印制费应按照原印的印费、运费、进口税、加印费等实际成本计算;交出的未发新券,以联号 1000 张以上为计算最低标准,联号不足 1000 张的,概不列入;核算印制费时,原发行行应提供相关的账册、合同、单据、信件等。②

(二)兑换现银

根据国民政府财政部法币宣言第四项的规定,凡银钱行号、商店及其他公私机关或个人,持有银本位币或其他银币、生金银等银类的,应自 1935 年 11 月 4 日起,交由发行准备管理委员会或由其指定的银行兑换法币。交通银行是国民政府指定的法币发行银行,因而负有收受现银兑换法币的责任。为此,交通银行与中央、中国两行进行磋商,为便利内地商民就近以现银兑换法币,拟定了下述五项收兑办法。③

其一,由交行各地分支行处收兑。各地分支行与办事处收兑各类杂币、杂银时,往往缺乏富有经验、能辨别银两成色的办事人员。因此,交行与中央、中国两行商定两项解决办法:1. 鉴于交通、中国两行收兑现银运沪后,仍由中央银行转送造币厂改铸银币,为求简捷,凡中央银行设有分支行处的地区,概由中央银行一家收兑。若有来交行分支行处询问兑换事宜的,应由交行派员陪伴前往中央银行洽办。2. 凡中央银行未设分支行处的地区,则由交通、中国两行分支行处代为收兑。持银类来兑换的,应即照收,若本行无专门鉴定人才,可委托当地殷实可靠的钱庄、银楼代为鉴定,据成色先酌付法币八九成,给予收据,待该项银类运沪后,再确定其成色及应兑法币的准确数额,最后由各分支行处与兑换者结清尾数。④

其二,委托各地省银行代理收兑。交通银行拟将法币存放于接受委托的各地省银行,以备兑换之用,存入省银行的法币暂不计利息。当时,代交行收兑的省银行有

----

① 《交通银行史料》第一卷,第 915 页。
② 同上,第 916 页。
③ 同上,第 926 页。
④ 同上,第 926—927 页。

四家,即江西裕民银行、江苏银行暨江苏省农民银行、河南农工银行、浙江地方银行。江西属县共有 82 个,欲使法币深入各县,仅仅依靠中、中、交三行的分支行处,显然难以完成。江西裕民银行是江西省的代理金库银行,在江西省内所设分支行与办事处共有 30 余处,有能力代交行在江西各县收兑。因此,交行将 6 万元法币以无息的方式存放于江西裕民银行,供兑换之用。交行还以同样的方式委托另外三省的地方银行代为收兑,在江苏银行存放法币 6.7 元,在江苏省农民银行存放法币 13.3 万元,在河南农工银行存放法币 15 万元,在浙江地方银行存放法币 10 万元。[①]

其三,委托各省市及县政府机关协助收兑。积极推广法币,须在全国各地限期收兑现银,鉴于中央、中国、交通三行力量有限,财政部在法币改革之初即下达指令,要求省、市、县各级地方政府在各自辖境内代为收兑现银,兑入现银后,就近向中、中、交三行换取法币。三行按照财政部规定,给予各级政府机关 6% 的手续费,作为收兑和包装运输的费用(该项手续费由财政部承担)。按照最初的法币兑换规定,兑换期限应截止于 1936 年 2 月 3 日,其后,财政部电函中、中、交三行,准予各级地方政府要求延长兑换期限的申请,将兑换期限放宽至 1936 年 5 月 3 日。发行准备管理委员会也函嘱三行拟定委托各级地方政府尽快收兑现银的切实有效方案,以便在延长的三个月中完成收兑工作。三行为此拟定多项具体办法。例如,请省政府转饬各县县长,布告传谕所属区、镇、乡的民众,限期以现银兑换法币;限期之内,可自由携带现银,向县政府兑换法币,军警不得干涉,过了期限,即视作违法,查出没收;各县可由就近的中、中、交三行分支行处派员携带法币驻县政府办理兑换事宜,县政府应提供协助和保护。[②] 法币改革实施后,之所以能在不少穷乡僻壤推进,很大程度上依赖了各级地方政府的协助。

其四,委托各地邮政机关代兑。交通银行在尚未设立分支行处的地方,还委托各地邮政机关代为收兑现银。1935 年 12 月,中、中、交三行联合呈请国民政府有关部门,要求邮政系统提供协助。于是,交通部指令邮政总局,转令各地邮政储金汇业局与三行商订代为兑换法币的合同。三行议定了分区合作的办法,按照划定的区域,交行与河北、山东、湖北、湖南、福建五省邮政机关订立代为收兑的委托合同。合同规

---

① 《交通银行史料》第一卷,第 927—928 页。
② 同上,第 928—929 页。

定,交行应向邮政机关支付 1% 的手续费。截至 1936 年 11 月 27 日,交行支付的手续费共计 3560 余元。①

其五,收兑外商银行现银。国民政府财政部以现银兑换法币的规定,适用于在华各家外商银行。当时,在华的各家外商机构或个人将所持有的绝大部分现银存入外商银行,因此,外商银行所持有的现银一律兑换法币,也是法币改革的一个重要环节。然而,这项工作阻力不小,尤其是在日伪势力猖獗的平、津地区,为此,交行作了积极的努力(交通银行收兑天津外商银行现银,详见本书第三章)。对天津外商银行的收兑,由交行和中行各半换给法币,并一次性支付 5% 的手续费。中、交两行兑换河北省银行现银共计 400 万元。天津地区换入的现银一律交天津发行准备管理委员分会保管。北平外商银行的收兑办法与天津相同。交通银行天津分行在这一过程,收兑各家外商银行现银共计 241.969462 万元,此外,收兑东方汇理银行 23.3185 万元,大通银行 9776 元。交行北平支行收兑北平各家外商银行现银共计 67.7227 万元,收兑东方汇理银行 8.5 万元。青岛地区,交行岛行收兑各家外商银行现银共计 19.8649 万元。②

（三）买卖外汇

国民政府取消银本位制,推行法币政策,有利于应对白银风潮,但其无限发行的方式极易造成金融恐慌。以往各家银行的钞券流通主要依赖可随时兑换现银,而无限发行的法币却似乎并无保障。国民政府为了巩固民众对纸币的信心,在进行法币改革时,将银本位制改为金本位制,或外汇本位制。为此,国民政府要求中央、中国、交通三行无限制买卖外汇,使法币可随时兑换成外汇,实际上就是以黄金及外汇作为发行准备金,以此代替银单位的发行准备,借以稳定金融。中央、中国、交通三行被准许无限制买卖外汇后,为了稳固法币发行的基础,将收兑的白银运至上海,分别与英、美等国达成购买外汇协议,以英镑、美元作为事实上的法币发行准备金。三行买卖外汇的情况可见表 2-7-7。

① 《交通银行史料》第一卷,第 929 页。
② 《外商银行现银币调换法币经过情形》,中国第二历史档案馆藏,档号 398-11402;《交通银行史料》第一卷,第 929—930 页。

表2-7-7　中央、中国、交通三行法币改革之初买入外汇情况表

时　间	行　名	黄金（盎司）	英　镑	美　元	日　圆
1935.11	中央银行	115377	2042000	6759000	5376000
	中国银行		2000000	2000000	200000
	交通银行		5000000	5000000	
1935.12	中央银行	115526	1192000	10665000	
	中国银行		200000	100000	
	交通银行		1700000	5500000	
1936.1	中央银行	122784	1167000	11497000	
	中国银行		450000	8600000	
	交通银行		1950000	8000000	
1936.2	中央银行	258898	1686000	6015000	
	中国银行		610000	6400000	
	交通银行		850000	7000000	

资料来源：上海市档案馆藏上海商业储蓄银行档案，档号 Q275-1-2501

中、中、交三行将白银运抵国外购入外汇后，在国内外分别开设特别户 Special A/C 专户存储。该项事宜由中央银行业务局负责办理，并作出两项规定：1. 在国内，中央、中国、交通三行交到中央银行业务局的现银，均按中央银行挂牌美金行市 29. 75 美元折合。中、中、交三行在汇兑上获得的盈余，皆拨交中央银行业务局代政府开立的专户。2. 在国外，售出现银所获外币，按照中央银行挂牌行市，英镑 1 先令 2 便士半，美金 29. 75 美元，折合后归还中、中、交三行，以抵付三行所交现银，余额拨交中央银行代政府开立的专户。

交行还电令所在地有外商银行的分支行，凡遇外商银行需用法币，可以即期英镑和美元调换，行市由交行总行转发的中央银行译发英文电报为准。交行总行为使各地分支行明确外汇买卖的手续，还特地规定了四项办法：1. 每日买卖关金及外币，均应按照中央银行电报行市，不得有误。2. 各地买卖关金及外币，均限以即期，目前一律不做任何期货交易。3. 各地卖出关金及外币，除转为存款，关金可函电委托总行在沪交割，其他外币则以票汇或电汇交割。4. 各地购入关金，可先转存当地中央银行，

待集成一定数量,再向上海划拨。①

（四）收回旧券

法币改革中,用新的法币兑换并收回各家银行流通于市面的旧钞券,以稳固法币的信用,也是作为法币发行行之一的交通银行所承担的任务。1936 年 2 月,发行准备管理委员会制定收回各行旧券的办法。同年 8 月,交行与中央、中国两行商定,三行设于各地的分支行与办事处,不论地域,不分彼此,对三行中任何一行的破损旧券一律予以收换,并随时送交原发行进行调换。三行未设分支行与办事处的地方,则委托当地邮政储金汇业局代为收换。若有真假难辨或其他疑难情形,则由持券人在钞券上签名或盖章,先给临时收据,待寄往总行鉴定后再予以调换。在法币改革的1935 年 11 月 3 日以前,交行已发行的钞券数额为 10451.655 万元,这一数额的旧钞券经三行收回的共有 5000 万元。此外,交行还收回不少其他发行银行的旧券,其中,浙江兴业银行旧券 550 万元,中国垦业银行旧券 250 万元,四行准备库津区旧券 375万元。②

（五）收换旧辅币

铜元、银角之类的辅币是民众日常交易中使用最为频繁的货币。国民政府实施法币改革后,金融市场出现小范围的恐慌,在一段时间内,辅币价格迅速上涨,给民众生活造成诸多不便。财政部为稳定辅币兑换价格,特地依据当时辅币的兑换市价,指令由上海钱业同业公会发布通告,规定了兑换标准,每 1 元法币兑换银角 12 角,或兑换当十铜元 300 枚,不得故意抬高或抑低。鉴于江苏、浙江、安徽等省及江西省部分地区的辅币兑换价格与规定的标准接近,交通银行按照财政部的要求,指示当地分支行与办事处尽量收兑,而当市面需要辅币时又按照规定价格兑出,以平抑辅币价格,便于市场流通。1936 年,国民政府公布辅币条例,规定旧的通用辅币一律收回,改铸新的辅币。交行又遵照条例,通函各地分支行处积极收回旧辅币,并将兑入的铜元运送上海造币厂熔化,改铸镍铜等新辅币,以流通市面。③

（六）检查准备

交通银行在法币改革以前已设立本行的发行准备检查委员会,遵照检查准备暂

①　《交通银行史料》第一卷,第 931—933 页。
②　同上,第 933 页。
③　同上,第 933—934 页。

行规则,按月检查发行准备金,并予以登报公告。国民政府推行法币改革时,专门设立发行准备管理委员会,对各法币发行银行的准备金检查进行集中管理。因此,自1935 年 12 月起,交行一方面继续原先的惯例,由本行发行准备检查委员会按月检查本行的发行准备金,另一方面又按月开列账表上报官方组织的发行准备管理委员会,由该管理委员会委员按月来交行详细检查,将检查结果登报公告。在 1935 年底至1936 年底的十余次检查中,交行的所有现金准备和保证准备均符合法定成数。① 相关情况可见表 2-7-8。

表 2-7-8　发行准备管理委员会检查交通银行的发行准备表　　　　　单位:元

检查日期	检查次序	发行额	现金准备额	保证准备额
1935.12	1	176244950.00	113409133.00	62835817.00
1936.1	2	190809700.00	122734623.00	68075077.00
1936.2	3	181883700.00	125000823.00	56882877.00
1936.3	4	186697700.00	129278853.00	57418847.00
1936.4	5	196065640.00	134475793.00	61589847.00
1936.5	6	201401740.00	139672360.00	61729380.00
1936.6	7	204912051.00	143188671.00	61723380.00
1936.7	8	210409551.00	146951971.00	63457588.00
1936.8	9	206476451.00	146077821.00	60398630.00
1936.9	10	217110411.00	151943181.00	65167230.00
1936.10	11	244620711.00	149538181.00	95082530.00
1936.11	12	272845424.50	165513514.70	107331909.80
1936.12	13	295045524.50	179423054.70	115622429.80

资料来源:《交通银行史料》第一卷,第934—935 页。

说明:表中所列检查日期与发行总额表及准备总额表所列日期不同,故发行及准备额也不相同。

二、同业领用交通银行法币

国民政府实施法币改革后,按照财政部的法币宣言,各地公私款项一律以法币收

---

① 《交通银行史料》第一卷,第934 页。

付,不再使用现银,除中央、中国、交通三家法币发行银行,其他银行不得增发钞券,原发行银行的现金准备金与银钱业的营业现银一律封存。由于法币尚未推广流通,而现银又不能使用,一时间市场货币极为紧缺,设法调节已刻不容缓。为此,财政部采取紧急对策,于 1935 年 11 月下达训令,准许各家银行和钱庄按照原先领用钞券的办法,与中、中、交三行订立合约,以现金准备六成,加配政府公债四成,领用三行发行的法币。①

交行遵照财政部的训令,拟定了银钱同业向交行领用法币的基本原则与合约格式,主要内容包括下述五个方面:1. 银钱同业可随时向交行分批领用法币,每批领用的数额至少 1 万元。2. 同业领用法币时,应缴纳现金准备六成,保证准备四成;现金准备应缴硬银币,不计利息,保证准备应以国民政府财政部发行或保证的有价证券按市价八折抵充,也可以两年期的定期存单抵充。3. 所缴保证准备的有价证券,若市价跌落 5% 以上时,应由领券同业即刻补缴足额;不立即照补,交行可废除合约。4. 领券合约自双方签字后立即生效,时间定为两年,不得展期。5. 合约期满或中途废除,交行可将同业领用法币所缴的四成保证准备向同业如数换回法币,若对方不能以法币换回保证准备,交行可对缴存的保证准备自由处理。交行还规定,银钱同业与交行总行订立合约,合约为一式两份,双方签字盖章后各执一份,互相遵守;若与交行分支行处签约(名义上仍以交行总行为签约的一方),合约一式三份,由领券同业、交行总行与交行分支行处各执一份。②

上述领券办法实施后,各地银钱同业向交行总行及各分支行处领用的法币日渐增多,而交行各分支行处在办理签约领券事宜时,手续往往不一致。交行总行为统一全行领券手续,于 1936 年 1 月规定了三项处理办法,通函各分支行处遵照执行。1. 各地同业订约后领用法币,各分支行处应向对方索取以该同业总行抬头的领到法币收据,随即给予收到现金准备和保证准备的临时收据,待交行总行开出的同业领用法币准备金正式收据寄到后,再向对方换回临时收据。换回的临时收据,应寄回总行分别核转收销。2. 各分支行处领出的法币与收入的现金准备金,应分别用存入券、存入现金、准备金等科目发报照转总行账下;收入的保证准备证品,应作总行寄存,并出

①　《交通银行史料》第一卷,第 889—890 页。
②　同上,第 890—891 页。

具寄存物品证,寄交总行。3. 若保证准备证品有收付变动,可采取以下办法处理:
(1)证品种类或数额变动时,应再开具临时收据,换回总行原出的正式收据,然后将
重新开具的寄存物品证,连同旧寄存物品证一并寄回总行,请总行开出正式收据。
(2)作为保证准备的债券本息票到期取出本息时,应在总行原出正式收据内,代为加
注,同时函请总行在寄存物品证内一并加注。当年,与交行订约领用法币的有南京、
镇江、无锡、徐州、芜湖、杭县、鄞县、余姚、兰溪、金华、永嘉、汉口、南昌、北平、天津、广
州等地的银钱同业。①

　　1935 年 11 月开始实行银钱同业领用法币的政策后,至 1935 年底,短短一个多
月,交行被同业领出的法币数额为 330 余万元,已签合约订领的法币数额为 913 万
元。至 1936 年底,交行被同业领出的法币数额已跃升为 3751. 815 万元,已签合约订
领的法币数额更达 4409. 7 万元。银钱同业大量领用法币后,对推广法币,缓解市场
货币紧缺,起了重要作用。②

三、法币改革后的发行业绩

　　1935 年 11 月,国民政府宣布法币改革,交通银行发行的钞券被指定为法币之
一。为配合国民政府的法币政策,交行取消各地分支库,采取集中发行的办法,积极
推广法币。法币行用之初,社会上对法币的需要非常急切,而 1 元面额的法币尤为紧
缺。交行因原有的券料不敷印发,于是向财政部申请并获得准许,将中国实业银行库
存未用的 1 元新券 500 万元,改印交通银行行名并加上签字,使之流通市面,以应对
急需。随后,交行又开始发行由英国伦敦德纳罗公司印制的无地名法币券,面值为 1
元、5 元、10 元 3 种。1941 年,交行又发行美国钞票公司印制的无地名法币券,面值为
5 元、10 元、25 元、50 元、100 元、500 元 6 种,以及印有重庆地名的法币券,面值为 50
元、100 元 2 种。此外,还发行 1941 年版商务印书馆印制的 5 元法币券,及大东书局
印制的 10 元法币券。1942 年法币统一发行之前,交行又发行大东书局印制的 50 元、
100 元 2 种法币券。此为后话。③

　　由于交行发行的钞券被指定为法币,自 1935 年 11 月以后,其钞券的发行数额扶

---

① 《交通银行史料》第一卷,第 892—893 页。
② 同上,第 892—894 页。
③ 同上,第 821 页。

摇直上。当时,交行不少分支行原有的地名券料不敷供应,于是依据法币可不分地名,各地通用的规定,纷纷领发沪券,故沪券增加尤多,其他地方的钞券因市面需求,也有不同程度的增发。至1936年底,交行钞券的发行流通总额为30214万余元,较1935年底增加12131万余元,较改组之前的1932年增加21971万余元。

就交行1936年钞券发行的具体情况而言,当年每月的发行数额都高于1935年的每月数额。从1936年上半年看,2、3月因华北局势紧张及季节影响等原因,发行额一度受到影响,4至6月,市场转趋活跃,发行额也节节攀升,当年5月,发行额已超过2亿元,6月底,递增至20538万余元。下半年因西南局势趋稳,法币推行较为顺利,交行钞券的发行推广途径也越来越宽阔。自10月份起,每月增加的发行数额均在2000万元以上,当年年底,已突破3亿元大关。①

表2－7－9　1935—1937年交通银行钞券发行流通额表　　　　单位:万元

年份	交通银行发行额	国家银行发行总额	交通银行发行额占国家银行发行总额百分比
1935年底	18082.5650	67298	26.87%
1936年底	30214.0924	124834	24.20%
1937年底	37114.3000	164998	22.49%

资料来源:《交通银行史料》第一卷,第838页;《中国银行行史(1912—1949)》,第230页。

说明:1935—1937年的国家银行指中央、中国、交通、农民四行。

---

① 《交通银行行务纪录》(二),《交行档案》第271号,第9页,交通银行博物馆藏资料Y35。

第八章
快速发展的放款与投资

交通银行总管理处南迁后,业务发展步入黄金时期,放款与投资迅速增长,其中,活期放款的增速尤为明显。经过两次改组,南京国民政府基本上掌控了交通银行,因此,财政性放款长期占据首位。然而,在胡祖同、唐寿民两任总经理的努力下,交行也加大了对工商业、农业和交通运输业的放款力度,并联合同业,组织银团,从事合作放款,对救济市面,稳定市场起了很大作用。当时,投资业务也有很大发展,特种投资项目覆盖银行、保险、纺织、采矿、交通电气以及实业公司等众多领域,获利丰厚。储蓄信托部自1933年成立后,致力于信托存款、特约信托存款、代理保险、房地产与有价证券等方面的开拓,至1936年底,信托业务已形成规模。仓库业务也有不俗表现,交行选择各地商货集散中心着力经营,至1936年底,增设及扩充仓库堆栈达260所,全国性仓库网络初步形成。

第一节　放款业务

一、放款业务的总体状况

在1928年改组之前,交行的营业方针一方面注重吸收游资,充厚实力,另一方面则以稳妥为宗旨,着力培养信用,对农工商各业予以适当调剂,确保资金安全。首次改组之后,交行既成为发展全国实业的银行,对工商业的放款意识转为自觉。二次改组后,交行更以发展全国实业,维护与调剂金融为使命,在"整旧营新"理念指导下,各项具体业务分途并进,放款结构的变化尤为明显,投放的数额也逐年递增。

1933 年之前,交行的业务经营以平衡国家与社会为原则,放款范围较广,如辅助政府、促进建设、扶持农业、匡济工商等。1933 年改组之后,交行的存款总额逐年递增,放款业务也随之拓展。

(一)十年间全行放款余额增长 2.2 倍

自 1927 年至 1936 年的十年间,全行放款增加了 23675 万余元,增长率达 2.2 倍。其中定期放款只增加 3.7%,故增加的基本上是活期性放款(贴现、买汇也是活期性放款)。兹将历年放款增长情况列表如下页。

表 2-8-1 1927—1936 年各项放款比较表　　　　单位:千元

年　份	定期放款		活期放款		贴现放款		买汇放款		合　计	
	金　额	百分比	金　额	百分比	金　额	百分比	金　额	百分比	金　额	百分比
1927	87194	70.66	34788	28.19			1419	1.15	123401	100
1928	90925	74.49	30293	24.82			841	0.69	122059	100
1929	45739	37.02	75733	61.29			2090	1.69	123562	100
1930	49546	36.51	84422	62.21			1742	1.28	135710	100
1931	50916	36.19	87985	62.53			1803	1.28	140704	100
1932	53098	36.23	89777	61.25	1498	1.02	2194	1.50	146567	100
1933	55448	35.01	97816	61.76	2418	1.53	2695	1.70	158377	100
1934	67036	33.87	120958	61.12	6860	3.47	3038	1.54	197892	100
1935	63695	27.98	150288	66.02	5942	2.61	7714	3.39	227639	100
1936	82958	24.09	234100	67.99	16124	4.68	11163	3.24	344345	100

资料来源:《交通银行史料》第一卷,第 359 页。

(二)定期放款与活期放款的比例发生变化

1928 年以前,放款总额中定期放款占 70% 以上,有的年份高达 75%。1929 年以后,情况有所变化,定放的比例逐渐下降,至 1936 年时,活期放款(包括贴现及买汇)的比例已占放款总额的 75%,而定期放款已减至 25% 以下(参见表 2-8-1)。这个情况,一方面反映了资金营运的加快,另一方面也说明作为实业银行,缺少长期资金的供应。

（三）放款增长幅度低于存款的增长

在 1928 年以前，交行的放款数经常超过存款数很多，1928 年开始，这种情况已扭转过来，放款总额已不再超过存款总额。放款占存款的比例，一般在 80% 左右，1935年甚至只占 67%，反映全行资金情况经过整顿，已有改善。兹将 1927 年至 1936 年放款增长趋势与存款增长趋势列表比较如下：

表 2-8-2　1927—1936 年放款增长趋势及其与存款增长趋势的比较　单位:千元

年　份	放　款			存　款			放款占存款(%)
	年底余额	比上年增减	与1926年底比较增减(%)	年底余额	比上年底增减	与1926年底比较增减(%)	
1926	107589		100	70580		100	152
1927	123401	+15812	115	72277	+1697	102	171
1928	122059	−1342	113	129830	+57553	184	94
1929	123562	+1503	115	140400	+10570	199	88
1930	135710	+12148	126	152870	+12470	216	89
1931	140704	+4994	131	165370	+12500	234	85
1932	146567	+5863	136	183850	+18480	260	80
1933	158377	+11810	147	212990	+29140	302	74
1934	197892	+39515	184	242050	+29060	343	82
1935	227639	+29747	212	331470	+89420	470	67
1936	344345	+116706	320	470630	+139160	667	73

资料来源:《交通银行史料》第一卷,第 361 页。

说明:+ 为增长,− 为减少。

二、工商业放款显著增长

随着存款数额的增长,交行的放款额度也相应地大幅度提高。截至 1936 年,交行的放款数额已达 34434.5 万元,较 1926 年增加了约 23675 万余元,增长率达2.2 倍。[1]

---

[1]　《交通银行史料》第一卷,第 358—359 页。

在交通银行的放款业务中,对工商业的放款,增长尤为明显,体现了交行改组后经营方针的转变。交行虽属官商合办的商业银行,但自清末创办以来,一直与官方有着千丝万缕的密切联系,常常为各届政府所操控。不过,交行的不少经营者也一直在努力寻求可行的商业化发展之路,张謇、钱新之主持交行期间,其商业化经营颇显生机。即便梁士诒在其第二次出任交行总理后也改变先前的经营方略,重视与工商业的联络与交往。在 1927 年的交行股东常会上,他说:"近两年来,本行营业方针完全趋重于工商事业,渐已脱离政治上之羁绊。"①胡祖同执掌交行后,注重在实业中拓展业务,"存款既增,不得不妥谋营运,鉴于内地工商业之不振,亟应予以适当之调剂,是以在可能范围之内,稳妥保障之下,无不尽量给予辅助"②。唐寿民上任后,更于 1934 年 7 月 4 日发表"总经理告同人书",明确指出:"现业务方略已有明显之变更,当为各行所洞悉,务当奋起精神,转移方向,以整刷业务为共同标的。……再如处理业务,自身无研究,无规划,事事盲从,动落后尘,又或食人余唾,受人支配,以及专从内部讨取便宜,不向外界发展,喜与官府往还,为无关业务之酬酢,不在商业、实业上谋接近,求出路,更有依赖一部分库债券投资,以为便尽营业能事,于工商业押款、汇款,完全忽略,凡此种种皆与目前银行业之作风,极不适宜,亦望各行加以省察,迅谋转变。"③在他的努力下,交行积极扩展对工商业的放款,因此,抗战爆发之前的四五年间,成为交行工商业放款显著增长的时期。1936 年的放款额较 1932 年增加 6281.7 万元,增长 9.8 倍,增长率在沪上 15 家著名银行中位居前列。

表 2 - 8 - 3　交通银行 1932 年至 1936 年工商业放款额度比较表　　单位:千元

年　份	年底余额	本年增加数	增长率
1932	6411		100
1933	9259	2848	144
1934	24444	15185	381
1935	33673	9229	525
1936	69228	35555	1080

资料来源:《交通银行史料》第一卷,第 362 页。

---

① 北京交行:《交通银行股东常会议事录》,《钱业月报》第 7 卷第 5 期,第 86 页。
② 《交通银行史料》第一卷,第 363 页。
③ 同上,第 281—282 页。

表 2 - 8 - 4　上海 15 家重要银行的工矿企业放款比较表　　　　　单位:元

行　别	1930 年	1933 年		1936 年	
	金　额	金　额	比 1930 年增长(%)	金　额	比 1933 年增长(%)
中国银行	24782000*	42455468	71.32	80221000	88.95
交通银行		9250000		69220000	648.32
上海银行	23000000**	34576000	50.33	38732000	12.02
金城银行	9655115	13409601	38.89	20988067	56.51
中南银行	5948232	9072428	52.52	15929616	75.58
盐业银行	10256578	8272437	-19.34	11023183	33.25
大陆银行		3820380		4216380	10.44
新华银行	202111	219288	8.5	1805390	723.3
中国通商银行		2697817		3400738	26.06
浙江兴业银行	13074774	26413615	102.44	20591599	-22.04
浙江第一银行	4728649	5653094	19.55	13307316	135.4
中国垦业银行	668748	3553490	431.36	4533213	27.57
四明银行				5653278	
中国实业银行	2276401	3506974	54.06	1371259	-60.9
国华银行	541427	488356	-9.8	262414	-46.26
合计	95134035	163388948		291255453	

资料来源:李一翔:《近代中国银行与企业的关系(1897—1945)》,东大图书公司,1997 年,第 65 页。

说明:*估计数;**1931 年数字。

　　可见,在抗日战争爆发前夕的 1936 年,交行对各家企业的放款,在额度上仅次于中国银行,与其他同行相较,其增长数额与幅度,皆遥遥领先。

　　国民政府于 1928 年公布的《交通银行条例》明确规定,交行"不得经营无担保品之各种放款及保证"。[①] 因此,交行从遵从条例、规避风险考虑,在工商放款的具体运作上,一直采取抵押、担保的方式,但在框定范围,选择对象时,又非常重视对工商实

────────────

① 《交通银行史料》第一卷,第 194 页。

业的扶持与协助,努力促进民族工商业的发展。交行往往从国家建设的需要出发,根据不同的政治、经济形势,仔细考量相关企业的发展前景和实际状况,创新合作的内容与形式,竭力争取双赢的结果。交行在放款业务上的一些具体做法,很值得重视。

其一,尽量利用外栈,承做公司、工厂等工商实业的抵押贷款,并参与贷款对象的经营管理。

这一时期,交行对工商业的放款,不仅数额增加,而且方式也有所改变,将原先单纯的货物押放改为营运放款,即"放款对象由交行独家往来,并派遣驻厂人员,监管押品和查核账目"。[①]

中国传统的钱庄、票号等金融机构,奉行的经营准则主要是道义上的允诺,而非物质上的保证,故以"一诺千金"著称。[②] 脱胎于传统金融机构的中国近代银行,开办之初也往往如此。然而,此类信用放款在社会安定,秩序井然的情况下,有可能是便利通畅的,但在社会动荡、道德失范的时候,则容易造成极大风险。因此,银行业很快就与钱庄、票号形成一个根本区别,即注重物的信用而非人的信誉,所以银行放款的惯例是以物品抵押作为借贷保证。交通银行放款的具体方式,也是在动荡不宁的环境中,通过不断总结经验,吸取教训而逐渐改进的。当时的交行高层曾强调,推进放款业务必须秉持积极而谨慎的态度,"放款情形,亦与从前迥异,因市面备极萧索,而同业争寻出路,揽做放款或视吸收存款尤难,其惟一要义全在平时准备,遇事留心,有调查,有计划,遇有可做之款,认识既经真确,便须迅速下手,勿涉因循,勿事迟疑"。[③]交行谨慎对待每一笔贷款的突出表现,不仅在于事先的调查研究与深入了解,而且在于以营运放款的方式,实行事后的检查与监管。

交行营运放款形式的抵押贷款在济南仁丰纱厂、太仓利泰纱厂、申新九厂等几家企业表现得非常典型。济南仁丰纱厂是山东省纺织业中的翘楚,为图扩充,希望添设染织部,购置机器,增加纱绽,但限于财力,无法实现,于是向交行济南支行(鲁行)提出贷款请求。经过专家审核后,交行批准了这笔贷款,并与上海银行联合承做。1935年4月1日,双方正式签订营运借款契约,并商定具体的放款办法:一是以该厂现有的以及准备添置的厂房、机器作为抵押,发放定期贷款40万元。二是以该厂所存花

---

① 《交通银行史料》第一卷,第363页。
② 陈明光:《钱庄史》,上海文艺出版社,1997年,第124、138—139页。
③ 《交通银行史料》第一卷,第283页。

纱等物件,按八折价格作为抵押,陆续透支款项,最高不超过 60 万元,期限三年,月息八厘。同时规定,该次贷款成立后,厂方不得与第三者再发生任何抵押贷款关系。

江苏太仓的利泰纱厂为了在支塘建立分厂,拟以设在太仓沙溪镇的全部厂房房、地基、机器等,估值 110 万余元,向交通银行抵押借款 60 万元。因该厂先前与大陆银行所订花纱合同尚未到期,所以该厂希望这笔 60 万元的贷款由交行与大陆银行合做。同时,该厂还将另一笔花纱押款也交由交行与大陆银行合做。上述两笔押款的总数为 200 万元,由两行各贷 100 万元。其中,厂基押款又分定期贷款 40 万元,透支 20 万元。三方订立合同以后,交行与大陆银行各自派遣监管员分别驻守利泰纱厂沙溪、支塘两处厂址,负责管理抵押物品和贷款使用等事宜。截至 1933 年 12 月 31 日,利泰沙厂已用押款 40 万元,透支 89.0849 万元。从 1934 年至 1936 年,该厂的贷款已经多次转期,押款、透支的总额也改为 150 万元,其中,交行承担六成,大陆银行承担四成。①

交行对上海申新九厂所做的营运放款,数额尤大。申新九厂先以该厂花纱布按八折的估价向交行抵押借款 100 万元。随后,该厂又以厂基、房屋、机器等向麦加利银行抵借 220 万元,并以押余的数额,再向交行抵借 35 万元,其中 25 万元为货物押款垫头,10 万元为营业垫款。交行查实,申新九厂的厂房、机器等估值 500 万,抵还并无问题。于是,交行管理层提请第十三次常务董事会议批准该项借款。交行还与该厂商定,由交行向该厂派驻会计等监管人员,凡该厂款项收付、货物进出等事宜,均由交行进行管理。此后,交行又多次向该厂放款,最多时达 400 万元以上。交行的放款对促进上述企业的生产起了不小作用,申新九厂从原先的 3 万纱锭发展为 10 万纱锭,与交行的努力扶植是分不开的。②

其二,重视实力比较雄厚且需要流动资金的企业,或给予抵押贷款,或代其发行公司债,尽力予以多方面扶持。

交行自改组以来,日益重视仓库的建设,至 1934 年,各地仓库已有十余处。仓库的建立为交行的货物存放与抵押提供了方便,于是,对工商业的抵押放款也出现飞跃式发展,1934 年的押款数额即较上一年增加 1500 余万元。其后,随着交行越来越重

---

①　《交通银行史料》第一卷,第 441—442 页。

②　同上,第 442—443 页。

视生产企业,以厂基、机器等作为抵押,逐渐成为主要形式。此外,协助推销也是交行扶持实业的一种方式。例如,交行与无锡庆丰纺织公司签订合同,协助该公司在广东境内推销各种棉纱,交行从中收取每件四角五分的佣金,并让该公司派遣两名员工进驻交行进行管理,而交行代为收汇所售货款,也大大推动了存汇业务。

交行还时常为一些企业作担保,使这些企业的生产、销售活动得以顺利进行。例如,上海裕丰恒号计划包销济南溥益糖厂出产的白糖,交行为该号作担保。包销的额度为白糖1.92万担,在三个月内完成,溥益糖厂按照协议陆续出货,裕丰恒按照协议陆续付款,交行作为担保方,裕丰恒须向交行缴存保证金现款2万元,利息按长年三厘计算。正是在交行的担保下,双方得以达成协议,使产、销顺利接轨。此外,汉口胜新丰记面粉公司向英商怡和机器公司定购整套面粉机器,西安大兴纱厂向上海三井洋行定购机件等,也都由交行作担保。①

交行还为不少工商实业代理发行公司债,协助其筹措营运资金。例如,经营蛋类出口的茂昌股份有限公司以往收益颇丰,后因经济不景气,流动资金严重缺乏,于是向财政部申请拨加股本,助其维持,财政部指令交行施以援手。然而,增加股本之事,交行无能为力,于是设想了为该公司发行公司债的计划。计划获财政部批准后,交通银行与中国银行、上海银行共同组建茂昌公司发行公司债委员会,债额确定为60万元,其中,交行总共承担了30万元,茂昌公司则提供估值97万余元的地产、机器、拖轮、铁驳、冷气设备等作为担保品。茂昌公司得以渡过难关,前景向好,交行的全力相助,功不可没。②

永利化学工业公司原先以塘沽碱厂和即将竣工的六合县卸甲甸硫酸铔厂为抵押,由中国、上海、浙江兴业、金城、中南五家银行联合投资,发行公司债550万元。其后,该公司为了扩展业务,呈请政府批准,又发行公司债1500万元,并邀请交通银行加入上述五家银行组建的银团,参与公司债的承募。交行认募的债券为200万元。1936年12月,该公司又因工程用款,向交行临时透支国币100万元,该笔款项拟于公司债发行后,从中扣还。③

大通煤矿公司为了偿还旧债,扩充设备,决定以该公司所有采矿权及全部财产作

① 《交通银行史料》第一卷,第456—457页。
② 同上,第455—456页。
③ 同上,第452页。

为担保品,发行公司债 100 万元。该项公司债,大通煤矿公司原本请求交通银行代理发行,其后,交行出面邀请上海、金城等九家银行分别认募。其中,上海银行认募 15 万元,浙江兴业银行与国华银行各 3 万元,江苏银行及江苏农民银行各 2.5 万元,浙江实业银行与大陆银行各 2 万元,四行储蓄会 4 万元,金城银行 5 万元,交行认募 21 万元。①

其三,努力与银钱同行开展合作,互相协调,争取共同放款。

交行在努力推进投资、放款业务的过程中,非常注重与银钱同业协调关系,竭力争取通过多行合作或组建银团的方式,实现共同投资与放款。例如,1935 年 7 月,青岛市的交通银行以及中国、大陆、金城、上海、国华、浙江兴业、东莱等八家银行,为了协调关系,避免恶性竞争,共同订立了八行放款公约,公约对押款折扣、押品管理、信用放款限额及利息高下标准等,都做了细致规定。同年 10 月,济南市的交通银行以及中国、大陆、浙江兴业、中国实业等五家银行签订了多项放款合约,其内容与青岛八行放款公约大致相仿,唯在押品管理方面规定得更为详细。交行的合作放款除前文提及的多个案例,还与中国、中央两行合做湖南省第一纺织厂的期票贴现放款,与中南、大陆、江苏、中实、永大等银行合做南京大同面粉厂的小麦抵押放款等。②

交行工商业放款的诸多成功事例,其实也说明了下述一些事实。南京国民政府建立后,通过先后两次改组,对交行实现了全面的掌控。其间,自然有明显的政治目的,即将其改造成官方手中的金融统制工具,借以支撑庞大的军政费用负担。然而,国民政府从稳固自己的统治考虑,也致力于国内的经济建设,并希望交通银行、中国银行这样的大型银行能发挥重要的作用,将交行定位为"发展全国实业之银行",即有这方面的用意。因此,官方对交行扶助工商实业的一系列投资、放款行为是予以鼓励和支持的。就交通银行而言,其"官商合办"的性质本身就注定了,自诞生之日起,就不得不在官与商的夹缝中蹒跚前行。交行的历届高层主管同样具有两面性,一方面都与官方有着或深或浅的关系,另一方面又都是当时的杰出银行家。所以,交行一直在官方的干预与商业银行正常的发展途径之间,努力寻求一条可行的平衡的路径。显然,在扶助工商实业这一领域中,交行商业化运作的空间是最大的。这就不难解释

---

① 《交通银行史料》第一卷,第 453—454 页。
② 同上,第 451 页。

了,交行改组以来的高层主管在阐释其经营方针时,为何不断强调在工商业放款业务中应积极开拓,争取有所作为,其实正是出于上述原因。

三、交通建设放款趋于平稳

支持交通建设事业是交通银行的特许业务之一,因此一直很受重视,这方面的放款数额,每年都有增加。从 1932 年至 1936 年,放款总额总共增加了 1613 万元,增长率为 4.6 倍。具体数据详见表 2-8-5。

表 2-8-5　1932—1936 年交通银行交通建设事业放款比较表　　　　单位:千元

类　别	1932 年	1933 年	1934 年	1935 年	1936 年	1936 年与 1932 年比较	
						金　额	百分比
铁路	2249	5635	5553	5799	12280	+10031	+446
公路	4	67	189	427	1495	+1491	+37275
汽车	133	118	495	2306	2299	+2166	+1628
电气	730	921	1189	1117	2560	+1830	+250
航业	284	405	464	414	456	+172	+60
公用	65	112	147	473	505	+440	+576
合计	3465	7258	8037	10536	19595	+16130	+466

资料来源:《交通银行史料》第一卷,第 364 页。

通过表 2-8-5 可知,各项交通建设事业中,总额和增长额最大的是铁路建设。公路建设的增长率虽然高达 300 余倍,但 1932 年的金额仅有 4000 元,至 1936 年才达到 149 万余元,增长额仅为铁路建设的七分之一。汽车、公用两项建设也一样,1932年的起点金额不高,即便增长率高于总增长率,但绝对增长额依然偏低,且在交通建设放款中的占比不大。至于电气、航业两项建设,增长率均低于总增长率。尤其是航业,1936 年的金额仅为 45 万余元,在所有建设事业中数额最低,增长幅度也仅为60%,居于末位。

需要特别提一下的是,这一时期,交行在交通建设事业方面的放款虽呈逐年递增的态势,但与交行全部放款业务的迅速增长相比较,交通建设事业放款的增幅不大,总额不高。从 1936 年底交行全部放款的总额看,交通建设事业放款仅占其中的5.7%,比例很小。这说明,交行在交通建设事业方面的放款业务,仍是一种稳健的、缓慢的发展。①

交行的创办与清末的收回铁路利权运动直接相关,因此,扶助铁路建设一直是交行的重要任务之一。南京国民政府建立后,即将铁路建设列为国民经济建设的重点。从 1928 年至 1937 年的十年中,除东北地区,国民政府兴修的铁路共为 7995 公里,使国内的铁路达到 21036 公里。② 在国民政府的铁路建设事业中,交行做出了重要的贡献。

1928 年 10 月,南京国民政府设立铁道部,随即制定了规模宏大的铁路建设规划。按照规划,国民政府拟利用西方各国退还的庚子赔款及实行关税新则后净增关税的一半,建立以南京为中心的江南铁路网,并计划修筑西北、西南、东南、中部东西四大铁路网,建立黄河、钱塘江两座铁路桥以及西安、株洲、贵溪、戚墅堰四家机车厂。③ 交通银行的铁路建设放款,大多与铁道部及其属下的铁路局合作,铁路建设所需款项数额较大,往往须与银行同业联合放款,所以交行在这方面的放款形式也多种多样。

其一,垫款借款。例如,1933 年,铁道部因大潼铁路和潼西铁路工程需要用款,与交通银行以及中国、中南、金城等银行商议,要求各银行共同垫款 450 万元。1935年 5 月,铁道部又因陇海铁路西安至宝鸡一段工程需款,与交通、中国、中南、金城、盐业等五家银行商议,垫借款项 486 万元。④

其二,押借透支。例如,1936 年 3 月,湘鄂铁路管理局为发展路务,将该路段营运收入作为抵押,与交通银行订立抵押透支 6 万元的合同,期限 6 个月。其后,粤汉铁路管理局于当年 8 月 1 日成立,所有湘鄂铁路局的透支款都转归该局承受。11 月,粤汉铁路局又以粤汉铁路二厘公债票面 170 万元作为欠款担保,另与交行订立新的透支契约,透支额度 60 万元,期限 6 个月,后又展期一年。又如,1936 年 8、9 月间,铁道部因粤汉铁路工程款项不足,与交通银行和中国银行商议,拟以价值约 380 万元的担保品,要求透支国币 300 万元,中、交两行决定共同承担,各计国币 150 万元,月息

① 《交通银行史料》第一卷,第 364 页。
② 参见严中平主编:《中国近代经济史统计资料选辑》,科学出版社,1955 年,第 180 页。
③ 参见宓汝成:《帝国主义与中国铁路》,上海人民出版社,1980 年,第 284—286 页。
④ 《交通银行史料》第一卷,第 398—399 页。

九厘,期限 6 年。①

其三,承受公债。例如,铁道部为了完成粤汉铁路的建设,于 1934 年 5 月,会同财政部发行六厘英金庚子赔款公债,总额为 150 万英镑,全部由交通银行以及中央银行、中国银行和汇丰银行承受,按九折交款,实计 135 万英镑。四行承受此项公债后可另行发售,还本付息事宜也归四行自行办理。交行本拟承受全数的六分之一,计票额 25 万英镑,最后实际承受票额 7 万英镑,实交 6.3 万英镑。又如,1936 年 5 月,铁道部为了完成沪杭甬铁路的修筑工程,与中英银公司和中国建设银公司签订了 110 万英镑的借款合同,故于次月发行面额为 100 英镑和 50 英镑的六厘债券。交通银行与中央、中国两行一同受中国建设银公司的委托,成为其代理经募机关。经过商议,交通银行认销该项公债的数额为 55 万英镑,承销票面数额为 5 万英镑。②

其四,组团合放。例如,铁道部为了沟通南京与西南的交通联络,将原拟建设的京衢铁路改为自宣城通往浙赣路的贵溪站,但该工程所需资金匮乏,于是组织京赣路宣贵段借款银团,借款总额为 1400 万元。各家银行的承担数额,交通银行为 400 万元,中国农民银行为 300 万元,金城银行为 200 万元,四行储蓄会为 100 万元,四行信托部为 50 万元,大陆、中南、盐业三行各 100 万元,浙江兴业银行 50 万元。③

其五,充当担保。浙赣铁路因车辆不敷应用,特向平绥铁路局和北宁铁路局购买重达 10 吨的高边敞车共 52 辆,总价为国币 21832 元。所购敞车待运抵杭州后,即委托交通银行天津分行向平绥、北宁两局付款,在付款之前,浙赣路局又委托天津分行分别向平绥、北宁两局作担保,交行欣然应允。1933 年,铁道部为了集中各地铁路局的购料权,曾于部内设立购料委员会,各地铁路局所需材料,都应呈报铁道部,汇总后再统一订购。然而,商家鉴于以往政府多次积欠料价,要求订购时,银行出面担保。该项担保最初由和丰银行一家承做,后改由中国、金城等银行分别承办。其后,铁道部又商请交通银行保付料价,担保的总额不超过 200 万元。④

交行在公路、水利、电气、航业及公用事业等方面的放款,数额虽远不如铁路建设,但都在一定程度上促进了各项交通建设事业的发展。

---

① 《交通银行史料》第一卷,第 401、405 页。
② 同上,第 402、410 页。
③ 同上,第 406—407 页。
④ 同上,第 407、409 页。

交行在公路建设上的放款大多与地方省厅合作。例如,湖南省政府为了沟通桂、黔、川、鄂等省交通,制定了分段修筑湖南省公路的计划,并于1934年、1935年向地处湖南的各家银行借款共计65万元,其中,交通银行长沙支行(湘行)承担了87000元。1935年3月,湖南省政府又因修筑湘黔公路急需资金,与交通、中央、中国等银行商议后,以1935年湖南省建设公债票面170万元作抵押,借款100万元。其中,中国银行承担45万元,中央银行承担35万元,交通银行承担20万元。①

1935年12月,中央银行接到蒋介石来电,称湘川公路急待兴修,但因湖南水旱交困,筹款困难,特派湖南省建设厅厅长赴沪洽商,以湖南省建设公债作抵押,筹借款项。交行会同中央、中国两行与湖南省建设厅厅长商议后,同意湖南以该省建设公债250万元作担保,三行共同放款150万元,按四四二比例分摊,交行承担30万元。其后,湖南省因购车修路需要用款,又以每月所收矿税附加以及建设经费、办公经费作为抵押,并以该省1935年建设公债票面24万元作为第二担保,向长沙的中、中、交三行借款24万元,交行承担其中的8万元。②

1936年,河南省政府因增筑省内各线公路而资金不敷,以全省营业税为抵押,向交通、中央、中国三家银行借款600万元。经过商议,三行同意贷款,总额定为国币400万元,其中,交行承担80万元。同年7月,河南省因修筑公路需要经费,拟以河南省加征盐斤销税的一半数额,向当地六家银行抵押借款240万元,交通银行最后决定承借20万元。③

当时福建省也致力于兴修公路,但闽北地区仅完成建瓯至浙江江山的一段公路,交通依旧困难,商贾旅客深感不便。于是,福建省政府拟立即赶筑福瓯公路,并以福兴泉厦公路作为抵押,以福兴泉厦公路和福瓯公路完成后的全部财产作为担保,向银行借款50万元,同时还答应将抵充还款基金的公路费专归交通银行福州支行(闽行)经收备还。鉴于该项工程完成后,不仅有利于开发闽北和推动闽浙商务往来,且有助于交行在当地的业务发展,还款基金也十分可靠,因此,交行福州支行同意摊借20万元。④

---

① 《交通银行史料》第一卷,第414—415页。
② 同上,第416页。
③ 同上,第417页。
④ 同上,第418页。

交行在水利建设方面的放款也多与地方政府合作。1934 年 4 月,河南省因浚治黄河需要用款,省财政厅多次向交通、中央、中国、上海、金城等五家银行提出借款请求,经过协商,各行推中央银行为代表银行,将借款总额定为 200 万元,其中交行承借 30 万元。

1934 年 10 月,江苏省财政厅厅长赵棣华来沪相商,拟以江苏省 1934 年水利建设公债作抵押,向各家银行借款。经过协商,达成合约,以上述公债票面 1250 万元为押品,抵借 750 万元,期限两年,其中,交行承担 80 万元。1935 年初,江苏省因导淮工程需要资金,由该省主席出面,以水灾工赈公债 350 万元、江苏建设公债 300 万元作为抵押,向中、中、交三行借款 440 万元,期限两年。交行提请常务董事会议决后,承担了该项借款中的 110 万元。①

1936 年 1 月,湖北堤工专款保管委员会与江汉工程局因修复干堤,堵塞溃口工程,急需资金,故以 1935 年水灾工赈公债票面 150 万元、1928 年长期金融公债票面 10 万元、1929 年编遣库券票面 40 万元为抵押,湖北堤工专款为还款担保,向中央、中国、交通、中国农民、湖北省银行等五家银行借款 100 万元,其中,交通银行分摊了 20 万元。②

电气建设方面的放款主要与交通部及地方水电公司等合作。例如,1933 年 1 月,上海闸北水电公司以公司全部财产为担保,向交行、四行储蓄会等 15 家银行、钱庄,请求押借规元 215 万两,其中,交行承借 30 万两。1934 年,该公司为偿还旧债,扩充设备,又以公司全部资金作为担保,拟发行公司债 600 万元,首期先募集 450 万元,并委托交通银行、四行储蓄会等 15 家银行、钱庄组成的旧银团代为发行债券。银团开会议决,分别承受该项债券,其中,交行共计承受的债券票额为 54.3 万元。③

1935 年 11 月,交通部为了扩充电报电话业务,会同财政部发行 1935 年度电政公债 1000 万元,并以市面萧条,推销困难为由,要求以 100 万元公债按票面六折向交通银行抵押借款 60 万元,月息八厘,期限一年。④

交行的航业建设放款主要与轮船公司合作,但因航业贸易受时局影响,所放款项

---

① 《交通银行史料》第一卷,第 421 页。
② 同上,第 422 页。
③ 同上,第 424—425 页。
④ 同上,第 430—431 页。

时常拖欠,因此交行在这方面的放款特别谨慎。例如,1929 年 2 月,招商局轮船公司向交通、中国、浙江实业、上海、盐业、金城等 6 家银行商借规元 15 万两,其中交行承借 6 万两,期限 10 个月。但至 1930 年 3 月,招商局轮船公司未能履约还款,仍欠交行 5.12 万两,为此另签合同,展期一年。其后,该公司仍未能还请欠款,至 1933 年 5 月,所欠交行规元折合国币 9.2 万元。此后,多次展期,直至 1936 年下半年,仍未完全还清。①

1934 年 2 月,华新轮船公司以华懋、华达两艘轮船的租金和绸业银行股票面额 3000 元、江海银行股票面额 7500 元、国泰银行股票面额 5000 元为附带担保,向金城银行和交通银行借款 12 万元,交行承担了 6 万元。后因华懋、华达两轮修理未竣,未能履约还款,于是经过商议,改为自 1934 年 6 月起,由两艘轮船的承租者山下汽船公司每月拨付船租 1.55 万日元用于还款。1935 年 2 月,华新公司又续订合同,再次借款 6 万元,仍用山下公司的船租还本付息。当年 6 月,山下公司以检修两艘轮船为由,表示无法照付租金。1936 年 2 月,华懋轮在日本搁浅,还款更成问题。当时,共欠交通、金城两行借款 8 万余元,至当年 8 月,仅归还 5000 余元,剩余欠款两家银行仍在继续追讨。②

交行的公用建设放款主要与地方汽车公司合作。例如,江苏省锡沪路长途汽车公司以其全部财产以及借给江苏省政府的款项 77.4 万元,包括保证金 6.6 万元,借给上海市政府的款项 9 万元,包括保证金 1 万元,连同该条路线从政府处获得的一切专营权作为抵押品,向上海各家银行及上海信托公司借款 70 万元,周息一分,分五期还款,至 1930 年 6 月 30 还清。其中,交通银行承借了 10 万元。③

青岛公共汽车公司因资金匮乏,周转不灵,特地邀请该市社会局出面,拟以该公司某位股东拥有的青岛市华阳路第二号公地租地权及全部建筑物作为抵押,向青岛各家银行借款 5 万元。经查实,用作抵押的房产价值约 9 万元,且有社会局出面推荐,各家银行 1936 年 7 月召开联席会议,决定同意该项借款,并公推交通银行青岛分行为代表银行。在商定的分摊比例中,交通、中国两行各借 9000 元,大陆、金城、上海、中实各 5000 元,东莱、国华、浙江兴业、盐业各 2500 元,山左银行 2000 元,借款期

①　《交通银行史料》第一卷,第 433—434 页。
②　同上,第 434 页。
③　同上,第 435 页。

限为一年,月息一分。①

福州市区的复兴汽车公司自1934年以来,积极整顿业务,为了节省开支,拟将所有的26辆汽油车辆改装木炭代油炉,所需费用13000元。该公司以车辆及其财产作为抵押,向交通银行提出借款申请。交行闽行与中国实业银行协商,决定两行联合放款3万元,期限一年,月息一分。双方商定的借款条件是,以该公司全部车辆以及存入建设厅的保证金7500元,连同建设厅的借款21000元作为抵押,并将该公司的营业权移转银行,其每日营业收入须缴存中国实业银行,同时还在车辆上书写"某某银行投资"的字样,既可提升银行信誉,也可促进国产动力设备的销路。②

四、农业放款的迅速发展

中国自古以来就是一个农业大国,但在20世纪二三十年代之交,国内自然灾害肆虐,又受世界金融危机影响,中国农业经济迅速衰落。国民政府为提振农业,于1931年4月成立中央农业研究所,10月改称农业实验所,主要从事农作物品种的培育工作。1933年,又成立农村复兴委员会,主要从事农业金融、乡村建设等问题的调查研究。地方政府也纷纷建立救济农村委员会。不少知识分子也提出了自己的乡村建设主张,并在一定范围进行实践,如梁漱溟发起乡村建设运动,编撰《乡村建设理论》,晏阳初推行平民教育运动,编撰《平民教育理论》、《农村运动的使命》等。

与此同时,一些银行家也主张,"夫欲谋工商业之发达,必先谋生产业之振兴。农工商固三者一体,而农尤为主体"③。于是,国内银行业开始加大对农业的放款扶助力度,交通银行当然也位列其中。

1934年春,全国经济委员会棉业统制委员会为挽回棉业贸易的颓势,在河北、陕西、河南、山西等省,与当地省政府合作,推广优良棉种,并设立棉产改进所,指导农民改良棉种,同时组织棉花生产运销合作社,促进棉业贸易。为筹措上述活动的资金,棉统会特约交通银行及中国农民银行、浙江兴业银行、上海银行、金城银行等五家银行,共同为活动提供贷款,合计约百余万元。该项贷款的对象是棉业统制委员会所辖棉产改进所,以及由改进所指导农民组织的棉花生产运销合作社。贷款种类有三项:

---

① ② 《交通银行史料》第一卷,第436页。
③ 王厚渭:《银行救济农村商榷》,《银行周报》第19卷第35号。

一是生产贷款,即借给合作社社员用于购买种子、肥料,添雇人工所需要的资金。二是利用贷款,即借给合作社购置机器设备所需要的资金。三是运销贷款,即借给合作社共同运销社员棉花所需要的垫款及押汇。① 这是民国时期金融机构联手直接向农村地区贷款的开始,而交行也因此成为从事农贷业务的主要银行之一。

这次棉贷的整个运作过程十分圆满,取得了良好效果。联合放款扶持农业的形式遂引起上海银行同业的极大兴趣。②1935 年春,为了扩大农业放款的规模,由交行发起,除联合原先参加放款的中国农民、浙江兴业、上海、金城等五家银行外,又会同中南、大陆、四行储蓄会、国华、新华等五家银行,组成中华农业合作贷款银团,继续办理棉麦贷款。虽然这一银团组织的贷放范围仅涉及部分省区,但毕竟创立了一个较大规模的统一运作的农贷机构,从而为日后出现的全国性农贷管理机构做了准备。

除了棉、麦放款,交行对盐、丝茧等农产放款也十分关注。1934 年 11 月,财政部公布常平盐和加运存盐的办法,规定淮盐销区、宜沙川淮并销区、淮南食岸③、皖豫、京市等,均须按照期限从盐场或盐井运入大批盐存储,总数约 519 万担,并规定以长期期票缴纳场税,适当给以补贴,鼓励盐商承运。然而,当时各岸存盐大多够用一年或一年以上,搁置的成本已很高,盐商难以再承受运盐的负担,而且财政部规定的运盐办法并无切实保障,很难推行。1936 年春,各岸盐运商人集聚上海商讨对策,请求交通、中国等银行贷款相助。交通、中国等银行迅即与官方及盐商研讨协商,经过三四个月,最后决定按照各地盐岸的实际情况,对财政部的规定逐岸予以补充,使官、商各得其所。交行对各岸运盐商以保付场税的方式予以扶助,其中,为湘岸、鄂岸、西岸、皖岸的运盐商保付的场税总额为 534.924 万元。此外,交行为汝岸、光岸、宜岸、沙岸承放各 8 万担,为皖豫岸承方 40 万担,与各行合作承担 9 万担,又代上海银行认放 5 万担。④

1935 年 10 月,蚌埠存盐积压,盐商一再赴沪请求官方和银行设法救济。交行等觉得此事关系重大,官方的规定应该遵从,而盐商的正当利益也应得到保障,不可随意侵害,为此,交行联合各家银行,积极与官方交涉,提出诸多补救办法,经过多次协

①② 《交通银行史料》第一卷,第 458—459 页。
③ 旧时盐的集散地称为"盐岸"、"食岸",简称"岸"。盐场或盐井生产的盐都先运至盐岸集中存储,然后再从盐岸分运各地销售。
④ 《交通银行史料》第一卷,第 474—476 页。

商,此事最终得以圆满解决。①

盐业放款获利丰厚,一度引起银行业之间的恶性竞争。为了避免恶性竞争,共同维护资金安全,1935年2月,交通银行与中国、上海、大陆、中南、盐业、中实、浙兴、江苏等九家银行,共同制定淮盐放款标准,统一押价,提高利率,并敦促各地分支行处遵照执行。②

丝茧不仅是江南地区的大宗农产品,也是丝织业发展必不可少的基础。交行对丝茧生产的发展曾给予大力资助,主要集中在浙江、江苏地区。1934年,浙江遭遇旱灾,蚕桑严重受损,蚕农生机困窘,省政府为救济蚕农,积极推广秋茧,拟以当年所收全部丝茧及浙江省1934年地方公债票面90万元作抵押,向杭州各家银行借款大洋300万元。各行当即组织银团,合作放款,并公推交通银行、中国银行、浙江兴业银行为代表行,与浙江省政府签订借款合同。其中,交行承担大洋50万元,由交行浙行具体操作。1935年,浙江春茧上市之际,省建设厅又依照上一年的借款方案,向杭州的交通、中国、浙兴、上海、四明、中实、中南、金城、大陆、盐业、浙实、国货、通商、垦业等十四家银行押借180万元,其中,交行共承借30万元。当年秋茧上市时,交行再承借14万元。1936年5月,浙江省建设厅蚕丝统制委员会为收购买春茧,又向交通银行和中国银行押解500万元,交行承担其中的十分之四。③

交行对江苏地区的丝茧放款投入也很大。1935年,江苏省蚕业改进委员会为改良蚕种,向交通、中国、上海等五家银行借款16万元,交行镇江支行摊借了2.8万元。江苏无锡为江浙丝茧生产的重心,交行无锡支行在丝茧方面的放款逐年递增,1935年的放款总额高达130余万元,创历年最高纪录,次年更达到160万元。④

对于茶业,交行也倾力相助。1936年春,交通银行联合安徽地方银行,与安徽省的相关机构和部门签订合约,在祁门红茶产区设立交行的临时办事处,试办祁门红茶产销合作社贷款,贷款总额为40万元。这是中国银行界在产茶区域,单独设立临时机关直接贷款给茶农的首创之举。这项贷款的结果也非常圆满,参与贷款的各方都

① 《交通银行史料》第一卷,第473—474页。
② 同上,第472—473页。
③ 同上,第479—482页。
④ 同上,第480—481页。

有相当收益。[①]

　　为了推进和规范农贷业务,交行于 1935 年 7 月制定《农业合作贷款处理规则》,将其农业合作贷款的贷放对象限定为合作社、互助社或合作预备社和农业仓库三类组织。贷款项目的类型分为生产贷款、储押贷款、运销贷款、利用贷款、购买贷款五类。五类贷款的期限为三至八个月,皆属短期贷款。若不能按时清偿贷款,应提前一个月向交行提出展期申请,但仅限于一次。对到期无法清偿的债务,由承还保证人和该社全体理监事负责偿还。贷款的利息,按照其不同类型有周、月、年三种计息方式,利率为月息九厘至一分。据 1938 至 1941 年的统计,高利贷的月利最低的也为二分六厘,最高的达到二分九厘,可见,农贷利率远低于当时的高利贷。为保证贷放资金的安全,交行要求承借单位的负责人在相关契约上签字盖章,如遇特殊情况,还须有保证人出面方可批准借款。

　　由于当时中国广大农村地区的经济仍相当落后,仅依靠银行界本身的努力,难有大的改观。1937 年 9 月,全国统一的规划与管理农贷事务的政府机构——国民政府农本局正式成立,农本局对农贷的掌管和参与,使这项事业进入一个新的阶段。鉴于交通银行在开展农贷业务上的一系列开创性贡献,农本局成立时,交行常务董事钱新之被理事会推选为该局两位协理之一,交行董事长胡笔江任该局理事。

　　总之,自 20 世纪 30 年代以来,交行的农业放贷业务推进得十分迅速,具体放款数据可见表 2-8-6。

表 2-8-6　1932—1936 年交通银行农业放款比较表　　　单位:千元

类　别	1932 年	1933 年	1934 年	1935 年	1936 年	1936 年与 1932 年比较	
						金　额	百分比
棉	595	1571	14107	7506	26513	+25918	+4355
盐	134	1028	3533	3401	3714	+3580	+2671
米	496	565	3602	3003	3530	+3034	+661
麦	39	482	993	1873	2045	+2006	+5243
豆	131	679	539	848	2759	+2628	+2006
杂粮	264	333	439	3248	4446	+4182	+1584

[①] 《交通银行史料》第一卷,第 461—462 页。

（续表）

类　别	1932 年	1933 年	1934 年	1935 年	1936 年	1936 年与 1932 年比较	
						金　额	百分比
丝茧	332	398	596	1359	3163	+2831	+852
茶	5	59	59	33	30	+25	+500
花生	693	224	211	659	578	+119	−17
其他	607	384	611	883	1926	+1319	+217
合计	3296	5723	24690	22813	48704	+45408	+1377

资料来源:《交通银行史料》第一卷,第364—365页。

　　1932 年年底,交行的农业放款余额仅 329.6 万元,至 1933 年年底,也仅为 572.4 万元,增长幅度并不大。1934 年,交行在农业放款方面明显地加大了力度,当年年底,放款余额迅速增至 2469 万元,至 1936 年年底,更跃升至 4870 万元,与 1932 年相比,增加了 13.77 倍。在交行的全部放款数额中,若剔除政府放款及旧日欠款,农业放款的比例已占 35.42％,[①]这充分说明了交行对农业建设的重视以及为之所作的努力。

　　交行积极参与农贷事业且卓有贡献,其间自然有拓展自身业务的需要,但确实在很大程度上考虑到所肩负的社会责任,诚如交行管理层所说的:"本行仰体政府意旨,适应时代需要,办理农贷,调剂农村金融,辅助农业生产,改善农产运销,增进农民受益,以期复兴农村,繁荣都市,巩固国民经济建设之基础,勉尽本行所负特殊使命之职志也。"[②]

五、财政性放款仍居重要地位

　　南京国民政府建立后的十年中,交通银行尽管在工商业、交通建设、农业等方面的放款都取得突破性的发展,但在其放款总额中,居于首位的依然是面向政府的财政性放款。从 1932 年到 1936 年,交行的财政性放款一直呈现上升趋势,数年之间增长了 7472 万元,增幅达 4.23 倍,数额远远超过其他方面的放款。具体情况可见表 2－8－7。

---

① 《交通银行史料》第一卷,第 364 页。
② 同上,第 463 页。

表 2－8－7　1932—1936 年交通银行财政性放款比较表　　　　单位:千元

年　份	中央政府		省市政府		合　计		
	金　额	百分比	金　额	百分比	金　额	增加数	增长率
1932	10552	60%	7106	40%	17658		100
1933	17312	75%	5838	25%	23150	+5492	131
1934	21371	77%	6362	23%	27733	+4583	157
1935	38570	84%	7615	16%	46185	+18452	261
1936	80834	88%	11546	12%	92380	+46195	523
合　计	+6.6 倍		+62%			+74722	+4.23 倍

资料来源:《交通银行史料》第一卷,第 362 页。

表 2－8－8　1932—1936 年交通银行各类放款比较表　　　　单位:元

项　目	1932 年	1933 年	1934 年	1935 年	1936 年
政府放款	17658236	23150439	27733179	46185438	92379722
建设放款	3467922	7260479	8040255	10538793	19597563
农产放款	3302326	5727285	24694920	22813000	48710107
工商放款	6411213	9259448	24444968	33673210	69228991
政府欠款	115729728	112981290	112981290	114431079	114431079
合　计	146569425	158378941	197894612	227641520	344347462

资料来源:《交通银行史料》第一卷,第 368—369 页。

财政性放款分为中央政府和省市政府两个方面。就交行财政性放款的内部比例而言,1932 年是 3:2,对中央政府放款的金额为 1055 万,仅略高一筹。此后逐年增高,至 1936 年,对中央政府放款已经高达 8083 万元,占当年交行财政性放款总额的 88%。

交行对国民党政权中央政府的放款数额节节攀升,与国民党政权加强中央集权,扩充军备,推行金融统制政策密切相关。1933 年 4 月,交通银行第二次改组后,已被国民政府全面掌控,因此,大规模地向中央政府放款,也集中在 1933 年以后,而且放款形式趋于多样化。大致而言,主要形式有以下数项。

其一,公债押款。1934 年 1 月 27 日,财政部以意大利政府退回的全部庚子赔款作为抵押,向上海各家银行借款 4400 万元。于是,交通银行与中央银行、中国银行等总共 16 家银行组成银团,共同承担该项借款。借款以 1 万元为一股,共 4400 股,其中交行承担 440 股。1935 年,财政部发行统一公债,各种债券凭证须作变更,致使上一年的借款合同被取消。上述银团只得再与财政部签订新的合同,将尚未结清的 3000 万元由银团银行分别承担,其中交行摊借 300 万元。至 1936 年 12 月,财政部仍欠交行国币 295.9 万元。①

1935 年 2 月 18 日,财政部致函交行,提出以俄国退回的庚子赔款余额凭证换回抵押给交行的 1934 年关税库券票面 1423 万元。同月 25 日,财政部又致函交行,要求交行结购 1934 年关税库券票面 1080 万元,每票面 100 元连带第十四期本息票,作价 75 元,共计款项 810 万元。所有结购库券,即在以俄国退回庚子赔款余额凭证换回的押品库券内拨付,剩余的库券 343 万全部缴送中央银行。对财政部的要求,交行不得不勉强照办。1936 年 1 月,财政部以俄国退回的庚子赔款余额凭证票面 400 万元及 1934 年关税公债票面 250 万元,向中央、中国、交通三家银行抵押借款 508 万余元,其中交行摊借了 101 万余元。该项借款至 1936 年底,财政部仍欠交行国币 100.8 万元。②

1936 年 3 月,财政部以复兴公债票面 1715 万元作为抵押,向交通银行借款 1200 万元。7 月,财政部又以复兴公债票面 1200 万元七折作为抵押,向交行借款 840 万元。9 月,财政部再以统一甲种公债票面 2700 万元,丙种债票票面 300 万元,复兴公债票面 1300 万元,共计债票票面 4300 万元为抵押,向交行申请借款国币 3000 万元。因款额巨大,交行第 270 次常董会议决,与财政部反复相商,请求减少,但财政部不肯让步,最后交行只得勉强照办。财政部向交通银行借款,往往拖欠不还,交行被迫反复展期,从 1934 年到 1936 年底,陆续展期的各项借款有 7 笔,皆以赈灾公债、1933 年与 1934 年关税库券等作抵押,7 笔借款的数额共计 2030.96 万元。③

其二,军费借款。1928 年以后,南京国民政府虽形式上统一了全国,但内战依旧频繁,军费开支极为庞大。国民政府不仅采用发行公债、抵押贷款等方式筹措军费,其属下的一些军队也常常直接要求银行贷款。例如,驻扎湖南的第四路军总指挥部

① 《交通银行史料》第一卷,第 380—381 页。
② 同上,第 384、389 页。
③ 同上,第 382—388 页。

因军费短绌,以拨领湘岸盐税作抵押,向湖南的中央、中国、交通三行借款 200 万元。三行经过商议,同意放款,按四四二的比例分担,交通银行长沙支行摊借 40 万元。商定的还款方式是,自 1936 年 2 月起,由湘岸盐务稽核处就盐税项下每月应拨付给第四路军总部的军费 90 万元内,先扣拨法币 20 万元偿还本金及每月应付的利息。此外,第四路军总指挥部还要求将每月所领盐税三个月的期票 90 万元,除去中央银行原先承做的贴现 40 万元,其余 50 万元也让中、中、交三行每月照贴,对此,交行也只能应允。1936 年 4 月,第四路军总指挥部又以湘岸稽核处的预税证向中、中、交三行借款,三行决定放款 60 万元,仍按四四二比例分担。此后,事情依然没完没了,该路军多次以调防所需、军费拮据为由,不断要求继续贴现,并再次借款 200 万元。①

1936 年秋,广东省急需军费,省财政厅曾遣特派员向中央、中国、交通三行借款 600 万元。随后,中央政府财政部为了补助广东省军费,特别致函三行,以广东、广西、福建地区的统税收入作抵押,借款 1200 万元。对上述要求,三行只能应允,皆按四四二比例分担借款。②

其三,承购税票和期条贴现。1934 年 11 月,财政部指令中国建设银公司垫款承购总数为 3000 万元的卷烟印花税票。该公司经董事会议通过,计划该公司承受 1000 万元,其余 2000 万元由包括交行在内的各家股东银行按九三折价格承购,并致函各股东银行,提出按照参股数目平均分配的承购方案,例如,股款 10 万元,应承购 20 万元。交通银行投入中国建设银公司的股款为 150 万元,依照该公司的承购方案,交行须承购 300 万元的卷烟印花税票。交行常董会商议时,觉得负担过重,决定承购 100 万元。此后,交行又两次被迫承购卷烟印花税票。1936 年 4 月,中国建设银公司再次承购财政部的卷烟印花税票,票面数额为 4800 万元,依旧按九三折作价,其中交行承购了 800 万元,除划让给中南银行 100 万元,实际承购 700 万元。5 月,中国建设银公司又应允财政部承购卷烟印花税票面 1600 万元,交行又承购 100 万元。仅承购卷烟印花税票一项,交行先后三次共承购了 900 万元。③

1936 年 2 月,长芦盐务稽核分所因冀察政务委员会一再催促解款,遂与交通、中国等各家银行商议,要求以盐商四个月期条贴现 200 万元。各行协商后,应允贴现

---

① 《交通银行史料》第一卷,第 385—387 页。
② 同上,第 388 页。
③ 同上,第 383、389 页。

100万元,贴现利率为三个月以内到期的月息九厘,三个月以上到期的月息一分一厘,届时若盐商无法照付,由长芦稽核分所负责用现款购回。各行分摊的情况是,交通、中国两行各20万元,盐业、金城、中南、大陆、上海、河北省银行等各10万元。①

自1928年以来的十年中,交通银行不断拓展业务空间,在江苏省长江以北地区广设机构,建立起江北支行网,同时,还积极开发西部,发展闽粤,分支机构总数在30年代中期增加了一倍多,1933年共有77处,1936年底增至178处,②因此,对各省市政府的放款数额也有较大增加。

20世纪30年代,长江中下游地区接连多次发生大的自然灾害,致使当地省市政府急需工赈借款。例如,山东全省收容灾民30万人,日需赈款1.8万元,省政府财政拮据,于是向交通银行等多家银行申请借款100万元。经过再三商议,银行方面同意放款,但将数额减至70万元,并以该省财政厅提供的全省地丁附加赈捐70万元及公务员扣薪48万元作为抵押,其中交行鲁行摊借12.5万元。③

1936年1月,湖北省办理工赈,拟以赈灾公债向交通、中央、中国三行借款,并由湖北省政府主席电请财政部出面促成,省财政厅长亲自赴沪商议。通过商议,三行联合中国农民银行和湖北省银行一同放款100万元,其中60万元由三行按四二二的比例分摊,交行摊借12万元。湖北方面以赈灾公债200万元作抵押,并指定水灾救济委员会及财政厅以应拨付的救灾准备金作为还款基金。④

1936年1月,陕西省政府因陕北急需救赈,拟以1935年赈灾公债50万元作抵押,向西安的中央、中国、交通、上海、金城等五家银行提出借款申请。对此,上海、金城两家银行予以婉拒,中、中、交三行也颇感为难。但因陕西方面一再强调灾情严重,急需救济,三行最后决定共同放款24万元,以赈灾公债四十万元作抵押,其中交行秦行承借4.8万元。⑤

地方政府因财政经费紧张,为整顿地方财务而提出的借款申请也不少。例如,1935年5月,福建省财政厅以该省债券30万元作为抵押,并以茶税预算额25万元作

---

① 《交通银行史料》第一卷,第387页。
② 参见杭斯:《三十年代交行业务的发展》,《新金融》1995年第11期,第40页。
③ 《交通银行史料》第一卷,第391页。
④ 同上,第393页。
⑤ 同上,第394页。

为担保,向交通银行福州支行借款 20 万元。该项借款原定 1936 年 5 月到期,但该省政府担心青黄不接时仍需短期透支,要求按照合同展期一年,交行只能同意。①

1935 年年底,湖南省为了整顿财务,拟以田赋及产销税作抵押,向中央、中国、交通三行借款 100 万元。该省财政厅长与三行商议后,三行同意放款,但将押品中的产销税改以营业税担保,交行摊借 20 万元。签订合同时,实际上仍以产销税作为抵押。②

1935 年年底,安徽省因省内金融艰涩,推行法币又需要资金,请求财政部出面促成,与中央、中国、交通三行商议抵押借款,并派遣省财政厅长赴沪洽谈。三行同意共同放款 100 万元,以中央政府拨付的补助费作为还款基金,另以安徽省筑路公债票面 80 万元及中央政府所发 1935 年赈灾公债票面 30 万元作为担保。该项借款按四四二的比例分担,交行摊借 20 万元。③

1935 年,江西省财政厅为了弥补 1934 年度的预算亏空,提请省政府会议通过,呈报财政部备案,决定发行 1935 年底短期库券 80 万元,同时,向交通、上海、大陆、国货、裕民等银行押借 80 万元。合同规定,该项借款分十个月还清,以全省所收 1935 年度营业税及屠宰税作为还款基金。其中,交通银行南昌支行(赣行)摊借了 12 万元。至 1936 年,江西省财政厅因 1936 年度的财政预算入不敷出,又请求各家银行再借款 100 万元,交行为之摊借 12 万元,仍以江西全省营业税及屠宰税作为还款基金。④

第二节　投资业务

一、1928 年至 1937 年投资概况

1928 年以来的十年间,交通银行作为发展全国实业的专业银行,在大力推进放

---

① 《交通银行史料》第一卷,第 390 页。
② 同上,第 391—392 页。
③ 同上,第 392 页。
④ 同上,第 392—393 页。

款业务的同时,也积极发展投资业务。放款业务理论上获利丰厚,但放款所使用的钞票,价值会受市场因素的影响而发生波动,尤其是通货膨胀极其严重的时候,放款时常会导致资金亏损。因此,银行业会将一部分资金直接投资于某些企业,进行直接的经营管理。20世纪30年代,中国受世界金融危机的波及,国内经济环境很不稳定,银行业在棉纺织业之类早期民族工业的领域中,已走上大规模直接经营企业的道路。①

交行受上述大趋势的影响,也认为经营方式应该日新月异,随潮流而变,凡是与业务有关的经营事项,即便本身力量尚不能及,也可采取参股投资,举办副业等形式予以实践。为此,交行将"凡因协助官商企画或因发展实业而投资于公共事业或工商事业并持有其股票者,又或因抵偿欠款没收押品而持有各种股票者"定义为特种投资,②以区别于普通的投资,如放款、购置证券之类。交行的特种投资方式十分灵活多样,大体上可分为下述四种:其一,直接投资参办,即在企业开办之初出资作本,实际上具有创始人的意义。其二,认购股票,即在企业开办一段时间之后,因其效益较好或其他原因,中途参股。其三,没收抵押,即企业股票或不动产向交行抵押贷款,到期不能偿还,按照合同规定,交行有权将押品没收,从而成为该企业的实际股东。其四,债权转股权,企业向交行借贷,到期却无力偿还,但又不想变卖固定资产或破产清算,即将该项贷款直接转化为交行在该企业的股份投资。③

交行特种投资的涵盖面很广,诸如银行业、保险业、交通电气事业、纺织采矿业、实业公司、商品贸易及运销等领域皆有涉及。

(一)银行业方面的投资,由于同业的缘故,交行较早即予以关注。例如,1927年6月,交行通过长沙县署的派购,由长沙支行认购了湖南省银行股金2000元。1914年,交通银行和中国银行奉财政部令,拨款创立新华储蓄银行,后改名新华商业储蓄银行。1931年,该行进行改组,总行迁至上海,将原有资本折减为十分之一,再由交通银行和中国银行增加资本额至200万元,全数收足,又改名为新华信托储蓄银行。1933年2月,交行青岛分行认购青岛农工银行70股,每股100元,共计7000元,

---

① 详见李一翔:《论30年代中国银行业对棉纺织业的直接经营》,《中国经济史研究》1997年第3期。
② 《交通银行史料》第一卷,第1551页。
③ 参见徐锋华:《交通银行的贷款机制和投资方式》,《中国经济史研究》2008年第4期。

同时又认购青岛物品证券交易所四百股,每股 10 元,共计 4000 元。①

1935 年 9 月,香港广东银行受世界经济恐慌的影响,总行、分行同时宣告清理。1936 年夏,该行开始改组,订立协商计划,呈准香港政府备案。当年 11 月,该行经改组后重新开业,资本金为港币 7761720 元,仍以汇兑为主要业务。当时,交通银行常董会经过商议,认为交行已在香港、厦门等处设立分支机构,为更好地推广国际贸易,增进华侨汇款,决定投资香港广东银行优先股 7500 股,共计 75000 港币,折合法币 56250 元,其代表人的姓名、股数、股票编号和股份编号如下:

表 2-8-9　交通银行代表人姓名、股数、股票编号和股份编号

代表人姓名	股　数	股票编号	股份编号
钱新之	3000	000301	32801—35800
赵棣华	2000	000366	35801—37800
庄叔豪	500	000303	37801—38300
张叔毅	500	000304	38301—38800
汤筱斋	500	000305	38801—39300
李道南	500	000306	39301—39800
简鉴清	500	000307	39801—40300

资料来源:《交通银行史料》第一卷,第 1554 页。

银行业集聚于上海后,使上海成为全国最大的金融中心。上海众多的金融机构为了吸引国内外资金进行大规模投资,以促进国内的经济建设,特意组建中国建设银股份有限公司,计划募集股份 1000 万元国币。中国建设银公司的设立,为外国资本在华投资提供了便利。若有国外资本来华投资,中国建设银公司可与之直接合作,或介绍给有意合作的国内银行,银公司可作为其信托人或代表人。若遇国内外联合的长期贷款,即可借此发展此类证券的国际市场,并可与国内外接洽购买大量材料的借款,还可接受政府委托与国外银团商讨国债事宜。中国建设银公司于 1934 年 4 月制定公司章程时,即将其业务范围规定为协助并联合政府机关、中外银行及其他组织扶植的公私各类企业,办理与农、工、商业相关的投资、管理事务以及信托公司的一切事务。交通银行鉴于其发展实业的定位与中国建设银公司的宗旨颇有相合之处,决定

① 《交通银行史料》第一卷,第 1552—1553 页。

参与合作,认募该公司股份共计150万元。① 这次入股投资是这一时期交行较大的一项投资。其股东户名、代表人和股数可见表2-8-10。

表2-8-10　交通银行有价证券中国建设银公司股份清单

单位:万元

股东户名	代表人	股额
交记	唐寿民	30
通记	胡笔江	30
交甲记	钱新之	10
交乙记	张咏霓	10
交丙记	王子崧	10
交丁记	庄叔豪	10
交戊记	吴君肇	10
交己记	吴眉孙	10
交庚记	张佩绅	10
交辛记	袁崧藩	10
交壬记	张麟书	10

资料来源:《交通银行史料》第一卷,第1556页。

(二) 保险业的发展与银行业务密切相关,银行办理保险,既可增加利润收益,又可拓展营业范围。有鉴于此,自20世纪30年代开始,中国各家银行中开办保险业务的数量日增。例如,中国银行创办了中国保险公司,上海银行创办了宝丰保险公司,中国实业银行创办了永宁保险公司,四明银行创办了四明保险公司等。交通银行受上述风气的影响,也对投资保险业跃跃欲试。

1930年3月10日,钱新之等人发起创立太平保险公司,额定资本为国币100万元,先收二分之一。公司地址在上海江西路212号。董事长钱新之,总经理周作民。1933年6月,周作民为扩大该保险公司,拟将资本增加至500万元,先收300万元,并商请交通银行以及中南、大陆、国华等银行参股加入。交行对该保险公司进行了缜密审查,认为该公司财力殷实,经营稳健,况且保险事业以平均危险为原则,营业规模越大,风险指数越低,于是决定加入。经过商议,太平保险公司的股本由交行及金城、中

---

① 《交通银行史料》第一卷,第1555页。

南、大陆四家银行各认购 112.5 万元,其余 50 万元由国华银行认购。改组后的太平保险公司,除承保原有的水、火、兵、盗等险种,还添办了人寿、意外、信用等险种,并兼营押款及其他妥实投资,同时前往华南、南洋一带分设机构,大大拓展了营业空间。当时,太平保险公司还与交通银行签订了代理保险合同,于 1933 年 10 月开始代理,交行通告各分支行部查照办理。[①]

（三）交通电气事业是交行投资的一个重要方面。设在南京的江南铁路公司成立于 1932 年 7 月,资本定额为 100 万元,分为 1 万股。1933 年 11 月,交通银行投资该公司 5 万元,并由钱新之出任该公司常务董事。杭州电气股份有限公司成立于 1933 年 1 月 1 日,资本总额 300 万元,分 3 万股。当年 5 月,交通银行认购该公司股票,金额为 25 万元。1930 年 6 月,交行认购上海电力公司股票,金额为 37 万美元,折合国币 1541666.67 元。当年,交行汉口分行没收汉口暨济水电公司抵押的股份合计 21989 股,折合金额 219890 元。1934 年 11 月,山东省当局派购济南自来水公司股份,交行鲁行认购 2000 股,折合金额 2 万元。[②]

（四）交行对纺织、采矿等工业的投资颇为积极。1929 年,交行沈阳支行（沈行）没收大生纱厂第三厂的股份押品,数额为 60 股,1932 年 6 月,交行常熟支行（常行）又没收该厂股份押品,数额为 40 股,二者相加共计 100 股,每股现银 75 两,折合国币为 10500 元。1934 年 11 月,交行无锡支行没收无锡豫康纺织公司的抵押物品,金额为 30000 元。1935 年 12 月,交行向大生第一纺织公司收回债权,由债务人将该公司一部分股票过户为交行户名,共计 270 股,金额达 18900 元。1932 年 11 月,交行济南支行没收山东峄县中兴煤矿公司的抵押物品,金额为 11500 元。1936 年 9 月,交行开封支行没收贾汪煤矿公司的抵押物品,金额为 2120 元。[③]

（五）交行对于投资实业公司也十分关注。1927 年 4 月,交通银行哈行因省政府的派购,认购奉天肇新窑业公司股份 6360 元,1934 年 5 月又没收该公司抵押的股份 1860 元,此外,沈行也被派购股份 1380 元,共计 9600 元。大中实业公司成立于 1928 年 8 月,资本总额为 10 万元,分 1000 股,当年 12 月,交通银行认购该公司股票 70 股,合 7000 元。1929 年 9 月,在青岛商会的劝募下,交行岛行认购民生国货工厂股票 60

---

①　《交通银行史料》第一卷,第 1566—1567 页。
②　同上,第 1575—1576、1604—1607 页。
③　同上,第 1604—1607 页。

股,每股 50 元,共计 3000 元。1930 年 3 月,交行鲁行没收济南惠丰麦粉厂抵押的股份,金额为 1.2 万元。1930 年 12 月,交行汉行没收福和债权团产业公司抵押的股份,加上旧欠,合计为例银 2342 两 5 钱,折合国币 3375.81 元。1932 年 6 月,交行常行没收大连地产公司的抵押股份,金额为 3360 元。1932 年 12 月,沪西俱乐部地产公司成立,交行投资该公司现银 5000 两,折合国币 7500 元。合益房地产公司成立于 1932 年,次年 8 月,因接办前上海银行公会房地产经租事务,专门发行新股票,以换回银行公会发行的旧银两债票,交行以原有的银两债票换得新股票 388 股,金额为 38800 元。1934 年 4 月,交行哈行三次没收颐中烟公司抵押的股票,共 30 股,每股 100 元,合计 3000 元。①

(六)对商品贸易及运销方面的投资,交行也有涉及。1933 年,中国国货产销联合公司创立,资本总额为 50 万元,交行认购该公司股份 30 股,共计 5 万元。1935 年 2 月,交行总行认购渭南打包厂股份 2000 股,每股 100 元,共计 20 万元。②

此外,在香港注册的中国钢车公司,由外商和国人合资创办,1930 年 2 月正式营业。该公司重要股东分为两组,外商方面为沙逊、慎昌两家洋行,华商方面为中国、交通、金城、上海、浙兴、浙实等银行组成的银团。1930 年 3 月,交行上海分行投资认购该公司股票,共计 330 股,每股规银 100 两,金额为 33000 两,折合银元为 46200 元。③

综上可见,交行的投资活动自 1932 年开始渐趋活跃,此后,陆续出现较大的投资行为。交行此类特种投资,金额最高不超过 200 万元,低的仅为 2000 元左右,与同一时期的放款业务相比,规模不大,数额不高,而且许多股份的获得,其实是由没收放款抵押,债权变股权等方式转化而来。不过,以集资和购买股票的方式直接投资于企业的事例在这一时期的逐渐增多,确实反映了交通银行在投资业务上的积极、主动,以及力求投资渠道的多样化。

二、政府债券的投资与经营

南京国民政府维持财政的手段与北洋政府如出一辙,主要依靠银行垫款和发行

---

① 《交通银行史料》第一卷,第 1604—1607 页。
② 同上,第 1606—1607 页。
③ 根据《沪人行档案》交行 650 号的记载,谓中国钢车公司的重要股东分三组,但是只列出了西商、华商两组,详见《交通银行史料》第一卷,第 1590—1591 页。

债券。自 1927 年发行江海关二五附税国库券以来,每年都有各种债券大量发行,其中,基金方面多由基金保管委员会保管,还本付息事宜则委托银行办理,作为国家银行之一的交通银行,自然属于经理政府债券的银行。

南京国民政府建立前夕,蒋介石为了应付庞大的军政费用,在上海组建江苏兼上海财政委员会(即苏沪财委会)进行募款。南京国民政府建立不久,即于 1927 年 5 月 1 日发行江海关二五附税库券 3000 万元,次日,银行业公会和钱业公会举行联席会议,吴震修、王晓籁、钱新之作为苏沪财委会的代表出席,共同商讨江海关二五附税库券的承销事宜。5 月 9 日,苏沪财委会又向银行业公会和钱业公会致函称:"此次国民政府发行票额为 3000 万元,虽经敝会分向各业暨商民劝募,而缺额尚巨,全赖金融界予以充分合作,并资提倡,裨得早日成功。"[①]再次要求银、钱业公会承销库券 500 万元。后经多番交涉,银、钱业公会被迫答应,自此,上海金融业与南京国民政府的债券事务紧密联结。

交通银行作为银行业公会的一员,从 1928 年起开始承办政府债券事务。在政府债券的投资与经营方面,主要有押款和认购两种方式。

1928 年 11 月,财政部以民国十七年金融短期公债 1050 万元作为抵押,向交通银行及中国、浙江实业、四明、浙江兴业、上海、中国实业、金城、盐业、中南、大陆等共 11 家银行借款 840 万元,期限 6 个月,月息八厘,其中交通银行承借 150 万元。

1929 年 2 月 25 日,财政部以裁兵公债 1125 万作为抵押,向交通、中央、中国、中南、金城、盐业、大陆、四明、浙江实业、浙江兴业、中国实业、江苏、中孚、通商等 14 家银行以及钱业公会借款,半年一结,月息一分。其中,中央银行承借 100 万元,中国银行承借 280 万元,交通银行承借 120 万元。

1930 年 1 月,财政部以编遣库券及裁兵公债 1000 万元作为抵押,向交通、中央、中国、金城、盐业、中南、大陆、中国实业、浙江实业、浙江兴业、四明、江苏、中孚、通商等 14 家银行以及钱业公会借款 750 万元,未定期限,6 个月一转,月息一分。

除了抵押借款,交行还大量认购政府债券。自 1928 年改组以来,交行认购的有价证券数额逐年递增,1928 年为 856 万元,1932 年已增至 2259 万元。短短五年,交行认购的有价证券数额增加了 2.6 倍,而且 1929 年以后的增长速度尤为明显,1930

---

① 《上海银行公会档案》,上海市档案馆藏,档号 5173 - 1 - 29。

年的认购数额呈现一个位数的增进。当时,公司债券并不景气,所以交行购入的有价证券大多是政府债券,其中有直接认购的,也有从二级市场购入的。具体数据可见表2-8-11。

表2-8-11 1928—1932 年交通银行投资有价证券数额表 单位:元

年　份	有价证券
1928	8561704.11
1929	8602075.55
1930	13260060.56
1931	19499905.25
1932	22596703.63

资料来源:《交通银行史料》第一卷,第752—756 页。

在存款资金增加,而投资渠道不多的情况下,通过投资基金稳固、市场较为看好的政府债券,无论在资金营运盈利,还是资产流动变现上,在当时有限的条件下,都是一种较为优势的、稳妥的投资选择,这是交行债券投资之所以迅速增长的主要原因。另外,债券的"调剂证券市场、充作发行准备"这一作用也不可忽视。[1] 这一时期,交行除投资债券盈取利息,还将债券充作货币发行的保证准备金。按照国民政府的规定,国内发行钞票的银行,发行准备金应为现金准备六成,保证准备四成,而保证准备可以政府认定的有价证券抵充,因此各大发行银行都购置巨额债券,按市价折价,充作四成的保证准备金,于是,保证准备便成为容纳内债的最主要渠道。[2] 交行基于主客观种种因素的考虑,在有价证券的投资中,将大量资金投向政府债券,是可以理解的。

在正常情况下,政府债券的信用度和安全性应该是较高的,然而,在民国时期的中国,情况却不是这样。20 世纪30 年代,自然灾害频繁,世界性的经济危机时有波及,国民党政权内部争斗激烈,日本侵略势力不断进逼,皆导致国内局势动荡不安,南京国民政府的财政信用严重受损,上海证券市场上的政府债券行市持续跌落,使金融市场呈现一片恐慌的景象。

---

① 许宝和:《本行营业之回顾》,上海市档案馆藏,档号 Q55-2-272。
② 董仲佳:《最近内国之债券》,《银行周报》第15 卷第15 号。

为了维护政府的债券信用,此前购入大量政府债券的上海银行业积极配合政府,竭力保持债市的稳定。1932 年 1 月,国民政府决定整理内债,并专门拟定整顿财政的计划书。财政部长宋子文随即于 2 月提出公债库券延本减息的方案,将基金保管委员会改为国债基金管理委员会。被纳入延期减息方案的各项债券,所涉及的换发新券和加给息票等事务,皆交由交行负责办理。于是,交行持有的政府债券不减反增。从 1932 年至 1935 年,交行继续承办国民政府的各种债券抵押借款,其中包括财政部、交通部、铁道部建设委员会以及地方政府发行的各种债券。此外,诸多工商实业发行的公司债,其还本付息事宜也大多委托交行负责。

1932 年对内债进行整理后,尽管国内金融市场依旧动荡,国际局势仍不稳定,但迷恋于债券厚利的银行业,仍动用大量资金购买政府债券,而且愈演愈烈,形成经济圈内的恶性循环。这种状况,一方面反映了银行业的趋利本能以及中国金融业发展的局限性,另一方面也反映了南京国民政府在发展经济,解决财政问题上的捉襟见肘,无能为力,30 年代上半期中国经济的虚假繁荣于此可见一斑。对于上述情形,交行自然也无法避免,所以对有价证券的投资继续保持增长的态势。具体数据可见表 2 - 8 - 12。

表 2 - 8 - 12　1933—1935 年交通银行投资有价证券数额表　　单位:元

年　份	有价证券
1933	26151614.96
1934	23371746.73
1935	34752297.49

资料来源:《交通银行史料》第一卷,第 757—759 页。

南京国民政府在美籍顾问杨格等人的建议下,于 1936 年 2 月 8 日公布《民国二十五年统一公债条例》,再度整理内债。条例的主要内容为:统一债券名称,换偿各种旧有债券,并由财政部发行民国二十五年(1936)统一公债 146000 万元。统一公债共分五类:甲种债票 15000 万元、乙种债票 15000 万元、丙种债票 35000 万元、丁种债票 55000 万元、戊种债票 26000 万元。[①] 五类统一公债的换偿、还本付息等事宜,皆由中

_____

[①] 《财政部关于颁发布告、民国二十五年统一公债条例及持票人会宣言的训令》(1936 年 2 月 17 日),《中华民国史档案资料汇编》第 5 辑第 1 编,第 206 页。

央银行及其委托的交通、中国两行办理。

统一公债发行后,国民政府每年的债务费支出较前减少 8500 万元,债市由此趋于稳定,政府财政长时间入不敷出的局面也得到一定程度的缓解。[①] 此后,至 1937 年"七七事变"之前,国民政府先后发行的债券还有复兴公债、第三期铁路建设公债、民国二十五年四川善后公债、民国二十五年整理广东金融公债、民国二十六年京赣铁路建设公债、民国二十六年广东省铁路建设公债。不过,与之前不同的是,此类公债既不在证券市场上公开出售,也不在市面上流通,绝大部分存储于中央、中国、交通三行,作为三行发行法币的保证准备金,政府需要借款时,即可凭此向三行抵押透支。[②]

第三节　信托与仓库业务

一、信托部的设立及其业务种类

民国初年,随着信托活动的出现以及信托学说在国内的日益传播,信托公司如同雨后春笋般纷纷建立。[③] 交通银行信托业务的萌芽,也可追溯于此。不过,当时的交行只是筹建仓库,目的是为货物押款提供便利,尚无办理信托业务的计划。直至 1928 年,南京国民政府颁布《交通银行条例》,将信托列为交行的经营业务之一,方以明文规定的形式从纸面制度上开启了交行的信托业务。

1930 年 2 月,交行呈准财政部,起步开办本行的信托业务。首先是设立储蓄部,拟定信托业务局的暂行办法,然后在上海着手试办。不过,当时的信托业务只是通过沪区储蓄部办理有价证券,露封保管,尚无大的举动。1931 年,交行修订组织规程,除规定设立储蓄分支部,还规定设立信托分支部,但并未立即实行。

1933 年 6 月,交行再次修订组织规程,在总行内,将原先的储蓄部改组为储蓄信托部,并在业务上有必要的地区酌情设置储蓄信托分支部。信托业务会计如同储蓄业务会计,与营业会计互相划分,各自独立;信托业务中,经手信托部固有资金的固有

---

① 参见蒋立场:《上海银行业与国民政府内债(1927—1937)》,第 233 页。
② 褚汇宗:《读二十三年度财政报告》,《钱业月报》第 17 卷第 2 期。
③ 何旭艳:《上海信托业研究(1927—1949 年)》,上海人民出版社,2007 年,第 11—16 页。

会计,与经手信托资金的信托会计,也各自独立。当时,交行与太平保险公司订立了代理保险契约,故由储蓄信托部代理保险业务,随后,各分支行也先后代办保险业务。

1934 年 1 月,交行上海仓库完工,总行储蓄信托部开始办理上海仓库的业务,并厘订仓库管理系统,同时增办经理房地产事务。

1935 年 5 月,交行编订《信托业务大纲》,提交行务会议讨论,由此确立了交行兴办信托业务的蓝图。6 月,交行储蓄信托部增设保管课和仓库课。7 月,交行董事会议决定,另拨国币 250 万元作为信托部的营业基金。随后,又依据条例章程的规定,增订信托部章程,呈交财政部核准备

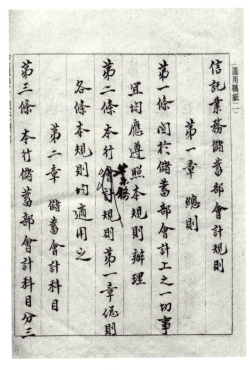

交行信托业务储蓄部会计规则草稿

案。章程中规定,交行的信托业务可分为两大类。其一为信托业务,分作十项:1. 金钱信托;2. 证券信托;3. 金钱债权信托;4. 寿险债权信托;5. 商品信托;6. 不动产信托;7. 遗嘱及遗产信托;8. 公司信托;9. 特约信托;10. 其他一般信托业务。其二为附属业务,分作七项:1. 有价证券、重要文件、贵重物品原封露封保管及保管箱的出租;2. 各种保险的代理;3. 有价证券买卖的代理;4. 商业票据的保证;5. 买卖当事人的信用保证;6. 政府或公共团体委托办理的各种事务;7. 其他代理业务。当年 12 月,交行又厘订了关于信托业务的 12 种规则。

1936 年 1 月,交行总行储蓄信托部开始收纳信托存款,上海的四个储蓄信托支部同时开收,其他地区的分支部也开始陆续办理此类业务。2 月,交行编订了《筹办信托存款程序》《信托存款解说》《信托存款谈话》等业务手册,分发给各分支部;并通知各地分支行,如果尚未开办信托业务,除非有特殊情况,否则一律于 3 月 10 日开办。各地分支部收入信托存款后,立即转拨总行,汇总运用,办理总账时所获得的收益仍平均分配。同月,董事会议决,撤销各地储蓄信托分支部的名义,信托业务划

归原所在地分支行办理,信托业务比较繁忙的分支行,可增设信托股,专司其事,信托业务会计的独立划分,仍然按照先前的规定。5月,交行为经办货物押汇,专门增订运输规则,规定代收货价且代办运输的货物,皆于当月月底进行首次决算,普通的信托存款则于6月决算。同时,又改订分支行代理保险的规则,将有关手续编为《保险须知》,分发到各分支行与办事处,参照执行。7月,交行增办代客转运货物的业务,蚌埠、铜山、徐州、郑县、洛阳、陕县、潼关、灵宝、西安、渭南、咸阳等地的分支机构先行举办。9月,交行修订存款规则,普通信托存款改以每年6月及12月底为决算期,与其他信托业务的决算期相同。12月,太平保险公司增办人寿保险,并与交行增订了代理人寿保险的合同,为此,交行编印了《寿险须知》,分发到各分支行处,参照执行。①

　　截至1936年年底,交行除总行外,"办理信托存款之分支行、办事处凡四十,其兼办他种信托业务者凡十三,只办仓库业务者凡十六"②。具体的营业地点可见表2-8-13。

表2-8-13　交通银行办理信托业务分支行办事处表

行　处　别	业务种类	
京行(南京支行)	普通信托存款	经理房地产
	执行遗嘱管理遗产	代理买卖有价证券
	保证业务	保管业务
	寿险信托	仓库业务
苏行(吴县支行)	普通信托存款	
观行(吴县观前街支行)	普通信托存款	
镇行(镇江支行)	普通信托存款	代收学费
	仓库业务	
盐行(盐城支行)	普通信托存款	仓库业务
锡行(无锡支行)	普通信托存款	代保兵寿险
	代理收付款项	仓库业务

---

① 《交通银行史料》第一卷,第1209—1211页。
② 同上,第1214页。

（续表）

行　处　别	业务种类	
常行（常熟支行）	普通信托存款	仓库业务
武行（武进支行）	普通信托存款	代收学费
丹行（丹阳支行）	普通信托存款	仓库业务
如行（如皋支行）	普通信托存款	
蚌行（蚌埠支行）	普通信托存款	仓库业务
南行（上海南京路支行）	普通信托存款	
民行（上海民国路支行）	普通信托存款	
篮行（上海提篮桥支行）	普通信托存款	
界行（上海界路支行）	普通信托存款	
浙行（杭县分行）	普通信托存款	
绍行（绍兴支行）	普通信托存款	代收学费
姚行（余姚支行）	普通信托存款	
瓯行（温州支行）	普通信托存款	仓库业务
华行（金华支行）	普通信托存款	代收学费
	仓库业务	
津行（天津分行）	普通信托存款	特约信托存款
	寿险信托	公司债信托
	执行遗嘱管理遗产	代理买卖有价证券
	经理房地产	代理运销商品
	代理各种保险	公司委托事务
	保证业务	保管业务
	仓库业务	其他信托及代理业务
张行（张家口支行）	普通信托存款	仓库业务
同处（大同办事处）	普通信托存款	
石行（石家庄支行）	普通信托存款	仓库业务
岛行（青岛分行）	普通信托存款	经理房地产
	仓库业务	
	经理有价证券	保管业务
	保证业务	

（续表）

行 处 别	业务种类	
鲁行（济南支行）	普通信托存款	代收学费
	仓库业务	
烟行（烟台支行）	普通信托存款	
潍行（潍县支行）	普通信托存款	仓库业务
汴行（开封支行）	普通信托存款	
汉行（汉口分行）	普通信托存款	仓库业务
鄂行（武昌支行）	普通信托存款	
湘行（长沙支行）	普通信托存款	仓库业务
沙行（沙市支行）	普通信托存款	代理运销商品
	代收学费	
赣行（南昌支行）	普通信托存款	仓库业务
燕行（北平支行）	普通信托存款	经理有价证券
	保证业务	仓库业务
港行（香港分行）	普通信托存款	经理有价证券
	公司委托事务	保证业务
	代收学费	
粤行（广州支行）	普通信托存款	经理有价证券
	公司委托事务	保证业务
	代收学费	
厦行（厦门分行）	普通信托存款	
漳行（漳州支行）	普通信托存款	
闽行（福州支行）	普通信托存款	

资料来源：《交通银行史料》第一卷，第1214—1215页；《行史清稿》第14册，第8—11页，中国第二历史档案馆藏，档号398（2）-700。

根据表2-8-13可见，至1936年年底，交行的信托业务虽未能在全国范围普遍推开，但营业点已经比较广泛地分布在华北、华中、华南等地区。不过，除地处上海的总行，开办信托业务种类较多的分支行仍集中在南京、天津、青岛、济南、香港、广州等经济较发达的地区，显然，国内经济不平衡发展的现状影响了交行信托业务的发展空间。尽管如此,在短短两三年时间内就能取得如此成绩,实属不易。

二、信托业务的经营特色

交通银行制定《信托业务大纲》后,为了便于办事人员实际操作,又针对各项具体业务,于 1936 年 1 月制定了 12 种规则,即《交通银行信托部营业通则》(以下简称《通则》)、《交通银行信托存款规则》《交通银行公司债信托规则》、《交通银行保证业务规则》《交通银行代理运销商品规则》《交通银行经理有价证券规则》《交通银行经理房地产规则》《交通银行执行遗嘱管理遗产规则》《交通银行代客投保各种保险规则》《交通银行寿险信托规则》《交通银行公司委托事务规则》《交通银行代理学校收费规则》。[1] 这些规则相为补充,涵盖了交行信托业务的各个方面,形成一套比较完善的规则体系,而且也在一定程度上反映了交行信托业务的经营特色。

其一,《通则》所确定的基本原则与各项信托业务的具体细则相辅相成,执行过程中,既遵从原则性的指导,也注重操作中的细节。

《通则》的制定是为各类具体的信托业务提供根本的依据。交行制定的各类具体信托业务的规则共计 11 种,所涉及的业务范围及其具体内容,即是由《通则》第二条开列的 14 项"营业种类"所框定的。《通则》就办理信托业务而确定的基本原则,也是制定各项具体细则的基础,因此 11 种信托业务的具体规则中,最后一条规定都是:"本规则未尽事宜,依照本行信托部营业通则办理。"11 种信托业务的具体规则是对《通则》中各项原则规定的细化和补充。《通则》中的第六条至第十八条,涉及信托业务办理过程中的申请书、单据、印鉴等手续细节,以及挂失、更改解除、欠费等注意事项的相关规定,但不同种类的信托业务,具体操办时的细节必然有所差别,11 种信托业务的具体规则就是在《通则》原则的指导下,针对某一种信托业务,给出明确而翔实的细节规定,以便于银行与客户双方遵守。

为此,各项业务规则不仅规定了申请书所填写的内容栏目,印鉴和单据的具体使用方法等,还针对各种业务的特点,补充了许多规定。例如,《交通银行公司债信托规则》即对委托发行公司债的一方提供给交行的担保品作出了明确限制,其范围包括动产、有价证券、票据债权、不动产、船舶、矿业权、其他公司或工厂的全部资金及营业收

---

[1] 《交通银行史料》第一卷,第 1222—1249 页。

入。基于谨慎经营的原则,规则还规定担保品应存入交行或过入交行名下。如果担保品为公司或工厂全部资金及营业收入,应由交行派员常驻该公司或工厂监督其营业,所有费用概由委托公司承担。如果担保品为动产、不动产或船舶等,应由交行以交行名义代为投保,保险费也由委托公司承担。在公司债尚未完全偿还之前,保险赔款由交行代为保管并认付利息,委托公司若想动用赔款,应通知交行召集持券人大会征求意见。委托公司提供的担保品价值跌落时,应立即追加担保。交行为维护本行的权利,可随时检查担保品的现状及委托公司的营业账册,并有权要求委托公司提供担保品报告书,相关检查费用由委托公司负担。又如,《交通银行代理运销商品规则》对运销商品的范围作了明确限制,凡是所有权发生纠葛的,易于毁坏、腐败、变质的,违禁的,有危险性或恶劣气味的,包装不完全和运输机关拒绝收受的商品,交行一概拒绝受托。

《交通银行经理有价证券规则》特别关注资金的安全问题,并为此规定了相应的细则。规则规定,凡委托交行买进有价证券现货,委托人必须先将买价总额百分之十以上的证据金存入交行,待购买妥当后,由交行通知委托人解款收货;凡委托交行卖出有价证券现货,委托人必须将该项有价证券交存交行,成交后由交行通知委托人收取价款,若委托交行卖出股票,必须连同股票过户单一并交存交行。

《交通银行经理房地产规则》针对房地产经营方式的多种多样,专门区分三种情况分别予以规定。1.经理管理房地产规则。其中有关手续费的规定又分为三种:经常手续费,即根据经租管理的繁简,按照代收所有款项的百分之三至百分之五核收;特别手续费,即根据委托房地产出租时首期租金的百分之三至百分之三十核收;临时手续费,即委托人临时委托办理某种事务的手续费,其额数可随时商定。2.代理买卖经营房地产规则。其内容又区分买入和售出两种情况。如果委托交行购买房地产,在交行觅得合适卖主,且委托人满意的情况下,委托人应立即缴存购价的百分之十以上作为证据金,交易完成时作为购价的一部分,若委托人中途取消委托,则作为违约金由交行自由处理。如果委托交行出售房地产,则应填具委托书,写明房产面积、房屋种类、出租状况、价格限度等,连同详细地址、建筑图样和房地捐契据等一并送交交行,交行负责代觅合适的买主。3.土地执业信托规则。该项业务由交行全权代理委托人执业,所以规则中十分重视土地的合法使用权,委托人必须将土地执业凭证及卖契一并送交交行,交行出具临时收据,再向主管部门申领交行名义的土地执业凭证,然后,连同交行受托证一起交给委托人保管,当委托解除时,须将交行名义的土地执业证改回。

其二,从交行的整体经营考虑,注意各项业务之间的互动与协作,不仅重视信托类业务之间的相互协调,还强调信托业务与其他业务之间的相互促进。

交行各类业务之间原本就是互相关联的,信托业务作为30年代中期新兴的业务,自然不可能是无本之木,无源之水,必然与交行其他各类新旧业务形成交集与渗透。例如,交行的有价证券买卖、公司债信托、保证业务和公司委托事务,都是面向公司企业开办的,而这恰与交行迅速发展的工商业放款业务产生了密切的联系。当交行以放款的方式扶助某些工商实业客户,并因互惠互利的双赢结果而成为互相信任的合作伙伴后,这些客户往往也会成为交行信托业务的忠实客户,反之亦然。又如,代客投保各种保险及寿险信托业务,则与交行另一项新兴的业务——保险投资密切相关。交行早在《信托业务大纲》中即提及:"寿险信托即维护寿险效益之唯一良法,将来寿险制度普及,此种业务必有发达之可能。"[1]

上述可见,交行的信托业务涵盖广泛,分工细致,办理过程中的手续和程序都十分严密,已逐渐形成一定的规模与体系,因此,自1936年1月交行正式开办信托业务,其他银行纷纷仿效,银行设立信托部遂成为一时的潮流。[2]

交行对信托资金的运用皆按照相关章程的各项规定,其中,特约信托存款的运用完全由存户指定,普通信托存款的资金,根据信托存款规则,由交行负责保管并全权运用。对于可全权运用的信托资金,以及信托部固有会计项下的营业金、公积金、准备金等,交行主要运用于下述八个方面:1.国民政府公债库券及财政部认可的有价证券的应募购买及抵押放款;2.有确实市价易于处分的货物抵押放款;3.工商业繁盛地区不动产的抵押放款;4.生金银、外国货币的买卖及抵押放款;5.保证确实的票据贴现及买卖;6.有确实担保的公共团体及工商业的抵押放款;7.存放于交行;8.其他担保确实的放款。[3]

交行在兴办信托业务之初,即确立了一项原则,将信托会计与普通营业会计互相划分,各自独立。《交通银行信托部营业通则》对信托部会计的建设,延续了这一原

---

① 《交通银行史料》第一卷,第1219页。
② 何旭艳:《上海信托业研究(1927—1949年)》,第84页。
③ 《交通银行史料》第一卷,第1249—1250页。

则,而且在信托业务会计中也加以明确区分,即将信托部固有资产负债的监督核算归属固有会计,收存信托资产负债的监督核算归属信托会计,二者划开,分别处理,每期决算后分别编制各项资产负债表、损益计算书,经会计师审查后予以公布。①

交行的信托业务中最重要的是信托存款。1936年年底,交行信托部作了首次决算,信托部固有会计项下的纯益为国币49873.26元,信托会计项下的纯益为48000.94元,信托存款收益合年息七厘五毫五丝。② 1936年交行信托部资产负债平衡表及损益计算表如下所示:

表2-8-14 1936年交通银行信托部资产负债平衡表(信托会计) 单位:元

资　产	金　额	负　债	金　额
定期抵押放款	74430.00	普通信托存款	757690.03
活期抵押放款	36478.28	特约信托存款	88509.03
有价证券	265414.63	特约信托	91152.00
固有往来	592158.00	杂项存款	62.75
应收未收利息	8310.02	未付收益	39377.12
合　计	976790.93	合　计	976790.93

资料来源:《交通银行史料》第一卷,第1251页。

表2-8-15 1936年交通银行信托部资产负债平衡表(固有会计) 单位:元

资　产	金　额	负　债	金　额
托放款项	500000.00	基本金	2500000.00
有价证券	58825.00	代收款项	48080.35
保证款项	190000.00	存入保证金	37326.75
应收未收利息	11250.00	保付款项	190000.00
本行往来	2662216.67	客户往来	15516.42
仓库往来	13161.80	信托往来	592158.00
生财及开办费	1892.93	应付未付利息	7875.00
杂项欠款	3483.38	本年盈余	49873.26
合　计	3440829.78	合　计	3440829.78

资料来源:《交通银行史料》第一卷,第1252页。

---

① 《交通银行史料》第一卷,第1223页。
② 同上,第1251页。

表 2-8-16　1936 年交通银行信托部损益计算表(固有会计)　　　单位:元

损　失	金　额	利　益	金　额
各项摊提	1255.00	利息信托费、手续费及其他	51128.26
纯　益	49873.26		
合　计	51128.26		51128.26

资料来源:《交通银行史料》第一卷,第 1252 页。

三、仓库业务的举办过程

交通银行经营仓库业务的起源很早,可追溯到 1916 年交行汉口分行办理的信德仁记堆栈。但该堆栈并非交行自办的仓库,交行只是与商家堆栈签订契约予以租用,以便客商存放货物,由交行承做抵押贷款,同时派员驻栈监督,所以堆栈的名称也沿袭其旧称。购地造屋,采用新式建筑的样式构建仓库,始于 1920 年 10 月交行蚌埠支行与蚌埠的中国银行、上海商业储蓄银行合办的公记堆栈,但当时仍未使用"仓库"的名称。直至 1928 年 5 月,交行在青岛构筑青岛第一仓库,才标志着交行自办仓库的真正开始。

1931 年 7 月,交行在新修订的组织规程中规定,各地分支行与办事处都可酌情设立仓库,分行及一、二、三等支行可在行内机构中增设仓库股。当时,交行各地的仓库虽陆续开设,但为数仍不多。1933 年 1 月 7 日,交行董事会经讨论后作出决议,认为经营仓库为银行的重要业务之一,交行应在发展仓库业务方面锐意进取,不遗余力。鉴于当时国内工商业不景气,农村经济急剧衰落的现状,交行决定推进仓库建设,担起扶助实业的职责,当务之急尤须增设农业仓库,以救济农村。同时还就积极发展仓库业务提出注重对物信用、简化手续、降低费用、联合投资、自办包装、减轻客户保险费负担等一系列具体措施。[1]

1933 年 7 月,交行将总管理处改组为总行后,对仓库建设更趋积极,于各分支行处增设库部,并根据实际情况,在全国各地陆续建立不同种类的仓库。当时交行的仓库大致可分为六种类型。1. 自办的仓库,即通过购地自建或租房兴办等方式设立的仓库,其特点是完全由交行独立经营。此类仓库自 1933 年以来不断增加,1934 年增

---

[1] 《交通银行史料》第一卷,第 1285—1286 页。

设了 12 处,1935 年增设了 11 处,1936 年增设了 19 处。2. 与其他银行、钱庄合办的仓库,其特点是交行与同业通过签订契约的方式,联合开设,共同管理。3. 与各厂号确立押款关系的仓库,即由各厂号与交行特订契约,将货栈中的全部财产或部分财产抵押给交行,原货栈中列入契约内的财产由交行管理。4. 派员管理的仓库,此类仓库的管理权也由特订契约所确立,各厂号将其仓库中的全部货物抵押给交行后,交行派遣专员驻仓管理。5. 其他商栈代理的仓库,此类仓库与第四类仓库大致相同,厂号以其货物向交行申请抵押贷款时,通过契约指定某座商家堆栈存储,由交行收押,交行派员驻栈管理检查。6. 特约分仓,此类仓库仅限于张家口与平绥路的东西二路,由张家口支行与沿路各家栈店特约办理,主要用途是分存押品,货主须缴纳保险费,各家栈店应开具货单,而交行则派员驻仓管理。1936 年 8 月,交行厘定各类仓库的名称,第一、第二类自办或合办的仓库,称为“仓库”,其他四类通称为“堆栈”。所谓“堆栈”又分甲、乙两种,凡商号、厂家的货仓,与交行签订抵押贷款合同后,专用于堆存交行的押款货物,不再另招客货,称为甲种堆栈;普通堆栈的货仓与交行订约后,以堆存交行押款货物为主,也可以部分空间自营,则称为乙种堆栈。押品堆栈大多属于临时性质,因此,交行在按照契约堆放押品期间,于堆栈外悬挂交通银行仓库名牌,押款还清后,即予以撤销,取下名牌。交行此类堆栈的数量较多,往往一地有数处,诸如上海、无锡、常熟、镇江、扬州、南通、青岛、北平、大同、济南、归绥、张家口、宣化、汉口、芜湖、徐州、郑州、彰德、温州、宁波等地,都有此类堆栈。截至 1936 年年底,交通银行自办的仓库有 44 处,合办的仓库有 5 处,特约办理的堆栈有 162 处,共计 211 处。①

交行致力于仓库的建设,努力推动仓库业务的发展,可在兴办上海仓库的过程中得到典型的体现。上海是我国最大的进出口货物集散中心,各家银行为了承做货物押款及外埠来沪押汇业务,纷纷自建仓库,既获取仓库租金,又便于货物保管,一举两得。早在 1931 年,交行即计划在上海兴建仓库,因受“九一八事变”的影响,拖延了两年。1932 年,交行购得苏州河光复路乌镇路桥北基地 9 亩多,遂于 1933 年 1 月委托建筑师庄俊设计,由新森泰营造厂承造,历时九个多月,花费银元 22 万元,终于建起一座最新式的钢骨水泥仓库。该仓库占地面积约三亩三分多,分为四层。第一层前面是营业室,后面分为两个仓房,二至四层每层都分为四个仓房,每个仓房都安装保

---

① 《交通银行史料》第一卷,第 1286—1288 页。

险库门和完备的消防设施。楼顶除露天晒台,还有玻璃晒台,阴晴两宜。仓库落成后,交行曾邀保险公会派员查勘,结论为建筑精良,故一切保险费用可与租界内的特等栈房享受同等的优惠待遇。

交行上海仓库于 1934 年 1 月正式开业,交行参照上海市银行业仓库营业规则制定了相应的仓库规则与记账办法,并任命陶子石为仓库主任,开始办理各项仓储业务。自上海仓库开办以来,大量存货入仓,业绩颇为可观。但该座仓库地处华界,常受国内时局的影响,而且交行的储押业务日益扩展,寄存的货物蜂拥而来,原有的仓库难以容纳,所以急需添设分仓,以便调节。交行考虑到,若购地自建,一时间不易完全实现,故于 1936 年在上海公共租界南苏州路租用了一座堆栈。该座堆栈门临苏州河,拥有专用码头,共计楼房上下 92 间,每月租金国币 600 元,租期两年。经报告董事会备案后,堆栈于当年 4 月 20 日正式开业,称为上海仓库第一分仓。分仓的设立可增加大量的货物押款业务,也有助于推进运销事务。①

1935 年 4 月,交行鉴于仓库业务的迅速发展,专门制定了《交通银行仓库暂行办法》,对仓库机构及其业务运作作了制度上的规定。

关于仓库的管辖关系,暂行办法规定,各行处设立仓库,应陈请总行核准,仓库事宜则由总行储蓄信托部统管。仓库的组织机构,自办仓库设主任 1 人,主持仓库一切事务,并可根据业务的繁简,酌设会计员、仓务员、文书员、办事员、助员、练习生以及其他雇员。业务较少的自办仓库,可由当地分支行经理或办事处主任兼任仓库主

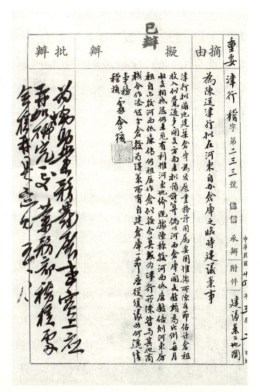

1935 年交通银行仓库业务的有关函件

---

① 《交通银行史料》第一卷,第 1290—1291 页。

任,办事人员设会计员、仓库员各1人。自办仓库的主任以及员生、雇员等,除会计员应由总行稽核处任免,其他人员可由管辖行依照管辖程序,陈请总行后予以任免。合办仓库的办事人员,可参照自办仓库的规定,虽依照合办契约履行所规定的职责,仍须按照管辖程序,陈请总行备案。仓库所用的单据、账表,除合办仓库应将其式样送交总行核定,自办仓库则由总行统一核发。各地自办仓库的营业章程,应以总行的规定为原则,但可根据当地的实际情况予以适当变通。自办仓库出具的仓单,在设有仓库主任的情况下,应先由仓库主任签字盖章,再送交分支行经理签字盖章后才能生效,若仓库主任由经理或办事处主任兼任,应先由会计员、仓务员会同签字盖章,再送交经理或办事处主任签字盖章后才能生效。[1]

从1934年到1936年,短短两三年时间,交行的仓库业务即获得前所未有的发展。不过,受时间、条件等各方面的限制,交行自办的,尤其是购地自建的新式仓库毕竟数量有限,而且交行最初兴办仓库时,一个重要目的是救济农村经济,所以堆存的货物种类,主要是米麦杂粮等农产物,工业产品只有纱布面粉等,这说明,交行在增加收益科目,扩展业务范围等方面,还未能有效推进。

四、仓库管理与兼办运输

仓库业务主要涉及仓储出租、押款押汇等,但因货物不断进出往来,自然也推动了与之相关的运输业务,因此,交通银行的仓库业务与运输业务在互相促进中出现同步发展的态势。

发展仓库业务的基础是完善仓库管理,为此,交行于1936年1月特意制订了《交行银行仓库管理规则》[2]《交行仓库及押品堆栈检查规则》[3]《交行押品管理员服务规则》[4]等一系列仓库规则,从规章制度上对仓库的管理机制予以改进和完善。综合这些规则,可以看出,交行的仓库管理制度颇为细致而严密。

其一,交行将新式建筑的仓库划分为若干仓号,每一仓号分为若干仓位,将旧式建筑的仓库划分为若干仓房,每一仓房分为若干仓间,仓号、仓位、仓房、仓间都按照

---

① 《交通银行史料》第一卷,第1323—1324页。
② 同上,第1325—1326页。
③ 同上,第1326—1327页。
④ 同上,第1327—1328页。

顺序编列号数,分别标明,而且仓内四周还要多留空隙,以免堆存货物时靠墙受潮。

其二,寄托物进仓时,必须遵照指定的仓号或仓间堆放,并悬挂记数牌,写明货名、件数、日期等。零星杂货或贵重物品等易于混杂的寄托物,除悬挂记数牌,每户还应按件贴上同样号码的记数标纸。寄托物必须整齐堆放,若一个仓位或仓间不够堆放时,可酌情配备二个仓位或仓间堆放,而同一性质或同一类型的寄托物,尽可能按类别堆放在同一区间,以方便清点。

其三,仓库、货场及办公室的附近不可放置苇席及易燃物品,仓内空地及通行道路必须保持整洁。油桶、酒篓之类若有破漏之处,必须立即堵塞或换装,麻袋布包若有破裂,必须立即缝补,木箱破裂也应立即加钉,且须会同货主一同处理。

其四,凡寄存物入仓,都应由管仓员按照进仓凭单所记载的货名、件数、等级等逐一点算清楚,若发现数量不符或包装破损,须立即在仓单上注明,再将情况报告仓库主任。

其五,仓库窗户应昼启夜闭,设有内部保险门的,应于白天开放,以通风防潮。各仓库应标立禁止吸烟的标贴或木牌,仓库内只可使用有玻璃罩的保险灯及电筒等,其他诸如纸灯、蜡烛等易燃物品,一律不准进入,仓内还须酌情配备消防器具。

其六,为了防范盗贼侵扰,仓库办事人员每天至少有一人轮值住宿,还应酌设巡逻夫(由工役充任),轮流值夜,巡视货物,并在每天下午所有事务结束后,由值班人员带领巡逻夫巡查一遍,平时还要加强防范盗贼的部署与训练。

除了上述仓库管理的一般细则,交行还对仓库的押品检查和押品管理员服务守则作了详细规定。

关于仓库和押品堆栈的检查,交行首先规定了检查次数,自办或合办仓库的检查每月至少一次,已派管理员的押品堆栈每月至少三次,未派管理员的押品堆栈每月至少六次,押品若露天堆放或置于无锁的散仓,应每日检查一次。随后规定了检查人员实施检查时的注意要点:1.押品堆栈是否悬挂招牌;2.寄托物和押品记数牌是否依据规定详细填写而无遗漏;3.堆存货物的名称、种类、数量是否与账册所载相符;4.应抽验寄托物和押品的包装,检验置于散仓的寄托物和押品,核对货物内容是否相符;5.寄托物和押品的堆放是否整齐合法,包装有无损坏或有无异常气味,是否将不能相混的货物堆放一处,是否夹杂了危险物品;6.寄托物和押品有无保险以及保险是否过期;7.账册表单是否完备,有无不符合规定的手续;8.仓库及押品堆栈人员是否称职;

9. 消防巡逻是否完备周密。

对于押品管理员,交行除三令五申必须遵守规章,不得擅自离开,还针对押品堆栈的特殊性,对押品管理员的工作要点作了明确规定。押品管理员在押品出栈入栈以及客户申请移动押品时,必须亲临监视、点数、过磅,并随时书面报告行方。有关仓库和押品检查的所有规定,押品管理员也必须完全遵守。

交行为发展仓库业务,确立了一系列完善仓库管理,改进仓库服务的规章制度,与此同时,又针对仓库业务与运输业务的密切相关性,提出了仓库兼办运输的设想。1936 年 6 月,交通银行信托部在行务会议上提出各地仓库兼办运输的方案,并就一些具体问题拟定了相应的办法。

其一,推进次序。凡是交行设有仓库的地点,原则上应全部兼办运输业务,但从实际情况考虑,推进次序拟从上海开始着手,先沿铁路线开办,再逐步向内地推进。

其二,业务范围。运输业务的范围,暂时限于代客户接洽车船运输、报关纳税、起卸接送等方面,并且先从交行经办的押汇货物着手代办,与交行没有押汇关系的客户,可视情况酌量接受委托。

其三,机构与人员。运输业务拟作为仓库的附属业务,可由仓库人员兼办,不另设专门机构,若有必要,可雇用熟悉运输业务的人员作为助理。

其四,运输收费。有关运输业务的收费,包括代付各项运费、缴费以及交行的手续费,均应参照转运公司运输各类重要货物的收费标准,制订详细而明确的收费表格,照额实收,严禁额外加价。

其五,单据及规则。所用单据以及应遵守的规则,都由总行制订后分发各地,若当地有特殊情况,可适当调整或补充。

其六,对内联络。若起运地点与到达地点彼此衔接,则由总行详订手续,共同遵守。

其七,对外联络。若遇对外联络,须与轮船、铁路、驳船、汽车、报关等有关的公司或机构接洽,则由各行就地酌情办理。①

上列方案及其相关办法在行务会议上获得通过。随后,交通银行又制定了《交通银行仓库办理转运货物规则》与《运输须知》,为运输业务的推展确定了各项细则。

---

① 《交通银行史料》第一卷,第 1320—1321 页。

根据转运货物规则,委托交行办理运输业务应由委托人填具申请书,写明货物种类、名称、数量、运送地点、收货人机关、地址等,送交行仓库,经认可后方可办理。办妥托运手续后,委托人须对托运货物购买必要的保险,而保险、纳税、装运、打包、提送等一应事项,仓库都可代为办理。货物交卸后,由仓库填发收据交给委托人收执,待货物到达后,再由收货人付清押款或货价、运费等,并由到达地的交行行处在收据背面签字盖章,收货人才可凭该项收据换取提单或仓单,至此,运输业务的整个过程方告结束。①

由于货物运输时的起卸过程十分琐碎复杂,交行又特意制定《运输须知》,明确了各类注意事项。

一是起运时的各项手续及注意要点。凡寄存交行仓库的货物若被委托代运,应特别关注打包、过磅、纳税、保险等事项,若托运的货物非交行仓库负责起运,仓库无须承担鉴定之责,只需注意包装是否坚固,尺寸是否符合规定即可。仓库受托代运货物后,应先向车站领取托运单,写明货名、数量、起运站、到达站等,再与车站货场联系货物进站事宜,并告知所需车辆的种类、数量等。要车手续办妥后,应将所运货物种类、件数等通知承揽人,嘱其事先准备,随时承运。若非由交行仓库起运,只需将装车日期事先告知委托人即可。货物装车时尤须注意易碎、易潮等物品的摆放,还要注意遮盖严密,限制装载高度,加锁加封,查明车牌等。计算费用时,运费、装卸费、驳力费、手续费等务求准确详细。各项手续办妥后,还须汇集各种单据(包括税单),通知到达行接收。

二是到达时的各项手续及注意要点。到达行接到通知书后,应立即向车站询问车辆到达时间,车辆到站后,即携带提单或收据赴站接车。货物卸车时也须谨慎小心,待收货人付清运费后,即办理提货手续,并须在提单或收据背面盖章签字,交给车站换取货物出门证,然后凭证提货,提清后再交还车站。提货时尤须当面点算清楚,若发现货物不符或短少、损坏、潮湿、腐烂等情况,应当即向车站声明,责成其赔偿,待问题解决后再行提领。若货物到卸后须委托交行仓库代为运送,应于 24 小时内办理;若须转存交行仓库,则一切手续按照交行仓库规则办理。货物交卸给收货人后,收回收据,收清各种费用,并依照相关规定寄回起运行的各项回单单据,仓库的全部

① 《交通银行史料》第一卷,第 1328—1330 页。

运输业务才告结束。①

交行原先的仓库会计,与储蓄会计、信托会计大致相同,也分为科目、传票、账表三大部分,并附以决算办法。其后,随着仓库业务的不断发展,交行于1934年对仓库记账办法作了修订。在原有的银钱记账办法外,又订立仓库寄托物记账办法,即在记账办法内对各户寄托物的凭单、账表等予以分别记载。运输成为仓库业务的附属业务后,交行又另行订立运输记账办法。因此,当时交行仓库业务的会计方式包含了银钱记账办法、仓库寄托物记账办法、运输记账办法三项。然而,寄托物记账办法以件数为单位,而各仓库报账时或以重量为单位,或以容量为单位,记载参差不齐,造成诸多混乱。为此,交行于1935年4月特别制定了相关的规则:1.包装或箱装的货物,以每包每箱为一件。2.散装的货物,依据货物所收仓租的计算单位而定,或按照其重量以吨、担计算,或按照其容量以石计算。3.若既不能按照重量计算,又不能按照容量计算,即以该货物的自然单位为件数。②

在仓库业务与运输业务逐渐发展的过程中,各项相关的规章制度陆续修订并不断改进,既使交行内部办事人员的具体操作更为规范化,也明确了银行与客户之间的义务与责任,从而推动了这两项相关业务的有序发展。

五、全国仓库网的初步形成

随着各类仓库、堆栈的相继设立,至1936年底,交通银行已初步形成全国性的仓库网络。从交行仓库的分布状况看,主要集中在一些交通比较畅达的路线区域,如京(南京)沪、江北、长江流域、陇海平汉、平绥、津浦、鲁东和浙东等。

在京沪路线沿线,上海设有2个自办仓库、7个堆栈,苏州设有1个堆栈,常熟、无锡、丹阳各设有1个自办仓库,而无锡还有3个堆栈,镇江也有5个堆栈。

在江北区域,扬州衔接镇江,与姜堰各有5个堆栈,高邮、新浦、溱潼各有1个堆栈,宝应、黄桥各有1个自办仓库,清江浦、盐城、泰县各有1个自办仓库和1个堆栈,淮安设有2个堆栈,南通有1个合办仓库和2个堆栈。

在长江流域,芜湖衔接南通,设有1个自办仓库和6个堆栈,九江、沙市各有2个

---

① 《交通银行史料》第一卷,第1330—1333页。
② 同上,第1335页。

堆栈,南昌设有 1 个堆栈,长沙设有 3 个自办仓库,汉阳、汉口各有 1 个自办仓库,而汉口还有 5 个堆栈。

在陇海、平汉路线沿线,郑州衔接汉口、徐州,设有 2 个堆栈,洛阳设有 1 个自办仓库,渭南设有 2 个自办仓库,西安设有 1 个自办仓库和 1 个堆栈,彰德设有 2 个堆栈,石家庄设有 2 个自办仓库。

在平绥路线沿线,北平设有 8 个堆栈,张家口设有 1 个自办仓库和 43 个堆栈,宣化设有 10 个堆栈,大同设有 7 个堆栈,平地泉设有 4 个堆栈,归绥设有 1 个自办仓库和 3 个堆栈,包头设有 1 个自办仓库。

在津浦路线沿线,天津衔接北平,拥有 3 个自办仓库和 2 个堆栈,济南设有 1 个自办仓库、2 个合办仓库和 12 个堆栈,枣庄设有 1 个自办仓库,徐州拥有 1 个自办仓库和 3 个堆栈,蚌埠设有 1 个自办仓库、1 个合办仓库和 2 个堆栈。

在鲁东区域,青岛衔接济南,设有 4 个自办仓库和 3 个堆栈,潍县和威海卫各有 1 个自办仓库,张店设有 1 个堆栈,龙口设有 2 个堆栈。

在浙东区域,宁波、温州、金华、兰溪各有 1 个自办仓库,其中宁波还有 3 个堆栈,温州还有 4 个堆栈,兰溪的作用是衔接杭州与上海。[①]

1936 年,交行又推行以仓库兼办运输的业务方针,故在制定运输业务规则的同时,还按照水陆交通路线,特意划出京沪线、津浦线、陇海线、长江线作为先行推展的地区。

京沪线的运输业务由上海仓库兼办,交行依照转运公司的规则向京汉铁路局登记后,自 1936 年 6 月 1 日起,开始办理代客转运业务。交行通过上海仓库,与元和公报关行订立了委托办理水路进出口货物的报关转运,以及在上海当地接送货物事宜的合同,以便利这一地区运输业务的开展。当年 11 月,交行即与京沪路局商定,承接了一项较大的运输业务,将麦根路站储存不了、只能露天堆积的押汇棉花转运各家银行仓库储存。

津浦线的运输业务由交行蚌埠、徐州两支行仓库兼办,从 1936 年 9 月开始,沿线地区凡做押汇需输出输入的货物,多由上述两行仓库承运。此外,陇海西线的转站货物,多由徐州支行办理。

---

① 以上情况依据 1935 年 1 月的统计,参见《交通银行史料》第一卷,第 1304—1312 页。

陇海线全线的运输重心皆在西段,其中,尤以郑州、渭南最为重要,其转运枢纽则在东段的徐州和连云港。交行特地派遣信托部一位副经理进行实地考察,据此拟定计划,就该条线路划分出四个环环相扣、紧密联系的运输区域:郑州至潼关归属郑县支行经办;潼关至咸阳归属渭南支行经办;在徐州转站,经陆路转运,南至上海、无锡,东至济南、青岛等,归属徐州支行经办;在连云港转站,经水路转运,南至上海,东至青岛,由总行直接管辖。每个区域皆派驻运输联络员 1 人,除连云港可酌情借用其他驻地办事,其他区域的运输联络员皆驻守当地的交行仓库,以方便及时联系。从 1936 年 11 月 1 日开始,陇海线的运输业务正式运作,在此过程中,各区域一度遇到不少困难,于是,交行与当地的转运公司——正谊公司、义兴公司等分别订立承揽押汇货物的运输合同,正谊公司承包了泾阳至咸阳及泾阳至西安两条线路的运输业务,义兴公司承包了朝邑至潼关的运输业务。当时,渭南汽车公司向交行渭南支行借款 2 万元购买汽车,于是,双方又订立合同,由该汽车公司承运渭南线的押汇货物,合同中规定,交行可规划最短的行驶路线,而且须优先装运交行的押汇货物。

长江线的运输业务由汉口分行、长沙支行、沙市支行、九江办事处、芜湖支行等经办。经营过程中,对外一致采用交行仓库的名义,尚未自办仓库的,可借驻押品堆栈,或附于行内,一般不另租房屋。托运机构主要委托招商局,双方经过商议后决定:1. 交行运输押汇货物,所有运、驳、装、提、报关等各项事务,都委托当地招商局部分或全部代办,除应缴费用,该局不收手续费。2. 各种货物的运价,皆与招商总局商订优特价率单,函发各行,由各行与各地招商分局协商确定。凡招商局货栈介绍的押款业务,交行一律减低半厘收取利息,作为对该局优惠运价的回报,但交行可派员视察该局货栈押户堆存的货物,并可商请划定专栈堆货。[①]

经过交行的种种努力,以仓库兼办运输的业务方案逐渐在各地得以推展,并步入正轨。

---

① 《交通银行史料》第一卷,第 1321—1323 页。

第九章
业务创新与管理特色

1928年至1937年,是国民经济从财政统一到经济建设全面展开的十年,后人称之为中国近代民族工业发展的"黄金时期"。这十年,也是交通银行在民国时期发展最为迅速的时期。交行的货币发行和存放款业务皆高速增长,无论是绝对数额,还是提升幅度,都达到前所未有的高度。交行所以能取得如此出色的成就,一方面得益于交行所获得的特殊地位以及经济建设的推动,另一方面,也是业务上不断开拓创新,内部管理制度不断改进完善的结果。十年中,交行审时度势,善于规避市场风险,故历经波折,最终仍能化险为夷,与此同时,交行也在跋艰涉险中积累了丰富的经验,形成极具特色的管理风格。这一时期,承兑汇票的倡导与推行,资金管理上的风险意识等,都从不同的角度反映了交行勇于创新而又不失稳健的企业文化特色,而健全的人事管理制度也为交行的稳定发展以及良好企业氛围的形成提供了坚实的保障。

第一节　承兑汇票的倡导及推行

一、承兑汇票在银行业中的意义

所谓承兑,简单地说,就是承诺兑付。所谓承兑汇票,其实就是一种书面债务凭证,即由付款人遵循一定格式在汇票上签章表示承诺,日后汇票到期时将承担付款义务。就国内贸易而言,承兑汇票分为商业承兑汇票与银行承兑汇票两种形式。两者在本质上是一致的,区别在于承兑人不同,前者为普通商家,必须具备良好的信誉,后者为银行,由银行签发的承兑汇票即具备银行信用。在商品流通过程中,买方如果不能立即付款,可与卖方达成延期付款的协议,例如延期两个月或半年等,并由卖方开出书面凭证,写明应付金额,一式三联,由买方盖章承兑,形成票据,即所谓的承兑汇票。当票据到期时,卖方即可凭此票据委托银行向买方收款。

如果持有票据的卖方急需资金,等不及买方付款,可将尚未到期的票据送交银行申请贴现,即所谓的票据贴现,其本质上是一种贷款形式。卖方在持票据向银行借款时,票据随之划归银行所有,到期时由银行向买方收回票据金额。在银行贴现过程中,需要扣除一部分利息。例如,票据金额为100元,卖方提前5个月持票向银行借款,月利率为0.4%,则卖方只能拿到98元,银行预先扣除2元的利息。

在现代银行出现以前,中国传统的银钱业已形成较为成熟的票据贴现业务。而承兑汇票及贴现的开展,进一步扩大了银行的业务活动范围,也是银行增强服务功能,实现资产多元化的内在需求。在此之前,银行发放贷款更多地局限于生产设备,而较少注意流通领域,因而不能适应多种经济形式的需要。银行通过票据贴现,将商业信用转化为银行信用,使持有票据的单位可及时获得所需要资金。这对于活跃城乡经济,疏通资金流通渠道,大有好处,也扩展了银行的活动范围,充分发挥了银行的经济杠杆作用。[①]

可以说,承兑汇票与贴现是现代金融市场的骨干,中国在这方面起步相对较晚。20世纪30年代初期的上海已成为全国金融中心,但还未建立起完善的承兑汇票等信用体系,银行对工商业的扶助,大多数以抵押放款的方式提供资金。此类押款在到期之前不能通过贴现予以流动,一遇到金融紧缩,呆滞的账面债权就更无周转通融的余地,所以银行资金时常会有匮乏之感。

1928年至1937年是上海银钱业的重要发展时期,也是上海承兑汇票和贴现市场的建立与发展时期。在此期间,钱庄逐渐衰落,其贴现业务一蹶不振,银行界逐渐取代钱庄的原有地位,成为贴现业务的新军。

为了进一步推动商业承兑汇票及贴现的发展,上海金融界于1936年成立票据承兑所,并创办银行汇票的承兑与贴现业务,形成中国贴现市场的雏形。而1937年抗

[①] 张嵩坡:《承兑汇票和贴现》,《经济日报》1983年10月15日。

日战争的全面爆发,阻断了中国贴现市场的正常发展道路。

这一时期,承兑汇票及贴现市场的发展,可分为三个阶段:第一阶段从 1928 年到 1932 年,为承兑票据的提倡试办阶段,可视为推行商业汇票承兑及贴现市场的第一个高潮。第二阶段自 1932 年到 1934 年,为贴现业务的一般发展阶段,也可说是银钱业联合准备机构进行频繁贴现活动的时期。第三阶段从 1934 年底至 1937 年 6 月,为承兑汇票的推广使用阶段,也是推行承兑汇票及贴现市场的第二个高潮。①

二、金国宝对承兑票据的倡导

(一)承兑汇票的倡导与试行

国内承兑汇票业务正式开办之前,一些知名的经济学家、金融学家和银行家通过报刊等媒介先行做了充分的探讨与宣传,并寻求法制上的保障。自 1928 年起,上海的《银行周报》、《银行周刊》等经济金融类报刊陆续刊登一些关于商业承兑汇票、银行承兑汇票及贴现业务的文章,当时的经济学家、金融学家如马寅初、杨荫溥等均提出了自己的见解。1929 年,南京国民政府公布《票据法》,1930 年又颁布《票据施行法》,从法律上对票据作了统一规定,以推动票据的使用。银行界的一些著名人士,如交通银行的金国宝、中国银行的张嘉璈、浙江兴业银行常务董事徐寄庼、浙江实业银行副经理章乃器等人,都积极提倡承兑汇票的使用和贴现业务的推广。其中,最著名的是时任交通银行总行业务部副经理的金国宝。

金国宝(1894—1963),江苏吴江人,字侣琴,毕业于复旦大学经济学系,并在美国哥伦比亚大学获得统计学硕士学位,为中国近代统计学的奠基人,曾任交通银行总行业务部副经理。自 1928 年起,金国宝一直致力于承兑票据的推行和贴现市场的创办。1929 年 12 月,金国宝明确提出,建立票据市场是发展工商业的又一重要途径。他指出,诸如提倡国货,废两改元,改善交通,废止苛捐杂税等,虽然都是发展工商业的重要手段,应同时予以实行,但在此之外尚有一个重要办法却被时人忽略,即"成立一个票据市场"。"这个问题,现在尚无人谈起,但甚重要","因为发展工商业之根本问题就是资金,没有资金,工商业断不能振兴。成立票据市场,就是吸收资金之一种法门。资金可以从国外吸收,亦可在国内吸收,但无论国内国外,均须以票据市场之

---

① 洪葭管、张继凤:《近代上海金融市场》,上海人民出版社,1989 年,第 61—62 页。

金国宝

成立为先决条件"。①

金国宝还将中国当时的情况与美国 1913 年建立联合准备制度前(此前美国国民银行对商业票据是不准承兑的)的情况进行了对比,认为中国当时情形与美国相同,多数交易采用记账办法,市面票据仅有支票、本票及少数汇票,并无贴现市场。而贴现市场的缺乏,正是工商业不振的重要原因之一。

金国宝提出建立贴现市场须有五个必要条件:第一,保障票据的各种法律,如《票据法》《保险法》《仓库法》等应及时颁布。第二,组织承兑汇票促进会,广为宣传和解释,比较承兑汇票与记账买卖的优劣。多数中国商人墨守成规,厌恶改革,因此须用团体的力量广为宣传,有人带头,形成共识,才能达到共同行动,促进推广的效果。第三,建立信用调查机构。因发票人与付款人的社会地位、企业信誉等是决定票据优劣的根据,建立专门的信用调查机构,并用科学方法进行调查,以有偿或无偿的方式将调查结果提供给银行,有助于银行放手开展贴现业务,并降低风险。第四,组织贴现

---

① 金国宝:《怎样发展工商业》,《经济学季刊》第 1 卷第 2 期,转引自洪葭管、张继凤:《近代上海金融市场》,第 66 页。

代理所,专门为客户代理买卖汇票,并收取一定的酬金。初期可由银钱两公会共同组织,予以限制而避免流弊,以免一开始就陷入恶性竞争。第五,中央银行必须切实开办重贴现业务,作为银行和钱庄的后盾,通过贴现率调节金融市场的银根松紧。否则即使上等票据,银行、钱庄也不敢贴进,唯恐资金变为固定,容易搁浅,而票据市场也就不能充分发展。金国宝的这些建议得到银钱业的认可,并引起南京国民政府的重视,1929 年 9 月,《票据法》颁布施行,《保险法》紧随其后。

1930 年,金国宝率先在交通银行试办并推广承兑汇票及其贴现业务。当年,交行制定的《办理押汇凭信及承兑贴现业务规则》开始实行。金国宝还以交行的名义撰写了《承兑汇票浅说》一文,对交行上述规则的作用意义、推行方法等作了全面的解释。可以说,交行以及全国范围的承兑汇票业务一开始就是在遵循制度规范的情况下开展的。

1931 年春,为进一步推进票据承兑及贴现业务,金国宝又撰写了《银行法中之票据问题》,对立法院三审通过的《银行法》提出意见。他认为《银行法》应在“银行业务”中加入“票据承兑”一项,变原来的“票据贴现”为“票据承兑及贴现”。因为原《银行法》在银行业务及附属业务中都未提及“票据承兑”,而在条文中又加以“不得兼营他业”的限制,这样,“承兑”业务似在禁止之列。他分析美国联邦准备制度建立前,国民银行不准代人承兑,因而未能形成贴现市场,而当联邦准备制度建立并准许会员银行拥有承兑权之后,银行承兑汇票急速增加,贴现市场的发展遂有一日千里之势。因此,他呼吁,应授予银行票据承兑的权力,“承兑”一项“非加入不可,甚盼立法院诸公慎重考虑”。①

1931 年 4 月,金国宝开始在上海工商界积极宣传建立贴现市场的主张。同年 5 月,他应中行总经理张嘉璈和新华信托储蓄银行总经理王志莘的邀请,在中华国货产销合作协会第七次星期五聚餐会上,作了题为“承兑汇票问题”的讲演,向工商界领袖人物阐述了承兑汇票及贴现便利工商业融资等益处。

1931 年“九一八事变”发生后,上海金融风潮迭起,债券、股票行市纷纷下跌,华商银行的存款相继被提出,外国银行的存款不断增加,银根骤紧,公债价格的惨跌,尤对金融界造成沉重打击。由于银钱业的大宗资产都与公债直接相关,于是陷入两难,

---

① 金国宝:《银行法中之票据问题》,《银行周报》第 15 卷第 12 期。

或者忍痛将公债低价卖出,或者冒资金呆搁的风险。公债放款因债券大跌,往往不能如期取赎,致使银行无法伸缩自由。领钞的银行和钱庄,则因保证准备中的公债价值下跌,须按规定补缴保证,头寸更加紧张。金国宝指出,这次金融风潮反映了金融界"平时毫无准备"的现况。他认为,战争不仅需要军事准备,"财政金融各方之布置,尤为刻不容缓;盖近世之战争,不仅恃乎军力军器之优劣,实全国经济力量之总决斗耳"。银行界至此应"觉悟以前之失策,渐谋补救于将来"。他再次提出两条改革建议,第一良方即提倡商业票据,促成贴现市场;第二是钞券保证准备应允许以商业票据抵充。①

1930、1931 年之交,经过前一阵的理论研究与宣传,上海部分银行开始办理商业承兑汇票、银行承兑汇票及贴现业务。1931 年春,在交行的带动和影响下,中南银行、浙江兴业银行、和丰银行、东莱银行等相继开办该项业务,于是,上海金融界形成一个提倡承兑票据及贴现市场的团体。正如金国宝在复旦大学演讲时所言:"现在上海金融界有一种新运动,就是要造成一个贴现市场的一种运动。"②

在这场运动中,金国宝和交行做了大量的基础工作。除率先颁布交行的《办理押汇凭信及承兑贴现业务规则》,为其他银行作了示范,金国宝提出的在《银行法》"银行业务"中加入"承兑"一项的意见,也获得立法院经济委员会委员长马寅初的认同,并承诺在该法正式实施时即可加入,这样一来就从根本上消除了银行不能经营承兑的顾虑和误会。同时,中央银行也着手编订转贴现章程及相关单据,办妥后即可办理转贴现业务。1932 年 1 月,中央银行制定贴现章程以及相关说明书,上海市银行业同业公会附设的票据研究会也制定了统一的汇票承兑契约和押汇信用证等单据。所有这些都对承兑票据及贴现的实行起了积极的推动作用。

在金国宝和交行的大力倡导下,1931 年初至 1932 年底,开办承兑票据业务的各银行,在承兑票据数额及贴现票据的数额、金额方面都取得重大进展。仅在 1931 年春至 1932 年初,银行所办理的汇票承兑及贴现金额就高达 100 余万元,其中交通银行和国华银行最为突出。原因是,曾任交行沪行经理的唐寿民原为国华银行创始人之一,曾任国华银行副董事长兼总经理,交行推行承兑汇票运动,国华银行自然不甘

---

① 金国宝:《国难声中之上海金融问题》,《时事新报》1932 年 1 月 13 日,转引自洪葭管、张继凤:《近代上海金融市场》,第 69 页。

② 洪葭管、张继凤:《近代上海金融市场》,第 69 页。

落后,所以两行成绩斐然可观。例如,银行承兑汇票,自1931年3月至8月,五个月中的各月月末余额数,交行最多时为96000两,最少为31000两,国华银行最多时为84000两,最少时为20000两。商业票据贴现数,1931年3月至12月,交行共贴进商业承兑汇票248张,金额总计47761元,1932年,交行商业承兑汇票贴现更大幅度增长,至当年底共贴进票据309张,金额达176051元。①

上述可见,银行承兑汇票张数少而金额大,商业承兑汇票则相反,张数多而金额小。这反映出商业承兑汇票初办之时人们对其信用仍不放心。但随着金国宝等人及金融界的广泛宣传,商业承兑汇票逐渐推广开来,其面额也开始增加。1931年上半年,承兑汇票及其贴现的发展势头颇为可观。其后,受多种因素的影响,收效未如预期的大,但这次宣传、推广运动却在中国银行界播下了现代票据承兑及贴现业务的种子,意义不可低估。

（二）金国宝与《承兑汇票答客问》

为了使商民切实了解承兑汇票的优点,1930年底,金国宝特意撰写《承兑汇票答客问》一文,将民众的相关问题汇总起来,以虚拟的问答形式,由浅入深予以解释。开始是一问一答,后转入一问多答,文后还附有详细图说,对承兑汇票每一种形式及流程、手续详加分析解说。

金国宝首先解释并对比现付、记账、本票和汇票四种货物买卖的方法,指出汇票的诸多优点,认为最值得提倡。兼任大学教员的金国宝擅长使用简单的实例说明复杂的金融程序。例如,他向顾客解释汇票的产生和使用过程时,设计了一个上海米商向芜湖米商买米的事例,以极为简洁生动的语言进行叙说:"你可以向上海交通银行请求发一押汇凭信,寄交芜湖交通银行,并由芜湖交通银行通知芜湖卖米的卖主,请卖主对你开出汇票,芜湖交通银行将汇票连同提单、保险单等全套单据买下,寄交上海交通银行,向你收款,你把款子付清,便可领取提单出货。"同样,金国宝又将这一程序反过来讲解,将顾客比作上海的米商,卖米给天津的客商,解释说:"你可对天津的买主开出汇票,连同提单保险单等全套票据,向上海交通银行商做贴现,上海交通银行便把汇票及全套单据送交天津交通银行收款,这就是所谓跟

---

① 金国宝:《国难声中之上海金融问题》,《时事新报》1932年1月13日,转引自洪葭管、张继凤:《近代上海金融市场》,第70页。

单押汇了。"①金国宝这种深入浅出的解释,使顾客易于对汇票原理有比较清晰的认识。

在详细讲解了汇票的一系列原理和优点后,金国宝又重点解释了承兑汇票的产生过程。他指出,承兑汇票分为商业承兑汇票和银行承兑汇票两种形式。所谓商业承兑汇票,是指卖主卖出货物,对买主开出汇票,送交付款人批见,便成为承兑汇票。"批见"的手续,在立法院新颁的票据法上名曰承兑,承兑之后,付款人名曰承兑人。根据附属单据之有无,汇票又可分为跟单票据和不跟单票据,区别在于是否附有提单、保险单等全套单据。金国宝针对当时的中国金融实情,认为"跟单票据不妨先贴现,后承兑,但不跟单票据(或曰光票)必须先承兑,后贴现"。②

金国宝对银行承兑汇票情有独钟,竭力推广。他特意在《承兑汇票答客问》中专门列出一节,详细阐明其优点。他首先指出银行承兑汇票的性质和形式,与商业承兑汇票在本质上是一致的,区别在于,承兑人为银行而非普通商家。其产生方式有输入贸易、输出贸易、国内贸易和堆栈货物四种。金国宝将四种方式逐一解释后,指出银行承兑汇票的优点远在商业承兑汇票之上,"因为我国商界会计制度尚用旧式簿记,信用调查成效未著,故承兑人、发票人、背书人等之地位信用,不易调查,不如银行地位较著,调查较易,即在欧美各国之贴现市场,亦无不以银行承兑汇票为标准票据,利息便宜,脱售容易"。③

鉴于银行承兑汇票的巨大优势,金国宝对其抱有极大信心,他直言:"我们的目的是要造成一个贴现市场。"具体做法则须从国内贸易及货物担保两方面入手:一方面应提倡押汇凭信;一方面将跟单押汇和栈单押款,改为银行承兑汇票。至于商业承兑汇票,当从提倡跟单票据入手,不跟单票据虽可办理,但须谨慎,不可太滥。④

最后,金国宝也指出承兑汇票有一些不足之处,需要注意几点意见。例如,不跟单票据须从小票据入手,最好借鉴法国的形式,假定一个最高标准,譬如5000元或者1000元,试办的时候须从信用最好的商号着手;并且每一个发票人及承兑人需要各定一个贴现限度,必要时票上可添加保证人;还需要办理信用调查、商情研究及商

---

① 金国宝:《承兑汇票答客问》,《交通银行史料》第一卷,第641页。
② 同上,第642页。
③ 同上,第644页。
④ 同上,第645页。

品研究,尤为重要的是应严定承兑汇票的解释,不能自了的票据坚决不能收。①

三、创办承兑汇票业务

（一）制定《办理押汇凭信及承兑贴现业务规则》

1930 年底,交通银行由金国宝设计,创立了承兑汇票,并在国内银行界率先制定颁布了《办理押汇凭信及承兑贴现业务规则》。交行 1908 年的章程即在营业范围中列入了"贴现"业务,但直至上述规则的颁行,才真正使这项业务趋于正规化、经常化和制度化。从中国金融市场的发展历史看,交行制定的承兑贴现业务规则是近代中国第一个关于票据承兑与贴现的专门规章,无疑,这也是中国银行业务经营意识近代化的开端。②

交行的这一规则是依据外国委托购买证(Authority to Purchase,简称 AP)及信用证(Letter of Credit)的办法,并结合中国国内的实际情况,经变通而制定的。目的是通过提倡票据造就一个贴现市场,使短期资金有一个既生利又稳妥的运用途径。交行对实施这个规则,并借以推行承兑汇票及贴现寄予了很大希望。规则规定,通过使用交行制定的甲乙两种押汇凭信而产生商业承兑汇票和银行承兑汇票,然后再由交行各地分支行或委托行进行贴现。交行还办理其他商业汇票的承兑及贴现,以及汇票的转让、代买、代卖业务。规则的主要内容分为以下四个部分:

1. 甲种押汇凭信办法。规则规定:"本行发给甲种凭信后,售货人所开货款汇票,在凭信约定之范围内,均由本行委托分支行或其他往来行庄收买之。"例如,上海的 A 厂到无锡的 B 厂购货,A 厂即可与无锡交行(简称锡行)联系,把本厂要买的货物名称、买价金额等详细告知锡行,同时通知卖方 B 厂,请其开出一汇票,连同提货单、保险单等一起交给锡行,办理贴现。锡行把汇票买下后寄到沪行,沪行通知 A 厂

---

① 根据金国宝的解释,"严定承兑汇票之解释"是指依照美国联合准备银行管理局的解释,凡货物实际买卖,物权于承兑之时移转于付款人者,其汇票经买主批见后,方得为承兑汇票,需要注意三点:1. 未来之买卖与承兑汇票之定义不合;2. 如其买卖是有条件的,即货物之所有权,须待汇票付款后方能移转者,亦非承兑汇票;3. 只有劳动力或工作者,不能作为货物买卖论,故广告公司卖出广告地位,对客商所开汇票,承兑后可作为承兑汇票,但如向保险公司保险,其保险费由公司对投保人开出汇票,投保人批见,此项据依照该局之定义,不能作为承兑汇票。"不能自了的票据",金国宝解释为:"不是由货物买卖而来的票据,当然不能作承兑汇票论,即使由货物买卖而来,其货物是卖给最后消费人不再卖出者,这种票据,亦是不能自了的。"见《承兑汇票答客问》,载《交通银行史料》第一卷,第 646 页。

② 《交通银行史料》第一卷,第 634—635 页。

前往付款并领取提单。这种办法,实际上是先贴现后承兑。但当沪行同意将A厂凭信发给锡行时即已有了汇票付款担保的性质,因而B厂可向A厂发货,锡行也能同意贴现。如果上述过程由锡行主动开始,即由B厂卖货给A厂后即开出汇票,连同提货单、保险单据等交锡行商做贴现,这就是一般的跟单押汇。

2. 乙种押汇凭信办法。规则规定,交行发给乙种凭信后,售货人可就凭信约定范围内开具交行付款的汇票,由交行付款或承兑,并可由交行指定分支行或委托其他行庄代为办理付款及贴现一切事宜。如果上海A厂与无锡B厂尚无往来,无锡B厂提出汇票须由银行承兑,那么A厂可与沪行商量,请发乙种凭信一封,把发票人B厂的名号、汇票金额等详细列入,由银行或A厂寄送给B厂;B厂接此信后,即可配货,待货装出,把发票、提单、保险单连同汇票一起交给锡行,并把乙种凭信也交锡行验看;锡行即可根据凭信中约定的金额办理汇票贴现。凭信约定的金额可分多次使用,分次贴现。待金额用完,锡行收回凭信,连同各张汇票寄交沪行收款。这种办法在沪行同意发给A厂乙种凭信时即已在实际上起了承兑作用,从而使B厂能够接受,锡行也愿意予以贴现。如果B厂先开始,则程序为:由B厂发货后,开一即期汇票,连同全套单据送交锡行,由银行寄沪收款,同时与银行商订一承兑契约,以提单为担保,由B厂开一远期汇票(其期限视B厂能从外地收到货款所需时日而定),以锡行为付款人并负责承兑,然后B厂可持此承兑汇票向锡行或其他代理行商做贴现,这是跟单押汇的一种改造。其与跟单押汇的不同之处在于,这种方法由B厂共开出两张汇票,一张寄到沪埠,一张暂时在无锡。如果B厂向银行贴现,这张汇票便在锡行,或其他银行。如果贴进的银行需要资金,则可将此汇票卖出或转贴现。因此,与一般的跟单押汇比较,银行更愿意办理这种业务。

3. 其他未使用甲乙两种凭信的汇票承兑与贴现。规则规定,其他外埠公司、商号在沪付款的汇票,虽未使用交行押汇凭信,但若约定提供一定的担保品或有交行认为适当的担保人,也可商请交行代为承兑。各种公司、商号承兑的汇票,若附有货物提单、保险单全套单据,也可在交行办理贴现。

4. 汇票的同业买卖、代理买卖业务。规则规定,同业行庄贴现的汇票,经交行同意,可以转让给交行,若同业需要,也可将贴进的汇票给予转让。这种方法实际上是同业间的转贴现业务,但并非都由缺现融资引起,一般工商企业也可到交行购买其贴进的承兑汇票。这种汇票的期限及其贴现期最多不超过60天。

除规则中所确定的各项业务,交通银行上海分行当时还接受以仓库货物作担保所发汇票的承兑贴现。例如货主有货物存于堆栈仓库尚待出售时,货主可同银行商议,以栈单作担保,订立"承兑契约",然后向交行开出汇票,并由交行承兑,承兑后的汇票可向任何银行商做贴现。

交行沪行的做法实际上是对规则中的规定作了一些改进。其一是将一般跟单押汇改为售货方开汇票由银行承兑贴现。其二是将栈单抵押放款改为货主凭栈单开出汇票由银行承兑、贴现。这两种改变,对于银行来说,好处在于使银行的资金更具有流动性和伸缩性。因为在跟单押汇和栈单押款时,银行必须借出现金,而此时银行则首先是提供承兑的信用,汇票持有人不一定都会立即要求贴现,即使贴现也不一定是承兑行一家担负。再则,即使银行贴现,在需要现款时,也可以转卖或转贴现。① 由此可见,规则的颁行虽使具体的操作更为规范化,但交行在办理该项业务的实践中,并不墨守成规,而是根据情况灵活掌握,并不断探索,创造出一些更有成效的新办法。

(二)承兑汇票业务在各地的推行

由于金国宝的竭力倡导和交通银行的大力推行,承兑汇票的应用范围与影响逐渐扩大。交行以身作则,通过各地的分支机构积极拓展该项业务。自1935年以来,交行与一些需要资金扶助厂家商定,改用承兑贴现的方式进行投资,"以示提倡而裨流通"。②其中,数额较大的有镇江贻成面粉厂、蚌埠信丰荣记面粉公司等。

1.与镇江贻成面粉厂的合作。镇江贻成面粉厂为求资金流转更加灵活,曾计划以粉麦作抵押,与交通银行镇江支行以及中国、上海两行商订抵押透支契约。交行与中国、上海两行会商后,认为该厂款项大部分用于购买原料,如果改用开具汇票的方式请求三行承兑,其票据必然易于流通。于是,交行等与该厂商议后确定,该厂以所存粉麦为担保,按市价八折开具汇票,交由三行承兑,总额为60万元。交行等三行平均分摊,承兑手续费按千分之一计算,利率为上半年月息七厘五毫,下半年月息八厘。订约后各项事宜进展得十分顺利,截至1935年底,共计承做承兑汇票99万余元。1936年,鉴于承兑汇票带来的极大便利,交行镇行等三行决定继续承做,并增加总额至90万元。1936年7月再加临时额度30万元,统由三行均摊。截至1936年12月

---

① 以上见《交通银行史料》第一卷,第635—638页。
② 《交通银行行务纪录》(四),《交行档案》第273号,第266—268页,交通银行博物馆藏资料Y37。

17 日,交行镇行等三行所做承兑汇票共计 260 余万元,结欠 35 万余元,效益非常显著。

2. 与蚌埠信丰荣记面粉公司的合作。蚌埠信丰荣记面粉公司曾于 1935 年新麦上市时,为了采购原料,拟以小麦、面粉作抵押,向交通银行蚌埠支行及上海银行贷款。交行经过与贻成面粉厂的合作,对承兑汇票贴现的操作可谓已驾轻就熟,所以,经过会商后,也改用承兑汇票贴现的方式办理。双方商定,按照押品粉麦市价八折,由面粉公司开具汇票向两行请求承兑,总额为 30 万元,两行对半分摊。承兑手续费按千分之一计算,利率月息一分。截至 1935 年底,共做承汇兑票 45 万余元。1936 年度继续承做,总额增为 50 万元,仍由两行均摊。截至 1936 年 12 月 16 日,交行蚌行与上海银行所做承汇兑票投资总额为 150 余万元,结欠 19 万余元。合同于 1937 年 6 月到期。[①]

四、上海银行票据承兑所的成立

（一）参与筹设银行票据承兑所

30 年代白银风潮期间,国内存银大量外流,市面资金顿感紧张。国民政府急令中央、中国、交通三家银行联手合作,竭力救济,金融秩序得以勉强维持,但经济前景依然暗淡。

1935 年初,上海工商业陷入十分窘迫的境地。为了谋求发展,上海绸缎业和丝业两公会首先在社会上公开呼吁实行承兑汇票,声称唯有实行承兑汇票,才能改善资金流转不便的现状。上海市商会、上海银行公会和钱业公会对此极为重视,开始积极寻求推广承兑汇票的途径。

不久,上海市商会和银钱业公会联合提议,要求政府尽快对承兑票据贴现提供保障,并致函中央银行要求迅速实现"重贴现",扩大该项业务的数量。然而,中央银行却一再拖延,未就承兑汇票的推行提出切实办法。于是,人们将目光转向作为国家银行之一的交通银行。

交行一直是承兑汇票的积极倡导者和坚定拥护者。上海银行业同业公会深知,要督促国民政府尽快认可承兑汇票,并提供法制上的保障,让社会早日接受该项业

---

① 《交通银行行务纪录》(四),《交行档案》第 273 号,第 267—268 页,交通银行博物馆藏资料 Y37。

务,必须借助交行的力量。为此,上海银行业同业公会特意致函交行,希望尽早推行商业承兑汇票,认为"以促进发展贴现事业与票据之流通,在目前市况极度衰落之时,提倡尤不容缓"。①

交通银行深有同感,立即着手推进,与银行业同业公会积极筹划,酝酿订立相关的章则。1935 年 3 月,交通银行、中国银行、上海银行的代表与上海银行业同业公会联合准备委员会(简称联准会)经理朱博泉会商,草拟出两种原则与办法,但这仅是上述数方的私下讨论,尚未真正付诸实行。②

1935 年 4 月,银行业同业公会经过两次会议的商讨,制定了推行商业承兑汇票贴现业务的六项原则。第一,通过渐进的方式,以承兑汇票替代信用透支放款。第二,由同业公会呈请财政部准予以贴现票据抵充发行保证准备。第三,请中央银行逐日议定并悬牌公布贴现利率,以便各行酌定自身贴现利率,并希望该项贴现率应低于信用透支利率。第四,各行贴现后,应该互相转贴现,最后可向中央银行再贴现。第五,同业从事承兑汇票贴现业务需要调查情况时,各行都应据实相告。第六,汇票到期若拒绝付款,贴现银行有责任向同行通报。③ 会后,交行的薛遗生和中行的经润石二人被上海银行公会推选为代表,参加上海市商会举办的拟订商业承兑汇票贴现办法会议。

尽管交行与上海市商会、上海银行业同业公会积极谋划与推进,但中央银行却迟迟未提出有关重贴现的办法,再加上工商业传统的记账办法一时难以变更,工商企业实际办理商业汇票承兑贴现的寥寥无几,试办商业承兑汇票的仅限于电机、丝织、蛋业、棉织等少数行业。为了改变这一现状,银行业同业公会决定成立票据承兑所,以推广银行承兑汇票。

6 月 24 日,交通银行总经理唐寿民与中国银行等九家银行的经理举行会议,提议委托联准会筹设票据承兑所,与会者还推选了若干代表组成票据承兑小组会议,承担票据承兑所章则的起草工作。票据承兑小组会议通过多次商讨,于 7 月下旬就相关的章程、公约、办事细则等拟订了草案。草案中提出的总体办法是,由商家发票,以存于仓库的国产物品为担保,由票据承兑所承兑。按照上海银行业同业公会的设想,

---

① 《致中国交通等九银行》,上海市档案馆藏,档号 S173－1－92。
② 万立明:《近代中国票据中介机构的制度创新及其启示》,《上海行政学院学报》2008 年第 2 期。
③ 洪葭管、张继凤:《近代上海金融市场》,第 82 页。

银行承兑汇票的目的是发展国货生产与扶助出口,而这正与交行发展全国实业的使命相一致,因此,交行对票据承兑所不遗余力予以支持。根据设想的计划,只要工商业客户有确实的货物,即可向承兑所领取承兑汇票,经承兑所估定价格后,便可开出相当金额的汇票,客户可持票向任何一家承兑所成员银行贴现,银行也可持贴现票据向交通银行及中央、中国二行申请重贴现。银行承兑汇票与商业承兑汇票相比,在信用上既优于工商客户承兑的商业承兑汇票,也优于单家银行所发出的本票。这类承兑汇票是直接由卖方凭货物担保开立,由银行票据承兑所承兑付款,也就避免了当时工商业在赊销交易中习惯使用记账的矛盾。而且因其可以随时贴现与重贴现,还可以根据不同数额分期出票使用,所以不仅有利于工商业资金的流通,也有助于承兑所成员银行之间的资金调节。① 可见,上海银行的票据承兑所,在功能上与一般西方同类机构十分相似,只是在组织形式上属银行同业的有限公司,与西方有所不同。这个设计的可行性非常高,交行等国内大中型银行对此抱有极大希望,故采取各种措施促其实现,但重贴现问题却再度成为一块难以逾越的绊脚石,各方经多次商讨,至1935年底仍屡议未决。

1936年初,金融枯滞状况仍未有明显改善,上海银行业同业公会深感推行承兑汇票已刻不容缓,于是再次加紧研究讨论。最后求同存异,作出决议,成立银行票据承兑所,以服务同业。2月20日,联准会委员银行召开第14次代表大会,通过了票据承兑所章程、公约等草案。随后,各项筹备工作,诸如签订契约、筹集基金、制定细则、设置场所、分配业务人员等,皆紧锣密鼓地有序展开。

上海银行票据承兑所由上海银行业联手合作,共同组建,属有限公司性质,参加的银行共有38家。因前期经过长时间酝酿,各项规章制度制定得比较详细周密,先后颁布了《银行票据承兑所章程》33条、《所员银行公约》12项、《组织规程》14条、《办事细则》26条等。由于该承兑所为联合组建的公共信用机构,其管理也采取相应的方式。按照章程规定,承兑所实行委员会制,设委员12人,负责办理票据承兑事务,委员由联准会经理及各所员银行的重要职员担任。委员中再推举5人为常务委员,协助处理日常事务。委员会之下分设担保品评价与担保品管理两组,每组设委员

① 郑成林:《上海银行公会与近代中国票据市场的发展》,《江西社会科学》2005年第5期。

5 人。① 1936 年 2 月 27 日,第一届票据承兑所委员会组成,联准会经理朱博泉兼任承兑所经理,交行业务部襄理李恭楷被推选为常务委员。②

　　1936 年 3 月 16 日,上海银行票据承兑所召开成立大会,宣布即日开始营业,并颁布了《上海银行票据承兑所章程》及其公约。凡联准会的"委员银行及交换银行"皆加入承兑所成为所员银行,所员银行除分别认缴 300、500 或 1000 元的入所费,还须填具申请书并签订公约。所签公约共十二项,不仅对所员银行的基金分摊、义务权利、资格丧失等作了详细规定,而且强调"立约人对于本所承兑票据之买卖贴现应合力提倡"。依据公约,承兑所的票据承兑基金由所员银行按照实收资本及公积金总数的 1/16 认缴,一次缴足,其中 5% 以现金缴存承兑所作为营运基金,95% 由承兑所存入认缴银行,以作备用。所员银行按认缴的承兑基金在总额内所占的比例承担承兑所承兑业务责任,与之相应,在业务中产生的纯益(除公积金外)及损失也按这一比例分摊。成立之初,38 家银行认缴基金共计国币 762.375 万元,③约定的承兑额总计 3049.5 万元。其后,各家银行陆续以承兑担保品缴存承兑所。至 4 月初,各行已开始签发票据,交由承兑所,并在同业间实行贴现交易。交行为承兑所所员银行,但未加入公约,所有该所承兑的汇票,需要用款时可由交行重贴现。④

　　(二)交行在票据承兑所中的作用

　　为了便利各家银行对承兑所汇票进行贴现,促进贴现市场的发展,票据承兑所制定了《贴现交易暂行办法》。办法规定,凡拟卖出该所承兑汇票的银行,均须在每日规定时间内(下午二时前),将拟卖出汇票的数量与利率通知承兑所。同时,欲买入者可在下午三时三十分之前将拟购买的数量与利率通知该所。当买卖双方在价格上互相合意时,即由该所通知双方,办理交割手续。如果当日有几个相同的买价和卖价相合时,承兑所可按照卖方的汇票金额张数平均分配给买方,如果不能平分,由该所酌予支配。如果当日有卖出者而无买进者,则全数由该所照所定贴现利率贴现。买卖的数量,以五万元起码,其利率以每千元每日多少分为计算单位,并以二厘五毫为升降单位。贴现利率可因期限长短而有伸缩,但以 90 天为标准。同时,贴现利率以

① 万立明:《近代中国票据中介机构的制度创新及其启示》,《上海行政学院学报》2008 年第 2 期。
② 《交通银行行务纪录》(三),《交行档案》第 272 号,第 53 页,交通银行博物馆藏资料 Y36。
③ 郑成林:《上海银行公会与近代中国票据市场的发展》,《江西社会科学》2005 年第 5 期。
④ 《交通银行史料》第一卷,第 654—655 页。

每 20 天为一级,每级相差二毫五左右,定于每日下午三时后挂牌公布。

交行与中央、中国两行在承兑所中发挥了举足轻重的作用。客户除了可在承兑所会员银行中进行贴现,各家银行还可将贴现时收进的票据直接向交通、中央、中国三行重贴现。联准会曾于 1936 年 3 月 19 日致函交行,称:"办理商业票据及银行承兑汇票之重贴现之调剂金融,原为贵行主要业务……将来同业对于敝所承兑汇票贴现后,需用款项时,拟恳请贵行准予重贴现,并拟请将重贴现利率逐日公布,以便奉为准绳。"[1]联准会提出以交行公布的重贴现利率作为各行遵循的标准,也说明了交行所起的重要作用。此外,交通、中央、中国三行为吸收市面余资,也可公开出售贴现进来的承兑汇票。

银行承兑汇票与商业承兑汇票,均可在市面上流通。但因银行信用较好,由其签发的承兑汇票信用自然优于商业承兑汇票,在未到期之前就可向各银行申请贴现。而各银行也可向中、中、交三行重贴现,期限至多不超过四个月。此外,与以前的货物抵押不同,银行承兑汇票不仅可以随时贴现与重贴现,还可以根据不同的数额,分期出票使用。

从金融业的角度分析银行承兑汇票的优点,大致可归纳为五点。第一,因未到期的票据,与已到期的票据一样,可增加自身信用。第二,票据本身,因未到期即可兑现,可增强商业社会对于票据的信心。第三,工商业收到远期票据,可即时贴现,也就立即得到了救济。第四,由于票据信用的扩大,金融状态越发活跃,也连带增强了产业的活力。第五,因中、中、交三行可以重贴现,商业票据的信用多了一重保障。[2]

上海银行票据承兑所的成立与交通银行多年来极力倡导承兑汇票,并以身作则予以示范是分不开的。承兑汇票的推广给整个金融界带来极大的便利,不仅缓解了30 年代白银风潮造成的金融恐慌,也改变了中国银行界传统的经营方式,标志着中国银行业务经营意识近代化起点的到来,其意义和影响极为深远。据当代学者洪葭管总结,其意义主要有以下几点:

其一,上海票据承兑所的创立,标志着近代中国贴现市场雏形的出现。1. 票据承兑所的创设,使中国出现了第一家专门经营票据贴现的机构。2. 票据承兑所的承兑

---

[1] 《致函中中交三行》(1936 年 3 月),上海市档案馆藏,档号 S177 - 2 - 606。

[2] 吴景平主编:《上海金融业与国民政府关系研究(1927~1937)》,第 272—273 页;魏友棐:《银行承兑汇票与票据贴现》,《钱业月报》第 15 卷第 8 期。

贴现活动也带动了会员银行的贴现活动,银行承兑汇票可在会员银行或承兑所随时自由贴现,贴进的票据还可在中、中、交三行重贴现,三行又可将贴进的票据公开出售。3.该所贴现率也是按供求关系确定并挂牌公布,说明贴现市场的机能已经基本形成。但当时的贴现交易工具尚未完备和规范化,贴现业务不可能深入展开。该所成立时曾计划由承兑银行汇票开始而后逐步过渡到直接承兑商业汇票,业务也将随之逐步扩大,但这一计划被随后而来的抗日战争打断。

其二,"银行承兑汇票"的出现,是中国优良信用工具的肇始,是银行同业间融通资金的良好工具。此类汇票从外观形式到操作手续,都已符合《票据法》关于汇票的规定,是过去银行业联合准备委员会曾经使用过的"公单"的进一步完善,且信用可靠,变现方便,安全性、流动性都比较强。

其三,票据承兑所的创立,有助于增加银行资金的运用力量,解决工商业的资金需要。该所的银行承兑汇票,可由所员银行以商品、商业汇票、对工商业贷款时所收押品为担保而开出,这就使银行能比较放心地将资金运用于工商业投资。同时,由于票据承兑所及其银行承兑汇票的贴现机能,银行所持各项资产的流动性得以提高,从而可适当减少营业上的头寸准备,以便运用更多的资力扶助生产与流通。

其四,票据承兑所的成立和银行承兑汇票的推行,是银行界建立贴现市场主动而又灵活的创举,有助于促进贴现制度的发展。票据承兑所和银行承兑汇票都与一般规范做法有所不同,也和创议时不一样,这种做法上的变通,反映和适应了中国当时的国情和商情。就当时而言,期望出现一家资本独立的专门办理票据承兑贴现的机构,或坚持只对规范意义上的商业汇票给予承兑贴现,是不现实的。在变通做法下,商业票据可作为开出银行承兑汇票的担保,这就能间接地促进商业汇票的使用和支持银行开展商业汇票贴现。就票据承兑所而言,无疑也能为今后出现更完善的承兑贴现机构提供有益的借鉴。

当然,作为新生事物的上海银行票据承兑所,在设计上和实际操作中也有一些局限。比如"银行承兑汇票"的担保品中包含有价证券、房地产等,且比例限额相当大,这就有可能助长银行为了追求自身利润而开具汇票进行融资,而非出于工商业生产与交易对货币的合理需求,同时,也不利于抑制部分银行的公债投机。另外,票据承兑所规定的"银行承兑汇票"额度也较小,整个会员银行可开出的最高额为 3000 万元,仅为贷款的一小部分,这使得贴现市场吞吐资金的能量颇受限制,也就不可能达到被中央银行用来作为公开市场操作所需要的交易工具那样的数量和规模。[①]

第二节　重抵押业务与代办公司债

一、提倡重抵押业务

所谓"重抵押",即以收存的抵押物品再作抵押,其原理与"重贴现"相同,只是用作担保的凭证内容不同,一为实物,一为票据。交通银行非常重视重抵押业务,并将其作为"营新"的重要内容。当时的交通银行总经理唐寿民即认为,现代银行除了应重视票据贴现业务,另一项具有同样重要意义的业务也不能忽视,即重抵押。重抵押与重贴现都属于调剂一般商业金融机关资金的正途,二者意义相同,只是具体内容有所差别。就交行发展全国实业的职责而言,自应积极提倡。1936 年,唐寿民在行务会议上论及交行当前的业务方针,特别强调办理重抵押业务的重要性,希望以此发挥调剂工商业与金融机构资金的作用。他指出,当时交行已开办重贴现业务,但重抵押业务尚处于萌芽阶段,所以"亟应积极提倡,以利推行"。[②]

重抵押业务与货物抵押放款密切相关。交通银行的放款业务最初主要为政府垫款,1928 年开始注重货物押款,但因仓库堆栈尚少,无法大力推进。自 1933 年起,交行开始致力于仓库建设,并将承押农工产品作为业务重心。第二次改组以后,交行的放款业务更注重对物信用,仓库的建设也初见成效,从而为货物押款业务的发展奠定了基础。

1935 年以前,内地风气未开,交行揽做货物押款比较困难。自 1935 年起,钱庄业务紧缩,内地商家开始与银行接触,抵押放款也逐渐展开。当时,规模较大的商号和厂家一般都自设仓库,囿于旧习,商号、厂家仍不愿意因抵押而将货物移存银行仓库。为此,交通银行于 1935 年与不少厂号订立《包做押款办法》,规定押品仍存原栈,但从符合法定移转占有的条件考虑,由银行订约租赁该堆栈,或在合约内载明将原栈全部

---

① 洪葭管、张继凤:《近代上海金融市场》,第 87—88 页。
② 《交通银行史料》第一卷,第 295 页。

或一部分无偿贷与银行使用,并悬挂银行仓库招牌,由行方派员管理,以明示实物占有的移转,确定质权设定的效力。此后,交行除由自办仓库直接揽做货物押款,通过上述租赁方式承做的押款也不在少数。但此类外栈与自营仓库毕竟不同,容易产生纠葛,所以交行总行通告各分支行处,凡在此类外栈门外悬挂交行名牌,一律定为某某交通银行第几押品堆栈,而不用仓库或分仓的名称。[1]

《包做押款办法》使交通银行可以尽量利用外栈,借此广订合同,包做货物押款,这也为重抵押业务的渐次开展提供了重要基础。根据交通银行1936年的营业报告,当年放款及投资总额为37822.8万余元,较1935年计增12354.9万余元,其构成除政府债券抵押,尤以货物押款增加最多。

表2-9-1 1936年交通银行货物押款情况表

单位:千元

货品种类	1936年度	1935年度	比较增减(+/−)
棉	23912	7506	+16406
杂粮	5532	3248	+2284
纱布	4200	3699	+501
盐	3962	3401	+561
米	3917	3003	+914
丝茧	2329	1359	+970
麦	2169	1873	+296
豆	1419	848	+571
面粉	932	865	+67
皮毛	861	134	+727
花生	719	659	+60
烟叶	418	729	−311
煤煤油	343	356	−13
茶	29	33	−4
其他	3618	2267	+1351
合　计	54360	29980	+24380

资料来源:《1936年交通银行营业报告》,《中国银行年鉴》1937年。

---

[1] 《交通银行行务纪录》(五),《交行档案》第274号,第46—48页,交通银行博物馆藏资料Y38。

表 2-9-1 可见,交行的货物押款中,棉花的押款数量最多,其次是杂粮、纱布、丝茧等。而押款业务的巨大突破,无疑与重抵押业务的开展具有密切联系。

二、代办公司债

自 1936 年起,交通银行开始注重代办公司债的业务。在当年的行务会议上,唐寿民通过分析比较中外银行的差异,揭示了国内该业务的落后性。基于交行肩负的使命,他进一步指出银行代办公司债和经募股票,正是促进工商事业资金流通的有效途径。

唐寿民认为,当前国内银行投资实业及地产的方式都过于呆板,极易招致风险。1935 年至 1936 年,大量中小银行倒闭,即是明证。外国银行投资实业,多采用购买与承销公司债权的方式,这种方式较厂基押款更为灵活。中国的银行虽已开始代办发行公司债,但因推销机构不完备,所以公司债尚未能像外国那样充分流通。

唐寿民非常推崇美国银行和日本银行的公司债业务,他以自己 1935 年秋在日本的所见为例,指出日本兴业银行的业务,即以代办债券与经募股票为大宗。该行经募债券,在大正十年(1921)以前,独办的有 1 亿多元,联合办理的约 7 亿元,其后约经十年,至昭和七年(1932),独办的已达 3 亿多元,联合办理的为 12 亿多元。若加上经募的股票,至昭和七年,合计达 21.5 亿元。而在大阪物品交易所中的拍板,也以公司债券和股票为最多,可见公司债业务对外国银行业的重要性。

针对中外金融环境的巨大差距,唐寿民根据中国国情,制订了一套发展公司债业务的计划。他提出,国内各公司,如果根基巩固,组织健全,即应尽力促成其在证券交易所开拍,并由银行随时代为买卖承销其债券、股票。当时各银行代收股款虽多,但应募及承销者还很少。若有一些特别企业,经专门人员详细调查,确保可以获利,即可代为承销,银行甚至可自购一部分作为投资,并可拥有监管该企业财政与业务的权利。这种方法若能推广普及,则可促进工商业资金的流通,以收扶掖发展之效。唐寿民再以日本为例,称:"夫以日本极端缺少原料之国,乃能以工业称雄于世。货物销及全球各国,群谋抵制。究其所以能如此发达者,股票、债券之流通实为一大原因。此则日本兴业银行之功,及债券买卖市场发达之效,足资我国之借镜者也。"[1]

---

[1] 《交通银行行务纪录》(二),《交行档案》第 271 号,第 88—89 页,交通银行博物馆藏资料 Y35。

在唐寿民的大力提倡下,交行上下对代办公司债一事极为重视。1936 年 1 月,交行制定了《交通银行公司债信托规则》,规定"凡提供担保,委托本行发行公司债,由本行代表全体持券人行使担保权者,均依本规则办理"。① 不久,交行又制定《公司债发行手续说明》,共分七部分,详细介绍了发行公司债的理由、公司债种类、发行方式、发行手续、信托形式、计算方法等。

《公司债发行手续说明》向公众列举了公司债的四大优点。第一,公司若要拓展经营,更新设备,仅靠少数股本必定难以完成,而公司债可以充作长期资金,利于周转。第二,公司增募股本为永久性质,发行债券则可按时偿还,方式更加灵活。第三,公司举债借款,需要迁就少数财力优厚的债权人,而发行债券则可公开招请一般人士参加投资,易于举办。第四,就投资者而言,债券本息有一定保障,偿还期限也有预先规定,即使出现意外,可随时将债券转让给他人,资金周转更为便利。交行的宣传使公司债的优势能为普通民众所了解,同时也有利于消除当时工商业者的疑虑。

若有公司发行公司债,自然应严格按照既定手续进行办理,交行制定的上述规则即为具体的操作提供了规范。首先须由公司股东召开大会,代表股份总数过半的股东出席视为有效,经表决,须有三分之二以上的出席股东同意,才可依法发行公司债。随后,公司派员与交行接洽,由交行为其承销或代销全部或一部分债券,并将公司章程、预算书、营业计划、公司董监姓名履历、账目表册及其他一切有关文件,送交行审查,再订立承销或代销合同,详细载明各种委托权限。交行与公司接洽后,根据《公司法》的规定,以共同的名义对外发表公告或发行说明书。最后,由公司准备联单式认募书,载明公告上的各条款,并印就债券送往交行,以便对外推销。交行推销足额或由交行自行承受一部分后,该公司全体董事、监察人应在十五日内向主管政府部门申请登记,也可直接委托交行代办。这是间接发行公司债的程序,其中债券推销的手续全由交行代办,公司不必过问。直接发行的手续更为细密,须准备分派书、债款催缴书等文件。②

由于交行高层主管对代办公司债高度重视和极力提倡,相关的规章制度也制定完备,交行的公司债业务有条不紊地渐次展开。

---

① 《交通银行史料》第一卷,第 1227 页。
② 同上,第 657—661 页。

三、代办担保业务

为了切实促进公司债业务的开展,交通银行重视担保业务的代办。唐寿民在1936 年行务会议上提出,在工商事业尚未发达之时,有担保的公司所发行的公司债,比无担保的公司债更易于推广。不仅如此,如果某家企业设备齐全,前景看好,再由信用卓著的金融机构为之担保,还可向国外发行债券,以吸收外资。他还提到,交行前总经理胡祖同主张利用外资发展中国实业,但在当时民族孱弱的境况下,生产事业直接借用外资,限制条件比较多,很容易使中国的主权受到列强侵害,而担保制度却可以有效吸收外资,避免借贷外款的弊端。再以日本兴业银行为例,该行于明治三十八年(1905)首创担保发行办法,代北海道煤矿公司在英国伦敦发行公司债 100 万磅,当时在日本尚为创举。迨至昭和九年(1934),该行代办担保发行的公司债额,在国内为 46362.0253 万元,在英国为 100 万镑,在美国为 4250 万美元,获利丰厚。而且,兴业银行借此在国内外树立了良好的行誉,为日后的发展奠定了坚实基础。唐寿民还提出,除为公司债提供担保外,凡涉及货物买卖、订购机器以及其他业务的担保,只要可以扶助工商实业,交行均应竭力提倡,代谋便利。[1]

不久,交行即开始推行担保业务,尤其在订购机器方面,应用得最为广泛。交行为协助国内实业机构向外国购置生产器材,在纽约、伦敦设立通信处,并委托信誉卓著的金融机构代理,协助完成购买事宜。

为了有序推进该项业务,交行又制定了一整套计划和规则,如《计划大纲》《签发购货证简则》《签发信用证简则》《补充计划》等。交行在办理此类业务的过程中,尤其注重双方的信用,还特意制定详细的《办理信用保证简则》,规定:国内实业公司与外国公司订约后,若需获取交行的保证,必须先填写交行提供的申请书,载明外国公司名称、国籍、地点、机件种类、数量、价值、交货及运送方法、运送日期、价款方法及日期等,送交交行审核。实业机关与交行订立契约,由交行出任信用保证后,应以所购器材作押于交行,作为交行出任保证的担保品,并应以现金三成缴入交行,或提供相等于所担保价值四成的其他财产,作为交行履行保证的补充担保品。凡商请交行出任信用保证的交易,应委托交行作为付款代理人。由交行出任信用保证而购置的器

---

① 《交通银行行务纪录》(二),《交行档案》第 271 号,第 89—90 页,交通银行博物馆藏资料 Y35。

材机件,每次装运应知照交行,提单、保险单等应以交行抬头直接寄送交行,到埠后应存储于交行指定的仓库。交易完成,公司将所有货款本息付清后,交行将所缴担保财产发还原公司,契约遂告结束。①

交行开办的担保业务,对国内实业公司具有重大意义,尤其在发行公司债、从国外购买机械等方面,为国内实业公司提供了一条极为便捷而高效的途径,有效地发挥了扶助实业的作用。

第三节　资金管理的制度创新

一、会计制度的改进完善

1928 年至 1937 年的十年中,交通银行一直致力于资金管理的制度创新,力图通过相关章程规则的改进完善,使资金的运用更趋合理。其中,会计制度的变更是一个重要的组成部分,而会计制度的改善主要体现在不同业务种类的会计互相划分,各自独立。交行在开始兴办储蓄业务时,就将一般的营业会计与储蓄会计相区分,互相独立,②其后,又将储蓄会计与信托会计分离,各自独立。

1928 年国民政府颁布《交通银行条例》时,将"信托业务"作为新增加的营业内容列入条例。1933 年,交通银行将储蓄部改为储蓄信托部,酝酿兴办信托业务,但实际上真正开办信托存款是在 1936 年。尽管交行最初试办信托业务时仍将其附属于储蓄部,业务上也仅为有价证券保管之类,但已经认识到,信托业务与储蓄业务性质不同,会计方法很难合并,所以 1933 年总行设立储蓄信托部时已予以明确,"信托业务会计一如储蓄业务会计,与营业会计划分独立"。③ 信托业务会计不仅与营业会计和储蓄业务会计分离,而且其本身也有进一步细分的必要。1935 年 7 月,交行董事会议决,拨出 250 万元国币作为信托部的营业基金,这样一来,信托部的资金将由两个部分组成,一为总行拨付的信托部固有资金,二为日后在社会上吸纳的信托存款资

---

① 《交通银行史料》第一卷,第 685—686 页。
② 同上,第 1099 页。
③ 同上,第 1209 页。

金。显然,这两部分资金的性质完全不同,在运作过程中,其资产负债的计算也必须完全分开。因此,1936年1月制定的《交通银行信托部营业通则》对此作了明确的规定:"本行信托部会计独立,信托部固有资产负债与信托资产负债之会计亦划分处理,每期决算后分别编制各项资产负债表、损益计算书,经会计师审查公布之。"①于是,交行又专门制定了信托部的会计规则,规则共为三章三十六条,对信托部固有会计和信托会计的职掌范围以及具体的操作细则作了明确规定,"一固有会计,关于本行信托部本身之资产负债属之;二信托会计,关于信托之资产负债属之"。信托会计项下各种账簿一律于账页左上角加印红色"信托"字样,以便与固有会计账簿并列时能够明显区分。②

信托业务种类繁多,会计科目也比较复杂,信托部会计制度的完善也经历了一个过程。信托部的主要账簿除综合日记账与综合分类账,还设立户别日记账与户别分类账,分别不同情况进行记载。例如,凡特约投资信托一律以户别日记和户别分类账按户分册记载,各户信托财产可合并运用的,可不必按户立册。又如,虽为单独运用的信托财产,而各户交易不是非常频繁的,可只就各户设立户别分类账,不必另外记载户别日记账。各种账簿的格式,除一部分有特殊的规定,主要账簿的格式,信托会计与固有会计大致相同,辅助账簿则为活页式。其后,为了便于处理,又于固有会计的负债及资产两类都增设仓库往来科目,资产类又增设生财及开办费两科目,并将代收款项科目改列负债类,损益类也增设摊提生财及摊提开办费两科目,负债类增设本票科目。信托会计的负债及资产二类也都增设内部往来科目,负债类增设特约信托及杂项存款二科目,资产类则增设 杂项欠款科目。经过一番调整增设,交行信托部的会计科目才趋于完备。③

交通银行各分支行处开办信托业务之初,资金大多各自运用,损益也分别计算,总行难以把握。1936年3月,总行为使资金集中运用,并促进普通信托存款收益率的平衡,计划将各分支行处普通信托存款一律转归总行信托部运用,办理统账。随后,交行总行制定了《普通信托存款每届决算分配收益及转账办法》、《办理统账内部调拨款项会计处理办法》,交行信托部的会计方式自此"由粗而精,由散而合",资金

---

① 《交通银行史料》第一卷,第1223页。
② 同上,第1251、1253页。
③ 同上,第1252—1253页。

运用也更为集中。①

《办理统账内部调拨款项会计处理办法》是总行为办理统账而制定的。1936 年 4 月,总行通函各行,将所收普通信托存款一律拨付总行信托部运用,办理统账,为此制定上述处理办法,分饬各行执行。办法规定,信托会计内部往来款项一律开立往来客户,不计利息;信托会计转账及应用报单格式均与固有会计相同,但报账单须用淡黄色纸张,印红格红字加以区别;各行信托存款收付事项,均由营业部代理,每日营业结束后应轧计当日收付余额汇总,由营业部填发报单寄交总行信托部转账。上述办法通函各行执行后,总行认为固有会计也应办理统账,内部往来不应再计利息,故于同年 6 月底下达指示,固有会计也依照业务会计的规则进行决算,所有损益分别按照原有科目,由内部往来转归总行。这样一来,信托业务的损益计算也完全集中于总行。②

二、资金的统一管理

交通银行自 1933 年改组以后,对全行资金实行统制,由总行统一管理,以便调剂盈虚,酌量调拨。款项充裕的分支行,除可在当地自行经营,准许其将余款调存总行,或开立定期账户,或由总行代为搭放,总行保证其利率高于当地存息,最高年息一分,最低年息八厘。该项措施取得极为显著的效果,至 1933 年底,定期及搭放款项的总数为 1590 万元;1934 年底,总数为 2551 万元;1935 年底,总数为 3557 万元,另有港币 150 万元;1936 年,定期户总数更高达 4615 万元。具体情况可见表 2-9-2。

表 2-9-2　1933—1936 年交通银行总行定期户存额统计表　　单位:万元

行　处	1933 年	1934 年	1935 年	1936 年
京　行	330	350	400	450
镇　行	60	100	340	560
常　行	150	200	270	300
武　行	50	50	60	70
苏　行	300	370	490	630

---

① 《交通银行史料》第一卷,第 1254 页。

② 同上,第 1254—1255 页。

（续表）

行　处	1933 年	1934 年	1935 年	1936 年
连　行	50	60	40	40
烟　行	205	180	20	
鲁　行	40	90	30	
燕　行	100	300	300	
长　行	40	50		
泰　行	25	40		
浔　处	5	10		
扬　行	30			
汴　行	15			
甬　行	50			
津　行		240	240	
丹　行		15	30	30
浙　行		60	300	600
燕　行①		40	30	70
岛　行			430	1080
厦　行			290	300
信托部				50
港　行				200
闽　行				150
如　行				30
太　处				30
金　处				10
宣　处				15
合　计	1450	2155	3270	4615

资料来源：《交通银行行务纪录》(三)，《交行档案》第 272 号，第 14—16 页，交通银行博物馆藏资料 Y36。

---

① 原档如此，可能为抄写错误。

表 2-9-3 1933—1935 年交通银行总行搭放户款额统计表 单位:万元

行 别	1933 年	1934 年	1935 年
津 行	100	250	250
京 行	40	146	37
港 行			150(港币)
合 计	140	396	287(国币),150(港币)

资料来源:《交通银行行务纪录》(三),《交行档案》第 272 号,第 18 页,交通银行博物馆藏资料 Y36。

对于缺款各行,交行总行准其透用总行款项加以运营,其利率比照当地放款利息酌减,最高月息八厘,最低月息六厘。该项透用款项,至 1933 年底,总数为 928 万元;1934 年底,达 2108 万元;1935 年底,减为 1091 万元;1936 年底,又增至 2666 万元。[①]历年透用款项情况如表 2-9-4:

表 2-9-4 1933—1936 年交通银行总行透用户款额统计表 单位:万元

行 别	1933 年	1934 年	1935 年	1936 年
沈 行	170	216	545	1116
蚌 行	86	174	140	121
新 行	55	65	42	90
锡 行	45	2	106	244
郑 行	56	595		378
徐 行	20	16		19
通 行	20	85		10
哈 行	40	81		
汉 行	203	321		
南 行	55	183		
民 行	122	157		
浙 行	46			
烟 行	10			

① 《交通银行史料》第一卷,第 1449 页。

（续表）

行　别	1933 年	1934 年	1935 年	1936 年
扬　行		4		
泰　行		144		
港　行		65	3	
长　行			255	657
赣　行				16
浔　处				15
合　计	928	2108	1091	2666

资料来源：《交通银行行务纪录》（三），《交行档案》第 272 号，第 17—19 页，交通银行博物馆藏资料 Y36。

交行总行实行资金统制，实际上加重了总行的资金负担，但对于各分支行处而言，却有效缓解了资金压力，使其得以放手经营，款项可尽量应用而不致虚搁，就全行通盘计算，利远大于弊。

三、稽核工作的特色

早在 1917 年订立的《交通银行总管理处办事暂行章程》中，稽核课即为总管理处所设四课之一。1928 年国民政府公布《交通银行条例》，规定"交通银行设总行于上海"，交行按照条例的规定对《交通银行章程》和《交通银行组织规程》作了修订。当时，总管理处已南迁上海，但组织机构暂时未予变更，其属下的三部二处中，稽核处为其中之一。1933 年，交行正式将总管理处改组为总行，稽核处的设置仍无大的变动。可见，自交行开办以来，稽核工作一直居于行内监督的核心地位。

按照交通银行 1933 年修订的组织规程，稽核处的职掌范围包括以下方面：1. 各项会计规程、账表、单据的编订。2. 全行账表及报告的稽核。3. 全行对外契约的审核。4. 审核各分支行库部的设立或变更。4. 审核全行的设计及指导事项。5. 会同各部审核分支行库部的业务、发行、储蓄、信托等事项。6. 全行各项决算表的审核。7. 全行各项开支预算的编制。8. 总经理交付的稽核事项。9. 会计主管人员的遴派及更调事项。10. 赴外稽核事项。11. 各项统计的编制。12. 整理各行旧欠。[①]

---

① 《交通银行史料》第一卷，第 244—245 页。

交行为了规范稽核处的工作,使之发挥更大的作用,先后制定了一系列相关的规则章程,如《交通银行总管理处赴外稽核章程》《交通银行总处查账规程》《核账人员须知》等。

交通银行稽核处不仅做好总管理处(总行)以及各地分支机构上报账目单据的稽核审查,而且非常重视直接前往各分支行处进行实地的监督审核。按照赴外稽核章程的规定,交行稽核处每年都须派员前往各分支机构进行稽核工作,分为定期稽核和临时稽核两种方式。定期稽核为每年两期例行的赴外稽核;临时稽核是在各分支机构出现人员更替,或总管理处(总行)认为有必要时,特别派遣人员前往稽查。赴外稽核工作的主要内容包括:各分支行处库存现金和兑换券的数量种类等;日记账、总账、补助账等各类账目;抵押放款与跟单押汇;信用放款;贴现票据;银行钱庄往来款项;各项存款;当地市价以及与交行往来的工商业状况;各项内部管理事项。章程对赴外稽核报告的内容与形式也作了明确规定,报告分为特别报告、日常报告和总结报告三种,根据不同情况分别运用。从稽核工作的保密性考虑,交行还规定,赴外稽核所使用的信笺、信封及密码电本,均由总管理处(总行)临时发给备用,稽核报告的密封、开拆、保管,也都有详细的规定。为了杜绝徇私舞弊和玩忽职守的现象,交行还特别规定了对赴外稽核人员的禁约:不得先期通知;不得索要贿赂;不得挟嫌诋毁;不得徇情隐匿;不得泄漏机密。[①] 上述规定自20年代以来一直得到严格的执行,并在实践中不断予以改进完善。进入40年代后,交行还相继制定了《稽核处驻外稽核规程》《驻外稽核办事规则》《巡回稽核办事规则》等,进一步完善了对各分支机构的监督核查制度。[②]

《交通银行总处查账规程》(以下简称《规程》)对总管理处派员分赴各分支行处查账的整个工作过程,作了尤为周密细致的规定,共分八章九十五条,除总的原则外,涉及核派人员、出发及到达、业务检查、账表检查、视察事项、稽核报告等各个环节。规程规定,查账人员对于所查账目遇有疑异时,有权向分支行处主管人员查询,主管人员必须详细答复,必要时应以书面答复。查账人员在不妨碍分支行处对外营业的情况下,有权调阅各项案卷及有关重要文件进行审查。查账人员由总行稽核处处长

---

① 《交通银行史料》第一卷,第1484—1486页。
② 同上,第1497—1504页。

或副处长在稽核处人员内指定,并陈报董事长、总经理核派。管辖行也可派员赴所属行处查账,但应陈报总处备案,由经理或副经理商同会计主管员选派,或者直接由会计主管人员担任。查账人员必须持有总行颁发的"查账凭证",如果奉密电指派,还需要具备密函,连同原电文作为凭证。

查账人员必须严守秘密,例如,领到凭证,将经手事件交代清楚后,应即刻启程出发,中途不得停留,事先必须严守秘密。到达目的之后,应在该行处营业时间终了,预计当日库存已结出后到行核查。如果遇到特殊情形,需要在行外调查时,务必严守机密。查账人员的业务检查涉及现金、票据证券、寄存品、存放汇款、证券及外币期现货买卖、旧欠及承受押件、保证保付、生财、各项开支等事项。账表检查不仅须核查各类账册单据所记载的数目是否准确真实,还须检查各类账册单据的编号、装订、保管等状况是否符合规范。其他视察事项涉及的面也很广,诸如各项业务是否遵照总行指示,当地商业状况与该行处的业务方针是否吻合,业务上有无可拓展之处,开支费用和人事支配是否适当,会计人员的工作业绩如何,内部办事手续是否起到制约作用,库房设备是否完备严密等,都在视察范围内。稽核工作完成后,查账人员须将报告寄回总行,报告分为特别报告和例行报告两种。一旦遇有重大情况,稽核人员应立即密电总行,请示如何办理,必要时可以从权处置。[①]

为保证稽核人员审查监督时有章可循,不遗漏任何重要环节,交通银行还特别制定了《核账人员须知》,给每位稽核人员以必要的指导。须知就稽核过程中涉及的账表、业务、头寸、开支、库房等重要方面,皆详细列出务必认真审核督查的各个要点,规定"核账人员应对下列各点注意审核,如有不合情形应随时报告主管科长核办"。[②]

由于交行高层主管高度重视,以及一系列规章制度相继实行,交行的稽核工作在长期的实践中不断完善,形成独具特色的稽核体系,并对交行的资金管理、业务拓展和内部制约提供了重要的保障。

四、资金风险的防范与化解

20 世纪二三十年代是上海银行业的高速发展时期,交通银行、中央银行、中国银

---

① 《交通银行史料》第一卷,第 1486—1495 页。
② 同上,第 1486—1496 页。

行等大型国家银行以及各家商业银行齐头并进,在业务经营上展开激烈的竞争。然而,南京国民政府当时正处于百业初创之时,市场还很不成熟,缺乏制度与法律的保障。与实力雄厚的外国银行相比,华资银行仍处于弱势地位,随时都会遭遇很大的资金风险。因此,如何在拓展业务同时有效地防范和规避风险,成为每家银行首要考虑的问题。

交行自创立初期即已萌生风险防范意识。例如,1919 年交通银行总管理处设置调查课,制定"调查课章程",目的就是对国内外经济形势以及国内各类企业的发展现状进行深入翔实的调查研究,为防范变幻莫测的市场风险提供必要的信息。当时,调查课的调查范围包括国内调查、国外调查和特别调查三个方面。国内调查涉及各地物产、工厂、商号、运输机关、仓库、金融、货币等事项的概况。国外调查包括侨民状况,当地与国内的经济联系,金融机关以及商品进出口情况,债券及市价等事项。特别调查是针对某些特殊事项,在必要时开展的调查研究。① 1938 年 10 月,交行总行在调查课的基础上,组建设计处,将调查研究工作划归设计处掌管,设计处充实了人员,扩大了工作范围,调查研究工作更加深入细致,更趋规范化。②

事实证明,及时而全面地掌握相关信息是规避风险的有效途径,因此,交通银行向来重视的调查研究工作,在 30 年代更受到高度关注。总经理唐寿民即以身作则,亲自进行大范围的实地调查。

交通银行对调查研究工作的高度重视,在资金风险的防范与化解方面收到非常显著的效果。例如,1936 年世界金融市场突然出现震荡,国内外汇业务大受影响,而交行得益于调查研究的成果,根据预判提前做好准备,"一年中营运之方针,均再三斟酌国际金融情势而后定之,尚幸得之机先,未尝错误",③由此获利甚丰。

不过,调查研究毕竟只能提供事先的预警,能否从预警中警醒,还有赖于高度的风险意识,唯有清醒地意识到各类风险,才能采取适当的规避方式。包括交通银行在内的国内金融业风险意识的真正觉醒,可追溯到 20 年代初期。当时,上海一些金融理论家已逐渐引进和介绍了不少国外的金融理论,开始就银行资金的风险问题发表意见,其中最著名的理论为风险分散论。其核心论点是:银行无论是存款、放款,还是

① 《交通银行史料》第一卷,第 1506—1510 页。
② 同上,第 1511 页。
③ 同上,第 989 页。

接受抵押物品,都不可集中于一处,而应采取分散主义原则。上海商业储蓄银行总经理陈光甫即为该理论的支持者之一,他在 1931 年金融市场不稳定的情况下,向全行发布通函,要求贯彻风险分散原则。在 1934 年的投资活动中,这一原则得到了贯彻。该行当时对 71 家企业进行投资,其中投资额超过 5 万元的只有 10 家,均为陈光甫信任的大型企业,而对交行的投资高达 12.5 万元。①

显而易见,分散主义原则就是不要将鸡蛋放在同一个篮子里,以免整篮子打碎。哪些篮子可以用,鸡蛋又如何分配,须经过缜密地调查研究。唐寿民指出,对于放款投资,不仅应学会分散资金,更要注重调查研究,善于区别情况不同的企业,尤其是"前途已无希望之事,不可投资"。在 1936 年的行务会议上,他着重强调,对于前来商洽借款的企业,必须先研究对方的经济状况,由专家仔细审核其设备与效益。如果前途有望,交行自当鼎力相助;如果企业衰败不堪,负债过重,即使努力也难以见效者,绝对不可再进行投资。倘若万不得已,必须加以援助,也应由交行代拟改善计划,"以促成对方整个经济之解决为主要条件"。贸然投资,对人无益,对交行有损,甚至可能愈陷愈深。唐寿民告诫同人:"将来此类接触,势必日益增多,幸我同人,切加注意,力求避免。"②

在具体业务领域,交行也采取一系列措施,不断加强对市场风险的防控力度和化解能力。例如,30 年代开始发行公司债时,交行同时创设担保制度加以防范。而最主要的风险防范措施当属联合同业,组建银团合作放款。

30 年代,受金融风潮影响,国内大批中小金融机构损失惨重,破产倒闭的不可胜数。交行在动荡的金融环境中认识到,银行业若要顺应潮流,必须开展同业合作,共策安全,一同抵御经济风险。而且,当时国内实业破土而出,资金需求量极大,各业必须协力共进,才能切实扶助实业发展。交行认为,各银行若能"切实合作,非但一切投资愈臻安全,且较合于经济原则"。③

鉴于此,交行自改组以来,极力提倡同业合作,竭力转变同业间的门户之见,防止恶性竞争。交行在上海地区与同业合作的事例有:与大陆银行合做利泰纱厂押款;参加外汇平市委员会,平衡白银出口税率;与中国、中央两行联合拆放,救济市面;会同

---

① 马长林:《民国时期上海银行界的风险意识》,《学术月刊》2001 年第 3 期。
② 《交通银行史料》第一卷,第 292—293 页。
③ 《交通银行行务纪录》(一),《交行档案》第 270 号,第 51 页,交通银行博物馆藏资料 Y34。

中国银行担任集中汇划票据交换人,并联合筹垫英金购运现银,调剂上海金融。此外,交行还参加银团拆放委员会,应付金融风潮,并会同中央、中国两行负责稳定债市;联合组织工商业贷款审查委员会,合做维持钱业放款;与各银行合作办理农村贷款,参加农本局;参加沪市票据承兑所;与江苏、大陆、金城等银行及振业企业公司合做烈山煤矿公司押款;与中国银行共同组织 1936 年江浙春期收茧放款银团;参加组织渔业银团等。

交行在全国其他各地也努力推行同业合作的方针,并有不少成功的事例。具体情况可见表 2 - 9 - 5。

表 2 - 9 - 5 　20 世纪 30 年代交通银行在全国各地的合作事项表

地　点	合作方	合作事项
苏州	大陆、国华银行	合办仓库
丹阳	鼎久钱庄	合办仓库
镇江	中国、上海银行	合办仓库,合做面粉厂承兑汇票
黄桥	江苏银行	合做仓库货押
东台	上海银行	合做货押
南京	中南、大陆、江苏、中国实业、永大银行	合做大同面粉厂押款,并联合各银行组设票据交换所
徐州	当地各银行	承办救济市面贷款
蚌埠	当地银钱业及中国、上海、金城银行	承办救济市面贷款,合做面粉厂承兑汇票,合组房产公司经营塘地
济南	中国、上海、大陆、浙江兴业、中国实业及民生银行、银钱业等	订立六行放款公约,合做仁丰纱厂押款,合做利津运销合作社黄豆押款,并联合银钱业组织放款委员会
青岛	中国、中国实业银行,中国、上海、大陆、金城、国华、浙江兴业、东莱银行	与颐中烟草公司收账房订立领用钞券合同,订立八行放款公约,组织贷款团
天津、北平	银钱业	合组商业贷款委员会
石家庄	山西银行及各银行	洽定代兑晋纱合同,并与各银行承办贷款团
郑州	上海、金城银行及同业	洽定郑州、灵宝棉花放款合同,合做花行承兑汇票贴现
西安	中国、金城、上海、浙江兴业、中国农民等行	承办陕西省棉产改进所贷款

(续表)

地　点	合作方	合作事项
汉口	银钱业	合做特货押款,合办小本贷款
沙市	中国、上海、中国农民、聚兴诚、湖北省银行及中国银行	合做棉花押放,承做钱庄及纱厂贴现放款
南昌	中央、中国、裕民银行	合组商业贷款审查委员会
芜湖	中国、上海银行	合做公栈
南通	中国银行	合建堆栈
杭州	当地各银行及中央、中国银行	组设票据交换所,合办丝茧放款,承办救济市面贷款
福州	中央、中国银行	承借救济市面金融贷款

资料来源:《交通银行行务纪录》(一),《交行档案》第 270 号,第 52 页,交通银行博物馆藏资料 Y34。

　　同业合作的方式极大分化了市场风险,可以有效提高资金运转的安全性。其中,银团联合放款的形式最为突出。例如,在办理农业贷款方面,交通银行于 1934 年冬加入五行银团,在秦、晋、豫三省合办贷款事宜;1935 年春,交行联合上海、金城、大陆、中南、国华、新华、浙江兴业、中国农民等行,发起组织中华农业合作贷款银团,并负责经办放款。此类合办贷款银团的方式,不仅增进了交行与各同业银行之间的联系,而且减轻了交行的资金压力,分散并化解了资金运营中的风险,实收一举多得之效。

第四节　人事管理的改革

　　深思熟虑的经营方针,高瞻远瞩的发展规划,勇于开拓的创新设想等,最终都必须依靠高素质的业务人员方能真正实现。因此,交行非常重视本行的人事管理,并根据形势变化和现实状况不断进行改革与调整,使之适应新的发展需要。

一、管理制度的调整

交通银行自 1933 年改组以来,营业范围日益扩大,业务门类多种多样,尤其是工商实业的投资放款不断增长,这就对本行办事人员的业务素养提出了更高更严的要求。此时的交通银行,不仅需要大量精通金融专业和银行业务的人才,也需要众多熟悉工商领域各行各业的专门人才。交行清楚地意识到这一点,于是致力于人事管理制度的改革,意在优胜劣汰,广招人才,打造一支符合新要求的职工队伍。

1933 年,交通银行总行制定规则,对原有员生进行严格考核,随时甄别,奖拔优异,删汰顽劣。从新增的业务门类考虑,特别遴选盐业、棉业、交通、经济、法律等方面的专家,分派担任调查设计等任务。同时,鉴于交行机构增多,原有人员不敷调遣的现状,又相继制定各种试用员规则,以及征用、考试制度,作为录取人才的标准。1933 年至 1934 年,交行举行两次乙种试用员考试,限定报考的资格为高中以上学校,或初中以上职业学校的毕业生,通过两次考试共录取了 90 人。

此外,交行又在国内各高等学校暑期毕业期间,分别向清华、燕京、南开、北洋、东北、武汉、湖南、南通学院、中央、金陵、浙江、厦门、中山、岭南、交通、光华、暨南、复旦、沪光、圣约翰、同济、东吴、上海商学院等各大学,征用成绩优良的毕业生为特种试用员。经审查合格而录用的大学生共有 25 人,从专业看,经济系 7 人,会计系 6 人,社会系 1 人,化工系 1 人,机械系 2 人,森林系 2 人,纺工系 2 人,铁路系 1 人,商学系 1 人,历史系 1 人,法律系 1 人。[①]

特种试用员和乙种试用员进入交行后,被分派在总行各部处及各分支行处试用,3 个月期满后,甄别合格者,特种试用员改派办事员,乙种试用员改派练习生,成绩优异者提升助员,不合格者予以遣退。

然而,直接从学校毕业生中录取特种试用员与乙种试用员,训练见习时间太长,颇有远水不救近火之感。为了迅速改变人才紧缺的状况,1934 年,交行又面向社会,广泛招聘,经过考试,陆续录用的有文书员 11 人,事务试用员 24 人。1935 年至 1936 年,通过上述方法招聘,又先后录用文书人才 22 人,营业人才 68 人,会计人才 48 人,出纳人才 41 人。在社会上招聘的人才,都多年从事银钱业,资历较深,经验丰富,进

---

① 《交通银行史料》第一卷,第 1390 页。

入交行后,即可独当一面。但随着业务的飞速进展,会计人才仍较缺乏,为此,交行又向全国各大学选用会计系毕业生 10 人入行训练。

按照交行以往的惯例,行内中高级职员或行外特别有关系的人士,可保荐人员入行任职。总经理唐寿民对这一旧习颇为反感,认为此举浪费资源,不利于交行吸收与培养优秀人才,因而在任期间处处限制引荐制度,竭力创造一个公平竞争的优良环境。唐寿民规定保荐人员也必须经过面试、试用和甄别三道程序,各项考核合格,才予以录用,否则仍予以遣退,不留情面,目的在于"务期因才器使,各得其用"。①

交通银行规定,所有录用的员生,必须经过严格的训练,才能进入各部门任职。为此,交行逐渐形成一套科学合理的行员训练方法,着力从三个方面提高行员业务素养和工作能力。

其一,特设会计训练班,加强会计技能训练。就银行职员而言,熟悉会计事务是工作的基本要求,总经理唐寿民对特种试用员训话时,曾提到会计试用员先派在稽核处实习,"在不久的将来,要添办一班会计训练班,其目的在使你们由传票至决算,都能完全明了"。为此,交行特别设立了会计训练班,凡被录用的特种试用员、乙种试用员,以及其他新进的或原有的员生,若缺乏会计事务的经验,一概进会计训练班特训,全部会计事务,自传票至决算,都逐项进行指导和练习,力求熟练。训练期满后,再分别派往各分支行进行实习,通过实践进一步提高。经过严格的训练后,试用员才被派往各分支行正式担任会计工作,同时将原有的经验丰富的会计人员调回总行,担任稽核工作。

其二,派遣试用员分赴各工厂实习,提升专业技术素养。交行被国民政府定位为发展全国实业的专业银行后,工商业放款业务迅速增长,这就要求通过调查研究切实掌握贷款方的真实情况,调查人员不仅需要精通银行业务,还必须熟悉相关技术领域的专业知识。交行在录用大学毕业生为特种试用员时,已考虑到理工类学生刚出校门,缺乏实践经验。因此,在他们入行之初,交行不仅予以会计培训,使之熟悉银行业务,还派遣他们前往水泥、造纸、造酸、电化、纺织等工厂,对各家企业的机器设备、制造成本、产品销售等情况进行实地考察,注重在实践中提高专业技能。特种试用员唯有顺利完成实习,才可被派充各项职务。唐寿民非常关注派员实习的计划,例如,纺

---

① 《交通银行史料》第一卷,第 1382 页。

织学校出身的,可派往与交行有往来的纱厂实习,其他专业人员,可派往各国货工厂实习。

其三,重视提升行员的文化素养。交行认为,作为现代银行行员,不仅需要具备一定的专业技术知识,更要注重平时的文化修养,不断充实自己的学识。尤其是负责特种业务的行员,必须博览群书,扩大知识储备。为此,交行自改组以来,大力充实本行的图书资源,不断更新图书室设备,年年购入大量图书,以提高图书的储藏量,而且各类图书均按照新式分类法排列,以方便行员借阅。

上述各项,可以看出交行在改革人事管理制度方面所作的努力。交行高层主管非常清楚,人事管理、人才培养与业务发展之间的密切关系,所以明确表示:"今后当益努力于人才培养","俾与业务上之进行,可以适合也。"[1]

二、用人机制的完善

交通银行自 1933 年改组以来,相继提出一系列举措,致力于专业人才的选拔与培养,由此形成一整套比较完善的用人机制。这些做法,实与总经理唐寿民竭力提倡的人才理念密切相关。

(一)唐寿民的人才理念

唐寿民在任期间,极为重视行内人事管理,尤其关注新行员的培养与拔擢,对各类专门人才的培训也非常用心。例如,1935 年,交行特种试用员入行三四个月后,他忙里抽闲,召集全体特种试用员谈话,表达了自己的殷切期望,并提出日后工作的一些基本要求。

唐寿民的人才理念中,最重要的一条就是反对引荐制度。他认为,交行以前引用人才过于偏重感情,采用引荐制度,有亲戚、朋友,便可介绍入行。"我不敢说从前采用引荐制度而进来的同人多不好,但至少可以说这种引荐制度绝对的不适宜于今日之进化社会。"他引申道,"再进一步说,我有亲戚做官,我就可以做官",这种不良制度,实为影响中国各种事业进步的重大原因之一。

他强调,凡事业兴盛,全重人才,没有人才就没有事业,即使事业能够勉强维持,也不能取得长足进展。"我常觉得社会多赋闲之人,当局有才难之叹,此种现象实为

---

[1] 《交通银行史料》第一卷,第 1384 页。

中国社会之畸形。"为此,他决意变更交行过去的引荐制度,采用考试及甄选各大学保送优良毕业生的方法,选拔真正的高素质人才,造福于交行。

唐寿民格外重视银行业技术化的发展趋势,注重培养新型的技术化专业人才。他曾对试用员说,"我不讲人情,不主张保荐,用甄别方法考试制度,来选取优等人才","此在本行固属创举,即在同业各行中,亦属不甚多见,故对于诸君抱有一种极远大的希望,并感觉有一种极急切的需要"。他指出,近年来银行事业逐渐趋向专门技术化,一般从事银行事业者,不但要有打算盘的技术和记账的经验,同时还应有法律常识和科学的方法。对于新兴工业的投资,更需要专门人才承担调查研究工作。因此,唐寿民鼓励新进行员:诸君来此,一方面是本行需要人才的补充;一方面是应专门学识的需要。现在虽是银行的普通人员,将来都是本行的中坚分子,所以应明了自己地位的重要性,了解自己前途的远大。他勉励大家,只要努力即可成功,并告诫新行员,"诸君离开学校生活,进了社会,应时时刻刻记得,第一是读书,第二是经验,第三是定做事方针,成就一个健全人才",而"此种健全人才,非特为本行人才,若干年后为银行界产生多少经理人才,并希望造就多少总理人才"。唐寿民坦言:"这是我培养人才和爱惜人才的根本主张。"

唐寿民对试用员的培训也极为关注,经常认真审阅试用员在各部处的见习报告,提出具体指导意见。例如1935年,他对特种试用员的见习报告十分满意,特意向全体试用员保证,可以全部留下来任职。同时又告诫说,不可因此松懈,因为将来还将有办事成绩的考核,成绩优良者可随时递升,办事不力者还须进行甄别考核,应特别注意。

唐寿民为激励新行员努力奋斗,全心全意为交行服务,常以自己为例,讲述奋斗的经历。他坦言自己并非大学毕业,也非中学毕业,而是钱庄学徒出身,完全依赖经验上的积累才获得交行总经理的地位。会计、营业、出纳、文书都做过,大小银行经理也都当过。自前清至民国,在金融界从业三十多年,付出了极大努力,"我的环境是毅力、奋斗、忍耐,等等"。唐告诫大家:"诸君方出校门,不必过求急进",如今已经分定各员职务,正是服务银行的开始,"但是诸君的前程如何,还要看诸君的努力如何"。①

唐寿民总结出新行员应具备的一些素质,要求大家共同进步。

---

① 《唐总经理对特种试用员训话》,《交行通信》第6卷第1号,第1—7页。

其一，须有耐心。唐寿民指出，银行服务于社会，面对各色人群和各类事件，最重要的是忍苦耐劳，遇有不如意的事更应忍耐。"虽然一时受委屈，后来总有人看见的。"若对行务不满意，不必客气，通过合法手续直接向总经理陈述意见即可，而且要打破恶习，不必有等级观念。如果面谈时间不够，或无暇面谈，可用通讯方法来说明。唐寿民向试用员们保证："你们有意见，我极愿接收，并总不使你们受什么委屈。"

其二，要忠实服务。唐寿民告诫行员，应为机关做事，不可为个人做事。更应以服务机关为个人终身事业，不可见异思迁，喜新厌旧。他指出，"本行招诸君来的目的，为造就银行健全人才。假如造就以后，即向别方向活动，结果将使社会上各机关行商，不愿征用大学毕业生了"，"我希望诸君不作如是想法，如果不幸有此种思想，应该早些觉悟"。

其三，应有责任心。事前不推诿，事后不卸责。说了就做，做了再说。凡有交办事项，应切实负责办理，并在最短时间内迅速办妥。

其四，具备合作精神。各试用员不仅应具有责任心、忍耐心，更须具有共同合作精神，尤其在机关范围较大的情况下，更应尽量发挥合作精神，譬如放款课人员工作有错误时，会计课人员应该加以留意，细心核算，一旦发现错误，即应通力合作，不分彼此，避免整个机关遭受损失。

其五，应谦诚待人。唐寿民指出，公司商号以货物为买卖之标，金融机关既非卖银洋，又非卖钞票，所卖的是服务。"你们应该殷勤谦恭来招待顾客"，"普通一般人，都觉得银行里人自视地位太高，志高气傲，尤其对于几个老大银行，有许多人真的不敢进门，他们虽有存款，也不敢来存放。这种不良习气，影响银行很大，请你们特别注意。"

其六，态度不骄矜。唐寿民认为现代银行应极为注意"柜台的服务"。他指出，交通银行与各大银行地位相仿，只要注意服务好，不傲慢，不骄矜，就可胜过别人。说话要真实，待人要诚恳。他提及自己在上海银行任副经理时，曾建议副经理也坐在柜台内，以此督率同人，效果非常明显，同人的工作都更加勤勉可亲，没有骄矜态度，受到顾客一致欢迎，并赢得社会赞许。"最好付款人一方面付款，一方面为免除顾客寂寞起见，与之谈天，发生好感"，"如以骄矜态度对人，那就无论登了多少广告，也无用的"。

其七，应扩充知识面，不可忘记读书。唐寿民特意指出，公余之暇，应随时阅读关于银行方面的书籍，以补充学识，增长经验，更好地发挥自己的能力。对于一切不知道的银行事务，都应认真学习研究，请教有经验者给予指导，处处虚心，不可陷入主观，更不可过于自满,如有研究成果,可随时发表在《交行通信》上,供同人进一步讨论研究。

其八,不受恶习的"同化"。唐寿民指出,各人有各人的思想和特长,若将其充分发挥,业务必定蒸蒸日上。"诸君有好的意见贡献,本人非常欢迎,在可能范围内,无不采纳的",而"最不好的,自己没有好的建议,而对于别人的建议猜忌毁谤,结果大家不说话,大家不愿为整个机关求进步,求发展,大家腐化,毫无生气"。唐寿民呼吁,对于有这种习气的人,"诸位应该同化他们,不应为他们所同化",而且应知错就改,不可辜负交行造就人才的本意。

其九,不要怕调动。唐寿民要求各位新进行员,随着交行各地分设机关日益增多,"调遣时无论远近,总得遵调前往",而且经过各处调动后,即有机会明了各地金融经济状况,便可造就全国金融人才。他坦言"这是我非常希望的"。①

在新进行员的待遇、奖励等问题上,唐寿民主张优质优酬,对有能力有贡献者尽量给予通融。例如,加薪方面,他说:"社会上有很多机关商号,除邮政海关外,都不及银行来得优待。诸君能将能力充分表现,随时可以增加薪水。"按照交行惯例,每年年底各分支行经理、副经理都会为同人请求加薪,办事能力突出者也可有此请求。如果某行共有行员30名,其中20名获得晋级奖励,其余的人因情面关系,也同样得以晋级,结果业绩考核等形同一纸空文,不但徒然增加开支,而且达不到鼓励优等人才的目的。为此,唐寿民于1934年重新核定行员加薪的规定:"此后主管人员说他办事得力,他便可随时加薪,'天天有加,刻刻有加',这完全看你们能力如何,卖力如何。"奖励金的数量,交行先前无论行员业绩如何,一律依据薪水总额按比例发放,达不到奖励的目的,"今后当实行奖励,服务优异者,可以多得。如考核不好者,或有过失,或请假过多,可完全都没有,也说不定"。②

(二)完善招聘制度,吸收专门人才

自1933年以来,交行主要通过考试的方式录用新行员,这一招聘制度是在实际运作中渐趋完善的。以1933年交通银行乙种试用员的招考为例,当年1月15日,交行总管理处在《交行通信》上发布《交通银行招考乙种试用员简则》,规定男性年满15

①《唐总经理对特种试用员训话》,《交行通信》第6卷第1号,第1—7页;《唐总经理自勉并勉励同人格言》,《交行通信》第5卷第3号,第1页。
②《唐总经理告全体同人书》,《交行通信》第5卷第1号,第1—7页;《唐总经理对特种试用员训话》,《交行通信》第6卷第1号,第7页。

岁以上,品格健全,于高中学校毕业或初中程度的职业学校毕业者,均可报考。考试地点为上海汉口路甲一号交行总管理处总务部,考试科目分为国文、英文、银行簿记、数学(珠算及笔算)、口试。各科成绩的总平均分数在70分以上者方可录取,但国文一科不满70分的概不录取。

1933年2月18、19两日,交行总管理处在上海正式举行乙种试用员考试。招考之前交行曾作出规定,这次的投考人员必须由介绍人向交行推荐,但报名者仍多达300余人,远远超过原先预计的人数。除去临考未到及不符合资格者,最后仍有270多人。由于人数过多,总处不得不临时加设考场,将考点由原先的总管理处改为在汉口路租用的较为宽敞的大楼内,五楼布置成考场,四楼设为休息室。随后,按照准考证号数分设领卷处,验对照片。考生登楼报到后,领卷后即依卷面号数入场就座。考试开始后,除非缴卷,不得擅自离场,交行还派高级职员两人监考。

虽说是首次招考乙种试用员,但考试显然是经过精心的设计,难度适中,且切合实际。题目分为国文、英文、银行簿记、算术、珠算等几大方面。国文题目为"公理强权说"与"航空救国论",二者选其一作答。两题均与时势紧密联系,考生可有比较广阔的发挥空间,同时也体现了银行工作需要时刻掌握形势,能研判形势发展的要求。英文题目为"Railways in China"(论中国之铁路)[①],既与交通银行创办时的历史背景相联系,又契合了当时的铁路建设热潮,考查了考生理论联系实际的能力,也测试了考生对交行历史的了解程度。银行簿记及算术、珠算试题则偏重专业知识,注重对实际运用能力的考核。

考试时有严格的规则,阅卷时也予以严格把关。这次考试的各科试卷均采用密封糊名形式,由各科主试委员仔细评阅,酌定成绩,再由董事长及总经理邀集各常务董事、常驻监察人共同复核评定,最后才拆开糊名之处,填写姓名,计算分数,以定优劣。

通过首次招考的整个规程,实可管窥交行日后历次招聘中一直坚持的"严格把关,公正录用"的原则。

值得注意的是,交行招聘人才,并非不辨青红皂白,不分轻重缓解,将各行各业的精英一网打尽,而是根据本行的实际需要,有选择、有重点地吸收引进。以引进建筑专业的人才为例。交行自1933年以来,各分支行为了扩展业务,大量添设行屋及仓

---

① 《本行招考乙种试用员记略》,《交行通信》第2卷第4号,第8页。

库。然而,因交行行内先前并未配备建筑专业人员专司其事,相关的设计、绘图等事宜,都委托给临时聘请的工程师,规划既不统一,费用也很高。交行高层意识到这一问题后,曾总结道:"加以外行之眼光,审核行屋之计划,亦觉不甚相宜,且往往以对于基地环境考察之不周,每于按照图样施工以后,辄致发生增改工程,追加预算之情事,尤欠郑重。"①

为求合理规划和节省费用,交行决意先试行引进少量建筑专业人才,若行之有效,再于各地分支机构推广。总行议决,先遴选录用一位有建筑工程学识与经验的专家,专管建筑工程事项,再选一二名有相当经验者充当助手,均给以行员待遇。1936 年 5 月,交行最终选定李庆祥建筑师为办事员,专管建筑工程事宜,另派刘鸿典为办事员,协助办理建筑设计、绘图等事项。这是交行历史上首次设置专管建筑工程的技术人员。

建筑专业人员的招聘,有益于交行总行对全行的行屋、仓库修筑进行更科学的整体规划与监管。各分支行的各类建筑工程,包括建筑计划、地形图等均须上报总行,由总行统一设计,绘制图样,并核定建筑费用预算,再行招标兴工。施工期间,雇佣富有建筑工程经验的专门人员担任监工员,负责将每日的施工情况报送所在行审核,将每周情况汇报总行,使总行随时掌握工程实况,若发现与图样说明不相符合处,可随时予以纠正,以期完善。监工员为临时职务,交行支付约定的月薪并供给膳宿,另给一次往返及因公往返的二等旅费,一旦工程完竣,即解除聘用。这样,总行对各地分支行的行屋、仓库建筑情况了然于胸,而各分支行从建筑设计、预算、招标,到破土动工,每个流程均有详细规划和记录,一定程度上抑制了营私舞弊和偷工减料的现象。而总行对各地建筑工程的统一设计,既保证了行屋质量,体现了交行特色,也节省了建筑经费。

三、企业文化的培育

企业文化是企业价值观和企业规范的体现,良好的企业文化可以提升企业形象,加强内部凝聚力。交通银行在向现代化企业迈进的过程中,也逐渐形成特色鲜明的企业文化。

(一)立足行员素质培养,营造良好企业文化氛围

1928 年以来的十年间,交行十分重视企业文化建设。除了在履行职责,业务创

---

① 《交行通信》第 7 卷第 1 号,第 64 页。

新中缔造企业价值,交行还从行员业余生活入手,引导行员开展健康积极的业余活动,鼓励员工在《交行通信》上撰文,讨论行员如何利用公余时间。① 一时间,有关改进同人业余生活的文章纷纷涌现。经过一番讨论,交行员工一致认为,强健的体魄和丰富的学识是一个行员必须具备的要素。为此,行员自发组织各级各类俱乐部,开展音乐欣赏、读书、体育等文体活动,并成立网球、足球、篮球等运动队,组织比赛。例如,1935 年,汉口分行成立了俱乐部,俱乐部以"调和同人公私生活"为宗旨,内部分为音乐、体育两大部分,成立的当日还举办了联欢会,场面热闹非凡。1936 年 2 月,青岛分行同人俱乐部成立,分设音乐、图书、体育三组。鉴于同人对体育的热心,随后又成立了篮球队,成立当年即参加了青岛市的高级比赛,获得第四名的好成绩。

同人俱乐部的创办,增进了交行同人的集体意识,加强了内部的团结。交行成为行员心目中的大家庭,行员们愿意为这个大家庭共同奋斗,贡献自己的力量。例如,无锡支行行员陈日暄曾撰写《交通银行是我们的家庭》一文,②提出行员的口号和目标:"无论如何,我们的职务要当自己的事去干,并且时时刻刻的想把这交通银行,做成中国第一等银行。"

除了创办俱乐部,交行员工还主动要求总行恢复先前的补习班制度。1924 年,交行曾创办补习班,目的是满足低级员生的补习需要。其后,随着员工整体素质的提高,此类补习班已少人问津,补习者寥寥无几。交行改组以后,各项业务迅速发展,员工感受到新的压力,希望找到一条可以自我提高的途径。1933 年,总行稽察袁励衡在《交行通信》上发表《经济困难时期银行员应注意之事项》一文,③呼吁将补习班推广到全国各地分支行。自 1934 年起,员工们多次建议总行重新开办补习班,将其改名为"读书会",除年龄太大、职务太忙的,其余员生都应入学培训,课程内容包括国文、英文、算学等。为了使学习制度持之以恒,行员还建议定期考核,并将成绩列入年终考绩,以提高行员参与积极性。这些建议都为交行恢复补习班制度提供了重要的参考。

为了切实提高行员的文化素养,交行总行还着手改进图书室建设,不断购进新书,完善各项借阅制度。总行图书室在 1931 年设计处成立时即已设立,但当时仅供

---

① 《征文题》,《交行通信》第 2 卷第 2 号,第 32 页;《公暇之余》,《交行通信》第 2 卷第 4 号,第 14—16 页。《交行通信》第 6 卷第 1 号上发表行员业余生活的文章近四十篇。
② 《交行通信》第 2 卷第 6 号,第 19 页。
③ 《交行通信》第 2 卷第 4 号,第 12—14 页。

总行部分行员研究参考之用,未向普通行员开放,图书也都属临时购置,没有分门别类地储藏。其后,行员要求总行改善图书室,扩大藏书规模,规定每日的开放时间和借书期限,购入的新书也应随时通知同人。交行员工还特意翻译了美国著名学者有关"银行应设置图书室"的论著,作为总行改进图书室的理论依据。总行对此极为重视,将其全文刊登在《交行通信》上,并在前言中指出,目前世界各大银行,仅有美国大都市的银行设有图书室,"足见银行之图书室,在欧美亦尚未成为普遍之设施也",而交行事务处近年来一直致力于收藏图书,以供同人阅览,显示出对图书室建设的极大热心。此文发表后,总行将每月购入的新书目录及订阅的各种杂志目录,均刊登在《交行通信》上,以便同人及时了解详情。

员工们也抱着极大热忱,参与图书室的建设,为之献计献策,不少员工将个人收藏的图书捐献给总行,以充实图书室藏书数量。至1935年,总行图书室藏书已达到6000余册,其中还不包括各部处另行购入,尚未经图书室登记的图书。随着图书数量的激增,总行开始考虑将现有图书按照现代目录学方法统一分类整编。1935年6月,交行发布《交通银行总行图书目录试编简则》及《交通银行总行图书行员借阅简则》,进一步规范了图书室藏书的编排方式及借阅规则。

与此同时,《交行通信》编辑部也极力鼓励行员发表自己的文学作品,以提升行内的整体文化氛围。行员的作品形式多样,内容广泛,包括诗集读后感、工作随笔、诗词、对联、祭文等,其中不乏一些高水平的作品。例如,行员张采人发表的《工余偶笔》一文,[1]谈及顾炎武与山西票号、黄宗羲的经济思想、中国古代的信用观念、市舶使与海关起源的关系等历史、经济专业的知识,功力尤为深厚,令人赞赏。

交行为培养企业文化而实行的一系列举措,获得行员的一致好评。在20世纪30年代全国经济不景气的情况下,交行行员能够保持昂扬的精神状态,很大程度上得益于行内良好的文化氛围。此外,广大的交行行员也能相互砥砺,共同进步,从而为交行业务在30年代的起飞奠定了坚实的基础。

(二)三十年庆典所体现的企业文化精神

交通银行于清朝光绪三十三年(1907年)奏准设立,至1937年,已历三十年。三十年来,中国风起云涌,变动剧烈,交通银行实事求是,因时制宜,虽备经艰辛,仍奋力

---

① 《交行通信》第10卷第1号,第72—73页。

前行。在三十而立之际，交行总行决定举行庆典活动，以纪念三十年的风雨历程，彰显三十年的杰出成就，借以凝聚全行力量，群策群力，共同奋进。总行议定纪念方式后，通函各分支行处，于3月14日（农历二月初二）当天一体遵办，并强调其目的在于"缅怀畴曩，策励将来"，意义至为深远。

纪念日当天，上海天气晴朗，交通银行总行及仓库、上海五支行门前，均成交叉式悬挂国旗与行旗，而灯彩之类概不点缀。因来宾众多，会场特意选在新亚酒楼，酒楼门前也按交叉样式悬挂国旗与行旗，演讲台前悬挂"交通银行卅周年纪念"大横幅，场内置有签名簿，供参加纪念活动者签名留念，并赠送纪念册和纪念章。

上午十点以前，交通银行董事长胡笔江、总经理唐寿民，以及各董事、监察人、总行及上海五支行全体行员，共计500余人齐集会场。随后，财政部长孔祥熙、次长徐堪、邹琳，交通部次长彭学沛等相继到场，各界名流也多来道贺。交行招待员殷勤接待，场面热闹非凡。

十点钟，纪念仪式正式开始，交行董事长胡笔江致辞。胡笔江首先对各位政府要员前来参加庆典表示荣幸和感激，随后追述了交行自创办以来三十年间的数次重大

1937年3月14日交通银行成立三十年纪念活动

转折。他指出,国民政府成立后,交行被赋予发展全国实业的使命,财政部又两次增加官股,可以说,在最近八年中的前四年,"本行业务方针,才算确定",而后四年的业务,才能在政府的督促下,励图进展。1935 年冬,政府指定以中、中、交三行钞券作为法币,于是中、中、交三行的名称"在全国社会上及国际间,得以益著",营业、发行、储蓄、信托等各项业务,由此取得长足进步。其后,总经理唐寿民发表讲话,对全体行员表达了自己的期望:"所望本行全体的员生,大家都励行修能,同心协力,为社会服务,并赴政府所赋予本行发展全国实业的使命,如此不断努力,将见全国的实业进步无尽境,本行的发展,亦无尽境,后来的纪念,由四十年五十年,而至于百千万年,总无尽境。"①

财政部长孔祥熙也代表国民政府登台致贺词。他首先表达了参与此次盛会的快慰之情,随后指出,举行纪念仪式的意义在于,一为检讨过去,一为策进将来。最后,他表达了对交行的祝愿,希望交行能在政府领导之下,积极开拓业务,在四十年五十年以至百年千年后,仍然能够与时俱进,取得优异成绩。

当天,各地分支行处,也按照总行的通函,举办三十周年庆典活动,其后,纷纷将纪念仪式的情况发函寄回总行,并附有摄影照片,总行分别摘录于《交行通信》,与同人共襄盛会。

交通银行三十周年庆典活动的目的在于总结过去,以图将来。董事长胡笔江和总经理唐寿民的大会发言,实际上是对交行三十年来推进行务建设和缔造企业文化的一次总结。交行多次在经济不景气时承担重责,竭力扶助实业生产,自身定位也随社会需要而不断转换,由此形成"同心协力,为社会服务"的企业宗旨。而广大交行行员在动荡的年代,相互砥砺,自我提高,造就了团结一致,昂扬奋进的企业精神。正是这种勇挑重担,顺势应时,重视人文,力求进取的企业文化精神,为交行在 30 年代的腾飞注入了强劲的动力,而交行前三十年积累的精神财富,也为日后的发展奠定了坚实的基础。

---

① 《本行庆祝卅年纪念之经过》,《交行通信》第 10 卷第 3 号,第 4—5 页。